KB181780

각 과목별 핵심정리 과년도문제 분석

토목기사실기

2024
SI 24차개정판
단위적용

SI단위 적용
2024 대비
KCS 적용

전용 홈페이지를 통한 365일 학습관리

NAVER 한솔아카데미 토목기사 ▼

1

김태선 · 박광진 · 홍성협 · 김창원 · 김상욱 · 이상도 공저

Book

www.inup.co.kr

지반공학

Speed Master

시험대비 합격 솔루션

1단계 토질역학을 토대로 공학적인 문제취급
2단계 국제단위 SI단위와 계산기 SOLVE 이용
3단계 Chapter마다 핵심정리 과년도문제 분석
4단계 년도별, 회별로 표시하여 중요도 인지

토목분야
베스트셀러
10년 연속 1위

한솔아카데미
www.bestbook.co.kr

전용 홈페이지를 통한
2024/365일 학습질의응답 관리

홈페이지 주요메뉴

http://www.inup.co.kr

❶ 수강신청
- 필기+실기 패키지
- 토목기사 필기과정
- 토목기사 실기과정
- 온라인강의 특징
- 교수진

❷ 학원강의
- 학원강의 안내
- 학원강의 특징
- 교수진

❸ 무료제공 동영상강의
- 입문특강
- 필기대비 무료강의
- 실기대비 무료강의
- 한솔TV특강

❹ 기출문제 학습자료
- 토목기사필기
- 토목산업기사필기
- 토목기사실기

❺ 교재안내
- 필기
- 실기

❻ 수험정보 EVENT
- 이벤트/특강
- 토목기사 진로
- 토목기사 합격가이드
- 수험정보

❼ 학습게시판 합격수기
- 학습 Q&A
- 공지사항
- 합격수기

❽ 나의강의실

한솔아카데미가 답이다!
토목기사 실기 인터넷 강좌

한솔과 함께하면 빠르게 합격 할 수 있습니다.

토목기사 실기 유료 동영상 강의

구 분	과 목	담당강사	강의시간	동영상	교 재
실 기	토목시공	홍성협	약 22시간		
	물량산출	김창원	약 6시간		
	공정관리	한웅규	약 6시간		

토목기사 필기 유료 동영상 강의

구 분	과 목	담당강사	강의시간	동영상	교 재
필 기	응용역학	고길용	약 17시간		
	측량학	고길용	약 11시간		
	수리학 및 수문학	한웅규	약 14시간		
	철근콘크리트 및 강구조	고길용	약 15시간		
	토질 및 기초	홍성협	약 18시간		
	상하수도공학	한웅규	약 11시간		

• 유료 동영상강의 수강방법 : www.inup.co.kr

동영상 강좌

100% 저자 직강 유료강의 및
최근 3개년 기출문제 무료제공(3개월)

2단계 핵심 기출문제 마스터

핵심 기출문제를
반복학습

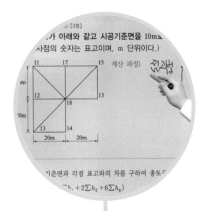

1 동영상 강좌　　**2** 1단계 이론+핵심기출문제　　**3** 2단계 핵심 기출문제 마스터

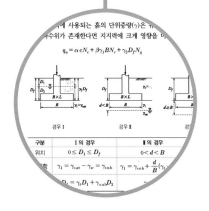

SOLVE기능

[계산기 f_x 570 ES]를 활용하여
SOLVE 사용법을 수록하였다.

1단계 이론+핵심기출문제

기본적인 이론학습과 출제문제의
연계성을 통해 전체의 흐름을 파악

변경된 기준 반영

설계기준강도(f_{ck})에서
호칭강도(f_{cn})와 품질기준강도(f_{cq})로
변경내용 반영

한솔아카데미에서 제공하는
교재 학습플랜 길잡이

200% 학습법

3단계 10개년 과년도 마스터

10개년 과년도를 통해
전과목을 총체적으로 실전문제 마스터

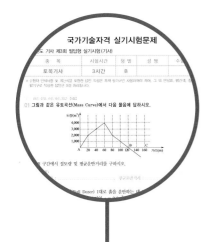

학습 Q&A

전용 홈페이지를 통한
365일 학습관리 시스템

---

4 3단계 10개년 과년도 마스터　　**5** 4단계 과년도 예상문제 마스터　　**6** 학습 Q&A

SI단위 적용

국제단위 변환규정
SI단위 적용

4단계 과년도 예상문제 마스터

1984년부터 1999년까지
출제된 문제 마스터

KCS 적용

콘크리트 표준시방서
KCS규정 적용

본 도서를 구매하신 분께 드리는 혜택

본 도서를 구매하신 후 홈페이지에 회원등록을 하시면 아래와 같은
학습 관리시스템을 이용하실 수 있습니다.

01
**365일
질의응답**

본 도서 학습시 궁금한 사항은 전용 홈페이지를 통해 질문하시면 담당 교수님으로부터
365일 답변을 받아 볼 수 있습니다.

> 전용홈페이지(www.inup.co.kr) - 토목기사 학습게시판

02
**무료 동영상
강좌**

교재구매 회원께는 아래의 동영상강의 3개월 무료수강을 제공합니다.

> 토목기사 실기 3개년 기출문제 동영상강의 3개월 무료제공

03
**자율
모의고사**

교재구매 회원께는 자율모의고사 혜택을 드립니다. 자율모의고사는 나의강의실에 올려드리
는 문제지를 출력하여 각자 실제 시험과 같은 환경에서 제한된 시간 내에 답안을 작성하여
주시고 이후 올려드리는 해설답안을 참고하시어 부족한 부분을 보완할 수 있도록 합니다.

> 시행일시 : 토목기사 시험일 2주 전 실시(세부일정은 인터넷 전용 홈페이지 참고)

| 등록 절차 |

도서구매 후 본권② 뒤표지 회원등록 인증번호 확인

↓

인터넷 홈페이지(www.inup.co.kr)에 인증번호 등록

교재 인증번호 등록을 통한 학습관리 시스템

❶ 365일 학습질의응답　　❷ 3개년 기출문제 3개월 무료수강
❸ 자율모의고사 시행

01 사이트 접속

인터넷 주소창에 **https://www.inup.co.kr** 을 입력하여 한솔아카데미 홈페이지에 접속합니다.

02 회원가입 로그인

홈페이지 우측 상단에 있는 **회원가입** 또는 아이디로 **로그인**을 한 후, **[토목]** 사이트로 접속을 합니다.

03 나의 강의실

나의강의실로 접속하여 왼쪽 메뉴에 있는 **[쿠폰/포인트관리]-[쿠폰등록/내역]**을 클릭합니다.

04 쿠폰 등록

도서에 기입된 **인증번호 12자리** 입력(–표시 제외)이 완료되면 **[나의강의실]**에서 학습가이드 관련 응시가 가능합니다.

■ 모바일 동영상 수강방법 안내

❶ QR코드 이미지를 모바일로 촬영합니다.
❷ 회원가입 및 로그인 후, 쿠폰 인증번호를 입력합니다.
❸ 인증번호 입력이 완료되면 [나의강의실]에서 강의 수강이 가능합니다.

※ 인증번호는 ②권 표지 뒷면에서 확인하시길 바랍니다.
※ QR코드를 찍을 수 있는 앱을 다운받으신 후 진행하시길 바랍니다.

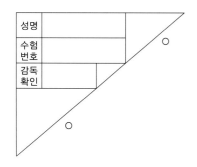

성명	
수험번호	
감독확인	

과년도 문제를 풀기 전 숙지 사항

연습도 실전처럼!!!

---

* 수험자 유의사항

1. 시험장 입실시 반드시 **신분증**(주민등록증, 운전면허증, 모바일 신분증, 여권, 한국산업인력공단 발행 자격증 등)을 지참하여야 한다.
2. 계산기는 『**공학용 계산기 기종 허용군**』 내에서 준비하여 사용한다.
3. 시험 중에는 핸드폰 및 스마트워치 등을 지참하거나 사용할 수 없다.
4. 시험문제 내용과 관련된 메모지 사용 등은 부정행위자로 처리된다.
    - 당해시험을 중지하거나 무효처리된다.
    - 3년간 국가 기술자격 검정에 응시자격이 정지된다.

** 채점사항

1. 수험자 인적사항 및 계산식을 포함한 답안 작성은 **검은색** 필기구만 사용해야 하며, 그 외 연필류, 빨간색, 청색 등 필기구로 작성한 답항은 0점 처리 됩니다.
2. 답안과 관련 없는 특수한 표시를 하거나 특정임을 암시하는 경우 답안지 전체를 0점 처리된다.
3. 계산문제는 반드시 『**계산과정과 답란**』에 기재하여야 한다.
    - 계산과정이 틀리거나 없는 경우 0점 처리된다.
    - 정답도 반드시 답란에 기재하여야 한다.
4. 답에 단위가 없으면 오답으로 처리된다.
    - 문제에서 단위가 주어진 경우는 제외
5. 계산문제의 소수점처리는 최종결과값에서 요구사항을 따르면 된다.
    - 소수점 처리에 따라 최종답에서 오차범위 내에서 상이할 수 있다.
6. 문제에서 요구하는 가지 수(항수)는 요구하는 대로, 3가지를 요구하면 3가지만, 4가지를 요구하면 4가지만 기재하면 된다.
7. 단답형은 여러 가지를 기재해도 한 가지로 보며, 오답과 정답이 함께 기재되어 있으면 오답으로 처리된다.
8. 답안 정정 시에는 두 줄(=)로 긋고 기재해야 한다.
9. 수험자 유의사항 미준수로 인해 발생되는 채점상의 불이익은 본인에게 책임이 있다.
10. 답안지 및 채점기준표는 절대로 공개하지 않는다.

머리말

만족과 기쁨이 공존하는 책

토목기사 자격증을 취득하기 위해서는 1차 관문인 필기시험을 거쳐 2차 관문인 필답형 필기시험을 통과해야만 라이선스(license)를 취득할 수 있습니다.

토목기사 자격증을 취득하기 위한 방법은 여러 가지가 있을 수 있으며, 또한 수험서도 여러 종류가 준비되어 있습니다. 하지만 취업준비까지 최소한의 시간으로 최대의 효과를 얻을 수 있는 방안을 생각해야 하며, 그 방안이 바로 승자를 위한 필독서인 토목기사실기입니다.

토목공학
인류를 이루다.
그리고 미래를 세우다.

1시간을 1년처럼 활용할 수 있도록 자격증 취득의 빠른 지름길이 될 수 있도록 집필하였습니다. 혹시 교재에 오류가 있다면 신속히 보완하여 더욱 좋은 책으로 거듭날 수 있도록 항상 조언을 부탁드립니다.

본교재의 특징
- 출제경향에 따라 국제단위인 **SI단위**와 **KCS규정**을 적용하였습니다.
- 본교재는 1권(지반공학)과 2권(토목시공학) 그리고 별책부록으로 구성되었습니다.
- 1984년부터 2023년까지의 모든 기출문제를 과년도 문제(1984~1999년), 핵심문제 및 예상문제로 분류하여 단시간 내에 숙지할 수 있도록 하였습니다.
- 모든 문제를 연도별, 회별, 예상문제로 표시하여 문제의 출제빈도를 알 수 있고 출제의 방향을 이해하도록 하였습니다.
- Chapter마다 출제경향과 출제연도를 도표화하여 정답을 수시로 확인하고 기억할 수 있도록 하였습니다.
- 더 알아두기 코너를 두어 핵심요약에서 반드시 공부해야 할 내용을 미리 암시하였습니다.
- 별책부록은 소책자로 하여 10개년도 과년도 문제를 실전테스트 할 수 있도록 하였습니다.

한 권의 책이 나올 수 있도록 최선을 다해 도와주신 여러 교수님, 대학교 동문, 후배님들께 진심으로 감사드립니다.

또한 한솔아카데미 편집부 여러분, 이 책의 얼굴을 예쁘게 디자인 해주신 강수정 실장님, 묵묵히 수정과 교정을 하여 주신 안주현 부장님, 언제나 가교 역할을 해 주시는 최상식 이사님, 항상 큰 그림을 그려 주시는 이종권 사장님, 사랑받는 수험서로 출판될 수 있도록 아낌없이 지원해 주신 한병천 대표이사님께 감사드립니다.   저자 드림

책의 구성

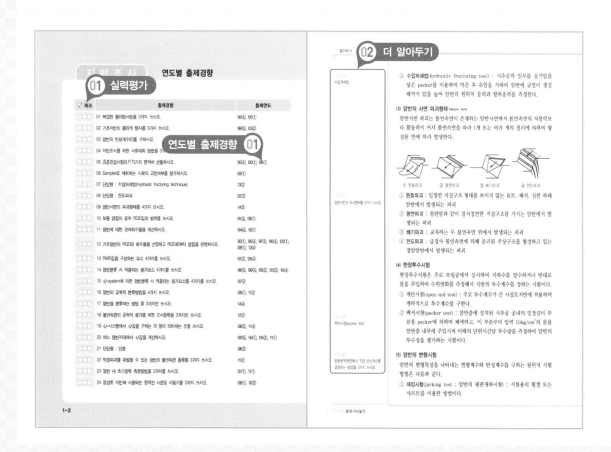

04

출제연도 체크리스트

- 문제마다 □□□를 두어 체크업을 하도록 하여 다시 한 번 문제를 확인할 수 있도록 하였다.
- 시험 당일에는 ☑☑□된 문제만 가볍게 확인하면 좋은 결과를 얻을 수 있다.

05

과년도 예상문제

- Chapter마다 1984년부터 1999년까지 대부분 출제되었던 문제로 구성하여 과년도 출제되었던 한 문제도 놓치지 않도록 하였다.
- 출제 가능한 예상문제를 넣어 완벽을 기하도록 하였다.

06

10개년 과년도 문제

- 과년도 출제문제를 통해 실전 감각을 익힐 수 있다.
- 소책자로 만들어 항상 소지하여 다닐 수 있도록 하였다.
- 자주 보고 여러 번 익히다 보면 자연스럽게 암기할 수 있도록 하였다.

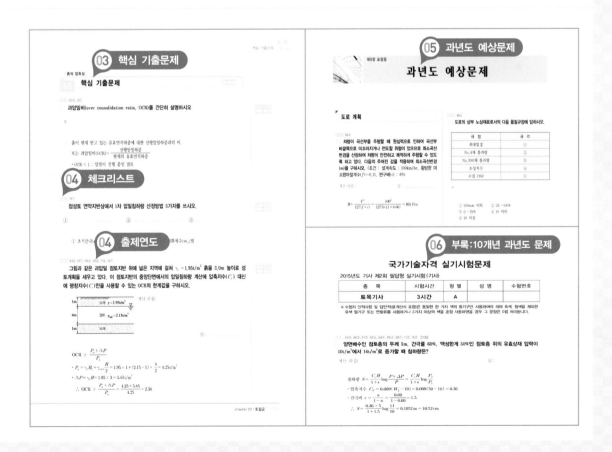

토목기사 실기 **무조건 합격하기**

❶ **신분증 지참**은 반드시 필수입니다.

❷ **계산기**(SOLVE기능) 지참은 필수입니다.

❸ **[년도별 · 회별]**로 출제빈도를 알고계시면 유리합니다.

1단계   핵심이론 마스터

- 핵심이론 및 핵심문제를 서로 연계하여 이해하며 마스터합니다.
- 처음에는 완벽하게 하려하지 말고 문제위주로 이론을 이해하면 됩니다.

2단계   핵심문제 스피드 마스터

- 1단계 핵심이론을 오가며 핵심문제를 집중적이고 반복적으로 학습하여 문제해결 능력을 마스터합니다.
- 1단계 핵심이론을 오가며 2단계 핵심문제를 많이 반복할수록 시험에 유리합니다.

3단계   과년도 실전 테스트

- 10개년 과년도 문제를 실전처럼 수시로 실전테스합니다.
- 까다로운 계산문제와 다답형 문제는 수시로 풀어봅시다.
- 계산문제에서 단위는 꼼꼼히 확인합니다.

4단계   학습의 비중 높은 부분

- 공정관리문제는 10점입니다. 따라서 10개년 공정문제만 완벽 하도록 풀어 보아야 합니다.
- 물량산풀은 18점입니다. 따라서 10개년 물량산출 문제만 완벽 하도록 풀어 보아야 합니다.
- 계산문제의 출제빈도가 42%정도입니다.
- 다답형문제의 출제빈도가 34%정도입니다.

토목기사 실기

10개년 출제경향 분석표

공정관리 **10**　물량산출 **14**　기타 **11**　**100**점　다답형 **25**　계산문제 **40**

- 물량산출, 공정관리는 완벽하게
- 계산문제, 다답형은 꼼꼼하게 준비

년 도	회 차	출제문항	계산 문제			다답형 문제			단답 (점수)	정의		공정관리점수	물량종류 (점수)	10년 前 문제	
			문제	처음	점수	문제	처음	점수		문제	점수			문제	점수
23	1	23	9		27	7		22	2(4)	3	19	10	앞부벽(18)	3	31
	2	24	8		26	9		27		5	19	10	선반식(18)	3	16
	3	24	10		30	9		27		4	18	10	뒷부벽(18)	1	3
22	1	23	7		30	12		36	1	1	4	10	반중력(18)	3	12
	2	24	13	1	39	6		18	1	2	7	10	뒤부벽(18)	4	13
	3	23	11	1	43	7		22		2	8	10	암거(18)	6	17
21	1	24	9	1	41	9	1	30	1	2	9	10	역T형(8)	7	27
	2	24	12	1	42	6		19	1	2	9	10	역T형(18)	8	26
	3	23	8		28	6	2	24	1	4	20	10	암거(18)	7	22
20	1	23	9		39	7	1	27	1	3	13	10	2연암거(8)	3	13
	2	25	10		39	9	1	30		3	13	10	교대(8)	4	13
	3	23	11		37	4	2	19	2	2	12	10	선반식(18)	4	13
	4	24	8	1	30	4	1	20	6	2	10	10	뒤부벽(18)	9	24
19	1	23	8		32	5	1	20	3	4	14	10	암거(18)	6	17
	2	25	13		54	5		15	3	2	7	10	역T교대(8)	11	37
	3	24	9		32	7		21	3	3	13	10	뒤부벽(18)	7	27
18	1	25	11		34	9	1	30	1	1	6	10	선반식(18)	2	6
	2	25	12		42	9		30	1			10	역T형(18)	4	11
	3	26	12		44	8	1	27	1	2	9	10	2연암거(8)	6	20
17	1	25	10		41	11		33	1	1	6	10	2연암거(8)	3	11
	2	27	12	1	44	7	3	30	1	1	6	10	교대(8)	7	18
	4	24	11		50	9		27		2	7	8	교대(8)	2	7
16	1	26	11	2	50	8		24	1	2	6	10	역T형(8)	4	12
	2	25	12		39	7	1	24	1	2	6	10	암거(18)	2	5
	4	27	12		42	8	2	30	2	1	6	10	역T형(8)	3	8
15	1	24	11		40	3	4	24	1	2	6	10	선반식(18)	6	18
	2	21	9		40	5	2	21	1	2	9	10	뒤부벽(18)	4	11
	4	25	12		47	8	1	27	1	1	3	3	슬래브(18)	1	2
14	1	25	13		50	7		21	1	2	9	10	교대(8)	0	
	2	27	13		47	7	1	24	1	3	9	10	역T형(8)	6	18
	4	25	12	1	50	6	2	24		2	8	10	교대(8)	4	12
합계		756	328	9	1,229	224	28	773	39(78)	68	291	301	428	140	470
평균		24	11		40	7	1	25	1(3)	2	9	10	14	5	15

토목기사 실기 **이렇게 준비하자**

01　**철저한 준비** (CBT시험 후 합격 확인되면)

❶ 자기관리부터 시작하자

- CBT시험 후 합격이라 확인되면 즉시 준비하자.
- 조급하거나 어렵다는 **선입견**을 버려라.
- 아낌없는 시간투자로 한 번에 합격하자.(불합격은 몇 배의 시간 **낭비**)
- 전체 내용을 가능하면 빨리 파악하자.(출제경향과 출제빈도 체크리스트 참조)
- 눈으로 공부하는 방법은 지양하고 **손으로** 공부하는 습관을 기른다.
- 암기는 매일 꾸준히 **반복**하는 습관이 중요하다.(당일치기는 절대 금물)

❷ 자기 노트(sub note)를 반드시 만들자

- 암기해야 할 공식은 자기 노트에서 관리한다.
- 다답형을 요구하는 문제(일명 말따먹기), 단답형은 미리미리 **준비**한다.(유비무환)
- 풀리지 않는 문제, 이해되지 않는 문제는 별도로 관리하여 집중적인 **시간 투자**를 한다.

02　**확인 점검** (실기시험 원서접수 이후부터)

❶ 체계적으로 학습하자

- 1권(10파트), 2권(8파트)를 정독보다는 **다독**으로 빠르게 읽어 나간다.
- 학습하면서 단위는 꼼꼼히 체크하여 단위로 인해 **오답**이 나오지 않도록 사전에 차단한다.
- 반드시 계산근거가 필요하므로 계산근거란에 계산근거를 작성하는 **습관**을 기르도록 한다.

❷ 수험자 유의사항에 준하여 실전테스트 하자

- 「수험자 유의사항」을 반드시 **필독**한다.
- 3분법을 통하여 실전테스트 한다.
  - 1차전 : 2023~2019년까지(완전 해결되면 다음 2차전을 실시한다.)
  - 2차전 : 2018~2014년까지(2차전이 완료되면 3차전을 실시한다.)
  - 3차전 : 각 Chapter에 있는 과년도 예상문제

03 최종 마무리 (시험 전날과 당일)

❶ 시험 전날

- **신분증**(주민등록증, 운전면허증, 여권 중 택일, 학생증은 주민등록번호가 있는 것만 인정)
  은 반드시 챙겨 둔다.
- 계산기는 **건전지** 등을 점검하여 시험 당일에 당황하는 일이 없도록 한다.
- 자기 노트(sub note)를 확인해 본다.
- **수면**이 부족하지 않도록 한다.

❷ 당일 시험시작 전

- 시험장에는 여유있게 **도착**하여 여유롭게 시험 준비를 한다.
- 시험 중에는 절대 화장실에 갈 수가 없으므로 사전에 완료한다.
- ☑된 문제만 가볍게 **확인**해 본다.

❸ 시험 시간 중

- 시험 문제지를 받으면 처음부터 마지막까지 읽어 본다.
- 읽어 가는 중 자신 있는 문제는 옆에 답을 살짝 표시해 둔다.(연필을 이용)
- **익숙한** 문제부터 해결해 나간다.
- 먼저 답안을 작성할 수 있는 단답형 문제, 다답형 문제, 간단한 계산문제부터 작성한다.
- 다음으로 공정관리 문제를 확실히 답안 작성할 수 있으면 작성한다.
- 그 다음으로는 물량산출 문제를 확실히 답안 작성할 수 있으면 작성한다.(암산은 **금물**)
- 이후에는 차근차근 기억을 되살리면서 미해결문제를 해결해 나간다.
- 답 수정은 확실할 때가 아니면 **즉흥적**으로 수정하지 않는다.
- 최종 답에서는 반드시 **검정색** 볼펜(연필은 절대 금물)만을 사용하고 산출근거와 답란에는
  단위도 반드시 기재해야 한다.

토목기사 실기 **답안 작성 시 유의사항**

01 **답안 작성** (필기구)

① 문제순서가 아닌 정확히 아는 문제부터 풀어 간다.
② 반드시 동일한 **흑색 필기구**만 사용하여야 한다.
③ 흑색 필기구를 제외한 청색, 유색, 연필류 등을 사용한 경우 그 문항은 0점 처리되어 불이익을 받지 않도록 유의해야 한다.
④ 계산기는 건전지 상태와 필요한 사용 MODE가 잘 되어 있는지 꼭 확인한다.

02 **계산과정과 답란**

① 답란에는 문제와 관련이 없는 불필요한 낙서나 특이한 기록사항 등을 기재하여서는 안 된다.
② 부정의 목적으로 특이한 표식을 하였다고 판단될 경우에는 모든 문항이 0점 처리된다.
③ 답안을 정정할 때에는 반드시 **정정부분을 두 줄(=)로 그어 표시**하여야 한다.

> **예** $P_A = \dfrac{1}{2} \times 19.8 \times 6^2 \times 0.219 = \cancel{78.50\text{kN/m}} = 78.05\text{kN/m}$

④ 계산문제는 반드시「계산과정」,「답」란에 **계산과정과 답을 정확히 기재**하여야 한다. 계산과정이 틀리거나 없는 경우 0점 처리된다.
 • 계산과정에서 연필류를 사용한 경우 0점 처리되므로 반드시 흑색으로 덧씌우고 연필자국은 반드시 없앤다.

⑤ 계산문제는 최종 결과값(답)의 소수 셋째자리에서 반올림하여 둘째자리까지 구한다.
 • 이런 경우 중간계산은 소수 둘째자리까지 계산하거나, 더 정확한 계산을 위해서 셋째자리까지 구하여 최종값에서만 둘째자리까지 구하면 된다.

> **예** $V = \dfrac{2,700 - 1,200}{1.65} = 909.09\text{cm}^3, \quad W_s = \dfrac{1,800}{1 + 0.125} = 1,600\text{g}$
>
> $\therefore \rho_d = \dfrac{W_s}{V} = \dfrac{1,600}{909.9} = 1.76\text{g/cm}^3$

⑥ 개별문제에서 소수 처리에 대한 요구사항이 있을 경우 그 요구사항에 따라야 한다.
 • 소수 셋째자리까지 최종 결과값(답)을 요구하는 경우 소수 넷째자리에서 반올림하여 소수 셋째자리까지 구하면 더 정확한 값을 얻는다.(주로 물량산출인 경우)

⑦ 답에 단위가 없거나 단위가 틀려도 오답으로 처리된다.

> **예** • 계산 과정) $u = (h_w + z)\gamma_w = (3+4) \times 9.81 = 68.67$
>
> 답 : 68.67 (오답) ∵ 단위가 없음
>
> • 계산 과정) $u = (h_w + z)\gamma_w = (3+4) \times 9.81 = 68.67 \text{kN/m}^3$
>
> 답 : 68.67kN/m^3 (오답) ∵ 단위가 틀림
>
> • 계산 과정) $u = (h_w + z)\gamma_w = (3+4) \times 9.81 = 68.67 \text{kN/m}^2$
>
> 답 : 68.67kN/m^2 (정답)

03 다답형 기재

① 요구한 가짓수만큼만 기재순으로 기재한다.

• 3가지를 요구하면 3가지만 기재한다.

> **예** ① _____ ② _____ ③ _____

• 4가지를 요구하면 4가지만 기재한다.

> **예** ① _____ ② _____ ③ _____ ④ _____

② 단일 답을 요구하는 경우는 한 가지 답만 기재하며, **정답과 오답이 함께 기재되어 있을 경우 오답으로 처리된다.**

> **예** 감세공, 수제

③ 한 문제에서 소문제로 파생되는 문제나 가짓수를 요구하는 문제는 대부분의 경우 부분 **배점**을 적용한다.

• 4가지를 요구한 경우 **한 가지** 또는 **두 가지**라도 답을 알면 반드시 기재하여 부분 배점을 받아야 한다.

> **예** ① __배수기능__ ② __여과기능__ ③ __분리기능__ ④ _____

토목기사 실기 합격수기

합격했다고 전해라!

 서울과학기술대학교 건설시스템공학과 이 * 주

■ 첫 번째 시험(2회차)에서 탈락을 했습니다.

필기시험 합격자 발표가 대략 6월 중순에 있었는데, 저는 그 당시 학교를 다니면서 준비했기 때문에 6월 말까지 고시원 방정리 및 짐을 빼야 했습니다. 이 때문에 실기 준비를 제대로 하지 못하였습니다. 실기시험은 2회차에 있었는데, 준비기간이 2주 정도밖에 되지 않았습니다. 결과는 58점으로 아쉽게 불합격하고 말았습니다.

■ 두 번째 시험(4회차)에서 합격했습니다.

첫 번째 실기 준비와 다른 점은 추가적으로 한솔아카데미의 '토목기사 실기 12개년과년도문제 speed master' 교재(보라색)를 준비하였습니다. 그다음 실기시험이 있는 4회차 전까지는 실기시험 준비에 저의 대부분의 시간을 쏟아부었습니다. 학기 중에 병행하려 하니 정말이지 너무 힘들더군요. 중간고사 기간에는 학교 시험공부도 하면서 기사실기 공부도 하느라 4~5시간 정도 잤던 것 같습니다. 대략 2달 정도 집중적으로 준비한 결과, 4회차 실기시험에서 78점으로 합격이었습니다. 기출문제는 10개년치 2번 정도 돌렸습니다.

■ 지금 생각해 보니......

• 교재는 한 권보다는 두 권이 시간 낭비를 줄일 수 있습니다.
• 일반교재 한 권으로 공부했던 것이 결국은 더 많은 시간을 낭비하게 되었던 것 같습니다.
• 추가적인 교재(토목기사 실기 12개년과년도문제 speed master)를 잘 준비했던 것이 시간 낭비를 줄이고 합격할 수 있었던 지름길이었다고 생각합니다.
• 간략하고 명확한 요점 노트, 실전과 같은 책 구성(과년도 문제를 풀다 보면 반복적인 모범답이 자동적으로 암기됨), 그리고 추가적인 보충설명 덕분에 중요한 내용들을 쉽게 이해하고 암기할 수 있었습니다. 즉, 토목기사 실기 전체를 한눈에 감을 잡을 수 있게 하였습니다.

■ 토목기사실기를 준비하는 분들께 드리고 싶은 말씀은......

• 적당히는 안 됩니다. 완벽하고 철저하게 준비하라. 책 선택을 잘하고 책값을 아끼지 마라. 조급해하거나 어렵게 생각하지 마시라는 것입니다.

- 공부를 할 때, 계산문제 70%, 이론문제(말따먹기 포함) 30% 정도, 그리고 물량산출 및 공정관리는 배점이 상당히 높기 때문에(합쳐서 대략 30점 정도) 감을 잃지 않도록 매일 한 문제라도 꾸준히 보시는 것이 중요합니다. 저의 경우에도 물량산출 2문제, 공정관리 1문제 정도는 매일 풀었던 것 같습니다.
- 매일매일 꾸준히 차근차근 준비하다 보면 지식과 감이 쌓여 반드시 합격하실 수 있을 것입니다.
- 도움이 되었으면 합니다. 그리고 힘내시고, 다들 좋은 결과 있었으면 좋겠습니다!

경북대학교 토목공학과 조 * 진

☑ 기본서를 바탕으로 동영상을 들으며......

- 필기에 이어 실기도 한번에 합격하였습니다.
- 기본서를 바탕으로 동영상을 들으며 시작했고 공정관리와 물량산출 부분은 많은 도움이 되었습니다. 방대한 문제들을 해결하기엔 시간이 충분치 않아 단기완성으로 구성된 Speed Master를 구입하여 핵심요약노트를 1차적으로 마스터하니 한눈에 정리가 되었습니다.
- 시간과의 싸움에서 얼마나 효율적으로 60점을 넘길 점수를 획득할 수 있느냐가 관건일 것입니다. 한 번 정확하게 보는 것보다 여러 번 반복하여 눈에 익히고 습득하는 게 좋다고 말하고 싶습니다.
- 조기에 과년도 문제에 실전 투입하여 자주 보고 여러 번 익히다 보니 자연스럽게 외워질 수 있었습니다. 그 결과 1회차에 실기시험에서 합격(81점)하였습니다.

동아대학교 토목공학과 신 * 섭

☑ 서브 노트를 만들어 가며 집중적으로 교재 마스터

- 여러 가지 미미한 점으로 인하여 1회차 실기시험(32점)은 불합격하였습니다
- 저는 한솔아카데미에서 나온 문제집을 통해서 공부를 하였는데 2주 동안 이론은 읽지 않고 14시간 동안 무조건 기출문제를 푸는 데 중점을 두며 문제 자체를 외우는 데 초점을 두었습니다. 이는 해설 자체가 자세히 나와 있기 때문에 공부하는 데 어렵지는 않았습니다.

- 1회차 때의 교훈으로 너무 길지 않게 한 달 정도의 기간을 잡고, 하루에 2회 분의 문제를 풀어 보고 궁금한 사항이나 문제는 한솔 게시판을 이용하여 해결했고, 틀렸던 문제와 주관식(말따먹 기형)문제 위주로 서브 노트를 만들어 가며 집중적으로 한 권의 교재를 마스터할 수 있었습니다. 그 결과 2회차 실기시험에서는 합격(78점)하였습니다.

 강원대학교 지역건설공학과 **지 * 린**

■ 자주 틀리는 문제는 비슷한 유형의 문제를 풀어 이해

- 인터넷 강의를 통하여 학습하였으나 1회차에서는 아쉽게도 불합격(58점)하였습니다. 원인을 분석해 보니 계산문제만 완벽하게 한다고 해서 합격할 수 없으며 또한 일명 말따먹기형 문제를 벼락치기로 암기하려 했던 것이 원인이었던 것 같습니다.
- 처음 풀었을 때에는 틀린 문제를 체크해 놓았고, 두 번째 다시 볼 때는 틀린 문제 위주로 학습하였습니다. 세 번째 학습할 때에는 전체적으로 훑어보되 자주 틀리는 문제는 비슷한 유형의 문제를 풀어 이해하도록 했습니다.
- 2회차 실기를 준비하면서는 1회차 실기를 거울 삼아 10개년치 과년도 문제를 거의 암기하다시피 풀었습니다. 그 결과 합격(68점)하였습니다.

 영남대학교 건설시스템공학과 **박 * 수**

■ 점수 배점이 높은 부분을 중심으로 3회독 이상

- 토목기사 실기(76점)를 한솔 책으로 공부를 하면서 한 번에 토목기사 자격증을 취득하게 된 학생입니다. 필기 다음 날 한솔 실기 책을 사서 바로 공부하기로 했었습니다.
- 한 달 반 정도의 기간 동안 16~23년도 5회독 이상, 14~15년도는 점수 배점이 높은 물량산출과 공정관리, 그리고 많이 볼수록 좋다고 생각되는 말따먹기 부분만 3회독 정도 공부했습니다.
- 이해가 잘 안 되고, 애매한 부분, 오타 등은 한솔 홈페이지의 질문 게시판에 질문을 올리면서 도움을 받았습니다. 일단 1회차 풀고 실력을 파악하시고, 지속적으로 반복하여 익히셔서 꼭 합격하시길 바랍니다.

중직무분야	토목	자격종목	토목기사	적용기간	2022.1.1 ~ 2025.12.31

○직무내용 : 도로, 공항, 철도, 하천, 교량, 댐, 터널, 상하수도, 사면, 항만 및 해양시설물 등 다양한 건설사업을 계획, 설계, 시공, 관리 등을 수행하는 직무

○수행준거 : 1. 토목시설물에 대한 타당성 조사, 기본설계, 실시설계 등의 각 설계단계에 따른 설계를 할 수 있다.
　　　　　2. 설계도면 이해에 대한 지식을 가지고 시공 및 건설사업관리 직무를 수행할 수 있다.

실기검정방법	필답형	시험시간	3시간

실기과목명	주요항목	세부항목
토목설계 및 시공실무	1. 토목설계 및 시공에 관한 사항	1. 토공 및 건설기계 이해하기 2. 기초 및 연약지반 개량 이해하기 3. 콘크리트 이해하기 4. 교량 이해하기 5. 터널 이해하기 6. 배수구조물 이해하기 7. 도로 및 포장 이해하기 8. 옹벽, 사면, 흙막이 이해하기 9. 하천, 댐 및 항만 이해하기
	2. 토목시공에 따른 공사·공정 및 품질관리	1. 공사 및 공정관리하기 2. 품질관리하기
	3. 도면 검토 및 물량산출	1. 도면기본 검토하기 2. 옹벽, 슬래브, 암거, 기초, 교각, 교대 및 도로 부대시설물 물량산출하기

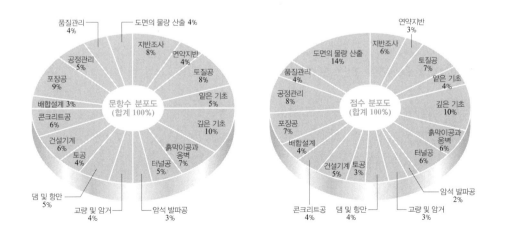

공학용계산기 기종 허용군

연번	제조사	허용기종군	[예] FX-570 ES PLUS 계산기
1	카시오(CASIO)	FX-901~999	
2	카시오(CASIO)	FX-501~599	
3	카시오(CASIO)	FX-301~399	
4	카시오(CASIO)	FX-80~120	
5	샤프(SHARP)	EL-501~599	
6	샤프(SHARP)	EL-5100, EL-5230, EL-5250, EL-5500	
7	유니원(UNIONE)	UC-600E, UC-400M, UC-800X	
8	캐논(Canon)	F-715SG, F-788SG, F-792SGA	
9	모닝글로리(MORNING GLORY)	ECS-101	

1 $14.4B^3 + 62.1B^2 - 600 = 0$

먼저 $14.4 \times ALPHA\,X^3 + 62.1 \times ALPHA\,X^2 - 600$

☞ ALPHA ☞ SOLVE ☞

$14.4 \times ALPHA\,X^3 + 62.1 \times ALPHA\,X^2 - 600 = 0$

SHIFT ☞ SOLVE ☞ = ☞ 잠시 기다리면

$X = 2.47724$ ∴ $B = 2.48$m

2 $F_S = \dfrac{(6+2d)(1.7-1)}{6 \times 1} = 2$

먼저 $\dfrac{(6 + 2\,ALPHA\,X)(1.7-1)}{6 \times 1}$

☞ ALPHA ☞ SOLVE ☞

$\dfrac{(6 + 2\,ALPHA\,X)(1.7-1)}{6 \times 1} = 2$

SHIFT ☞ SOLVE ☞ = ☞ 잠시 기다리면

$X = 5.571$ ∴ $d = 5.57$m

3 $13.68B^3 + 39.6B^2 - 150 = 0$

먼저 $13.68 \times ALPHA\,X^3 + 39.6 \times ALPHA\,X^2 - 150$

☞ ALPHA ☞ SOLVE ☞

$13.68 \times ALPHA\,X^3 + 39.6 \times ALPHA\,X^2 - 150 = 0$

SHIFT ☞ SOLVE ☞ = ☞ 잠시 기다리면

$X = 1.5676$ ∴ $B = 1.57\,\text{m}$

4 $Q = \pi r^2 q_u + 2\pi r f_s l$

$20 = \pi \times 0.15^2 \times 28 + 2\pi \times 0.15 \times 2.5 l$

먼저 20 ☞ ALPHA ☞ SOLVE ☞

$20 = \pi \times 0.15^2 \times 28 + 2 \times \pi \times 0.15 \times 2.5 \times ALPHA\,X$

SHIFT ☞ SOLVE ☞ = ☞ 잠시 기다리면

$X = 7.648$ ∴ $l = 7.65\,\text{m}$

국제단위계 변환규정

■ 응력 또는 압력(단위면적당 하중)

- $1\text{kgf/cm}^2 = 9.8\text{N/cm}^2 = 10\text{N/cm}^2 = 0.1\text{N/mm}^2$
  $= 0.1\text{MPa} = 100\text{kPa} = 100\text{kN/m}^2$
- $1\text{kN/mm}^2 = 1\text{GPa} = 1000\text{N/mm}^2 = 1000\text{MPa}$
- $1\text{kgf/cm}^2 = 9.8\text{N/m}^2 = 10\text{N/m}^2 = 10\text{Pa(pascal)}$
- $1\text{tf/m}^2 = 9.8\text{kN/m}^2 = 10\text{kN/m}^2 = 10\text{kPa}$
- 탄성계수
  $E = 2.1 \times 10^5 \text{kg/cm}^2 \Rightarrow E = 2.1 \times 10^4 \text{MPa}$
  $E = 2.1 \times 10^4 \text{MPa} = 21 \times 10^3 \text{N/mm}^2$
  $E = 21 \times 10^3 \text{MPa} = 21\text{kN/mm}^2 = 21\text{GPa}$

■ 단위 부피당 하중(단위중량)

- $1\text{kgf/cm}^3 = 9.8\text{N/cm}^3 = 10\text{N/cm}^3$
- $1\text{kgf/m}^3 = 9.8\text{N/m}^3 = 10\text{N/m}^3$
- $1\text{tf/m}^3 = 9.8\text{kN/m}^2 = 10\text{kN/m}^3$
- $1\text{t/m}^3 = 1\text{g/cm}^3 = 9.8\text{kN/m}^3 = 10\text{kN/m}^3$
- 물의 단위중량 $\gamma_w = 9.81\text{kN/m}^3$
- 물의 밀도 $\rho_w = 1\text{g/cm}^3 = 1000\text{kg/m}^3$
- $1\text{N/cm}^2 = 10\text{kN/m}^2 = 0.010\text{N/mm}^2$

CONTENTS

토목기사실기 제1권

지 반 공 학

1 chapter

지반조사

√ 체크	출제경향	출제연도
☐☐☐	01 복잡한 물리탐사법을 3가지 쓰시오.	93④, 05①
☐☐☐	02 기초지반의 물리적 탐사를 3가지 쓰시오.	99⑤, 03②
☐☐☐	03 암반의 탄성계수(E)를 구하시오.	99③, 02①, 17①
☐☐☐	04 지반조사를 위한 시료채취 방법을 3가지 쓰시오.	01②
☐☐☐	05 표준관입시험(S.P.T)기의 면적비 산출하시오.	93④, 00①, 06①, 19②, 21①, 23①
☐☐☐	06 Sampler로 채취하는 시료의 교란여부를 평가하시오.	05①, 23①
☐☐☐	07 단답형 : 수압파쇄법(Hydraulic fracturing technique)	13②
☐☐☐	08 단답형 : 전도파괴	02②
☐☐☐	09 암반사면의 파괴형태를 4가지 쓰시오.	14②
☐☐☐	10 보통 암질의 경우 RQD값과 범위를 쓰시오.	91③, 06①
☐☐☐	11 암반에 대한 코어회수율을 계산하시오.	04④, 10①, 19①
☐☐☐	12 기초암반의 RQD와 회수율을 산정하고 RQD로부터 암질을 판정하시오.	93①, 95④, 97③, 00④, 03①, 08①, 13④, 20①
☐☐☐	13 RMR값을 구성하는 요소 4가지를 쓰시오.	01②, 05④
☐☐☐	14 암반분류 시 적용되는 평가요소 4가지를 쓰시오.	99③, 00②, 03②, 10④, 17①
☐☐☐	15 Q-system에 의한 암반분류 시 적용되는 평가요소를 4가지를 쓰시오.	07②
☐☐☐	16 암반의 공학적 분류방법을 4가지 쓰시오.	09①, 11②
☐☐☐	17 암반을 분류하는 방법 중 3가지만 쓰시오.	14④
☐☐☐	18 불연속면의 공학적 평가를 위한 조사항목을 3가지만 쓰시오.	12②
☐☐☐	19 Q-시스템에서 Q값을 구하는 각 항이 의미하는 것을 쓰시오.	08②, 11④, 22③
☐☐☐	20 어느 암반지대에서 Q값을 계산하시오.	00⑤, 04①, 05②, 11①, 17②, 20②, 23③
☐☐☐	21 단답형 : 단층	06②
☐☐☐	22 막장파괴를 유발할 수 있는 암반의 불연속면 종류를 3가지 쓰시오.	11②
☐☐☐	23 암반 내 초기응력 측정방법을 3가지를 쓰시오.	07①, 11①
☐☐☐	24 점성토 지반에 사용되는 정적인 사운딩 시험기를 3가지 쓰시오.	08①, 10②, 17②

✔ 체크	출제경향	출제연도
☐☐☐	25 물로 포화된 실트질 세사의 표준관입시험결과 수정 N값 계산하시오.	93②, 95①, 96②, 97②, 99④, 02②, 07②③
☐☐☐	26 N치를 수정하는 3가지 큰 이유를 쓰시오.	93①, 95④, 01①, 06①, 08④
☐☐☐	27 점성토 지반에서 표준관입시험 결과치를 N치로 판정·추정할 수 있는 사항 4가지를 쓰시오.	06④
☐☐☐	28 사질토지반에서 표준관입시험(S.P.T)의 결과로 측정된 N치로 추정되는 사항 4가지를 쓰시오.	92①, 98②, 00②, 13①
☐☐☐	29 Dunham의 식을 이용하여 모래의 내부마찰각을 추정하시오.	01①, 06④, 13②
☐☐☐	30 횡방향 지반반력계수(Kh)를 구하는 현장시험을 3가지 쓰시오.	95③, 98③, 99⑤, 04③, 10①, 14④, 21③
☐☐☐	31 암반굴착현장에서 직접탄성계수를 결정하는 방법 3가지를 쓰시오.	96④, 01②, 09②
☐☐☐	32 평판재하시험 결과 기초지반에 이용하고자 할 때 가장 중요한 고려사항 3가지를 쓰시오.	09①, 12①
☐☐☐	33 평판재하시험 결과를 이용하여 항복하중을 결정하는 곡선법을 3가지를 쓰시오.	07①, 09②
☐☐☐	34 도로의 평판재하시험에서 지지력계수 k_{75}를 구하시오	05④, 22②
☐☐☐	35 평판재하시험에서 기초지반의 장기허용지지력을 산출하시오.	93③, 95③, 12②
☐☐☐	36 기초의 장기 및 단기 허용지지력을 각각 구하시오.	01①
☐☐☐	37 평판재하시험 결과 극한지지력과 침하량을 구하시오.	96①, 98③, 05①, 08④, 14②, 19②, 20②, 21③
☐☐☐	38 점토지반에서의 침하량의 크기는 얼마인가?	98③, 08①
☐☐☐	39 사질토지반에서의 침하량의 크기는 얼마인가?	96①, 08④, 11②, 12④, 16①, 23③
☐☐☐	40 실제 기초의 극한지지력을 사질토지반인 경우와 점토지반인 경우에 대하여 각각 구하시오.	14①
☐☐☐	41 평판재하시험 결과 실제 기초의 크기는 얼마인가?	99③, 10④, 13①
☐☐☐	42 말뚝의 정적재하시험의 재하방법 3가지를 쓰시오.	07②, 11④
☐☐☐	43 Piezocone으로 측정할 수 있는 값을 3가지를 쓰시오.	98①, 00③, 03④, 07①
☐☐☐	44 단답형 : 인장강도(σ_t) 산정식	92②
☐☐☐	45 정적인 사운딩의 종류를 3가지를 쓰시오.	05①
☐☐☐	46 N값을 유효상재압의 크기에 따라 수정한 값을 구하시오.	99①

01 지반조사

1 지구물리학적 조사

(1) 지반조사 목적

① 지반조건에 따른 연약지반개량공법 결정
② 기초의 예상침하량 산정 및 기초의 지지력 계산
③ 상부구조물에 필요한 접합한 기초의 종류와 깊이 결정
④ 옹벽, 흙막이벽 등에 작용하는 수평초압 산정

(2) 복잡한 물리탐사법

신속하게 지반 특성을 평가하는 데 유용하게 사용되는 탐사법

① **지진파 굴절탐사법**(seismic refraction survey) : 탄성파탐사법이라고도 하며 지진파를 통하여 지반을 굴착하지 않고도 광범위한 지역에서 지층의 형상과 지반의 종류 및 탄성계수를 알아내는 조사방법

② **크로스 홀 탄성파탐사법**(지진탐사법, cross hole seismic survey) : 수평길이 L의 간격으로 땅속에 굴착된 두 개의 홀에 어느 하나의 시추공의 바닥에서 충격 막대에 의해 연직 충격을 발생시켜 연직으로 민감한 트랜스 듀서에 의해 전단파를 기록할 수 있는 지구물리학적인 지반조사 방법

③ **전기 비저항탐사법**(비저항탐사법, resistivity survey) : 지반의 전도성이 지반상태에 따라 다른 점을 이용한 지반조사방법

(3) 기초지반의 물리적 탐사

기초지반의 물리적 탐사는 지반의 물리적 성질의 차이를 측정·비교하고 지반을 분류하여 지하 지질구조를 알고자 하는 물리적 탐사법은 다음과 같다.

① **전기탐사법** : 지반의 토질과 공극의 다소, 함수상태에 따라서 전기저항이 다르게 나타나는 것을 이용하는 방법

② **방사능탐사법** : 단층, 파쇄대 부분에서 자연 방사능이 강하게 나타나는 것을 이용하는 방법

③ **자기탐사법** : 광물이나 암석이 자계 속에서 자화되는 성질을 이용하여 탐사하는 방법

알아두기

☑ 지반조사는 계획 구조물 하부 및 주변지반의 특성을 조사하는 것이다.

기억해요
복잡한 물리탐사법을 3가지 쓰시오.

핵심용어
크로스 홀 탄성파탐사법

기억해요
기초지반의 물리적 탐사법을 5가지 쓰시오.

④ **중력팀사법** : 지표에서 측정한 중력의 값을 이용하여 지하의 밀도분포를 추정하여 탐사하는 방법

⑤ **탄성파탐사법** : 지반의 탄성적 성질과 탄성파의 전파속도는 지질의 종류 및 풍화의 정도에 따라 다르므로 이를 이용해서 지층구조를 탐사하는 방법이다.

기억해요
탄성계수(E)를 구하시오.

$$V = \sqrt{\frac{E}{\frac{\gamma}{g}}} \cdot \sqrt{\frac{1-\mu}{(1-2\mu)\cdot(1+\mu)}}$$

여기서, V : 탄성파 속도 　　　γ : 암반의 단위중량
　　　　g : 중력가속도 　　　　E : 탄성계수
　　　　μ : 포아송비

2 기초지반흙의 공학적 특성

(1) 화강풍화토 Decomposited granite soil

① 풍화 정도에 따라 입자의 크기가 다양하다.
② 토립자가 파쇄되어 세립화(細立化)되기 쉽다.
③ 압축성은 일반사질토와 점성토의 중간 정도이다.
④ 자연상태에서는 투수성이 크지만 다지면 불투수성이 된다.
⑤ 물에 지극히 약해서 포화되면 전단강도가 현저히 감소한다.

우리나라에 전반적으로 분포되어 있는 화강풍화토는 현장에서 여러 가지로 문제점을 야기하고 있다.

(2) 유기질토 Organic soil

① 압축성이 크다.
② 자연함수비는 200∼300%이다.
③ 2차 압밀에 의한 압밀침하량이 크다.

유기질토는 대개 지하수가 지면 위나 가까이에 있는 넓은 지역에서 발견된다.

기억해요
유기질토의 특징을 3가지 쓰시오.

(3) 붕괴성 토질 collapsing soil

포화된 후에 큰 부피 변화를 일으키는 불포화토로 적절한 지반개량공법 또는 대책공법은 다음과 같다.
① 롤러에 의한 재다짐법
② 화학적 안정처리
③ 바이브로 플로테이션 공법
④ 폰딩(ponding) 공법

기억해요
팽창성 흙의 성질변화 방법을 4가지
쓰시오.

3 팽창성 지반

팽창성 지반에 기초를 건설할 때 공사방법으로 흙을 치환하는 것과 팽창성 흙의 성질을 변화시키는 것, 두 가지 방법을 생각할 수 있다.

(1) 팽창성 흙의 성질변화 방법

① 다짐공법
② 살수공법(침수법 : prewetting)
③ 차수벽 설치(수분 흡수방지벽 공법)
④ 흙의 안정처리(지반의 안정처리)

(2) 팽창성 흙의 치환방법

지표에 있는 팽창성 토층의 두께가 얇을 때는 팽창성 흙을 제거하고 팽창성이 작은 흙으로 치환한 후 적절히 다진다.

(3) 실내에서 팽창량 측정 시험

① 비구속 팽창시험 : 시료를 약 7.04kN/m^2의 상재압하에서 압밀시험기에 넣은 후, 물을 첨가하고 평형상태에 도달할 때까지 시료의 체적팽창을 측정한다.
② 팽창압 시험 : 압밀링에 시료를 넣고 유효상재압(P_c)에다 기초 때문에 생길 것으로 예상되는 압력(P_s)을 더한 압력을 작용시킨 후 물을 첨가한다. 팽창압이 완전히 발휘될 때까지 단계적으로 감압해 주는데, 감압하면 시료는 팽창하게 된다.

4 폐기물 매립지반 sanitary landfill

폐기물 매립지반 위에 얕은 기초를 설치할 경우, 그 파괴형상은 피복토의 두께에 따라 2가지로 나타난다.

(1) 관입(punching) 파괴 펀칭파괴

기초의 폭이 표면토의 두께에 비해 상대적으로 너무 작을 때 발생한다.

(2) 활동전단파괴 회전전단파괴

피복토의 두께가 기초폭에 비하여 상대적으로 작고 피복토의 강도가 작을 때 발생한다.

5 시료재취

(1) 보링의 종류

① 오거식 보링(auger boring) : 현장에서 간단하게 인력으로 교란된 시료를 채취하는 데 적합하다.

② 회전식 보링(rotary boring) : 시간과 공사비가 충격식보다 많이 들지만 확실한 코어를 얻을 수 있다.

③ 충격식 보링(percussion boring) : 굴진속도가 빠르고 비용도 저렴하다.

④ 수세식 보링(wash boring) : 경량비트의 회전 및 시추수의 분사로 굴진하며 슬라임은 순환수로 배제한다.

⑤ 변위식 보링(displacement boring) : 선단이 폐쇄한 샘플러를 동적 혹은 정적으로 관입하며 샘플링 시는 선단을 개방하여 관입한다.

기억해요
시료채취 방법을 3가지 쓰시오.

(2) 시료채취 방법

① 스플릿 스푼 샘플러(split spoon sampler)에 의한 방법

② scraper bucket sampler

③ 얇은 관에 의한 시료채취(thin wall tube sampler) 방법

④ 피스톤 샘플러(piston sampler) 방법

(3) 암석시편 채취 시 코어배럴 core barrel 의 종류

코어배럴의 종류	코어배럴 비트의 외경	드릴로드의 공칭치수기호
EX	36.51mm	E
AX	47.63mm	A
BX	58.74mm	B
NX	74.61mm	N

(4) 시료 교란의 판단

① 면적비(Area ratio)

$$A_r = \frac{D_w^{\,2} - D_e^{\,2}}{D_e^{\,2}} \times 100 \leq 10\%$$

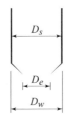

$A_r > 10\%$이면 샘플러 Sampler 내부에 여잉토의 혼입으로 교란된 시료로 간주한다.

기억해요
면적비를 구하고 채취하는 시료의 교란여부를 판정하시오.

② 샘플러 내경비

$$C_i = \frac{D_s - D_e}{D_e} \times 100$$

③ 샘플러 장경비

$$R_L = \frac{L_s}{D_s}$$

여기서, L_s : 샘플러의 길이

(5) **교란원인**

튜브(tube) 샘플링 시 일어나는 시료의 교란요인은 다음과 같다.

① 드릴링 시공 주변의 토질상태의 변화

② 샘플링 튜브 관입과 회수

③ 튜브 내의 함수비의 재배열

④ 튜브로부터 시료추출

⑤ 건조 또는 수압의 변화

⑥ 실내시험을 위한 시료분비 및 트리밍

| 지반조사 |

01 핵심 기출문제

93④, 05①

01 신속한 지반 특성을 평가하는 데 유용하게 사용되는 탐사법으로 보통 조사보다 비용이 적게 들고 해석이 복잡한 물리탐사법을 3가지만 쓰시오.

① _____ ② _____ ③ _____

> 해답 ① 지진굴절 탐사법(탄성파 굴절탐사법, seismic refraction survey)
> ② 지진탐사법(크로스 홀 탄성파탐사법, cross hole seismic survey)
> ③ 비저항탐사법(전기 비저항탐사법, resistivity survey)

99⑤, 03②

02 기초지반의 물리적 탐사는 지반의 물리적 성질의 차이를 측정·비교하여 지반을 분류하여 지하 지질구조를 알고자 하는 수단으로 물리적 탐사법을 시행하고 있다. 이 탐사법의 종류명을 5가지만 쓰시오.

① _____ ② _____ ③ _____

④ _____ ⑤ _____

> 해답 ① 자기탐사법　② 탄성파탐사법
> ③ 방사능탐사법　④ 전기탐사법
> ⑤ 중력탐사법

99③, 02①, 17①

03 어느 암반 지층에서 core를 채취하여 탄성파 시험을 한 결과, 압축파(P파)의 속도가 3,500m/sec로 측정되었다. 암반의 단위중량이 23kN/m³이라 할 때 암반의 탄성계수(E)를 구하시오.

계산 과정) 답 : _____

> 해답 탄성파 속도 $V = \sqrt{\dfrac{E}{\dfrac{\gamma}{g}}}$ 에서 $3,500 = \sqrt{\dfrac{E}{\dfrac{23}{9.8}}}$
>
> ∴ 탄성계수 $E = 28,750,000 \text{kN/m}^2$
> ($\because$ 중력가속도 $g = 9.8 \text{m/sec}^2$)
>
> 참고 SOLVE 사용

□□□ 94②, 99①, 09①, 10②

04 유기질토는 대개 지하수가 지면 위나 가까이에 있는 넓은 지역에서 발견된다. 지하수면이 높으면 수생식물이 썩어 유기질토가 형성된다. 이 유기질토의 특징을 3가지만 쓰시오.

득점 배점
3

① _____　② _____　③ _____

해답 ① 압축성이 크다.
② 자연함수비는 200 ~ 300%이다.
③ 2차 압밀에 의한 압밀침하량이 크다.

□□□ 96①

05 붕괴성 토질(collapsing soil)로 구성된 지반 위에 구조물을 건설하고자 할 때, 적절한 지반 개량공법 또는 대책공법 3가지만 쓰시오.

득점 배점
3

① _____　② _____　③ _____

해답 ① 롤러에 의한 재다짐법　② 화학적 안정처리
③ 바이브로 플로테이션 공법　④ 폰딩(ponding) 공법

□□□ 97①, 99②

06 물을 흡수하면 상당히 팽창하고, 수분을 잃으면 수축하는 소성점토가 많이 있는데, 이런 소성점토 위에 세워진 기초는 팽창으로 인하여 큰 상향력을 받게 한다. 이런 흙의 불교란 시료를 채취하여 일반적으로 많이 행하는 시험법을 2가지 쓰시오.

득점 배점
3

① _____　② _____

해답 ① 비구속 팽창시험(unrestrained swell test)
② 팽창압 시험(swelling pressure test)

□□□ 92③, 96④, 99④, 18②

07 팽창성 지반에 기초를 건설할 때 공사방법으로 흙을 치환하는 것과 팽창성 흙의 성질을 변화시키는 두 방법을 생각할 수 있다. 그 중 후자의 방법에 대해서 네 가지만 쓰시오.

득점 배점
3

① _____　② _____

③ _____　④ _____

해답 ① 다짐공법　② 살수공법(침수법 : prewetting)
③ 차수벽 설치(수분 흡수방지벽 공법)　④ 흙의 안정처리(지반의 안정처리)

□□□ 96②

08 폐기물 매립지반(sanitary landfill) 위에 얕은 기초를 설치할 경우, 그 파괴형상은 피복토의 두께에 따라 2가지로 나타나게 된다. 이 2가지를 쓰시오.

① _____   ② _____

해답 ① 펀칭전단파괴(관입파괴)
     ② 회전전단파괴(회전활동 전단파괴)

□□□ 93④, 00①, 05①, 19②

09 표준관입시험(S.P.T)기의 split spoon sampler의 외경이 50.8mm, 내경이 34.93mm이다. 면적비를 구하고, 왜 이 S.P.T 시료를 교란된 시료로 간주하는지 설명하시오.

가. 면적비 :

나. 판단 :

해답 가. $A_r = \dfrac{D_w^2 - D_e^2}{D_e^2} \times 100\% = \dfrac{50.8^2 - 34.93^2}{34.93^2} \times 100 = 111.51\%$

    나. $111.51\% > 10\%$
      ∴ 교란된 시료

□□□ 05①, 23①

10 다음 그림과 같은 sampler로 채취하는 시료의 교란여부를 평가하시오.

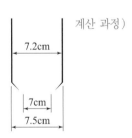

계산 과정)

답 : _____

해답 면적비 $A_r = \dfrac{D_w^2 - D_e^2}{D_e^2} \times 100$

$= \dfrac{7.5^2 - 7.0^2}{7.0^2} \times 100 = 14.79\% > 10\%$

    ∴ 교란 시료

□□□ 01②

11 지반조사를 위하여 지반흙의 시료를 채취하려고 할 때 사용되는 시료채취 방법 3가지만 쓰시오.

① _____ ② _____

③ _____

득점	배점
	3

해답 ① piston sampler에 의한 방법
② 얇은 관에 의한 시료채취 방법
③ 스플릿 배럴 샘플러에 의한 방법

□□□ 16②

12 수평길이 L의 간격으로 땅속에 굴착된 두 개의 홀에 어느 하나의 시추공의 바닥에서 충격막대에 의해 연직 충격을 발생시켜 연직으로 민감한 트랜스듀서(transducer)에 의해 전단파를 기록할 수 있는 지구물리학적인 지반조사 방법?

○ _____

득점	배점
	2

해답 크로스홀 탐사법(cross hole seismic survey)

02 암반조사

1 암반 Rock Mass

(1) 암반의 불연속면 Discontinuities in Rock Mass

균열 없는 견고한 암석과 비교하여 특성에 차이가 나는 면 또는 부분들을 총칭하며, 절리, 층리, 편리, 벽개, 단층, 파쇄대 등을 포함한다.

① 절리(節理 : joint) : 암반 자체의 수축과 외력에 의하여 암반에 나타나는 불연속면으로서 틈이 밀착되어 있고 상대적인 변위가 일어나지 않는 것을 말한다.

② 층리(層理 : bedding) : 퇴적암이 생성될 때 퇴적조건이 변함에 따라 퇴적물에 생기는 층을 이루는 구조를 말하는 것으로 성층(成層)이라고도 한다.

③ 편리(片理 : schistosity) : 얇은 조각이 겹쳐진 것처럼 광물이 평행으로 배열하여 줄무늬를 띠는 암석의 구조이다.

④ 벽개(壁開 : cleavage) : 광물이 외부적인 힘을 받아서 평탄한 면을 보이며 쪼개지는 성질을 의미한다.

⑤ 단층(斷層 : fault) : 외부의 힘을 받은 지각이 두 개의 조각으로 끊어져 어긋난 지질구조이다.

⑥ 파쇄대(破碎帶 : fracture zone) : 단층대에서 단층이 전이할 때 암석이 파쇄되었거나 분쇄되어 있는 부분을 파쇄대라 한다.

(2) 암반 내 초기응력 측정방법

초기응력(Initial ground stress)은 터널 또는 지하발전소와 같은 공동을 굴착할 때 이전에 지반에 작용하고 있던 1차 지압을 말한다.

① 응력해방법(over coring method) : 매설계기 주변 지압이 해방되어 변형이 발생하는데, 오버코어링 전후의 변형량의 차가 응력해방에 의한 변형량이다.

② 응력회복법(flat jack test) : flat jack을 삽입하여 유압을 가한 후 가압 및 제거를 수차례 반복하여 압력이 원위치에 도달하게 될 때의 압력을 측정하면 이때의 압력이 원위치 응력이다.

③ AE법(응력방출법) : 재료에 가해지는 응력을 점차 증가해 가면 그 응력이 완만해지다 AE발생이 급증할 때 응력치를 알면 초기지압측정이 가능하다.

암반은 균열 없는 견고한 암석과 여러 불연속면을 포함한 암체를 말한다.

기억해요
암반의 불연속면 종류를 3가지 쓰시오.

핵심용어
단층(fault)

기억해요
암반 내 초기응력 측정방법을 3가지 쓰시오.

④ **수압파쇄법**(hydraulic fracturing test) : 시추공의 일부에 공기압을 넣은 packer를 이용하여 막은 후 유압을 가하여 암반에 균열이 생길 때까지 압을 높여 암반의 원위치 응력과 항복응력을 측정한다.

(3) 암반의 사면 파괴형태 Failure form

암반사면 파괴는 불연속면이 존재하는 암반사면에서 불연속면의 저항력보다 활동력이 커서 불연속면을 따라 1개 또는 여러 개의 절리에 의하여 형성된 면에 따라 발생한다.

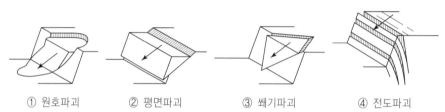

| ① 원호파괴 | ② 평면파괴 | ③ 쐐기파괴 | ④ 전도파괴 |

① **원호파괴** : 일정한 지질구조 형태를 보이지 않는 표토, 폐석, 심한 파쇄 암반에서 발생되는 파괴
② **평면파괴** : 점판암과 같이 질서정연한 지질구조를 가지는 암반에서 발생되는 파괴
③ **쐐기파괴** : 교차하는 두 불연속면 위에서 발생되는 파괴
④ **전도파괴** : 급경사 불연속면에 의해 분리된 주상구조를 형성하고 있는 경암암반에서 발생되는 파괴

(4) 현장투수시험

현장투수시험은 주로 보링공에서 실시하여 지하수를 양수하거나 반대로 물을 주입하여 수위변화를 측정해서 지반의 투수계수를 정하는 시험이다.

① 개단시험(open end test) : 주로 투수계수가 큰 사질토지반에 적용하며 개략적으로 투수계수를 구한다.

② 팩커시험(packer test) : 암반층에 설치된 시추공 공내의 일정길이 부분을 packer에 의하여 폐색하고, 이 부분부터 압력 $1,000kN/m^2$의 물을 암반층 내부에 주입시켜 이때의 단위시간당 투수량을 측정하여 암반의 투수성을 평가하는 시험이다.

(5) 암반의 변형시험

암반의 변형특성을 나타내는 변형계수와 탄성계수를 구하는 원위치 시험 방법은 다음과 같다.

① 재킹시험(jacking test : 암반의 평판재하시험) : 시험용의 횡갱 또는 샤프트를 이용한 방법이다.

② **공내변형시험**(borehole deformation test) : 보링공 내에 압력셀을 삽입하여 공벽에 등분포의 내압을 가함으로써 공경의 확대량을 측정하는 방법으로 최근에 개발된 방법이다.

③ **압력수실시험**(pressure chamber or gallery test) : 시험용 횡갱 또는 샤프트 내에서 원형단면의 시험부분을 굴착한 후 양단의 플러그 및 라이닝으로 둘러싸인 수심을 설치한 다음 갱벽의 변위를 측정하는 방법이다.

④ **동적반복재하시험**(dynamic cyclic load test) : 횡갱 내의 천장과 바닥의 사이에 시험장치를 배치하여 유압잭 대신에 바이브레이터로 동적반복하중을 적용함으로써 동적반복응력을 저주파수로 작용시켜 암반의 변형거동을 조사하는 방법이다.

2 암반의 분류

암반(Rock Mass)을 공학적으로 분류하는 것은 층리(bedding), 절리(joint), 단층, 파쇄대와 같은 다양한 불연속면이 있을 뿐 아니라 풍화 및 변질작용을 받은 부분을 원지반의 암반에 대하여 판단자료로 사용하기 위해 분류한다.

(1) 암반의 공학적 분류

① 절리의 간격에 의한 분류법
② 풍화도에 의한 분류법
③ Muller의 분류법
④ RQD에 의한 분류법
⑤ 균열계수에 의한 분류법
⑥ 암반평점에 의한 분류법
⑦ 리핑가능성에 의한 분류법

기억해요
암반의 공학적 분류방법을 4가지 쓰시오.

(2) 암반의 일반적 분류법

분류법	제안자	적용범위
RQD분류법	Deere(1964)	코어주상도, 터널
RMR분류법	Bieniawski(1973)	터널, 광산, 기초
Q분류법	Barton 등(1974)	터널, 대규모 공동
Lauffer의 분류법	Lauffer(1958)	터널
암반하중 분류법	Terzaghi(1946)	절개지보터널
RSR분류법	Wickham 등(1974)	터널

(3) 회수율과 RQD

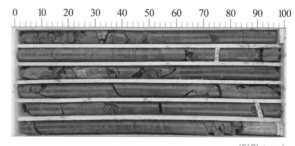

(단위 : cm)

암석채취

① 회수율(TCR : test core recovery)

코어회수율은 속이 빈 강철제 원통을 관입시켜 암석을 채취한 후, 관입길이에 비해 회수된 암석편의 길이 비율을 말한다.

$$회수율 = \frac{회수된\ 코어의\ 길이}{굴착된\ 암석의\ 이론적\ 길이} \times 100$$

② 암질지수(RQD : rock quality designation)

암질지수는 암질을 정량적으로 평가하는 지수로 코어회수율(TCR)보다는 코어의 질에 민감한 지수이다.

$$RQD = \frac{\sum 10cm\ 길이\ 이상\ 회수된\ 부분의\ 길이}{굴착된\ 암석의\ 이론적\ 길이} \times 100$$

③ 암질평가

R.Q.D(%)	암 질
0 ~ 25	매우 불량
25 ~ 50	불 량
50 ~ 75	보 통
75 ~ 90	양 호
90 ~ 100	우 수

④ 암석의 인장시험

$$S_t = \frac{2P}{\pi DL}$$

여기서, D : 인장시험편의 종류
L : 길이
P : 최대하중

(4) RMR분류법

RMR(Rock Mass Rating)분류체계는 Bieniawski(1973)에 의해 개발되었다. 암반의 공학적 분류는 현장에서 측정 가능하며 시추자료로부터 구할 수 있는 다음 6가지 변수를 이용한다.

① 암석의 일축압축강도
② RQD(암질지수)
③ 절리(불연속면)의 간격
④ 절리(불연속면)의 상태
⑤ 지하수 상태
⑥ 불연속면 방향

(5) Q-system

Q분류법(Q-system)은 노르웨이의 지반공학연구소의 Barton, Lien & Lunde(1974)에 의해 개발되었으며, 6개의 변수를 3개의 그룹으로 나누어서 종합적인 암반의 암질 Q를 다음과 같이 계산할 수 있다.

$$Q = \frac{\text{RQD}}{J_n} \cdot \frac{J_r}{J_a} \cdot \frac{J_w}{\text{SRF}}$$

기억해요
암반의 암질 Q값을 계산하시오.

① 6개의 평가요소
- RQD : 암질지수
- J_n : 절리군의 수
- J_r : 절리면의 거칠기계수
- J_a : 절리면의 변질계수
- J_w : 지하수 보정계수
- SRF : 응력저감계수

기억해요
Q-system에서 암반분류 시 적용되는 평가요소 4가지를 쓰시오.

② 3개의 그룹
- $\dfrac{\text{RQD}}{J_n}$ (암괴크기 점수) : 암반의 전체적인 구조를 나타낸다.

- $\dfrac{J_r}{J_a}$ (암괴 전단강도점수) : 면의 거칠기, 절리면 간 또는 충전물의 마찰특성을 나타낸다.

- $\dfrac{J_w}{\text{SRF}}$ (작용응력점수, 주동응력, 활동성 응력) : 활동성 응력을 표현하는 복잡하고 경험적인 항이다.

기억해요
Q-system에서 Q값을 구성하는 각 항의 의미를 설명하시오.

③ Q분류법의 특징

- 암반의 전단강도에 주안점을 둔 암반분류이며 현장응력도 고려하였다.
- 불연속면의 방향성은 고려하지 않았다.
- 대단면 터널, 유동성 또는 팽창성 암반조건에 적합하다.

| 암반조사 |

02 핵심 기출문제

□□□ 13②

01 암반 중에 천공한 보어 홀에 액체를 주입하여 압력을 상승시키고 공벽에 균열을 유도하여 현지지압을 계산하는 방법을 무엇이라 하는가?

○

[해답] 수압파쇄법(Hydraulic fracturing test)

□□□ 02②

02 암반사면의 파괴형태 중에서 급경사 불연속면에 의해 분리된 주상구조를 형성하고 있는 경암 암반에서 발생되는 파괴는?

○

[해답] 전도파괴

□□□ 14②, 23②

03 암반사면의 파괴형태를 4가지만 쓰시오.

① _____   ② _____

③ _____   ④ _____

[해답] ① 평면파괴
② 쐐기파괴
③ 전도파괴
④ 원호파괴

□□□ 예상문제

04 보링을 Am 실시하여 회수한 코어(core)의 길이가 Bm였고 그때 10cm 이상의 코어(core)는 Cm였다. R.Q.D는?

○

[해답] $RQD = \dfrac{\sum 10\text{cm 길이 이상 회수된 부분의 길이}}{\text{굴착된 암석의 이론적 길이}} \times 100 = \dfrac{C\text{m}}{A\text{m}} \times 100$

□□□ 91③, 06①

05 암질의 평가기준으로 RQD(rock quality designation)를 사용하는 경우가 많다. 계산방법을 설명하시오. 그리고 보통암질의 경우 RQD값은 대략 얼마 이하인가?

가. 계산방법 설명 :

나. 보통암질 값 :

[득점 배점] 3

해답 가. 암질지수 $\mathrm{RQD} = \dfrac{\sum 10\mathrm{cm}\ 길이\ 이상\ 회수된\ 부분의\ 길이}{굴착된\ 암석의\ 이론적\ 길이} \times 100$

나. 보통암질 : 50% ~ 75%

□□□ 04④, 10①, 19①

06 전체 심도 5m의 시추작업을 통해 획득한 6개 암석코어의 길이는 각각 145cm, 35cm, 120cm, 50cm, 45cm, 95cm이었고 풍화토 시료도 함께 산출되었다. 시추대상 암반에 대한 코어회수율을 계산하시오.

[득점 배점] 3

계산 과정)   답 : _____

해답 $회수율 = \dfrac{회수된\ 코어의\ 길이}{굴착된\ 암석의\ 이론적\ 길이} \times 100$

$= \dfrac{145+35+120+50+45+95}{500} \times 100 = 98\%$

□□□ 01②, 05④, 17①

07 암반분류법(Rock Classification)의 하나인 RMR값을 구성하는 요소를 4가지만 쓰시오.

[득점 배점] 3

① _____   ② _____

③ _____   ④ _____

해답 ① 암석의 일축압축강도   ② RQD(암질지수)   ③ 절리(불연속면)의 간격
④ 절리(불연속면)의 상태   ⑤ 지하수 상태   ⑥ 불연속면의 방향

□□□ 96⑤, 99③, 00②, 01②, 03②, 05④, 10④, 17①

08 RMR(Rock Mass Rating)에 의한 암반분류 시 적용되는 평가요소를 4가지만 쓰시오.

[득점 배점] 3

① _____   ② _____

③ _____   ④ _____

해답 ① 암석의 일축압축강도   ② RQD(암질지수)   ③ 절리(불연속면)의 간격
④ 절리(불연속면)의 상태   ⑤ 지하수 상태   ⑥ 불연속면의 방향

□□□ 93①, 95④, 97③, 03①, 08①

09 기초암반을 조사하기 위해 길이 1m의 암석 core를 채취하여 추출한 암편의 길이를 측정하였더니 다음 그림과 같았다. 기초 암반의 RQD와 회수율을 산정하고 RQD로부터 암질을 판정하시오. (단, 암질은 '우수', '양호', '보통', '불량', '매우 불량' 으로 표시)

```
|←───────────────── 1m ─────────────────→|
  ▢▢▢▢      ▢▢▢     ▢▢    ▢▢▢▢▢     ▢▢▢▢▢▢▢
|← 12cm →| |← 10cm →| |5cm| |← 15cm →| |← 20cm →|
```

계산 및 암질판정의 근거

RQD : _____ , 회수율 : _____ , 암질의 판정 : _____

[해답] 암질지수 $RQD = \dfrac{\Sigma 10cm \text{ 길이 이상 회수된 부분의 길이}}{\text{굴착된 암석의 이론적 길이}} \times 100$

① $RQD = \dfrac{12+10+15+20}{100} \times 100 = 57\%$

② 회수율 $= \dfrac{\text{회수된 코어의 길이}}{\text{굴착된 암석의 이론적 길이}} \times 100$

$= \dfrac{12+10+5+15+20}{100} \times 100 = 62\%$

③ 보통(RQD = 57%, 보통 : 50 ~ 75%)

RQD : 57%, 회수율 : 62%, 암질의 판정 : 보통

□□□ 08②, 11④, 22③

10 암반분류 방법 중 Barton의 Q-시스템(Q-System)에서 Q값을 구하는 아래 식의 각 항이 의미하는 것을 쓰시오.

$$Q = \frac{RQD}{J_n} \cdot \frac{J_r}{J_a} \cdot \frac{J_w}{SRF}$$

① $\dfrac{RQD}{J_n}$: _____   ② $\dfrac{J_r}{J_a}$: _____   ③ $\dfrac{J_w}{SRF}$: _____

[해답] ① 암괴의 크기 점수
② 암괴 사이의 전단강도 점수
③ 작용응력 점수

□□□ 00④, 13④, 20①

11 지반조사 시추현장에서 다음과 같은 크기의 암석시료를 코어 채취기로부터 채취하였다. 회수율과 암질지수(RQD)의 값을 구하시오.
(단, 굴착된 암석의 코어배럴 진행길이는 2.0m이다.)

코어 번호	1	2	3	4	5	6	7	8	9
코어 크기(cm)	10.5	16.5	6.0	8.5	3.9	18.0	20.5	3.0	5.5
개 수	1	2	1	1	1	1	2	1	2

가. 회수율을 구하시오.

계산 과정)   답 : _____

나. 암질지수(RQD)를 구하시오.

계산 과정)   답 : _____

해답 가. 회수율 $= \dfrac{\text{회수된 코어의 길이}}{\text{굴착된 암석의 이론적 길이}} \times 100$

$= \dfrac{10.5 + 16.5 \times 2 + 6.0 + 8.5 + 3.9 + 18.0 + 20.5 \times 2 + 3.0 + 5.5 \times 2}{200} \times 100$

$= 67.45\%$

나. $\text{RQD} = \dfrac{\Sigma 10\text{cm 길이 이상 회수된 부분의 길이}}{\text{굴착된 암석의 이론적 길이}} \times 100$

$= \dfrac{10.5 + 16.5 \times 2 + 18 + 20.5 \times 2}{200} \times 100 = 51.25\%$

□□□ 06②

12 암반에서 발견되는 불연속면 중 어느 면을 경계로 하여 양면의 암반이 상대적으로 이동한 경우 이 불연속면을 가리키는 용어는?

○

해답 단층(fault)

□□□ 07②

13 Q-system에 의한 암반분류 시 적용되는 평가요소를 4가지만 쓰시오.

① _____   ② _____

③ _____   ④ _____

해답 ① RQD   ② 절리군의 수
③ 절리면 거칠기계수   ④ 절리면 변질계수
⑤ 지하수 보정계수   ⑥ 응력저감계수

☐☐☐ 09①, 11②

14 암반의 공학적 분류방법을 4가지만 쓰시오.

득점	배점
	3

① _____   ② _____

③ _____   ④ _____

해답 ① 절리의 간격에 의한 분류법   ② 풍화도에 의한 분류법
　　③ Muller의 분류법　　　　　 ④ RQD에 의한 분류법
　　⑤ 균열계수에 의한 분류법　　 ⑥ 암반평점에 의한 분류법

☐☐☐ 96④, 01②, 09②

15 암반굴착현장에서 직접탄성계수를 결정하는 방법을 3가지만 쓰시오.

득점	배점
	3

① _____   ② _____   ③ _____

해답 ① 암반의 평판재하시험　　 ② 공내변형시험
　　③ 압력수실시험　　　　　 ④ 동적반복재하시험

☐☐☐ 11②

16 터널의 막장파괴를 유발할 수 있는 암반의 불연속면 종류를 3가지만 쓰시오.

득점	배점
	3

① _____   ② _____   ③ _____

해답 ① 절리　　② 층리　　③ 편리　　④ 벽개　　⑤ 단층

☐☐☐ 14④

17 암반(Rock Mass)이란 층리, 엽리, 절리, 단층, 파쇄대 등 불연속면을 포함한 암석의 집합체를 의미한다. 이 같은 암반을 분류하는 방법 중 3가지만 쓰시오.

득점	배점
	3

① _____   ② _____

③ _____

해답 ① RQD분류법
　　② RMR분류법
　　③ Q분류법
　　④ Lauffer의 분류법
　　⑤ 암반하중 분류법
　　⑥ RSR분류법

□□□ 12②

18 암반의 안전성은 암반 내에 발달하고 있는 불연속면(절리면)에 따라서 크게 좌우된다. 이러한 불연속면의 공학적 평가를 위한 조사항목을 3가지만 쓰시오.

① _____ ② _____

③ _____

해답 ① 불연속면의 방향성 ② 불연속면의 간격
③ 불연속면의 충전물 ④ 불연속면의 연장성
⑤ 불연속면의 간극 ⑥ 분리면의 거칠기

□□□ 00⑤, 04①, 05②, 11①, 17②, 20②, 23②

19 어느 암반지대에서 RQD의 평균값은 60, 절리군의 수는 6, 절리 거칠기계수는 2, 절리면의 변질계수는 2, 지하수 보정계수 J_w는 1, 응력저감계수 SRF는 1일 경우 Q값을 계산하시오.

계산 과정)   답 : _____

해답 $Q = \dfrac{\text{RQD}}{J_n} \cdot \dfrac{J_r}{J_a} \cdot \dfrac{J_w}{\text{SRF}}$
$= \dfrac{60}{6} \times \dfrac{2}{2} \times \dfrac{1}{1} = 10$

□□□ 07①, 11①

20 암반 내 초기응력 측정방법을 3가지만 쓰시오.

① _____ ② _____ ③ _____

해답 ① 응력해방법 ② 응력회복법
③ AE법(응력방출법) ④ 수압파쇄법

□□□ 07①, 11①

21 암반층에 설치된 시추공 공내의 일정길이 부분을 packer에 의하여 폐색하고, 이 부분부터 압력 $10\text{kg/cm}^2(1{,}000\text{kN/m}^2)$의 물을 암반층 내부에 주입시켜 이때의 단위시간당 투수량을 측정하여 암반의 투수성을 평가하기 위한 시험은?

○

해답 팩커시험(pcaker test)

03 토질조사

1 사운딩 Sounding

로드(rod)의 끝에 설치한 저항체를 땅속에 삽입하여 관입, 회전, 인발 등의
저항으로 토층의 성질과 상태를 탐사

■ Sounding의 종류

기억해요
정적인 사운딩 시험기를 3가지 쓰시오.

구분	구분	종류	적용 토질
정적 사운딩 (점성토 지반)	완속회전	베인시험(Vane test)	연약한 점토, 예민한 점토
	인발	이스키 미터(Iskymeter)시험	연약한 점토
	회전관입	스웨덴식 관입시험 (Swedish Penetration Test)	큰 자갈, 조밀한 모래, 자갈 이외의 흙
	압입	휴대용 원추관입시험	연약한 점토
		화란식 원추관입시험	큰 자갈 이외의 일반적 흙
동적 사운딩 (사질토 지반)	타입	동적 원추관시험 (Dynamic cone Test)	큰 자갈, 조밀한 모래, 자갈 이외의 흙에 사용
		표준관입시험(S.P.T)	사질토에 적합하고 점성토시험도 가능

2 표준관입시험 SPT, standard penetration test

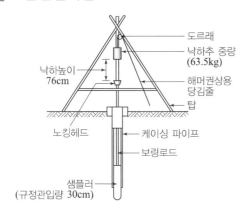

(1) 표준관입시험의 정의

① 표준관입시험(S.P.T)은 보링로드 끝에 스플릿 스푼(spilt spoon) 채취
기를 붙여서 표준래머 63.5kg를 낙하고 76cm에서 낙하시켜 30cm 관
입될 때의 타격횟수를 측정하는 시험이다.

② N치 : 2개의 쪼개진 샘플링 스푼을 붙인 보링로드 위에 76cm의 높이로부터 63.5kg의 해머를 낙하시켜 지중으로 30cm 관입하는 데 필요한 항타 횟수

③ 모래지반의 N치와 상대밀도, 내부마찰력의 관계는 Terzaghi, peck, Meyerhof Dunham 및 오자키 등에 의하여 구하였으며 세계에 보급하였다.

(2) N값의 보정

① **로드길이에 대한 수정** : 심도가 깊어지면 타격에너지의 손실로 실제보다 큰 N치가 측정되므로 수정해야 한다.

$$N_1 = N\left(1 - \frac{x}{200}\right)$$

② **토질상태에 대한 수정** : 일반적으로 포화된 미세한 실트질 모래층에서 N치가 15 이상이면 수정한다.

$$N_2 = 15 + \frac{1}{2}(N_1 - 15)$$

③ **상재압에 대한 수정** : 모래지반은 지표면 부근에서 N값이 작게 나오므로 수정한다.

$$N = N'\frac{5}{1.4p + 1}$$

여기서, p : 유효상재하중

(3) 모래의 내부마찰각과 N의 관계 _{Dunham공식}

· 입자가 둥글고 입도분포가 균등(불량)한 모래	$\phi = \sqrt{12N} + 15$
· 입자가 둥글고 입도분포가 양호한 모래 · 입자가 모나고 입도분포가 균등(불량)한 모래	$\phi = \sqrt{12N} + 20$
· 입자가 모나고 입도분포가 양호한 모래	$\phi = \sqrt{12N} + 25$

(4) N치로부터 추정되는 정수

사질토	점질토	공통
① 상대밀도	① 컨시스턴시(연경도)	① 말뚝의 연직지지력
② 내부마찰각	② 일축압축강도	② 말뚝의 수평지지력
③ 지지력계수	③ 점착력	③ 지반반력계수
④ 탄성계수	④ 기초지반 허용지지력	④ 변형계수
⑤ 기초지반 허용지지력	⑤ 기초지반 극한지지력	⑤ 횡파속도

(5) 점성토의 일축압축강도와 N치의 관계

$$q_u = \frac{N}{8}(\text{kg/cm}^2)$$

(6) 통일분류법에 의한 분류

주요 구분		분류기호	대표명	분류법
조립토 No.200체 통과 50% 미만	자갈 No.4체 통과분 50% 미만	GW	입도분포가 양호한 자갈, 자갈 모래 혼합토	$C_u > 4$ $1 < C_g < 3$
		GP	입도분포가 불량한 자갈, 자갈 모래 혼합토	GW분류기준에 맞지 않음.
	자갈 No.4체 통과분 50% 이상	SW	입도분포가 양호한 모래, 자갈 섞인 모래	$C_u > 6$ $1 < C_g < 3$
		SP	입도분포가 불량한 모래, 자갈 섞인 모래	SW분류기준에 맞지 않음.

3 공내재하시험 Borehole load test

공내재하시험은 시추공의 공벽면을 가압하여 그때의 공벽면 변형량을 측정함으로써 강도 및 변형특성을 조사하는 시험이다.

(1) 프레셔미터시험 pressure meter test : PMT

Boring 공내에 측정관을 넣어 내부에 유체압을 주어 공벽을 재하하고 공벽의 변형량과 가해진 압력과의 관계로부터 지반의 변형계수, 횡방향 지지력계수, 항복하중 등 자연상태의 역학적 성질을 알기 위한 현장 재하시험 방법이다.

PMT

(2) 딜라토미터시험 Dilato meter test : DMT

딜라토미터라고 하는 넓적한 판 모양의 블레이드를 지반의 측정심도까지 관입하여 흙 분류 및 비배수전단강도 등의 지반정수를 결정하는 시험으로 장단점은 다음과 같다.

① 시료채취가 안 된다.
② 점토, 모래의 지반정수산정이 가능하다.
③ 시추공이 필요 없으므로 비용이 적게 소요된다.
④ 자갈, 지반층과 같이 단단한 지층에는 적용하지 못한다.
⑤ 중간에 견고한 층이 있으면 관입이 곤란하고 장비가 파손될 수 있다.

DMT

(3) 수평재하시험 Lateral load test : LLT

손데(sonde)를 시추 공내에 삽입하고 질소가스의 압력을 이용하여 멤브레인 내에 물을 주입함으로써 멤브레인을 팽창시켜 압력과 멤브레인의 팽창 값의 관계로부터 지반의 변형특성을 파악하는 시험으로 주로 토사지반 및 연약지반을 대상으로 한다.

(4) KKT

보링구멍의 벽과 구멍 바닥에서 행하는 재하시험으로 공벽의 재하시험은 횡방향 재하시험이라고도 하며, 벽에 압력을 가하여 횡방향 지반반력계수, 변형계수 등을 구할 수 있다.

4 횡방향 지반반력계수(K_h) constant of horizontal subgrade reaction

(1) 용도

흙막이벽이나 말뚝과 주변의 지반거동을 분석하기 위하여 지반반력이론 적용 시에 사용된다.

기억해요
횡방향 지반반력계수 K_h 측정 현장시험을 3가지 쓰시오.

(2) 횡방향 지반반력계수 측정 현장시험

① 프레셔미터시험(PMT : pressure meter test)
② 딜라토미터시험(DMT : Dilato meter test)
③ 수평하중시험(LLT : Lateral load test)
④ 표준관입시험(SPT : standard penetration test)
⑤ 동적원추관입시험(Dynamic cone test)

5 평판재하시험 Plate Bearing Capacity Test : PBT

현장에서 재하방법에 의하여 지반의 지지력 및 침하특성을 측정하기 위한 목적으로 시행한다.

평판재하시험 세트

기억해요
평판재하시험 결과 이용 시 유의사항 3가지 쓰시오.

(1) 평판재하시험 결과 이용 시 유의사항

① 시험한 지반의 토질종단을 알아야 한다.
② 지하수위의 변동사항을 알아야 한다.
③ scale effect를 고려하여야 한다.
④ 부등침하를 고려해야 한다.
⑤ 예민비를 고려하여야 한다.
⑥ 실험상의 문제점을 검토하여야 한다.

⑵ **하중-침하곡선에 따른 전단파괴의 종류**

재하시험 시 발생하는 지반의 파괴형태는 다음과 같다.

① 전반전단파괴(general shear failure)

어떤 하중까지는 경사가 작고 직선적이지만 하중이 극한하중에 도달하면 침하가 급격히 커지고 땅속에 활동파괴면이 생기는 현상

② 국부전단파괴(local shear failure)

하중-침하곡선에서 경사가 더 급하여 직선으로 옮아 가는 하중에서 파괴되는 현상

③ 펀칭파괴(punching failure)

처음부터 침하가 급격하게 일어나다가 크리프 거동을 나타내는 현상

⑶ **항복하중의 결정**

말뚝재하시험에서 극한하중이 규정되지 않을 때에는 말뚝에 하중이 재하되었을 때의 하중(P)-시간(t)-침하량(s) 거동 특성에 의하여 항복하중을 구하여 판정한다.

① $\log P - \log s$ 곡선법

② $P - ds/d(\log t)$ 곡선법

③ $P - s$ 곡선법

④ $s - \log t$ 곡선법

기억해요
항복하중을 결정하는 곡선법을 4가지 쓰시오.

⑷ **재하시험에 의한 허용지지력**

$$q_t = \frac{극한강도(q_u)}{3}$$
$$q_t = \frac{항복강도(q_y)}{2}$$

중 작은 값

① 장기 허용지지력

$$q_a = q_t + \frac{1}{3}\gamma_t \cdot D_f \cdot N_q$$

② 단기 허용지지력

$$q_a = 2q_t + \frac{1}{3}\gamma_t \cdot D_f \cdot N_q$$

여기서, γ_t : 흙의 단위체적중량

D_f : 기초에 근접된 최저지반면에서 기초하중면까지의 깊이(m)

N_q : 기초하중면보다 아래에 있는 지반의 토질에 따른 정수

(5) 재하판의 크기에 따른 지지력과 침하량 Scale effect

분류	점토지반	모래지반
지지력	• 재하판에 무관 $q_{u(F)} = q_{u(P)}$	• 재하판 폭에 비례 $q_F = q_u \times \dfrac{B_F}{B_P}$
침하량	• 재하판 폭에 비례 $S_F = S_P \times \dfrac{B_F}{B_P}$	$S_F = S_P \left(\dfrac{2B_F}{B_F + B_P} \right)^2$

여기서, $q_{u(F)}$: 놓일 기초의 극한지지력

$q_{u(P)}$: 시험평판의 극한지지력

B_F : 기초의 폭

B_P : 시험평판의 폭

S_P : 재하판의 침하량

S_F : 기초의 침하량

(6) Housel의 평판재하시험에서 기초폭의 결정

① 평판 1 : $Q_1 = A_1 m + P_1 n$ ·················· (1)

② 평판 2 : $Q_2 = A_2 m + P_2 n$ ·················· (2)

여기서, A_1, A_2 : 평판 (1)과 (2)의 면적

P_1, P_2 : 평판 (1)과 (2)의 둘레길이

m, n : 지지력과 측면전단에 대한 상수

③ 설계기초 : $Q = A \cdot m + P \cdot n$ (Q, m, n을 알면 기초폭(D) 결정)

여기서, A : 기초의 면적

P : 기초의 둘레길이

(7) 재하판의 크기에 따른 지지력계수

$$지지력계수 \ K = \frac{q}{y}$$

여기서, q : 침하량 $y$cm일 때의 하중강도

y : 침하량(cm)

• $K_{30} = 1.3 K_{40}$

• $K_{40} = \dfrac{1.7}{2.2} K_{30}$

• $K_{75} = \dfrac{1}{2.2} K_{30} = \dfrac{1}{1.7} K_{40}$

여기서, K_{30} : 지름이 30cm 재하판을 사용하여 구해신 지지력계수

K_{40} : 지름이 40cm 재하판을 사용하여 구해진 지지력계수

K_{75} : 지름이 75cm 재하판을 사용하여 구해진 지지력계수

⑻ 평판재하시험에 의한 침하량 산정

탄성이론에 의한 침하량 산정으로 기초가 지표면(근입깊이 $D_f = 0$)에 설치되어 있고, 기초하부 침하발생 지반의 두께가 매우 클 경우에 적용할 수 있다.

$$S = q \cdot B \cdot \frac{1 - \nu^2}{E} \cdot I_w$$

여기서, S : 기초침하량　　q : 기초의 하중강도

B : 기초의 폭　　ν : 포아송비

I_w : 영향계수

6 말뚝재하시험 Pile Load Test

말뚝(pile) 및 무리말뚝 또는 말뚝군에 정적인 압축 축하중을 가하여 말뚝의 반응을 측정하는 목적으로 실시한다.

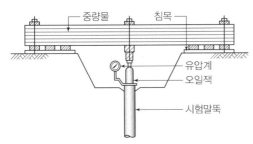

말뚝재하시험

⑴ 말뚝재하시험의 종류

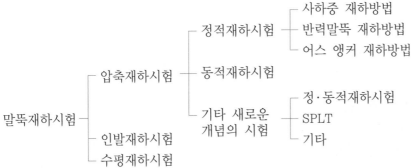

⑵ 정적재하시험

정적재하시험의 경우 재하 하중의 재하방법에 따라 다음과 같이 구분한다.

사하중 재하방법   반력말뚝 재하방법   어스 앵커 재하방법

① 사하중 재하방법
② 반력말뚝 재하방법
③ 어스 앵커 재하방법

⑶ 동적재하시험

동적재하시험은 기성말뚝 또는 현장타설말뚝에 동적인 축하중을 가하여 말뚝의 저항을 정하는 데 적용된다.

⑷ 수평재하시험

수평재하시험은 횡방향 외력을 받는 말뚝의 거동을 추정하기 위한 가장 적절한 방법으로 시험결과로부터 K_h를 구한다.

7 원추관입시험 CPT : Cone Penetration Tester

현장에서 지반조사에 널리 이용되는 원추관입시험은 단면적 10m^2인 사운딩 로드에 정적인 힘을 가하여 일정한 관입속도 $0.2 \sim 0.4\text{mm/min}$로 관입시키면서 관입저항치로 측정한다.

$$q_c = \frac{\text{cone 선단관입력} Q}{\text{cone 저면적} A}$$

⑴ 피에조 콘 Piezocone

원추관입시험(CPT)에다 간극수압을 측정할 수 있도록 트랜스듀서(transducer)를 부착한 것을 피에조 콘이라 한다. 이는 전기식 cone을 선단로드에 부착하여 지중에 일정한 관입속도로 관입시키면서 저항치를 측정하는 시험이다.

⑵ 피에조 콘의 연속적인 측정값

① 선단 cone저항(q_c)
② 마찰저항(f_s)
③ 간극수압(u)

| 토질조사 |

03 핵심 기출문제 □□□

01 로드(rod)의 끝에 설치한 저항체를 땅속에 삽입하여 관입, 회전, 인발 등의 저항으로 토층의 성질과 상태를 탐사하는 것을 무엇이라 하는가?

> 득점 / 배점 2

○

해답 사운딩(sounding)

02 주로 점성토지반에 사용되는 정적인 사운딩(sounding) 시험기를 3가지만 쓰시오.

> 득점 / 배점 3

① _____ ② _____ ③ _____

해답 ① 이스키 미터(Iskymeter) 시험기
② 베인시험기(Vane tester)
③ 휴대용 원추관입시험기(Portable cone Penetrometer)
④ 스웨덴식 관입시험기(Swedish Penetrometer)
⑤ 화란식 원추관입시험기

03 토목공사의 토질조사 시 시행하는 표준관입시험의 "N치" 측정방법을 간단히 설명하고, 이 결과로 얻어지는 "N치"가 어디에 이용되는가를 구체적으로 3가지 쓰시오.

> 득점 / 배점 3

가. 측정방법 :

나. N치의 이용

① _____ ② _____ ③ _____

해답 가. 측정방법 : 무게 63.5kg의 해머로 낙하고 76cm에서 30cm 관입을 요하는 타격수로 N치를 측정
나. N치의 이용
① 모래의 상대밀도와 N치와의 관계
② 모래의 내부마찰각과 N치와의 관계
③ 점성토의 컨시스턴시 및 일축압축강도와 N치와의 관계
④ N치에 의한 지반의 변형계수의 추정
⑤ N치에 의한 지반의 수평지반반력계수의 추정

□□□ 05①

04 정적인 사운딩의 종류를 3가지만 쓰시오.

득점 | 배점
3

① _____ ② _____ ③ _____

해답 ① 이스키 미터(Iskymeter) 시험
② 베인시험(Vane tester)
③ 휴대용 원추관입시험(Portable cone Penetrometer)
④ 스웨덴식 관입시험(Swedish Penetrometer)
⑤ 화란식 원추관입시험

구분	종류	적용 토질
정적 사운딩	베인시험(Vane tester)	연약한 점토, 예민한 점토
	이스키 미터(Iskymeter) 시험	연약한 점토
	스웨덴식 관입시험 (Swedish penetration test)	큰 자갈, 조밀한 모래, 자갈 이외의 흙
	휴대용 원추관입시험	연약한 점토
	화란식 원추관입시험	큰 자갈 이외의 일반적 흙
동적 사운딩	동적 원추관시험	큰 자갈, 조밀한 모래, 자갈 이외의 흙에 사용
	표준관입시험	사질토에 적합하고 점성토시험도 가능

□□□ 96②, 99④, 07③

05 물로 포화된 실트질 세사의 표준관입시험 결과, $N=40$이 되었다면 수정 N값은? (단, 측정까지의 rod의 길이는 50m임.)

득점 | 배점
3

계산 과정) 답 : _____

해답 • rod 길이에 대한 수정
$$N_1 = N\left(1 - \frac{x}{200}\right) = 40\left(1 - \frac{50}{200}\right) = 30$$
• 토질에 의한 수정
$$N_2 = 15 + \frac{1}{2}(N_1 - 15) = 15 + \frac{1}{2}(30 - 15) = 22.5 = 23$$

□□□ 예상문제

06 표준관입시험(S.P.T)의 N치에 영향을 미치는 요소 3가지를 쓰시오.

득점 | 배점
3

① _____ ② _____ ③ _____

해답 ① 토질의 상태 ② rod 길이 ③ 상재압

□□□ 93①, 95④, 01①, 06①, 08④

07 표준관입시험에서 얻은 N치는 현장상황에 따라 기술자는 수정하여 N치를 설계에 이용해야 한다. 수정을 하는 3가지 큰 이유를 쓰시오.

① _____ ② _____ ③ _____

해답 ① 로드길이에 대한 수정 : 심도가 깊어지면 로드의 변형과 마찰로 인하여 실제보다 큰 N치가 측정되므로 수정해야 한다.
② 토질상태에 대한 수정 : 포화된 미세한 실트질 모래층에서 N치가 15 이상이면 수정한다.
③ 상재압에 대한 수정 : 모래지반은 지표면 부근에서 N값이 작게 나오므로 수정한다.

□□□ 예상문제

08 표준관입시험(N치)으로부터 추정 또는 판정이 가능한 사항을 점성토와 사질토로 구분하여 각각 3가지만 쓰시오.

가. 점성토 : ① _____ ② _____ ③ _____

나. 사질토 : ① _____ ② _____ ③ _____

해답 가. ① 컨시스턴시 ② 일축압축강도 ③ 점착력
나. ① 상대밀도 ② 내부마찰각 ③ 지지력계수

□□□ 06④, 16④

09 점성토지반에서 표준관입시험 결과치 N치로 판정, 추정할 수 있는 사항 4가지를 쓰시오.

① _____ ② _____ ③ _____ ④ _____

해답 ① 컨시스턴시 ② 일축압축강도 ③ 점착력 ④ 기초지반 허용지지력

□□□ 95③, 98③, 99⑤, 04③, 10①, 14④, 21③

10 횡방향 지반반력계수(K_h)를 구하는 현장시험을 3가지만 쓰시오.

① _____ ② _____ ③ _____

해답 ① 프레셔미터시험(PMT)
② 딜라토미터시험(DMT)
③ 수평재하시험(LLT)
④ 표준관입시험(SPT)

□□□ 01①, 03②, 13②, 16④, 21②

11 표준관입시험의 N치가 35이고, 현장에서 채취한 모래는 입자가 둥글고 균등계수가 5이고 곡률계수가 5이었다. Dunham의 식을 이용하여 이 모래의 내부마찰각을 추정하시오.

계산 과정)   답 : _____

해답 • 모래의 입도 판정
     균등계수 $C_u \geq 6$, 곡률계수 : $1 \leq C_g \leq 3$일 때 양입도
     ∴ 둥글고 입도분포가 균등한 모래
       ($\because C_u = 5$, $C_g = 5$)
   • 입자가 둥글고 입도분포가 균등(불량)한 모래
     내부마찰각 $\phi = \sqrt{12N} + 15 = \sqrt{12 \times 35} + 15 = 35.49°$

□□□ 13①, 23①

12 사질토지반에서 표준관입시험(S.P.T)의 결과로 측정된 N치로 추정되는 사항을 4가지만 쓰시오.

① _____   ② _____

③ _____   ④ _____

해답 ① 내부마찰각   ② 상대밀도   ③ 지지력계수   ④ 탄성계수

□□□ 96①, 98③, 08④, 11②, 16②, 23③

13 직경 30cm 평판재하시험에서 작용압력이 300kN/m²일 때 침하량이 20mm라면, 직경 1.5m의 실제기초에 300kN/m²의 압력이 작용할 때 사질토지반에서의 침하량의 크기는 얼마인가?

계산 과정)   답 : _____

해답 침하량 $S_F = S_P \left(\dfrac{2B_F}{B_F + B_P} \right)^2 = 20 \times \left(\dfrac{2 \times 1.5}{1.5 + 0.3} \right)^2 = 55.56\,\text{mm}(\because 사질토지반)$

□□□ 92①, 98②, 00②

14 모래지반에서 N치로 직·간접으로 구할 수 있는 토질정수를 4가지만 쓰시오.

①_____   ②_____   ③_____   ④_____

해답 ① 내부마찰각   ② 상대밀도   ③ 지지력계수   ④ 탄성계수

□□□ 01①, 03②

15 표준관입시험의 N치가 33일 때 현장에서 채취한 모래는 입자가 둥글며 균등계수가 7이고, 곡률계수가 2이었다. Dunham의 식을 이용하여 이 모래의 내부마찰각을 추정하시오.

계산 과정)

답 : _____

[해답] • 모래의 입도 판정
  균등계수 $C_u \geq 6$, 곡률계수 : $1 \leq C_g \leq 3$일 때 양입도
  ∴ 둥글고 입도분포가 양호한 모래
    ($\because C_u = 7$, $C_g = 2$)
  • 입자가 둥글고 입도분포가 양호한 모래
  내부마찰각 $\phi = \sqrt{12\overline{N}} + 20 = \sqrt{12 \times 33} + 20 = 39.90°$

□□□ 06④, 17①

16 표준관입시험의 N치가 35일 때, 현장에서 채취한 모래는 모나고 균등계수가 7이고 곡률계수가 2이었다. Dunham의 식을 이용하여 이 모래의 내부마찰각을 추정하시오.

계산 과정)

답 : _____

[해답] • 모래의 입도 판정
  균등계수 $C_u \geq 6$, 곡률계수 : $1 \leq C_g \leq 3$일 때 양입도
  ∴ 모나고 입도분포가 양호한 모래
    ($\because C_u = 7$, $C_g = 2$)
  • 입자가 모나고 입도분포가 양호한 모래
  내부마찰각 $\phi = \sqrt{12\mathrm{N}} + 25 = \sqrt{12 \times 35} + 25 = 45.49°$

□□□ 09①, 12①

17 평판재하시험 결과를 이용하여 지반의 항복하중을 결정하여 그 결과를 기초지반에 이용하고자 할 때 가장 중요한 고려사항 3가지만 쓰시오.

① _____ ② _____ ③ _____

[해답] ① 시험한 지반의 토질종단을 알아야 한다.
  ② 지하수위의 변동사항을 알아야 한다.
  ③ scale effect를 고려해야 한다.
  ④ 부등침하를 고려해야 한다.
  ⑤ 예민비를 고려하여야 한다.
  ⑥ 실험상의 문제점을 검토하여야 한다.

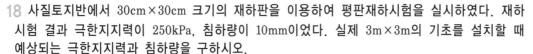

□□□ 96①, 98③, 05①, 08④, 14②, 19②

18 사질토지반에서 30cm×30cm 크기의 재하판을 이용하여 평판재하시험을 실시하였다. 재하시험 결과 극한지지력이 250kPa, 침하량이 10mm이었다. 실제 3m×3m의 기초를 설치할 때 예상되는 극한지지력과 침하량을 구하시오.

가. 극한지지력 :

나. 침하량 :

해답 가. $q_{u(F)} = q_{u(P)} \times \dfrac{B_F}{B_P} = 250 \times \dfrac{3}{0.3} = 2,500\,\mathrm{kPa} = 2,500\,\mathrm{kN/m^2}$

나. $S_F = S_P \times \left(\dfrac{2B_F}{B_F+B_P}\right)^2 = 10 \times \left(\dfrac{2\times3}{3+0.3}\right)^2 = 33.06\,\mathrm{mm}$

! 주의점
$1\mathrm{t/m^2}$
$= 10\mathrm{kN/m^2}$
$= 10\mathrm{kPa}$

□□□ 07①, 09②

19 평판재하시험 결과를 이용하여 지반의 항복하중을 구하고자 한다. 항복하중을 결정하는 곡선법을 3가지만 쓰시오.

① _____ ② _____ ③ _____

해답 ① $\log P - \log s$ 곡선법   ② $P - ds/d(\log t)$ 곡선법
③ $P - s$ 곡선법   ④ $s - \log t$ 곡선법

□□□ 05④, 22②

20 도로의 평판재하시험에서 지름이 30cm의 재하판을 사용하여 재하판에 1.25mm침하될 때 하중강도가 800kN/m²이 되었다. 이 때 지반반력계수 K_{75}를 구하시오.

계산 과정)   답 : _____

해답 지지력 계수
$$K_{30} = \dfrac{\text{하중강도}(q)}{\text{침하량}(y)} = \dfrac{800}{1.25 \times \dfrac{1}{1,000}}$$
$$= 640,000\,\mathrm{kN/m^3} = 640\,\mathrm{MN/m^3}(\because\ 1\mathrm{MN} = 10^3\mathrm{kN} = 10^6\mathrm{N})$$
$$\therefore\ K_{75} = \dfrac{1}{2.2} \times K_{30} = \dfrac{1}{2.2} \times 640 = 290.91\,\mathrm{MN/m^3}$$

□□□ 98③, 08①

21 직경 30cm 평판재하시험에서 작용압력이 300kN/m²일 때 침하량이 20mm라면, 직경 1.5m의 실제기초에 300kN/m²의 압력이 작용할 때 점토지반에서의 침하량의 크기는 얼마인가?

계산 과정)   답 : _____

해답 침하량 $S_F = S_P \times \dfrac{B_F}{B_P} = 20 \times \dfrac{1.5}{0.30} = 100\,\mathrm{mm}(\because\ \text{점토지반})$

□□□ 01①

22 아래 그림의 조건에서 기초의 장기 및 단기 허용지지력을 각각 구하시오.

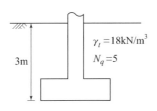

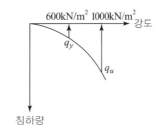

(a) 독립기초 설치단면　　　　(b) 지표 3m 지점 평판재하시험 결과

계산 과정)　　　　　　　　　　　　　　　　　　답 : _____

───────────────────────────────

해답　• 장기 허용지지력 $q_a = q_t + \dfrac{1}{3}\gamma_t D_f N_q$

　• 단기 허용지지력 $q_a = 2q_t + \dfrac{1}{3}\gamma_t D_f N_q$

　• 허용지지력

　　$q_t = \dfrac{q_y}{2} = \dfrac{600}{2} = 300\,\text{kN/m}^2$

　　$q_t = \dfrac{q_u}{3} = \dfrac{1{,}000}{3} = 333\,\text{kN/m}^2$

　　∴ 허용지지력 $q_t = 300\,\text{kN/m}^2$(두 값 중 작은 값)

　• 장기 허용지지력 $q_a = 300 + \dfrac{1}{3} \times 18 \times 3 \times 5 = 390\,\text{kN/m}^2$

　• 단기 허용지지력 $q_a = 2 \times 300 + \dfrac{1}{3} \times 18 \times 3 \times 5 = 690\,\text{kN/m}^2$

　　∴ 장기 허용지지력 : $390\,\text{kN/m}^2$, 단기 허용지지력 : $690\,\text{kN/m}^2$

□□□ 93③, 95③, 12②

23 아래 그림과 같은 기초지반에 평판재하시험을 실시하여 $\log P - \log S$ 곡선을 그려 항복하중을 구했더니 210kN, 극한하중은 300kN이었다. 이때 기초지반의 장기 허용지지력은 얼마인가? (단, 기초하중면보다 아래에 있는 지반의 토질에 따른 계수(N_q)는 3이다.)

계산 과정)

답 : _____

───────────────────────────────

해답　• 항복강도 $q_y = \dfrac{P_y}{A} = \dfrac{210}{0.3 \times 0.3} = 2{,}333.33\,\text{kN}$

　• 극한강도 $q_u = \dfrac{P_u}{A} = \dfrac{300}{0.3 \times 0.3} = 3{,}333.33\,\text{kN}$

• 허용지지력(q_t) 결정

$$q_t = \frac{q_y}{2} = \frac{2,333.33}{2} = 1,166.67 \,\text{kN/m}^2$$

$$q_t = \frac{q_u}{3} = \frac{3,333.33}{3} = 1,111.11 \,\text{kN/m}^2$$

∴ 허용지지력 $q_t = 1,111.11 \,\text{kN/m}^2$(두 값 중 작은 값)

• 장기 허용지지력

$$q_a = q_t + \frac{1}{3}\gamma \cdot D_f \cdot N_q = 1,111.11 + \frac{1}{3} \times 18 \times 2 \times 3 = 1,147.11 \,\text{kN/m}^2$$

□□□ 99③, 10④, 13①, 16④

24 두 번의 평판재하시험 결과가 다음과 같을 때 허용침하량이 25mm인 정사각형 기초가 1,500kN의 하중을 지지하기 위한 실제기초의 크기는 얼마인가?

원형평판직경 B(m)	0.3	0.6
작용하중 Q(kN)	100	250
침하량(mm)	25	25

계산 과정)

답 : _____

득점	배점
	3

해답 $Q = Am + Pn$

• $100 = \left(\dfrac{\pi \times 0.3^2}{4}\right)m + (0.3\pi)n$ ----------- (1)

• $250 = \left(\dfrac{\pi \times 0.6^2}{4}\right)m + (0.6\pi)n$ ----------- (2)

$(1) \times 2 - (2)$

• $200 = \left(\dfrac{2\pi \times 0.3^2}{4}\right)m + (0.6\pi)n$ ----------- (1)′

$-50 = -0.18\left(\dfrac{\pi}{4}\right)m$: $m = 353.678$, $n = 79.577$

• $1,500 = D^2 \times 353.678 + 4D \times 79.577$

∴ $D = 1.66\text{m}$

참고 SLOVE법 사용

□□□ 07②, 11④

25 말뚝의 정적재하시험의 재하방법 3가지를 쓰시오.

① _____ ② _____ ③ _____

득점	배점
	3

해답 ① 사하중 재하방법
② 반력말뚝 재하방법
③ 어스 앵커 재하방법

□□□ 14①, 20②, 21③

26 기초의 평판재하시험에 대한 아래의 물음에 답하시오.

득점 배점
8

가. 직경 30cm인 평판으로 재하시험을 실시한 결과, 침하량 25.4mm일 때 극한지지력이 400kPa이었다. 동일한 허용침하량이 발생할 때 직경 1.2m인 실제기초의 극한지지력을 사질토지반인 경우와 점토지반인 경우에 대하여 각각 구하시오.

① 사질토인 경우

계산 과정) 답 : _____

② 점토인 경우

계산 과정) 답 : _____

나. 직경 30cm인 평판의 재하시험에서 작용압력이 300kPa일 때 침하량이 20mm 발생하였다. 직경 1.2m의 실제기초에서 동일한 압력이 작용할 때의 침하량을 사질토와 점토의 경우에 대하여 각각 구하시오.

① 사질토인 경우

계산 과정) 답 : _____

② 점토인 경우

계산 과정) 답 : _____

해답 가. ① $q_{u(F)} = q_{u(P)} \times \dfrac{B_F}{B_P} = 400 \times \dfrac{1.2}{0.3} = 1,600\,\text{kPa} = 1,600\,\text{kN/m}^2$

② $q_{u(F)} = 400\,\text{kPa}$

나. ① 침하량 $S_F = S_P \left(\dfrac{2B_F}{B_F + B_P} \right)^2 = 20 \times \left(\dfrac{2 \times 1.2}{1.2 + 0.3} \right)^2 = 51.2\,\text{mm}$

② 침하량 $S_F = S_P \times \dfrac{B_F}{B_P} = 20 \times \dfrac{1.2}{0.30} = 80\,\text{mm}$

□□□ 98①, 00③, 03④, 07①, 17①

27 CPT(원추형 콘 관입시험)의 일종인 piezocone으로 측정할 수 있는 값을 3가지 쓰시오.

득점 배점
3

① _____ ② _____ ③ _____

해답 ① 선단 cone저항(q_c)

② 마찰저항(f_s)

③ 간극수압(u)

과년도 예상문제

지반조사

□□□ 89①

01 암석과 같은 탄성체에 급격한 충격을 가하면 그 충격이 일종의 굴절파 또는 반사파가 되어 주위의 매질에 전파되어 지하지질 구조와 특히 대수층의 역할을 하는 암석 내의 파쇄대나 단층과 같은 구조물을 탐사하는 조사방법을 쓰시오.

○ _____

[해답] 탄성파 탐사법

□□□ 94①, 97④

02 불교란 시료를 채취하기 위해서 내경이 35mm, 외경이 45mm인 샘플튜브를 사용하였다. 채취된 시료의 교란상태를 평가하고, 그 근거를 기록하시오.

계산 과정)   답 : _____

[해답] $A_r = \dfrac{D_w^2 - D_e^2}{D_e^2} \times 100\% = \dfrac{45^2 - 35^2}{35^2} \times 100 = 65.31\%$

판단 : 65.31% > 10%

∴ 교란된 시료

□□□ 85③, 88③, 95①

03 우리나라에 전반적으로 분포되어 있는 화강 풍화토는 현장에서 여러 가지로 문제점을 야기하고 있다. 이 흙의 일반적인 특징을 3가지만 쓰시오.

① _____   ② _____

③ _____

[해답] ① 풍화 정도에 따라 입자의 크기가 다양하다.
② 토립자가 파쇄되어 세립화(細立化)되기 쉽다.
③ 압축성은 일반 사질토와 점성토의 중간 정도이다.
④ 자연상태에서는 투수성이 크지만 다지면 불투수성이 된다.
⑤ 물에 지극히 약해서 포화되면 전단강도가 현저히 감소한다.

□□□ 95⑤, 97③

04 시공하고자 하는 지반의 흙이 높은 팽창성을 가진 경우 조치방법 3가지를 쓰시오.

① _____   ② _____

③ _____

[해답] ① 다짐공법
② 살수공법(침수법 : prewetting)
③ 차수벽 설치(수분 흡수방지벽 공법)
④ 흙의 안정처리(지반의 안정처리)

□□□ 93②

05 팽창성 지반을 기초지반으로 사용할때 지반의 성질을 개선하는 방법을 3가지만 쓰시오.

① _____   ② _____

③ _____

[해답] ① 다짐공법
② 살수공법(침수법 : prewetting)
③ 차수벽 설치(수분 흡수방지벽 공법)
④ 흙의 안정처리(지반의 안정처리)

암반조사

□□□ 91③

06 암질의 평가기준으로 RQD(rock quality designation)를 사용하는 경우가 많다. 계산방법을 설명하시오. 그리고 불량한 암질의 경우 RQD값은 대략 얼마 이하인가?

가. 계산방법 설명 :

나. 불량한 암질값 :

[해답] 가. $RQD = \dfrac{\sum 10cm\ 길이\ 이상\ 회수된\ 부분의\ 길이}{굴착된\ 암석의\ 이론적\ 길이} \times 100$

나. 불량 : 25 ~ 50%

□□□ 96①

07 붕괴성 토질(collapsing soil)로 구성된 지반 위에 구조물을 건설하고자 할 때 적절한 지반개량공법 또는 대책공법 3가지만 쓰시오.

① _____ ② _____

③ _____

해답 ① 롤러에 의한 재다짐법 ② 화학적 안정처리
③ 바이브로 플로테이션 공법 ④ 폰딩(ponding) 공법

□□□ 95④

08 암석시편 채취 시 core barrel의 종류가 AX, BX, EX, NX 4가지인데 큰 것부터 차례로 나열하시오.

○

해답 NX → BX → AX → EX

□□□ 93①, 95④, 97③

09 기반암반을 조사하기 위해 길이 1m 암석 코어(core)를 채취하여 추출한 암편의 길이를 측정하였더니 다음 그림과 같았다. 기초암반의 RQD로부터 암질을 판정하시오.
(단, 암질은 '우수', '양호', '보통', '불량', '매우불량'으로 표시)

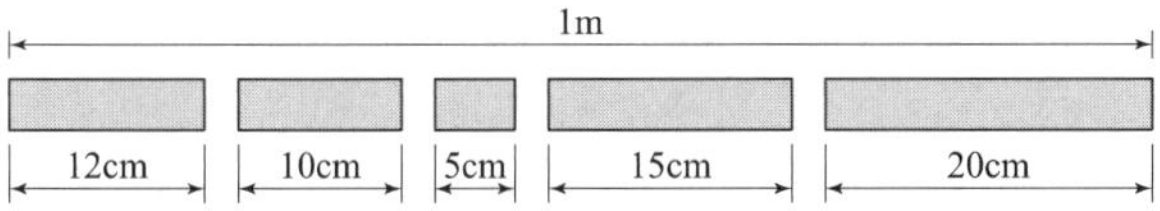

```
|<----------------------- 1m ----------------------->|
[  ][  ][ ][   ][    ]
 12cm  10cm 5cm 15cm  20cm
```

가. RQD : _____

나. 암질의 판정 : _____

해답 가. 암질지수

$$RQD = \frac{\Sigma 10cm \text{ 길이 이상 회수된 부분의 길이}}{\text{굴착된 암석의 이론적 길이}} \times 100$$

$$= \frac{12+10+15+20}{100} \times 100 = 57\%$$

나. ∴ 보통(보통 : RQD = 50~57%)

□□□ 87②

10 암석의 양부를 판정하는 R.Q.D(Rock Quality Designation)는 어떻게 산출하는가?

○

해답 $RQD = \dfrac{\Sigma 10cm \text{길이 이상 회수된 부분의 길이}}{\text{굴착된 암석의 이론적 길이}} \times 100$

□□□ 88③

11 다음 ( )을 채우시오.

$$RQD = \frac{\Sigma (\ \ )cm \text{ 길이 이상 회수된 부분의 길이}}{\text{굴착된 암석의 이론적 길이}} \times 100$$

○

해답 10

□□□ 96⑤, 99③, 03②

12 RMR분류에서 고려되는 사항을 4가지만 쓰시오.

① _____ ② _____

③ _____ ④ _____

해답 ① 암석의 일축압축강도
② RQD(암질지수)
③ 절리(불연속면)의 간격
④ 절리(불연속면)의 상태
⑤ 지하수 상태
⑥ 불연속면의 방향

□□□ 92②

13 원통형 암석시편에 압축허용하중을 가하여 암석의 인장강도를 결정하는 간접인장시험 방법을 무엇이라 하며, 이때의 인장강도(f_t) 산정식은?

가. 간접인장시험 방법 : _____

나. 산정식 : _____

해답 가. 압열인장시험(Brazilian test)

나. $f_t = \dfrac{2P}{\pi DL}$

□□□ 00②

14 절리가 발달된 암반을 공학적으로 판단하기 위한 RMR분류법에서 사용되는 암질변수 4가지를 쓰시오.

① _____ ② _____

③ _____ ④ _____

해답 ① 암석의 일축압축 강도
② RQD(암질지수)
③ 절리(불연속면)의 간격
④ 절리(불연속면)의 상태
⑤ 지하수 상태
⑥ 불연속면의 방향

□□□ 94②

15 팽창성 점토지반의 개량을 위한 시공법을 3가지만 쓰시오.

① _____ ② _____

③ _____

해답 ① 다짐공법
② 살수공법(침수법 : prewetting)
③ 차수벽 설치(수분 흡수방지벽 공법)
④ 흙의 안정처리(지반의 안정처리)

□□□ 95⑤, 92②

16 암석강도, RQD, 불연속면의 간격, 불연속면의 상태, 지하수 등 5가지 요소에 대한 암반의 평점을 합산한 후 절리의 방향성에 따라 조정하여 암반을 Ⅰ, Ⅱ, Ⅲ, Ⅳ, Ⅴ의 5가지로 분류하는 암반분류법을 쓰시오.

○ _____

해답 RMR(Rcok Mass Rating)

토질조사

□□□ 88②

17 연약 점토지반의 전단강도를 지반의 원위치에서 시험하는 현장시험방법 중 대표적인 것은?

○ _____

해답 베인시험(Vane test)

□□□ 85②

18 2개의 쪼개진 샘플링 스푼을 붙인 보링 로드 위에 76cm의 높이로부터 63.5kg의 해머를 낙하시켜 지중으로 30cm 관입하는 데 필요한 항타횟수를 말하는 것은?

○ _____

해답 N치(표준관입시험)

□□□ 94①

19 다음 ( ) 안에 알맞은 말을 넣으시오.

> 모래지반의 N치와 상대밀도, 내부마찰력의 관계는 Terzaghi, Peck, (①), Dunham 및 (②) 씨 등에 의하여 구하였으며 세계에 보급하였다.

○ _____

해답 ① Meyerhof ② 오자키

□□□ 96④

20 보링과 병행하여 표준관입시험을 실시함에 있어서 N치를 정확하게 구하기 위하여 필요한 유의사항을 요약하여 3가지를 쓰시오.

① _____ ② _____

③ _____

해답 ① 로드길이에 대해 수정한다.
② $N > 15$일 때 토질에 대해 수정한다.
③ 모래지반에서 상재압에 대해 수정한다.

□□□ 03②, 05①, 96②, 07②, 99④, 02②, 07②

21 물로 포화된 실트질 세사의 표준관입시험 결과 $N=40$ 이 되었다면 수정 N값은?
(단, 측정까지의 rod의 길이는 50m임.)

가. 측정방법 :

나. N치의 이용

① _____ ② _____

③ _____

해답 가. • rod 길이에 대한 수정

$$N_1 = N\left(1 - \frac{x}{200}\right) = 40 \times \left(1 - \frac{50}{200}\right) = 30$$

• 토질에 의한 수정

$$\therefore N_2 = 15 + \frac{1}{2}(N_1 - 15) = 15 + \frac{1}{2}(30 - 15) = 22.5$$
$$= 23$$

나. ① 컨시스턴시
② 일축압축강도
③ 점착력
④ 기초지반 허용지지력
⑤ 기초지반 극한지지력

□□□ 93②, 95①, 97②

22 길이 35m 위치에서 가는 포화된 silt(실트)질 지반의 N치 측정 결과 $N=33$이었다. 수정 N치는?

계산 과정)   답 : _____

해답 • rod 길이에 대한 수정

$$N_1 = N\left(1 - \frac{x}{200}\right) = 33 \times \left(1 - \frac{35}{200}\right) = 27$$

• 토질에 의한 수정

$$N_2 = 15 + \frac{1}{2}(N_1 - 15) = 15 + \frac{1}{2}(27 - 15) = 21$$

□□□ 99①

23 모래지반에서 N치로 구할 수 있는 토질정수를 4가지만 쓰시오.

① _____ ② _____

③ _____ ④ _____

해답 ① 내부마찰각   ② 상대밀도
③ 지지력계수   ④ 탄성계수

□□□ 99①

24 표준관입시험 시 해머의 타격으로 인해 driving rod에 전달한 에너지가 이론적 에너지의 52%로 측정되었다. 동일한 장비로 측정한 N치가 15였을 때 이론적 에너지의 60%에 해당하는 에너지를 환산한 N치(N_{60})를 계산하시오.

계산 과정)   답 : _____

해답 $N_{52} : N_{60} = \dfrac{1}{E_{52}} : \dfrac{1}{E_{60}}$ 에서

$15 : N_{60} = \dfrac{1}{52} : \dfrac{1}{60}$ $\therefore N_{60} = 13$

($\because$ 표준관입시험(SPT)의 N치는 driving rod에 전달한 에너지에 반비례한다.)

□□□ 99①

25 사질지반에서 표준관입시험 결과치 "N"치로 판정, 추정할 수 있는 사항을 5가지 기술하시오.

① _____ ② _____

③ _____ ④ _____

⑤ _____

해답 ① 내부마찰각
② 상대밀도
③ 지지력계수
④ 탄성계수
⑤ 기초지반의 허용지지력

□□□ 93④

26 평판재하시험 결과 이용 시 Scale effect는 중요하다. 이때 지지력과 침하량에 대하여 재하판(plate)폭에 비례하는 기초지반의 흙을 쓰시오.

가. 지지력 :

나. 침하량 :

해답 가. 모래지반
나. 점토지반

구분	재하판(plate)폭에 비례	재하판(plate)폭에 무관
지지력	모래지반	점토지반
침하량	점토지반	모래지반

□□□ 87②, 97①

27 Boring 공내에 측정관을 넣어 내부에 유체압을 주어 공벽을 재하하고 공벽의 변형량과 가해진 압력과의 관계로부터 지반의 변형계수, 횡방향 지지력 계수, 항복하중 등 자연상태의 역학적 성질을 알기 위한 현장재하시험방법은?

○

해답 공내재하시험(PMT)

□□□ 92④

28 재하시험에서 지지말뚝의 장기 허용지지력은 어떻게 결정하는가?

○

해답 • 재하시험에 의한 허용지지력(q_t)

$$q_t = \frac{극한강도(q_u)}{3}$$

$$q_t = \frac{항복강도(q_y)}{2}$$

∴ 두 값 중 작은 값

• 장기 허용지지력

$$q_a = q_t + \frac{1}{3}\gamma_t \cdot D_f \cdot N_q$$

여기서, γ_t : 흙의 단위체적중량

D_f : 기초에 근접된 최저지반면에서 기초하중면까지의 깊이(m)

N_q : 기초하중면보다 아래에 있는 지반의 토질에 따른 정수

□□□ 96②, 98④

29 평판재하시험을 행하여 그 결과를 이용 시 유의사항을 3가지 쓰시오.

① _____ ② _____

③ _____

해답 ① 시험한 지반의 토질종단을 알아야 한다.
② 지하수위의 변동사항을 알아야 한다.
③ scale effect를 고려하여야 한다.
④ 부등침하를 고려해야 한다.
⑤ 예민비를 고려하여야 한다.
⑥ 실험상의 문제점을 검토하여야 한다.

□□□ 00①

30 다음 그림은 사질토에 대한 시추주상도이다. 깊이 3, 6, 9m에서의 N값을 유효상재압의 크기에 따라 수정한 값을 구하시오.

(단, 수정공식 $N' = \frac{3.12}{\sqrt{\sigma_v'}}N$ 을 사용하라.)

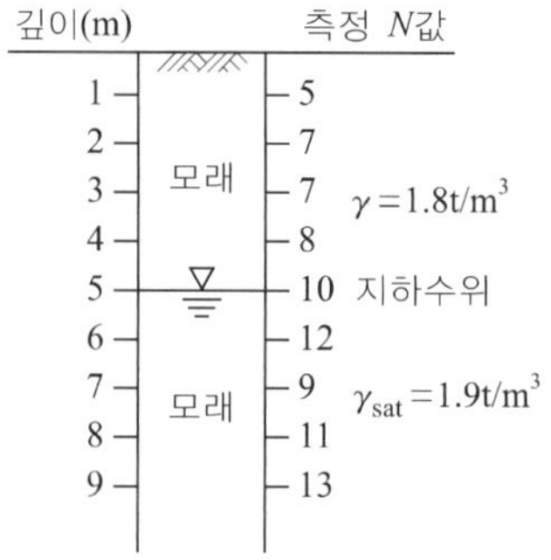

깊이(m)		측정 N값	계산 과정)
1		5	
2		7	
3	모래	7	$\gamma = 1.8\text{t/m}^3$
4		8	
5	▽	10	지하수위
6		12	
7	모래	9	$\gamma_{sat} = 1.9\text{t/m}^3$
8		11	
9		13	

답 : _____

해답 가. 깊이 3m

$$\sigma_v' = \gamma_t h_1 = 1.8 \times 3 = 5.40\text{t/m}^2$$

$$N' = \frac{3.12}{\sqrt{\sigma_v'}}N = \frac{3.12}{\sqrt{5.40}} \times 7 = 9.40 \quad \therefore 9회$$

나. $\sigma_v' = \gamma_t h_1 + \gamma_{sub} h_2 = 1.8 \times 5 + (1.9-1) \times 1 = 9.90\text{t/m}^2$

$$N' = \frac{3.12}{\sqrt{\sigma_v'}}N = \frac{3.12}{\sqrt{9.90}} \times 12 = 11.90 \quad \therefore 12회$$

다. $\sigma_v' = \gamma_t h_1 + \gamma_{sub} h_2 = 1.8 \times 5 + (1.9-1) \times 4$

$$= 12.60\text{t/m}^2$$

$$N' = \frac{3.12}{\sqrt{\sigma_v'}}N = \frac{3.12}{\sqrt{12.60}} \times 13 = 11.43 \quad \therefore 11회$$

□□□ 96①, 98③, 01④, 19②

31 어떤 지반의 평판재하시험에서 30cm×30cm 크기의 재하판을 사용 시 극한지지력이 240kPa 침하량이 10mm이었다. 실제 3m×3m의 기초를 설치할 때 예상되는 극한지지력과 침하량을 사질토지반의 경우로 보고 추정하시오.

가. 극한지지력 :

나. 침하량 :

해답 가. $q_{u(F)} = q_{u(P)} \times \frac{B_F}{B_P} = 240 \times \frac{3}{0.3} = 2,400\text{kPa}$

나. $S_F = S_P \times \left(\frac{2B_F}{B_F + B_P}\right)^2 = 10 \times \left(\frac{2 \times 3}{3 + 0.3}\right)^2 = 33.06\text{mm}$

32 어떤 사질 기초지반의 평판재하실험 결과 항복강도가 600kN/m², 극한강도 1,000kN/m²이었다. 그리고 그 기초는 지표에서 1.5m 깊이에 설치된 것이고 그 기초지반의 단위중량이 18kN/m³일 때 이때의 지지력계수 $N_q = 5$이었다. 이 기초의 장기 허용지지력은?

○

[해답] 허용지지력(q_t) 결정

$$q_t = \frac{q_u}{3} = \frac{1,000}{3} = 333.33 \text{kN/m}^2$$

$$q_t = \frac{q_y}{2} = \frac{600}{2} = 300 \text{kN/m}^2$$

$$\therefore q_t = 300 \text{kN/m}^2 (\because \text{두 값 중 작은 값})$$

$$\therefore \text{장기 허용지지력 } q_a = q_t + \frac{1}{3}\gamma_t \cdot D_f \cdot N_q$$

$$= 300 + \frac{1}{3} \times 18 \times 1.5 \times 5$$

$$= 345 \text{kN/m}^2$$

33 두 번의 평판재하시험 결과가 다음과 같을 때, 허용침하량이 25mm인 원형기초가 700kN인 하중을 지지하기 위한 기초의 크기를 Housel 방법을 이용하여 구하시오.

평판직경 B(m)	작용하중 Q(kN)	침하량(mm)
0.3	40	25
0.6	90	25

계산 과정)

답 :

[해답] $Q = Am + Pn$

$$\cdot 40 = \left(\frac{\pi \times 0.3^2}{4}\right)m + (0.3\pi)n \quad \cdots\cdots\cdots\cdots \text{①}$$

$$\cdot 90 = \left(\frac{\pi \times 0.6^2}{4}\right)m + (0.6\pi)n \quad \cdots\cdots\cdots\cdots \text{②}$$

①×2−②

$$\cdot 80 = \left(\frac{2\pi \times 0.3^2}{4}\right)m + (0.6\pi)n \quad \cdots\cdots\cdots\cdots \text{①′}$$

$$-10 = -0.18\left(\frac{\pi}{4}\right)m : m = 70.736, \ n = 37.136$$

$$\cdot 700 = \left(\frac{\pi \times D^2}{4}\right) \times 70.736 + (\pi \times D) \times 37.136$$

$$\therefore D = 2.652\text{m}$$

[참고] SOLVE 사용

34 그림과 같은 지반 위에 평판재하시험을 실시하여 항복하중이 800kN/m² 극한하중이 1,100kN/m²임을 알았다. 푸팅 바닥면에서의 허용지지력을 구하시오.
(단, 점성토에서의 $N_q = 1.0$, 사질토에서의 $N_q = 1.3$이다.)

계산 과정)   답 : _____

[해답] 재하시험에 의한 허용지지력(q_t) 결정

$$q_t = \frac{q_u}{3} = \frac{1,100}{3} = 366.67 \text{kN/m}^2$$

$$q_t = \frac{q_y}{2} = \frac{800}{2} = 400 \text{kN/m}^2$$

$$\therefore q_t = 366.67 \text{kN/m}^2 (\because \text{두 값 중 작은 값})$$

$$\therefore q_a = q_t + \frac{1}{3}\gamma_t \cdot D_f \cdot N_q$$

$$= 366.67 + \frac{1}{3} \times (15.5 \times 1.5 \times 1.0 + 17.0 \times 0.5 \times 1.3)$$

$$= 378.10 \text{kN/m}^2$$

35 직경 30cm의 평판재하시험을 한 결과 침하량 25mm일 때 극한지지력이 300kPa이고, 침하량이 10mm이었다. 허용 침하량이 25mm인 직경 1.2m의 실제 기초의 극한지지력과 침하량을 구하시오.
(단, 점토지반과 사질토지반인 경우에 대하여 각각 구하시오.)

가. 점토지반

① 극한지지력 :

② 침하량 :

나. 사질토지반

① 극한지지력 :

② 침하량 :

[해답] 가. ① $q_u = 300 \text{kN/m}^2 (\because \text{재하판에 무관})$

② $S_F = S_P \times \dfrac{B_F}{B_P} = 10 \times \dfrac{1.2}{0.30} = 40\text{mm}$

나. ① $q_{u(F)} = q_{u(P)} \times \dfrac{B_F}{B_P} = 300 \times \dfrac{1.2}{0.30} = 1,200\text{kPa}$

② $S_F = S_P \left(\dfrac{2B_F}{B_F + B_P}\right)^2 = 10 \times \left(\dfrac{2 \times 1.2}{1.2 + 0.3}\right)^2 = 25.6\text{mm}$

□□□ 95③

36 어떤 기초지반의 평판재하실험 결과 $\log p - \log s$ 곡선을 그려 항복하중을 구했더니 360kN, 극한하중을 구했더니 420kN 이었다. 이때 사용한 재하판이 $30 \times 30 \times 2.5$cm인 경우 다음을 구하시오.

가. 항복하중에 의한 단위면적당의 실험 허용지지력을 구하시오.

계산 과정)　　　　　　　　　답 : _____

나. 극한하중에 의한 단위면적당의 실험 허용지지력을 구하시오.

계산 과정)　　　　　　　　　답 : _____

다. 실제에 이용하는 실험 허용지지력을 구하시오.

계산 과정)　　　　　　　　　답 : _____

라. 기초지반의 토질실험 결과 $\gamma_t = 18$kN/m^3 근입거리 $D_f = 2$m, $N_q = 3$일 때 장기 허용지지력과 단기 허용지지력을 구하시오.

계산 과정)　　　　　　　　　답 : _____

해답 가. $q_t = \dfrac{q_y}{2} = \dfrac{1}{2} \times \dfrac{360}{0.3 \times 0.3} = 2,000 \text{kN/m}^2 = 2,000 \text{kPa}$

나. $q_t = \dfrac{q_u}{3} = \dfrac{1}{3} \times \dfrac{420}{0.3 \times 0.3} = 1,555.56 \text{kN/m}^2$

$= 1,555.56 \text{kPa}$

다. $1,555.56 \text{kN/m}^2$ ($1,555.56 \text{kPa}$) ($\because$ 두 값 중 작은 값)

라. • 장기 허용지지력

$q_a = q_t + \dfrac{1}{3} \gamma \cdot D_f \cdot N_q$

$= 1,555.56 + \dfrac{1}{3} \times 18 \times 2 \times 3 = 1,591.56 \text{kN/m}^2$

$= 1,591.56 \text{kPa}$

• 단기 허용지지력

$q_a = 2q_t + \dfrac{1}{3} \gamma \cdot D_f \cdot N_q$

$= 2 \times 1,555.56 + \dfrac{1}{3} \times 18 \times 2 \times 3 = 3,147.12 \text{kN/m}^2$

$= 3,147.12 \text{kPa}$

2 chapter

연약지반

연도별 출제경향

✔ 체크	출제경향	출제연도
☐☐☐	01 연약지반에서 발생할 수 있는 공학적 문제점을 3가지 쓰시오.	15①
☐☐☐	02 Sand drain 공법에서 Sand Mat의 역할을 3가지 쓰시오.	87②, 91③, 93①, 02①, 08①, 11②, 14①, 18②
☐☐☐	03 Sand drain을 연약지반에 타설하는 방법을 3가지 쓰시오.	91②, 94④, 02④, 05②, 07②, 11②, 13④, 18①, 20③
☐☐☐	04 Sand drain 공법에서 전체 압밀도(U)를 산출하시오.	94②, 00②, 05①, 08②, 09②, 14②, 16①, 20①
☐☐☐	05 Sand pile을 정사각형으로 배치할 경우 모래 기둥의 간격을 계산하시오.	00①, 04②
☐☐☐	06 Sand drain 이론의 등가환산원의 직경(d_w)과 영향원의 직경(d_e)을 산출하시오.	92②, 03①, 12④, 13④, 19③
☐☐☐	07 단답형 : 열화(熱化)하여 배수효과가 감소하는 이 공법은?	85②, 86②, 94④
☐☐☐	08 Paper Drain 공법이 Sand Drain 공법과 비교하여 유리한 점을 5가지 쓰시오.	91③, 94②, 96③, 19②
☐☐☐	09 Paper drain 공법에 있어서 drain paper의 구비조건을 3가지 쓰시오.	00④, 06①
☐☐☐	10 연직배수공법을 설계할 때 약식 설계방법을 2가지 쓰시오.	00④
☐☐☐	11 장래의 압밀침하량을 예측하여 이용되는 분석법을 3가지 쓰시오.	96②
☐☐☐	12 Sand drain 공법에 비해 Pack drain 공법의 단점을 2가지 쓰시오.	01④
☐☐☐	13 Sand drain 공법에 비해 Pack drain 공법의 장점을 3가지 쓰시오.	96⑤, 99③, 04①
☐☐☐	14 영구하중보다 더 큰 하중을 일정기간 가하여 압밀침하를 미리 발생시키는 공법은?	84③, 85②, 87③, 96①
☐☐☐	15 연약지반에서 개량된 지반의 강도를 산출하시오.	04①, 05③, 07②, 08③, 12②
☐☐☐	16 연약지반 개량공법 4가지를 쓰시오.	19①, 23①
☐☐☐	17 단답형 : 점토 속의 수분을 빨아내는 방법으로 상재하중 없이 압밀을 촉진시킬 수 있는 지반개량공법은?	92②, 99③, 11④, 14①
☐☐☐	18 연약지반 개량공법 중 치환공법의 종류를 3가지 쓰시오.	85①③, 04③, 08①, 17②
☐☐☐	19 강제치환공법에 대해 간단히 설명하고, 강제치환공법의 단점을 3가지 쓰시오.	14①, 21③
☐☐☐	20 Sand mat의 중요한 역할을 3가지 쓰시오.	93①, 08①, 11②, 14①
☐☐☐	21 저항하는 moment를 증가시켜 성토의 활동으로 인한 파괴를 방지하는 공법	84③, 85④, 86①②, 92④
☐☐☐	22 진동봉에 위치했던 빈 구멍에 모래나 자갈로 채우는 공법	86①, 88②, 96⑤

✓ 체크	출제경향	출제연도
□□□	23 사질지반 개량을 위해서 진동을 이용한 공법을 4가지 쓰시오.	00②, 01④
□□□	24 중량이 큰 추를 낙하시켜 충격에너지와 진동에너지에 의해 지반을 다지는 공법은?	94④
□□□	25 동다짐공법에서 개량이 가능한 심도를 계산하시오.	96⑤, 03①, 16①
□□□	26 동압밀공법의 장점을 3가지 쓰시오.	01①, 07④
□□□	27 단답형 : 사질토지반이나 매립지반을 개량하는 데 효과적이며, 포화된 점성토에서도 사용가능한 공법	02②, 13②
□□□	28 주입공법의 주입재 중 비약액계(현탁액형)의 종류를 3가지 쓰시오.	01①, 06②, 09②, 11①, 13①
□□□	29 약액주입제에서 주입재가 갖춰야 할 조건을 4가지 쓰시오.	00①, 13①
□□□	30 지반보강이나 차수를 위한 주입공법의 종류를 3가지 쓰시오.	03①, 07④
□□□	31 생석회 말뚝공법의 주요 효과를 3가지 쓰시오.	00③, 05①, 12②
□□□	32 해안매립지와 같이 초연약지반의 지표면을 고화시키기 위해 사용하는 공법의 명칭은?	14①
□□□	33 지하수위 저하공법에서 강제 배수공법의 종류를 3가지 쓰시오.	10①, 16④, 17④
□□□	34 웰 포인트 공법에서 전체 스크린을 동일 레벨상에 있도록 설계하는 가장 큰 이유는?	85②, 99①, 12②
□□□	35 투수계수가 1×10^{-2}cm/sec보다 크고, 투수성이 좋은 지반의 배수공법은?	94④, 01②
□□□	36 Deep well 공법의 가장 효과적인 경우를 3가지 쓰시오.	92①, 98②, 01②, 04②
□□□	37 진공압밀공법의 장점을 3가지 쓰시오.	98④, 06①
□□□	38 토목섬유(geotextile)의 주요 기능을 4가지 쓰시오.	85③, 92③, 93③, 95④, 00⑤, 06①, 07①, 09④, 12②, 20①④
□□□	39 토목섬유(Geosynthetics)의 종류를 4가지 쓰시오.	95③, 98⑤, 08②, 11①, 13②

02 연약지반

연약지반이란 흙의 성질상 전단강도가 작고 압축성이 큰 연약토로 이루어진 지반을 말한다.

01 연약지반

1 연약지반의 특징

(1) 연약지반의 정의

① 흙의 성질상 전단강도가 작고 압축성이 큰 연약토로 이루어진 지반
② 흙의 성질상 압축성이 커서 상부구조물을 지지할 수 없는 자연상태의 지반
③ 지반공학개념의 연약지반은 대상 지반 위에 축조될 구조물의 규모, 하중 및 형식을 고려한 지반개량을 필요로 하는 지반을 의미한다.

(2) 연약지반의 공학적 특성

① 해성점토 : 청회색의 균질점토 및 실트로 이루어져 있으며, SPT의 N값은 약 5 이하로서 전단강도가 작고 압축성이 크다.
② 모래층 : 모래층은 세사로 이루어져 있고, N값은 10 이하로서 균등계수가 작다. 모래의 입경은 0.1~1mm인 세사로서 상대밀도가 35% 이하인 경우 진동 및 지진발생 시 액상화현상이 발생 가능하다.
③ 고유기질토(Peat) : 연약지반을 구성하고 있는 식물질의 유기질토는 전단강도가 작고 압축성이 크므로 안정과 침하문제가 연약지반보다 심각하다.

(3) 연약지반에서 발생하는 공학적 문제점

① 침하의 문제 : 압밀침하, 말뚝에 작용하는 부마찰력 등 흙의 압축성이 커서 생기는 침하문제가 발생한다.
② 지반의 안정(파괴)문제 : 연약지반 상에 성토를 할 때 원호활동, 기초의 지지력, 토압 등 흙의 전단저항이 약하여 생기는 안정문제가 생긴다.
③ 투수성(지하수위의 영향)문제 : 차수, 분사현상, 파이핑과 같은 투수성 문제로 지반침하와 침투력에 의한 지반파괴 문제가 발생한다.
④ 액상화 문제 : 물로 포화된 사질토지반은 진동과 같은 동적하중으로 액상화 발생 가능성이 크다.

2 연약지반의 개량

⑴ 연약지반 개량 공법의 목적

① **강도 특성의 개선** : 지반의 강도는 지반의 파괴에 대한 저항성이다.

② **변형 특성의 개선** : 압축성을 저하시키거나 전단 변형계수를 증대시킨다.

③ **지수성의 개선** : 공사 중 또는 공사 완료 후에 토층수가 이동하면 유효응력의 변화에 의해서 여러 가지 문제가 생긴다. 이 문제는 지반의 지수성 개선에 의해서 방지될 수 있다.

④ **동적 특성의 개선** : 느슨한 사질토지반에서는 지진이나 지반의 동적거동에 의해서 간극수압이 상승하여 유효응력 감소에 의한 액상화 현상이 일어날 수 있다.

⑵ 연약지반 개량공법의 종류

① 연약지반 개량원리에 의한 공법

개량원리	공법	적용지반	개량목적
연직배수공법	sand drain 공법	점성토, 유기질토	• 지반의 강도 증가 • 압밀침하 촉진
	paper drain 공법		
	pack drain 공법		
다짐공법	sand compactionpile 공법	사질토, 점성토	• 강도 증가, 침하 감소 • 액상화 방지
	vibroflotation 공법	사질토	
	동다짐공법		
지하수위강재 배수공법	well point 공법	사질토	• 지반의 강도 증가 • 지반의 잔류침하 감소
	전기침투공법		
	진공압밀공법		
	침투압공법	점성토, 유기질토	
지하수위중력 배수공법	deep well 공법	사질토, 유기질토	
	집수공법		
	암거공법		
치환공법	굴착치환공법	사질토, 유기질토	• 지반의 전단변형 억제 • 지반의 침하 감소 • 활동파괴 방지
	강제치환공법		
	폭파치환공법		
압밀배수	생석회말뚝공법	점성토, 유기질토	• 지반의 강도 증가 • 지반의 압밀 촉진
	침투막(MAIS)공법		
	쇄석말뚝공법	사질토	• 액상화 방지

개량원리	공법	적용지반	개량목적
고결공법	약액주입공법	사질토, 점성토, 유기질토	• 활동파괴의 방지 • 지반의 전단변형 방지
	동결공법		
	표층혼합처리공법	사질토, 점성토	• 도로 노상안정처리
하중조절	sand mat 공법	점성토, 유기질토	• 지반의 지지력 향상 • 활동파괴의 방지
	압성토 공법		
	구속공법		

② 점성토 및 사질토의 개량공법

기억해요
연약지반 개량공법 중 지반개량공법 4가지만 쓰시오.

점성토 개량공법		사질토 개량공법		일시적인 개량공법
개량원리	종 류	개량원리	종 류	
탈수 방법	• sand drain • paper drain • preloading • 침투압 공법 • 생석회 말뚝 공법	다짐 방법	• 다짐말뚝공법 • Compozer 공법 • virbroflotation 공법 • 전기충격식공법 • 폭파다짐공법	• well point 공법 • deep well 공법 • 동결공법 • 대기압공법 • 전기침투공법
치환 방법	• 굴착치환공법 • 폭파치환공법 • 강제치환공법	배수 방법	well point 공법	
		고결 방법	약액주입공법	

| 연약지반 |

01 핵심 기출문제 □□□

□□□ 15①

01 연약지반에서 발생할 수 있는 공학적 문제점을 3가지 쓰시오.

득점 배점
3

① _____ ② _____ ③ _____

해답 ① 침하의 문제
② 지반의 안정문제(지반의 파괴문제)
③ 투수성문제(지하수위의 영향문제)
④ 액상화 문제

□□□ 00②, 01④

02 사질지반 개량을 위해서 진동을 이용한 공법을 4가지만 쓰시오.

득점 배점
3

① _____ ② _____

③ _____ ④ _____

해답 ① Vibroflotation 공법
② 다짐모래말뚝공법(Sand compaction pile method)(=바이브로 콤포져 공법)
③ 동다짐공법(=동압밀공법)
④ 폭파다짐공법

□□□ 15①, 15④

03 연약지반 개량공법 중 일시적인 지반개량공법 4가지만 쓰시오.

득점 배점
3

① _____ ② _____

③ _____ ④ _____

해답 ① Well point 공법 ② Deep well 공법 ③ 동결공법
④ 침투압공법 ⑤ 전기침투공법

02 Vertical drain 공법

연직드레인 공법은 연직배수 공법이라고도 하며, Sand drain 공법, Paper drain 공법, Pack drain 공법, 플라스틱 보드드레인(plastic board drain) 등이 있다.

1 Sand drain 공법

(1) 공법의 개요

연약한 점토질 지반에 주상의 투수층인 모래기둥을 시공하여 토층 속의 물을 모래기둥을 통하여 지표면으로 배제시킴으로써 단기간 내에 지반을 압밀강화시키는 공법이다.

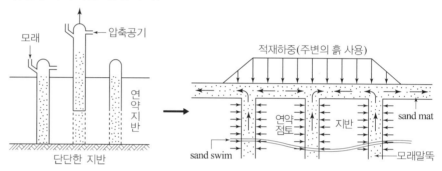

샌드 드레인 공법

(2) 모래말뚝의 배치 Barron 배열

기억해요
모래기둥의 간격을 구하시오.

① 정삼각형 배치

$$d_e = 1.050d$$

여기서, d_e : drain의 영향원 직경 d : drain의 간격

② 정사각형 배치

$$d_e = 1.128d = 1.13d$$

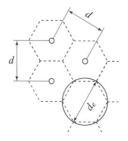

정삼각형 배치

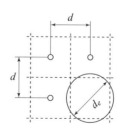

정사각형 배치

(3) Sand drain의 타실하는 방법

연약지반을 개량하기 위하여 sand drain 공법에 의해 sand pile을 타입하는 경우, 다음 4가지 방법 중에서 현장조건을 고려하여 선택할 수 있다.

① 압축공기식 케이싱 방법 : 선단 개폐할 수 있도록 제작한 특수케이싱을 항타하여 깊이까지 관입시킨 후에 케이싱에 모래를 투입하고 가득 채워지면 모래투입구를 닫고 압력 5kg/cm^2 정도 압축공기를 가하면서 케이싱을 서서히 인발한다.

② 워터제트(water jet)식 케이싱 방법 : 케이싱 내부에 워터제트 로드를 삽입하여 케이싱 선단과 워터제트 노즐의 위치를 같게 한 후에 물을 분사하면서 서서히 관입시키면 지반이 교란되어 물과 함께 유출된다. 소정의 깊이까지 관입되면 워터제트 로드를 움직여서 케이싱 내부를 청소한 후 모래를 투입하고 케이싱을 서서히 인발한다.

③ 회전식보링(rotary boring)에 의한 방법 : 연약지반이 자립성이 가능하면 오거 등으로 굴착한 후에 모래를 투입하여 샌드 드레인 기둥을 만드는 방법이며, 케이싱을 하지 않으면 시공깊이가 한정된다.

④ 어스 오거(earth auger)에 의한 방법 : auger를 회전하여 굴착하고 auger 공내에 모래를 투입한 후 auger를 인발한다.

⑤ Mandrel에 의한 방법

기억해요
Sand drain의 연약지반에 타설하는 방법 3가지를 쓰시오.

(4) 평균압밀도

수평방향 압밀계수 C_h는 압밀시험으로 연직방향의 압밀계수 C_v와는 같지 않지만 ($C_h > C_v$), drain 타설 시 지반이 교란되므로 수평방향 압밀계수(C_h)와 연직방향의 압밀계수(C_v)는 같다고 하여도 무관하다.

$$U_{vr} = 1 - (1 - U_v)(1 - U_h)$$

여기서, U_v : 연직방향의 압밀도
$\quad\quad U_h$: 수평방향의 압밀도

기억해요
압밀도를 계산하시오.

(5) 압밀도와 시간계수의 관계

$$t = \frac{T_h d_e^2}{C_h}$$

여기서, t : 압밀시간
$\quad\quad T_h$: 방사류의 경우의 시간계수
$\quad\quad C_h$: 수평방향의 압밀계수
$\quad\quad d_e$: drain의 유효직경(영향원의 직경)

(6) 샌드 드레인 공법의 특징

장 점	단 점
① 배수효과가 양호	① 샌드 드레인 설치 시 주변이 교란됨.
② $N = 25$인 지반까지 타설가능	② 양질의 모래가 다량 필요함.
③ 모래기둥이 활동에 대한 저항효과가 있음.	③ 시공속도가 느림.
④ 장기간 사용 시에도 배수효과가 크게 감소하지 않음.	④ 공사비가 고가임.

2 Paper drain 공법

(1) 공법의 개요

① Sand drain 공법의 모래말뚝 대신에 합성수지로 된 card board를 땅속에 박아 압밀을 촉진시키는 공법이다.

② Paper drain 공법은 자연 함수비가 액성한계 이상인 초연약 점성토 지반의 압밀을 촉진시키기 위해 가장 적당하고, 장기간 사용하면 열화(熱化)하여 배수효과가 감소한다.

페이퍼 드레인 보드공법

(2) Paper drain 공법의 특징 Sand drain 공법에 비해

① 공사비가 저렴하다.

② 시공속도가 빠르다.

③ 배수효과가 양호하다.

④ drain 단면이 깊이에 대해서 일정하다.

⑤ 타설에 의해서 주변 지반을 교란하지 않는다.

기억해요
등가환산원의 직경과 영향원의 직경을 계산하시오.

(3) drain의 환산 직경

Kjeliman과 Kallstenius 등은 실험과 경험에서 다음과 같은 환산식을 제안하였다.

$$d_w = \alpha \frac{2(A+B)}{\pi}$$

여기서, d_w : paper drain의 등치환산 직경

  α : 형상계수(칼스테니우스에서는 0.75)

  A : drain의 폭

  B : drain의 두께

⑷ **Paper drain의 구비조건**

① 주위의 지반보다 큰 투수성을 가질 것

② drain paper에 세립자가 통과하지 않을 것

③ 시공 시 손상을 받지 않도록 충분한 강도를 가질 것

④ 지반 중에서 높은 횡압에 견딜 수 있는 충분한 강성이 있을 것

⑤ 배수되는 동안 물리적, 화학적, 생물학적 손상을 받지 않을 것

기억해요
drain paper의 구비조건 3가지를 쓰시오.

3 Pack drain 공법

⑴ **공법의 개요**

① 투수성이 큰 모래를 특수섬유질의 망대 속에 투입하여 연약지반 내 모래기둥을 형성한 후 간극수를 탈수시켜 연약지반을 개량하는 공법으로 동시에 4공 정도의 모래기둥 시공이 가능한 공법이다.

② 샌드 드레인 공법에 비하여 드레인이 절단되지 않으며, 모래의 양이 절감되는 장점이 있다.

⑵ **장점**

① 샌드 드레인보다 공기단축이 가능하다.

② Pack으로 인한 sand pile이 절단되지 않는다.

③ 설계 직경을 작게 해도 설계대로의 시공이 가능하다.

④ 직경이 작은 sand pile 시공이므로 모래의 사용량이 적다.

기억해요
• Pack drain 공법의 장점 3가지를 쓰시오.
• Pack drain 공법의 단점 3가지를 쓰시오.

⑶ **단점**

① 시공 중 팩망의 꼬임이 발생할 수 있다.

② 장기적인 측면에서 배수효과가 우려된다.

③ 장비의 선정 및 적용성에 어려움이 있다.

④ 심도가 불규칙한 곳에서는 타설심도의 조절이 어렵다.

4 플라스틱 보드 드레인 PBD 공법

투수성이 큰 종이를 이용하여 샌드 드레인과 같은 목적으로 압밀을 촉진시키는 것을 페이퍼 드레인(paper drain)이라 한다. 이 공법은 처음에 Kjellman(1948)에 의해 도입되었으나 그 이후 필터는 화학섬유를 쓰고 심지는 플라스틱을 써서 이를 대체하는 판자와 같은 제품이 개발되었다. 그래서 지금 사용되고 있는 명칭도 플라스틱 보드 드레인(plastic board drain : PBD), 프리 패브 드레인 또는 심지 드레인(wick drain) 등 다양하다.

기억해요

장래의 압밀침하량을 예측하여 이용되는 분석법을 2가지 쓰시오.

5 분석법 및 설계방법

(1) 장래의 압밀침하량에 이용되는 분석법

연직드레인 공법(샌드 드레인, wick 드레인 등)으로 연약지반을 처리할 때 침하판에 의하여 압밀침하량과 공극수압의 소산 정도를 계측하고 그 결과로부터 장래의 침하량을 예측하는 방법이 많이 이용되고 있다. 이와 같은 방법으로 장래의 압밀침하량을 예측하여 이용되는 분석법은 다음과 같다.

① **쌍곡선법(Hyperbolic)** : 연약지반에 성토를 하고 시간−침하에 대한 실측곡선이 얻어졌을 때 실측곡선이 장차 발생되는 실측곡선의 연장선이 쌍곡선이라고 가정한 것이다.

② **평방근법($\sqrt{t}$ 법 : Hoshino)** : 순간적으로 하중을 가하여 t 시간 후에 발생한 전 침하량 S는 재하 직후에 발생된 순간 침하량 S_i와 시간과 함께 증가하는 침하량 S_t는 기간의 평방근에 비례한다고 생각된다.

③ **직선법(Asaoka법)** : 실측침하곡선으로 얻어진 자료로부터 최종침하량과 침하속도를 구하는 방법이다.

(2) 연약지반 침하량 추정방법

구분	적용방법	특징
토질시험법	1차원 압밀	압밀시험에서 압축지수(C_c), 체적압축계수(m_v), 초기간극비(e_o)로 구함.
유한요소법	선형 탄성해석, 비선형 탄성해석, 탄소성 해석	압밀 비배수 삼축시험, 압밀 배수 삼축시험에서 흙의 응력−변형률 관계를 모델화하여 구함.
현장계측	쌍곡선법, 평방근법, Asaoka 방법	현재까지 성토에 의한 계측결과의 침하량에서 최종침하량을 단계적으로 추정함.

(3) 약식 설계방법

샌드 드레인, 팩 드레인, 페이퍼 드레인 등 연직배수공법은 시공 시 주위 지반이 교란되어 예상보다 원지반 압밀속도가 작아진다. 따라서 연직배수공법을 설계할 때 이러한 교란효과를 고려하여야 하는데 실무에서 사용하고 있는 약식 설계방법은 2가지 있다.

① Kallstenius 계산도표

② Kjellman 경험식

| Vertical drain 공법 |

02 핵심 기출문제

□□□ 예상문제

01 연약한 점토질 지반에 주상의 투수층인 모래기둥을 시공하여 토층 속의 물을 모래기둥을 통하여 지표면으로 배제시킴으로써 단기간 내에 지반을 압밀 강화시키는 공법은?

○

해답 샌드 드레인 공법(sand drain method)

□□□ 87②, 91③, 93①, 02①, 08①, 11②, 14①, 18②

02 연약지반 개량공법 중 Sand drain 공법에서 Sand Mat의 역할을 3가지만 쓰시오.

① _____ ② _____ ③ _____

해답 ① 연약층 압밀을 위한 상부 배수층을 형성
② 시공기계의 주행성을 확보
③ 지하배수층이 되어 지하수위를 저하
④ 지하수위 상승 시 횡방향 배수로 성토지반의 연약화 방지

□□□ 91②, 11②, 13④, 18①, 20③

03 Sand drain을 연약지반에 타설하는 방법을 3가지만 쓰시오.

① _____ ② _____ ③ _____

해답 ① 압축공기식 케이싱 방법 ② Water jet식 케이싱 방법
③ 회전식보링(Rotary boring)에 의한 방법 ④ 어스 오거(Earth auger)에 의한 방법

□□□ 94④, 02④, 05②, 07②

04 연약지반 개량을 위한 sand drain 공법에서 sand pile의 타입방법을 3가지만 쓰시오.

① _____ ② _____ ③ _____

해답 ① 압축공기식 케이싱 방법 ② Water jet식 케이싱 방법
③ 회전식보링(Rotary boring)에 의한 방법 ④ 어스 오거(Earth auger)에 의한 방법

□□□ 94②, 00②, 08②

05 Sand Drain 공법으로 연약지반을 개량할 때 U_v(연직방향 압밀도) 0.85, U_h(수평방향 압밀도) 0.43인 경우, 전체 압밀도(U)는 얼마인가?

계산 과정)   답 : _____

해답 $U = \{1 - (1 - U_h)(1 - U_v)\} \times 100$

$\qquad = \{1 - (1 - 0.43)(1 - 0.85)\} \times 100 = 91.45\%$

□□□ 05①, 09②, 14②, 20①

06 Sand drain 공법에서 U_v(연직방향 압밀도)$= 0.95$, U_h(수평향 압밀도)$= 0.20$인 경우, 수직·수평방향을 고려한 평균 압밀도(U)는 얼마인가?

계산 과정)   답 : _____

해답 $U_{vr} = \{1 - (1 - U_h)(1 - U_v)\} \times 100$

$\qquad = \{1 - (1 - 0.20)(1 - 0.95)\} \times 100 = 96\%$

□□□ 00①, 04②

07 샌드 드레인(sand drain) 공법에서 sand pile을 정사각형으로 배치할 경우 모래기둥의 간격은 얼마인가?
(단, sand pile의 영향원 직경은 180cm이다.)

계산 과정)   답 : _____

해답 정사각형 배치 $d_e = 1.13d$에서

$\qquad \therefore$ 모래기둥 간격 $d = \dfrac{d_e}{1.13} = \dfrac{180}{1.13} = 159.29\,\text{cm}$

□□□ 85②, 86②, 94④

08 자연함수비가 액성한계 이상인 초연약 점성토 지반의 압밀을 촉진시키기 위해 가장 적당하고 장기간 사용하면 열화(熱化)하여 배수효과가 감소하는 이 공법은?

  ○

해답 페이퍼 드레인 공법(paper drain method)

□□□ 92②, 03①, 12④, 13④, 19③

09 폭이 10cm, 두께 0.3cm인 Paper drain(Card Board)을 이용하여 점토지반에 0.6m 간격으로 정 3각형 배치로 설치하였다면, Sand drain 이론의 등가환산원(등가원)의 직경(d_w)과 영향원의 직경(d_e)을 각각 구하시오.

가. 등가환산원의 직경(d_w)

계산 과정)　　　　　　　　　　　　　　　　　　답 : _____

나. 영향원의 직경(d_e)

계산 과정)　　　　　　　　　　　　　　　　　　답 : _____

해답 　가. $d_w = \alpha \dfrac{2(A+B)}{\pi} = 0.75 \times \dfrac{2(10+0.3)}{\pi} = 4.92\,\mathrm{cm}$

　　　　나. $d_e = 1.05\,d = 1.05 \times 0.6 = 0.63\,\mathrm{m} = 63\,\mathrm{cm}$

□□□ 92②, 03①, 12④, 13④, 19③

10 폭이 10cm, 두께 0.3cm인 Paper drain(Card Board)을 이용하여 점토지반에 0.60m간격으로 정사각형 배치로 설치하였다면, Sand drain이론의 등가환산원(등가원)의 직경(d_w)과 영향원의 직경(d_e)를 각각 구하시오.

가. 등가환산원의 직경(d_w)

계산 과정)　　　　　　　　　　　　　　　　　　답 : _____

나. 영향원의 직경(d_e)

계산 과정)　　　　　　　　　　　　　　　　　　답 : _____

해답 　가. $d_w = \alpha \dfrac{2(A+B)}{\pi} = 0.75 \times \dfrac{2(10+0.3)}{\pi} = 4.92\,\mathrm{cm}$

　　　　나. $d_e = 1.13\,d = 1.13 \times 0.60 = 0.678\,\mathrm{m} = 67.8\,\mathrm{cm}$

□□□ 00④, 06①

11 paper drain 공법에 있어서 drain paper의 구비조건 3가지를 기술하시오.

① _____　　　② _____　　　③ _____

해답 　① 주위의 지반보다 큰 투수성을 가질 것
　　　　② drain paper에 세립자가 통과하지 않을 것
　　　　③ 시공 시 손상을 받지 않도록 충분한 강도를 가질 것
　　　　④ 지반 중에서 높은 횡압에 견딜 수 있는 충분한 강성이 있을 것
　　　　⑤ 배수되는 동안 물리적, 화학적, 생물학적 손상을 받지 않을 것

□□□ 01④

12 Sand drain 공법에 비해 Pack drain 공법의 단점 2가지를 쓰시오.

① _____   ② _____

해답 ① 시공 중 팩망의 꼬임이 발생할 수 있다.
② 장기적인 측면에서 배수효과가 우려된다.
③ 장비의 선정 및 적용성에 어려움이 있다.
④ 심도가 불규칙한 곳에서는 타설심도의 조절이 어렵다.

□□□ 96②

13 연직드레인 공법(샌드 드레인, wick 드레인 등)으로 연약지반을 처리할 때 침하판에 의하여 압밀침하량과 공극수압의 소산 정도를 계측하고 그 결과로부터 장래의 침하량을 예측하는 방법이 많이 이용되고 있다. 이와 같은 방법으로 장래의 압밀침하량을 예측하여 이용되는 분석법을 2가지만 쓰시오.

① _____   ② _____

해답 ① 쌍곡선법   ② 평방근법(Hoshino법)   ③ 직선법(Asaoka법)

□□□ 96⑤, 99③, 04①

14 Sand drain 공법에 비해 Pack drain 공법의 장점 3가지를 쓰시오.

① _____   ② _____   ③ _____

해답 ① 샌드 드레인보다 공기단축이 가능하다.
② 직경이 작은 sand pile 시공이므로 모래의 사용량이 적다.
③ 설계 직경을 작게 해도 설계대로의 시공이 가능하다.
④ pack으로 인한 sand pile이 절단되지 않는다.

□□□ 85②, 86②, 94④

15 해안 점토지반을 매립하여 공업단지를 조성 시 가장 공사비가 저렴하고 공기가 짧은(배수) 공법은?

○ _____

해답 페이퍼 드레인 공법(paper drain method)

□□□ 00④

16 샌드 드레인, 팩 드레인, 페이퍼 드레인 등 연직배수공법은 시공 시 주위 지반이 교란되어 예상보다 원지반 압밀속도가 작아진다. 따라서 연직배수공법을 설계할 때 이러한 교란효과를 고려하여야 하는데 실무에서 사용하고 있는 약식 설계방법 2가지는 무엇인가?

득점	배점
	3

① _____   ② _____

해답 ① Kallstenius 계산도표
② Kjellman 경험식

□□□ 91③, 94②, 96③, 19②

17 연약지반 처리공법 중 Vertical Drain 공법으로서는 Paper Drain과 Sand Drain을 많이 사용하고 있으나, 근래에는 시공상과 공기 및 재료구득의 난이 등으로 인하여 Paper Drain 공법 채택이 증가하고 있다. Paper Drain 공법이 Sand Drain 공법과 비교하여 유리한 점 5가지를 쓰시오.

득점	배점
	3

① _____   ② _____   ③ _____

④ _____   ⑤ _____

해답 ① 공사비가 저렴하다.
② 시공속도가 빠르다.
③ 배수효과가 양호하다.
④ Drain 단면이 깊이 방향에 대해서 일정하다.
⑤ 타설에 의해서 주변 지반을 교란하지 않는다.

03 점성토지반 개량공법

1 프리로딩 공법 Preloading method, 사전압밀공법, 선행압밀공법

(1) 프리로딩 공법의 개요

구조물을 건설하기 이전에 구조물 중량보다 크든가 또는 이와 같은 하중을 성토 등의 방법으로 재하하여 기초지반의 압밀침하를 촉진시키고 지반의 강도를 증가시켜서 기대하는 정도의 강도에 도달한 것을 확인한 후, 하중을 제거하고 구조물을 건설하는 공법으로 선행압밀공법(precompression method)이라고도 한다.

(2) 프리로딩 공법의 특징

① 성토 또는 구조물 시공 전에 압밀완료에 따른 시간적 여유가 있을 때 적용한다.
② 성토하중을 선행재하중으로 이용하면 타 공법에 비해 경제적이다.
③ 연약지반의 예상 침하기간이 긴 경우에 적용한다.
④ 개량기간이 긴 경우 연직배수공법과 병행하여 시공할 수 있다.

(3) 프리로딩에 의한 강도 증가

압밀이 진행됨에 따라 지반의 강도는 증가되며, 강도증가량은 점성토층의 깊이에 따라 압밀도가 다르므로 이를 고려해서 계산해야 한다.

$$C = C_o + \Delta C = C_o + \frac{C}{P} \cdot \Delta P \cdot U$$

여기서, C : 개량 후 지반강도 C_o : 원지반강도

       ΔC : 강도증가량 $\frac{C}{P}$: 강도증가율

       ΔP : 성토하중 U : 압밀도

(4) 프리로딩에 의한 침하

$$S = 2H m_v \Delta P U$$

여기서, $2H$: 점성토층의 두께

       m_v : 점성토층의 압축계수

       ΔP : 성토하중

       U : 압밀도

핵심용어
침투압공법

2 침투압공법 MAIS 공법

(1) 공법의 정의

① 수분이 많은 점토층에 반투막 중공원통($\phi 25mm$)을 넣고 그 안에 농도가 큰 용액을 넣어서 점토 속의 수분을 빨아내는 방법으로 상재하중 없이 압밀을 촉진시킬 수 있는 지반개량공법이다.

② 샌드드레인 공법은 상재하중에 의해 점토층을 눌러서 높아진 간극수압을 배출시켜 압밀시키는 데 비해 침투압공법은 상재하중을 사용하지 않고 수분을 빨아내어 간극수압을 작게 하고 유효 상재하중을 증가시킴으로써 압밀되게 하는 공법이다.

(2) 적용

① 깊이 3m 정도의 표층개량에 사용된다.

② 두께 1m 이상의 Sand mat 설치가 불가능한 초연약지반 개량에 적용된다.

3 치환공법

연약지반 처리 중 지반의 연약토를 제거하고 양질의 토사를 치환하여 비교적 단기간 내에 기초처리를 할 수 있는 공법을 치환공법이라 한다.

기억해요
치환공법의 종류 3가지를 쓰시오.

(1) 굴착치환공법

굴착기계로 연약층을 굴착한 후 여기에 양질의 모래를 메우는 공법이다.

(2) 폭파치환공법

연약층의 범위가 넓을 때 폭약으로 연약층을 일시에 폭파시켜 모래를 치환하는 공법이다.

(3) 강제치환공법

직접 양질토를 연약지반 위에 투하하여 그 자중으로 기초지반에 파괴를 일으켜 연약토를 주위로 배제시킴으로써 지반을 개량하는 공법이다.

기억해요
강제치환공법의 단점 3가지를 쓰시오

① 강제치환공법의 종류 : 성토자중에 의한 치환공법과 폭파에 의한 치환공법이 있다.

② 강제치환공법의 장·단점

장 점	단 점
• 시공이 단순하고 공기가 빠르다. • 공사비가 저렴하다. • 국내 실적이 많다.	• 잔류침하가 예상된다. • 개량효과의 확실성이 없다. • 이론적이며 정량적인 설계가 어렵다.

4 쇄석말뚝 공법 Stone column method

(1) 공법의 정의

① 베일러(Bailer)와 케이싱 해머 등을 사용하여 점성토 지반에 자갈 또는 쇄석 기둥을 설치하여 연직배수를 촉진시키는 공법이다.

② 쇄석말뚝은 연약지반에 쇄석과 모래를 적절한 상대밀도로 다지면서 압입하여 원지반에 형성된 일정한 지름의 말뚝이다.

③ 모래 연약지반에서는 진동다짐공법으로 쇄석말뚝을 시공하고 실트 및 점토 연약지반은 진동치환공법이 적합하다.

(2) 장단점

장 점	단 점
• 모래보다 강성이 크고 압축성이 적다. • 지반보강 및 침하저감효과가 크다. • 간극수압소산의 배수경로 형성	• 배수 시 미세한 점토입자로 공극 막힘 발생(logging 현상) • 너무 연약한 점토지반에서는 적용 곤란

5 샌드 매트 공법 Sand mat method

(1) 공법의 정의

① 연약지반상에 모래를 부설하여 압밀을 위한 상부의 배수층을 형성하고, 성토 내의 지하배수층이 되어 지하수위를 저하시키고, 성토 시공을 하기 위한 트래피커빌리티(trafficability)를 좋게 하고, 샌드 드레인 등의 처리공에 필요한 시공기계의 작업로 또는 지지층이 되게 하기 위한 공법이다.

② 샌드 매트(Sand mat)란 연약지반에 성토 또는 지반개량 시 발생하는 표면수의 수평배수와 시공장비의 주행성을 확보하기 위하여 지반개량하기 전에 포설한 0.5~1.0m의 모래층을 말한다.

(2) Sand mat의 역할

기억해요
Sand mat의 역할을 3가지 쓰시오.

① 지하배수층이 되어 지하수위를 저하

② 연약층 압밀을 위한 상부 배수층을 형성

③ 시공기계의 주행성(trafficability)을 확보

④ 지하수위 상승 시 횡방향 배수로 성토지반의 연약화 방지

6 압성토 공법 surcharge method

연약지반상에 성토를 하게 되면 원지반의 침하에 따라 그의 측방이 융기될 때가 많은데 이를 방지하기 위하여 융기되는 방향에 소단 모양의 성토를 시행하여 균형을 잡게 하는 공법이다.

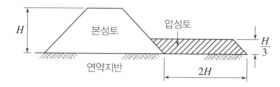

(1) 목적

성토 비탈면에 소단 모양의 압성토를 하여 활동에 대한 저항모멘트를 크게 하는 것이 목적이다.

(2) 효과

① 흙 쌓기에 따른 지형의 변형을 경감시킬 수 있는 공법
② 원호활동의 원리 및 시공실적 측면에서 가장 확실한 공법
③ 다른 공법과 비교할 때 경제성 측면에서도 유리한 공법

7 구속공법 拘束工法

(1) 공법개요

① 지반의 소성적인 측방변위를 감소시키고, 성토 및 지반의 활동파괴를 방지하는 공법으로 부제공법이라고도 한다.
② 협소한 성토시공 시 측방유동과 성토저부에 인장균열이 발생하여 과대한 침하와 활동파괴가 생길 경우에 적용된다.

(2) 사용재료

① 폴리에틸렌(polyethylene)의 sheet
② 합성수지 net
③ Metal mesh

 점성토지반 개량공법

03 핵심 기출문제

□□□ 84③, 85②, 87③, 96①

01 다음은 연약지반 개량공법 중 어떤 공법에 관한 설명인가?

> 압축성이 큰 정규압밀 점토층에 빌딩, 도로 및 흙댐 등의 건설로 인하여 큰 압밀침하가 예상되는 경우는 본공사를 실시하기 전에 하중을 가하거나 본공사 시 영구하중보다 더 큰 하중을 일정기간 가하여 압밀침하를 미리 발생시키는 공법

○

해답 프리로딩(preloading) 공법 또는 선행압밀공법

□□□ 04①, 05③, 07②, 08③, 12②

02 Sand drain 공법과 단위중량 $20kN/m^3$인 성토재료를 5m 성토하여 연약지반을 개량하였다. 연직방향 압밀도$=0.9$, 수평방향 압밀도$=0.2$인 경우 개량된 지반의 강도는 얼마인가? (단, 개량 전 원지반강도는 $C_o=50kN/m^2$이며, 강도증가비 $C/P=0.18$이다.)

계산 과정)   답 : _____

해답 개량 후 지반강도 $C=C_o+\Delta C=C_o+\dfrac{C}{P}\cdot \Delta P\cdot U$

  • 성토하중 $\Delta P=\gamma H=20\times 5=100kN/m^2$
  • 압밀도 $U=1-(1-U_v)(1-U_h)=1-(1-0.9)(1-0.2)=0.92$
  • 강도증가량 $\Delta C=\dfrac{C}{P}\cdot \Delta P\cdot U=0.18\times 100\times 0.92=16.56kN/m^2$

    $\therefore \ C=50+16.56=66.56kN/m^2$

□□□ 92②, 99③, 11④, 14①

03 수분이 많은 점토층에 반투막 중공원통을 넣고 그 안에 농도가 큰 용액을 넣어서 점토 속의 수분을 빨아내는 방법으로 상재하중 없이 압밀을 촉진시킬 수 있는 지반개량 공법은?

○

해답 침투압공법(MAIS 공법)

□□□ 04③, 17②, 21③

04 연약지반 처리 중 치환공법은 지반의 연약토를 제거하고 양질의 토사를 치환하여 비교적 단기간 내에 기초처리를 할 수 있는데 치환공법을 3가지만 쓰시오.

득점	배점
	3

① _____ ② _____ ③ _____

해답 ① 굴착치환공법 ② 폭파치환공법 ③ 강제치환공법(압출치환공법)

□□□ 85①③, 04③, 08①, 17②

05 연약지반 개량공법 중 치환공법의 종류 3가지를 쓰시오.

득점	배점
	3

① _____ ② _____ ③ _____

해답 ① 굴착치환공법 ② 폭파치환공법 ③ 강제치환공법(압출치환공법)

□□□ 93①, 08①, 11②

06 연약지반상에 성토할 때 성토재료가 굵은 모래, 자갈, 암석과 같이 투수성이고, 기초지반 지지력이 크지 않은 경우 먼저 sand mat(부사)를 깔고 성토하는데 이때에 sand mat의 중요한 역할 3가지를 쓰시오.

득점	배점
	3

① _____ ② _____ ③ _____

해답 ① 연약층 압밀을 위한 상부 배수층을 형성
② 시공기계의 주행성을 확보
③ 지하배수층이 되어 지하수위를 저하
④ 지하수위 상승 시 횡방향 배수로 성토지반의 연약화 방지

□□□ 14①

07 샌드 드레인 공법의 시공절차는 우선 지반에 샌드 매트를 포설하고, 중공강관 등을 지중에 삽입하거나 오거 등으로 소요의 구멍을 굴착하여 모래를 삽입한 후 강관을 제거하여 모래기둥을 형성하는 절차로 진행된다. 이때 샌드 매트의 역할을 3가지만 쓰시오.

득점	배점
	3

① _____ ② _____ ③ _____

해답 ① 연약층 압밀을 위한 상부 배수층을 형성
② 시공기계의 주행성을 확보
③ 지하배수층이 되어 지하수위를 저하
④ 지하수위 상승시 횡방향 배수로 성토지반의 연약화 방지

□□□ 90③

08 구속공법(부제공법)이란 무엇이며, 그 사용재료를 3가지만 쓰시오.

가. 구속공법을 간단히 설명하시오.

　○

나. 구속공법의 사용재료를 3가지 쓰시오.

① _____　　② _____　　③ _____

득점	배점
	3

해답 가. 지반의 소성적인 측방변위를 감소시키고, 성토 및 지반의 활동파괴를 방지하는 공법이다.
　　나. ① 폴리에틸렌(polyethylene)의 sheet
　　　　② 합성수지 net
　　　　③ Metal mesh

□□□ 84③, 85④, 86①, 86②, 92④

09 성토의 측방에 성토를 시공하여 활출에 저항하는 moment를 증가시켜 성토의 활동으로 인한 파괴를 방지하는 공법은?

　○

득점	배점
	2

해답 압성토 공법

□□□ 14①

10 연약지반 개량공법 중 강제치환공법에 대해 간단히 설명하고, 강제치환공법의 단점을 3가지만 쓰시오.

가. 강제치환공법를 간단히 설명하시오.

　○

나. 강제치환공법의 단점 3가지를 쓰시오.

① _____　　② _____　　③ _____

득점	배점
	6

해답 가. 직접 양질토를 연약지반 위에 투하하여 그 자중으로 기초지반에 파괴를 일으켜 연약토를 주위로 배제시킴으로써 지반을 개량하는 공법이다.
　　나. ① 잔류침하가 예상된다.
　　　　② 개량효과의 확실성이 없다.
　　　　③ 이론적이며 정량적인 설계가 어렵다.
　　　　④ 균일하게 치환하기가 어렵다.
　　　　⑤ 압출에 의한 사면선단의 팽창이 일어난다.

04 사질토지반 개량공법 □□□

1 다짐모래말뚝 공법 Sand compaction pile method, compozer method

(1) 공법의 개요

연약지반 중에 진동 또는 충격하중을 사용하여 모래를 압입하고, 직경이 큰 압축된 모래기둥을 조성하여 지반을 안정시키는 공법으로, 느슨한 사질토지반에 널리 활용되고, 점성토에도 적용이 가능한 공법이다.

다짐모래말뚝 공법

기억해요
사질토지반을 개량하기 위해서 진동을 이용하는 공법 4가지를 쓰시오.

(2) 모래말뚝의 효과

모래 및 점토의 특성을 함께 가진 복합지반을 형성하여 지지력 증대, 침하량, 전단강도 증대로 측방유동 방지, 압밀 촉진, 액상화 방지 효과를 본다.

(3) 시공순서

① 내외관을 지표면에 고정하고 밑바닥용 모래를 하단에 넣는다.
② 내관을 작동시켜서 외관을 지중에 타입한다.
③ 외관을 고정시키고 내관 속에 상부로부터 모래를 공급한다.
④ 외관을 약간 들어 올리면서 모래를 지중에 압입한다.

2 바이브로 플로테이션 공법 Vibroflotation method

(1) 공법의 개요

모래지반에 봉상(棒狀)의 진동기를 삽입하여 진동시키면서 물을 분사(噴射)시켜 물다짐과 진동에 의해 지반을 다지며, 동시에 발생된 공극에 자갈 등을 보급해서 지반을 개량시키는 공법이다.

(2) 장점

① 깊은 곳의 다짐을 지표면에서 할 수 있다.
② 지하수위의 고저에 영향을 받지 않고 시공할 수 있다.
③ 공기가 빠르고 공사비가 싸다.
④ 상부 구조물이 진동하는 경우에 특히 효과적이다.

(3) Vibro compozer 공법과의 비교

구 분	Vibroflotation 공법	Vibrocompozer 공법
진동방향	수평방향의 진동	연직방향의 진동 또는 충격
진동의 양상	종파(縱波)	전단파(剪斷波)
다짐방법	자연낙하	다짐

동다짐공법

3 동다짐공법 Heavy tamping method, Dynamic consolidation method

(1) 동다짐공법의 개요

동다짐공법은 동압밀공법이라고 하며, 중량이 큰 중추 10 ~ 40t의 강재 블록이나 콘크리트 블록과 같은 중추를 10 ~ 30m의 높은 곳에서 여러 차례 낙하시켜 충격과 진동으로 지반을 개량하는 방법으로, 사질토지반이나 매립지반을 개량하는 데 효과적이며, 포화된 점성토에서도 사용가능하다.

(2) 동압밀공법의 장점

① 상당히 넓은 면적을 개량
② 깊은 심도까지 개량이 가능
③ 확실한 개량효과를 기대
④ 지반 내에 장애물이 있어도 가능
⑤ 특별한 약품이나 자재가 불필요

(3) 동압밀공법의 단점

① 주변 구조물에 피해가 발생
② 소음, 진동, 분진 등으로 인한 환경문제 발생
③ 포화점토지반에서는 과잉간극수압이 발생
④ 정치기간이 길어 공기가 지연

(4) 개량심도

$$D = \alpha \sqrt{W \cdot H}$$

여기서, D : 개량심도
α : 토질계수(보정계수 0.4 ~ 0.7)
W : 추의 무게
H : 낙하고

(5) 동치환공법

추를 고궁에서 낙하시키는 에너지를 이용하는 데 있어서 동다짐공법과 비슷하지만 동치환공법은 지반을 조밀하게 만들 자갈, 쇄석 또는 모래 등의 재료를 지반에 관입시키는 점에서 차이가 있다. 이러한 재료를 관입시킴으로써 쇄석기둥을 지중에 형성하게 된다.

| 사질토지반 개량공법 |

04 핵심 기출문제 ☐☐☐

☐☐☐ 86①, 88②, 96⑤

01 비교적 느슨한 모래층을 현장에서 다지는 공법으로서 약 2m 길이의 진동봉을 사출수 (water jet)를 이용하여 지중 깊은 심도까지 관입시킨 후 횡방향의 진동을 유발시켜 주변지반을 다져 올라오면서 진동봉에 위치했던 빈구멍은 모래나 자갈로 채우는 공법은?

○ _____

해답 바이브로 플로테이션 공법(Vibroflotation method)

☐☐☐ 96⑤, 03①

02 다음과 같은 조건에서 동다짐공법(dynamic compaction 또는 heavy tamping)을 적용하여 기초지반을 개량하였을 때 개량이 가능한 심도를 개략적으로 계산하시오.

【조 건】
- 램(ram)의 단면적 : 1.4m² · 램(ram)의 무게 : 10.0ton
- 낙하고 : 15.0m · 연약지반의 두께 : 12.0m

계산 과정) 답 : _____

해답 심도 $D = \alpha \sqrt{WH} = 0.5\sqrt{10 \times 15} = 6.12m$
(∵ 보정계수 $\alpha = 0.4 \sim 0.7$으로 통상 경험적으로 0.5를 많이 사용한다.)

☐☐☐ 01①, 07④

03 동압밀공법은 10 ~ 40ton의 해머를 10 ~ 25m의 높이에서 낙하시켜 충격력 진동에 의해 지반을 다지는 공법이다. 이 공법의 장점을 3가지만 쓰시오.

① _____ ② _____ ③ _____

해답 ① 상당히 넓은 면적을 개량할 수 있다.
② 깊은 심도까지 개량이 가능하다.
③ 확실한 개량효과를 기대할 수 있다.
④ 지반 내에 암괴 등의 장애물이 있어도 가능하다.
⑤ 특별한 약품이나 자재가 불필요하다.

□□□ 02②, 13②

04 다음은 연약지반 개량공법 중 어떤 공법에 관한 설명이다.

득점 | 배점
3

━━━━━━━━━━━━ 【조 건】 ━━━━━━━━━━━━

10 ~ 40t의 강재 블록이나 콘크리트 블록과 같은 중추를 10 ~ 30m의 높은 곳에서 여러 차례 낙하시켜
충격과 진동으로 지반을 개량하는 방법으로, 사질토지반이나 매립지반을 개량하는 데 효과적이며,
포화된 점성토에서도 사용가능하다.

○

──────────────────────────────

해답 동압밀공법(Dynamic consolidation method) 또는 동다짐공법

□□□ 94④

05 최근 해안 매립지, 쓰레기 매립지 등의 지반개량을 위해 중량이 큰 추를 낙하시켜 충격에
너지와 진동에너지에 의해 지반을 다지는 공법은?

득점 | 배점
2

○

──────────────────────────────

해답 동다짐공법(Heavy tamping method) 또는 동압밀공법

□□□ 87②, 88①, 16④

06 연약지반 중에 진동 또는 충격하중을 사용하여 모래를 압입하고, 직경이 큰 압축된 모래
기둥을 조성하여 지반을 안정시키는 공법으로, 느슨한 사질토 지반에 널리 활용되고, 점성토
에도 적용이 가능한 공법은?

득점 | 배점
2

○

──────────────────────────────

해답 다짐모래말뚝 공법(Sand compaction pile method)

05 주입 및 고결 공법 □□□

1 주입공법 impregnation method

(1) 공법의 개요

① 지반 속에 주입관을 삽입하여 응결제(chemical grout)를 지중에 압송 주입하여 일정시간 경과시켜 지반강도를 증대시키거나 용수·누수를 방지해 지반의 불투수화를 시키는 공법이다.

② 약액주입공법이란 지반 내의 주입관을 삽입하고 화학약액을 압송 충진하여 일정시간 경과 후 지반을 고결시켜 지반강도를 증가시키거나 누수를 방지할 목적으로 사용되는 공법이다.

③ 주입공법의 목적 : 용수·누수 방지, 지반의 강도 증진

(2) 주입재의 종류

주입재 ┬ 비약액계(현탁액형) : 시멘트계, 점토계, 아스팔트계
　　　 └ 약액계 ┬ 물유리계
　　　　　　　 └ 고분자계 ┬ 크롬리그닌계
　　　　　　　　　　　　　 ├ 아크릴아미드계
　　　　　　　　　　　　　 ├ 아크릴레이트계
　　　　　　　　　　　　　 ├ 요소계
　　　　　　　　　　　　　 └ 우레탄계

기억해요
비약액계의 종류 3가지를 쓰시오.

(3) 비약액계 현탁액형

① 시멘트계 : 강도와 경제 면에서는 가장 일반적이다.

② 점토계, 아스팔트계, 벤토나이트(bentonite)계 : 강도의 증진효과는 없고 차수의 목적으로만 사용된다.

(4) 약액계

① 물유리계 : 국내에서 가장 많이 사용하는 약액으로 취급하기 쉽고, 가격이 저렴하나 용액의 점성이 커서 투수계수가 작은 지반에서는 사용이 곤란하다.

② 크롬리그닌계 : 재료자체의 계면활성 효과로 침투성이 우수하나, 유독성 중크롬산염을 함유하고 있어 지하수의 오염에 주의해야 한다.

③ 아크릴아미드계 : 점도가 낮아 물유리계, 크롬리그린계보다 침투성이 우수하다.

④ 아크릴레이트계 : 점성이 낮아서 침투성이 우수하나 차수성과 강도는 약하다.

⑤ 요소계 : 침투성이 좋고, 조밀하게 주입되므로 약액 중 강도효과와 유속이 빠른 지하수의 차수효과에는 우수하나 아크릴아미드계보다 차수효과는 뒤떨어진다.

⑥ 우레탄계 : 주입되어 물과 접촉하는 순간부터 급속히 고결화가 이루어지기 때문에 유속이 빠른 지하수의 차수용으로 효과가 좋으나 용제 내에서 독성이 있는 유독가스가 발생할 위험이 있다.

⑸ 주입약액의 구비조건

기억해요
주입약액의 구비조건 4가지를 쓰시오.

① 점성이 작아야 한다.
② 충분히 경제성이 있어야 한다.
③ 혼합의 과정 및 주입과정에서 안정되어야 한다.
④ 주입재의 입자는 토립자의 크기보다 작아야 한다.
⑤ 고결 후 화학적 반응이나 지하수류의 침식에 저항할 수 있어야 한다.

⑹ 주입의 형식

① 침투 그라우팅 : 주입재가 흙의 간극을 채우는 것을 말한다.
② 변위 그라우팅 : 외부의 견고한 혼합물이 간극을 채우면서 주위에 있는 흙에 압축을 가하여 지반의 변위가 일어나게 하는 것이다.
③ 캡슐 그라우팅 : 주입재가 흙입자를 둘러싸는 것을 말한다.

⑺ 주입방법 주입순서에 따른 분류

① 단계주입(stage grouting) : 지반의 깊이에 따라 토질이 균일하지 않고 투수계수가 다를 때 개량심도를 깊이방향으로 여러 구간 나누어서 보통 지표에서부터 단계별로 주입하는 방식이다.
② Packer Grouting : 최종 깊이까지 한 번에 착공한 후 구멍 밑에서부터 순차적으로 주입재료를 주입하는 것으로서 주입심도가 깊고 암질이 좋은 경우에 적용하는 방법이다.

⑻ 주입공법의 분류 주입 메커니즘에 의한 공법

기억해요
지반보강이나 차수를 위한 주입공법의 종류 3가지를 쓰시오.

① 침투주입공법(LW, SGR 공법) : 차수
② 고압분사공법(JSP 공법 등) : 지반보강
③ 교반혼합공법(SCW 공법 등) : 차수
④ 컴팩션주입공법(CGS 공법 등) : 지반보강

⑼ 주입성과의 확인

① 투수계수　　② 개량 후 일축압축강도
③ X선 회절　　④ SEM(주사전자현미경) 결과

2 생석회 말뚝공법

(1) 공법의 개요

생석회가 물을 흡수하면 발열반응을 일으켜 소석회가 되며 이때에 그 체적이 2배로 팽창하는 원리를 이용하여 연약점성토에 생석회의 말뚝을 박아 지반을 개량하는 공법이다.

(2) 생석회 말뚝공법의 효과

① **탈수효과** : 생석회가 물과 혼합된 경우는 화학반응으로 체적이 2배로 증가하면서 생석회의 소화·흡수에 의한 탈수효과가 있다.

② **압밀(팽창)효과** : 말뚝의 팽창에 의한 압밀효과가 있다.

③ **건조효과** : 발열반응에 의한 고온(300~400℃) 발생으로 건조효과를 가져온다.

④ **강도증진** : 점토광물과 화학반응으로 탄산분과 탄산칼슘을 형성하여 강도증가 현상을 가져온다.

기억해요
생석회 말뚝공법의 주요효과 3가지를 쓰시오.

3 동결공법

(1) 동결관을 땅속에 박고 이 속에 액체질소 같은 냉각제를 흐르게 하여 주위의 흙을 동결시켜, 동결토의 큰 강도와 불투성의 성질을 일시적인 가설공사에 이용하는 공법이다.

(2) 주로 함수비가 많은 연안지반을 굴착할 때, 지반을 고결시키고 용수를 막을 목적으로 사용되며, 일시적으로 동결시켜 그 사이에 필요한 공사를 끝낸 후에 가설시키는 가설적 공법이라고 할 수 있다.

(3) 공사비가 다른 공법보다도 비싸므로 공사기간이 부족한 경우나 다른 공법으로 시공이 곤란한 경우에 사용된다.

4 SGR 공법 Space Grouting Rocket System

(1) SGR 공법은 이중관 로드에 특수 선단 장치(rocket)를 결합한 후 지반에 유도공간을 형성하여 순결에 가까운 겔(gel type)을 가진 약액 또는 초미립 시멘트 혼합액을 사용하여 연약지반을 그라우팅하여 연약지반을 개량하는 공법이다.

(2) 최근에 지하철 연약구간에 사용되고 있는 공법이다.

(3) 주재료는 규산소다. 촉진재, 시멘트가 있으며, 시공장비는 보링기와 믹싱플랜트가 있다.

핵심용어
표층혼합처리공법

5 혼합처리공법

시멘트 등의 고화재를 슬러리상태로 연약지반에 혼합하여 고결시키는 공법이다.

(1) 표층혼합처리공법

지표면에서 깊이 약 3m 이내의 연약토를 석회, 시멘트, 플라이애시 등의 안정재와 혼합하여 지반강도를 증진시키는 공법으로 주로 해안 매립지와 같이 초연약지반의 지표면을 고화시키기 위해 사용하는 공법이다.

(2) 시공방식

① 석회계 혼합처리 방식
② 시멘트계 혼합처리 방식
③ 플라이애시 혼합처리 방식

(3) 심층혼합처리공법

심도 3m 이상의 심층의 지반강도 증진을 시킬 목적으로 주로 시멘트나 고화재를 슬러리 상태로 연약지반에 혼합하는 방식으로 원위치에 지반의 깊은 곳까지 석회, 시멘트 등의 화학적 안정재를 첨가하여 개량할 대상토와 강제로 혼합 및 교반을 하여 지반을 개량한 공법이다.

| 주입 및 고결 공법 |

05 핵심 기출문제

☐☐☐ 13①

01 최근 연약지반 개량 또는 기존 시설물의 보호 등을 위하여 각종 주입공법을 많이 이용하고 있다. 이러한 주입공법의 주입재 중 비약액계(현탁액형)의 종류를 3가지만 쓰시오.

득점	배점
	3

① _____ ② _____ ③ _____

해답 ① 시멘트계 ② 점토계 ③ 아스팔트계 ④ 벤토나이트계

☐☐☐ 01①, 06②, 09②, 11①

02 지반의 기초보강공법 중 그라우팅 공법에 사용되는 주입재(약액)는 크게 현탁액형의 비약액계와 약액계로 나눌 수 있다. 여기서 비약액계 주입재 종류를 3가지만 쓰시오.

득점	배점
	3

① _____ ② _____ ③ _____

해답 ① 시멘트계 ② 점토계 ③ 아스팔트계 ④ 벤토나이트계

☐☐☐ 00③, 05①, 12②

03 연약점토 지반개량공법 중 생석회 말뚝공법의 주요 효과를 3가지만 쓰시오.

득점	배점
	3

① _____ ② _____ ③ _____

해답 ① 탈수효과 ② 압밀효과 ③ 건조효과 ④ 팽창효과

☐☐☐ 14①

04 지표면에서 깊이 약 3m 이내의 연약토를 석회, 시멘트, 플라이애시 등의 안정재와 혼합하여 지반강도를 증진시키는 공법으로 주로 해안 매립지와 같이 초연약지반의 지표면을 고화시키기 위해 사용하는 공법의 명칭을 쓰시오.

득점	배점
	2

○ _____

해답 표층혼합처리공법

□□□ 13①

05 연약지반 개선을 위한 약액주입공법에서 주입약액으로서 구비해야 할 조건을 3가지만 쓰시오.

득점	배점
	3

① _____ ② _____ ③ _____

해답 ① 혼합과정 및 주입과정에서 안정되어야 한다.
② 주입재의 입자는 토립자의 크기보다 작아야 한다.
③ 고결 후 화학적 반응이나 지하수류의 침식에 저항할 수 있어야 한다.
④ 점성이 작아야 한다.
⑤ 충분한 경제성이 있어야 한다.

□□□ 03①, 07④

06 지반보강이나 차수를 위한 주입공법의 종류를 3가지만 쓰시오.

득점	배점
	3

① _____ ② _____ ③ _____

해답 ① 침투주입공법(약액주입공법) ② 고압분사공법(고압분사주입공법)
③ 교반혼합공법(심층혼합처리공법) ④ 컴팩션주입공법

□□□ 00①

07 약액주입제는 투수계수의 감소, 전단강도 증가, 침하 감소의 목적으로 이용된다. 주입재가 갖춰야 할 조건 4가지만 쓰시오.

득점	배점
	3

① _____ ② _____

③ _____ ④ _____

해답 ① 점성이 작아야 한다.
② 충분히 경제성이 있어야 한다.
③ 혼합의 과정 및 주입과정에서 안정되어야 한다.
④ 주입재의 입자는 토립자의 크기보다 작아야 한다.
⑤ 고결 후 화학적 반응이나 지하수류의 침식에 저항할 수 있어야 한다.

06 지하수위 저하공법

1 지하수위 저하공법의 분류

(1) 중력배수공법

중력에 의해 침투하는 지하수를 집수하여 양수펌프로 배수하는 방식

① **집수공법**(sump method) : 집수정을 이용해 지하수를 배제하는 공법

② **심정공법**(deep well method) : 지하수위 저하나 용수의 저하, 수압의 감소를 위하여 굴착부 내측 또는 외측에 굴착공 지름 0.3~0.6m의 심정을 심도 5~6m, 간격 10~20m로 설치하여 펌프로 양수하는 방법

③ **암거공법** : 암거를 매설하고 filter재로 얕은 층의 지하수를 배제하는 공법

(2) 강제배수공법

대기압을 이용하여 진공에 의한 흡입력으로 지하수를 강제적으로 집수하여 배수하는 방식

① **웰 포인트 공법**(well point method)

흡수기구인 웰 포인트를 양수관에 부착하여 지반 속에 1~2m 간격으로 다수 설치하고 이것을 직경 15~30cm의 집수관에 연결한 다음 진공펌프로 지하수를 양수하여 지하수위를 저하시키는 공법

② **전기침투공법**(electro osmosis method)

지반에 직류전기를 걸어 주면 전위차에 의하여 지하수가 양극으로부터 음극으로 향해서 이동하는 현상으로 음극의 주변에 함수비가 증가하는 원리를 이용해서 지하수위를 배수하는 공법

③ **진공압밀(배수)공법**

초연약점토층의 지표에 배수를 위한 샌드 매트를 시공하고 그 위에 외부와의 차단막인 진공보호막을 설치하여 지반을 밀폐시킨 뒤 진공압을 가하여 강제탈수시키는 강제압밀촉진공법이다.

기억해요
강제배수공법의 종류 3가지를 쓰시오.

2 웰 포인트 공법 Well Point Method

(1) 모래질 지반의 지하수위를 공사 중 임시로 저하시키기 위하여 파이프 선단에 여과기를 부착하여 흡입펌프로 물을 배출시키는 강제배수공법이다.

(2) **적용지반**

사질토 및 silt질 모래 지반에서 가장 경제적인 지하수위 저하공법이다.

(3) **적용깊이**

웰 포인트로 저하시킬 수 있는 최대수위의 표준은 6m이며, 심도가 6m 이상일 때는 2 ~ 3단(다단설치)으로 well point를 설치하여 시공한다.

(4) **공기 유입방지**

웰 포인트의 스크린(screen) 상단을 항상 계획 굴착면보다 1.0m 정도 깊게 설치하며 전체 스크린을 동일 레벨(level)상에 있도록 설계한다.

(5) **well point 공법의 효과**

① 함수비의 감소에 따른 지반지지력의 증가와 물다짐 효과
② 지하수위의 저하에 따른 유효압력의 증가
③ 부압효과

핵심용어
공기 유입방지

3 심정공법 Deep well method

(1) 지름 0.3 ~ 1.5m 정도의 우물을 굴착하여 이 속에 유입하는 지하수를 펌프로 양수하는 중력식 배수공법이다.

(2) **적용토질**

투수계수가 $k = 5 \times 10^{-2}$cm/sec 이상 투수성이 좋은 지반과 투수층이 깊을 때 유리

(3) **적용깊이**

8 ~ 30m 정도이나 대규모의 지하수위 저하를 위하여 주변의 영향을 충분히 고려

(4) **Deep well 공법의 효과**

① 지표면에서 10m 이상의 지하수위 저하가 필요한 경우
② 투수성이 큰 지반으로 다량의 양수가 필요한 경우
③ Boiling 방지를 위한 대수층의 수압 감소가 필요한 경우

기억해요
Deep well 공법의 가장 효과적인 경우 3가지를 쓰시오.

4 전기침투공법 전기삼투공법, electro osmosis method

(1) 연약지반 중에 하나의 전극을 설치한 후 직류를 흐르게 하여 전기침투에 의해 간극수를 음극에 모아 탈수시키는 강제 배수공법이다.

(2) 전기침투는 흙의 투수성과 무관하므로 점토와 같은 투수성이 낮은 흙에서는 압밀에 의한 방법보다 탈수효과가 크다.

■ 전기침투를 이용한 압밀촉진 효과에 미치는 영향인자

구분	영향인자	특징
지반조건	pH	• pH < 4 지반은 비효과적임. • pH > 9 지반은 효과가 양호함.
	투수계수	• 지반의 투수계수에 대한 전기침투 투수계수의 상대적인 크기가 클수록 효과적임.
	염분함유율	• 염분함유량이 높은 지반에서는 비효과적임.
	토립자의 크기와 광물성분	• $2\mu m$보다 큰 성분을 30% 이상 함유하는 지반에서는 효과적임.
적용방법	전류밀도	• 흙의 종류와 상태에 따라 큰 차이가 있음.
	전극재의 종류	• 은, 백금, 구리, 황동 등의 전극재는 전기전도율이 우수
	전극재의 배치형태	• 적절한 간격 및 설치깊이의 결정이 중요

5 진공압밀공법 진공배수공법

(1) 대기압공법이라고도 하며, 진공압밀공법은 탈수공법의 일종으로서 일반적인 성토에 의한 재하중 방법 대신에 진공에 의한 대기압 하중으로 연약점토층을 탈수에 의해 압밀을 촉진시키는 강제배수공법이다.

(2) **진공압밀공법의 특징** 장점

① 대기압을 이용하므로 재하중이 필요 없다.

② 압밀기간이 일반 탈수공법에 비해 2배 이상 단축될 수 있다.

③ 재료구입이 용이하고 공사비가 샌드 드레인 공법보다 저렴하다.

④ 지표면이 연약하여 성토가 곤란한 매립지와 같은 경우에 유리하다.

⑤ 깊은 심도의 연약층 하부까지 동일한 강도효과를 기대할 수 있다.

기억해요
진공압밀공법의 장점 3가지를 쓰시오.

| 지하수위 저하공법 |

06 핵심 기출문제 □□□

□□□ 10①, 17④

01 지하수위 저하공법은 크게 중력배수공법과 강제배수공법으로 나눌 수 있다. 여기서 강제배수공법의 종류를 3가지만 쓰시오.

득점 배점 3

① _____ ② _____ ③ _____

해답 ① 웰 포인트 공법   ② 전기침투공법   ③ 진공압밀공법

□□□ 85②, 99①, 12②

02 웰 포인트(well point) 공법에서 웰 포인트의 스크린(screen)의 상단을 항상 계획 굴착면보다 1.0m 정도 깊게 설치하며 전체 스크린을 동일 레벨(level)상에 있도록 설계하는 가장 큰 이유는 무엇인가?

득점 배점 2

○

해답 공기 유입방지

□□□ 94④, 01②

03 주변에 구축물이 있는 지하철 공사장의 지하수위 이하를 굴착하려고 한다. 투수계수가 1×10^{-2} cm/sec보다 크고, 투수성이 좋은 지반일 경우 가장 알맞은 배수공법은?
(단, 지하철 현장의 굴착깊이 $H = 20$m)

득점 배점 2

○

해답 심정공법(deep well method)

□□□ 92①, 98②, 01②, 04②

04 Deep well 공법은 우물을 굴착하여 이 속에 유입하는 지하수를 펌프로 양수하는 공법이다. 이 공법이 가장 효과적인 경우를 3가지만 쓰시오.

득점 배점 3

① _____ ② _____ ③ _____

해답 ① 지표면에서 10m 이상의 지하수위 저하가 필요한 경우
　　② 투수성이 큰 지반으로 다량의 양수가 필요한 경우
　　③ Boiling 방지를 위한 대수층의 수압 감소가 필요한 경우

05 진공압밀공법은 탈수공법의 일종으로서 일반적인 성토에 의한 재하중방법 대신에 진공에 의한 대기압을 재하하는 연약지반 개량공법 중의 하나이다. 진공압밀공법의 장점을 3가지만 쓰시오.

① _____   ② _____   ③ _____

해답 ① 지표면이 연약하여 성토가 곤란한 매립지와 같은 경우에 유리하다.
② 대기압을 이용하므로 재하중이 필요 없다.
③ 재료 구입이 용이하고 공사비가 샌드 드레인 공법보다 저렴하다.
④ 압밀기간이 일반 탈수공법에 비해 2배 이상 단축될 수 있다.
⑤ 깊은 심도의 연약층 하부까지 동일한 강도효과를 기대할 수 있다.

07 토목섬유

전 세계적으로 광범위한 이론적·실험적 연구결과 토공 및 기초공학 분야에서 배수재, 필터재, 분리재 및 보강재 등으로 폭넓게 사용되고 있으며, 국내에서도 '80년대 이후 그 수요가 급증하고 있다. 초기의 토목섬유는 직포와 부직포를 포함하는 지오텍스타일(Geotextile)을 주로 대변하는 용어였으나, 최근에는 다양한 제품의 개발과 적용으로 보다 광범위한 섬유 재료인 토목섬유(Geosynthetics)를 대변하는 용어로 사용된다.

1 토목섬유의 종류

(1) 지오텍스타일 Geotextile

Geosynthetics의 주를 이루고 있으며, 폴리에스테르, 폴리에틸렌, 폴리프로필렌 등의 합성섬유를 직조하여 만든 다공성 직물이다.

① **직조법(織造法)에 따른 분류**
- 직포(woven geotextile)형 : 장섬유사, 평사 등을 사용하여 날줄과 씨줄을 직각으로 교차하여 엮어서 만든 형태
- 부직포(non woven geotextile)형 : 장섬유와 단섬유를 일정한 방향 없이 자유롭게 배열하여 결합시킨 형태
- 편직포(knitted geotextile)
- 복합포(composite geotextile)

② **지오텍스타일의 특징**
- 인장강도가 크다.
- 수축을 방지한다.
- 탄성계수가 크다.
- 열에 강하고 무게가 가볍다.
- 배수성과 차수성 및 분리성이 크다.

(2) 지오멤브레인 Geomembrane

주로 액체봉쇄를 목적으로 최근 널리 사용되는 것으로, 위험한 폐기물, 산업용과 가정용의 쓰레기 매입, 흙댐 및 터널 방수 등 특별한 용도로 사용된다.

기억해요
• 토목섬유의 종류 4가지를 쓰시오.
• 지오텍스타일의 직조법을 4가지 쓰시오.

핵심용어
지오멤브레인

(3) 지오그리드 Geogrid

리브 사이에 대략 1~10cm의 큰 공간을 갖는 격자형 재료로 하중을 받는 방향의 보강재로 사용되어, 지반의 지지력 증대와 성토체의 변형을 억제시켜 시공 중이나 시공완료 후 발생하는 부등침하와 사면파괴의 주요 원인을 사전 방지한다.

(4) 지오웨브 Geoweb

고밀도 폴리에틸렌 띠를 초음파로 용접하여 고강도의 접합강도를 가진 세포형망이다. 지오셀(Geo cell)의 일종인 지오웨브는 광범위한 지반보강 및 사면보호용도에 사용할 수 있도록 한 3차원적인 세포형 구속 시스템이다.

(5) 지오매트 Geomat

꼬불꼬불한 모양의 다소 거칠고 단단한 장섬유들이 각 교차점에서 접착된 형태로 탁월한 분리층의 효과로 성토량의 절감과 유지가 우수하다.

(6) 지오컴포지트 Geocomposite

두 종류 이상의 토목섬유가 중첩되어 사용된 형태로 토목섬유의 기능 중 보강기능을 향상시킨 제품이다.

2 토목섬유의 주요기능

(1) 배수기능 drainage function

투수성이 낮은 재료와 밀착시켜 설치해서 물을 모아 출구로 배출시키는 기능이 있다.

(2) 필터기능 filtration function

토립자의 이동을 막고 물만을 통과시키는 필터기능이 있다.

(3) 분리기능 separation function

모래, 자갈, 잡석 등의 조립토와 세립토의 혼합을 방지하는 기능이 있다.

(4) 보강기능 reinforcement function

토목섬유의 인장강도에 의해 흙 구조물의 역학적 안정성을 증진시키는 기능이 있다.

(5) 방수 및 차단 기능 moisture barrier function, 차수기능

댐의 상류층이나 제방에 물의 침투를 막거나 지하철, 터널, 쓰레기 매립장 등에서 방수 목적으로 사용된다.

기억해요
토목섬유(지오텍스타일)의 주요기능 4가지를 쓰시오.

| 토목섬유 |

07 핵심 기출문제

☐☐☐

☐☐☐ 92③, 93③, 95④, 06②

01 최근 토목재료로 많이 사용되는 토목섬유(geotextile)의 기능을 4가지만 쓰시오.

① _____ ② _____ ③ _____ ④ _____

득점	배점
	3

해답 ① 배수기능 ② 여과기능 ③ 분리기능 ④ 보강기능 ⑤ 차수기능

☐☐☐ 00⑤, 06①, 07①

02 성토부분의 보강토공법에 사용되는 재료로는 합성섬유계통의 지오텍스타일(geotextile)을 많이 사용하고 있다. 지오텍스타일이 갖는 주요기능 4가지를 쓰시오.

① _____ ② _____ ③ _____ ④ _____

득점	배점
	3

해답 ① 배수기능 ② 여과기능 ③ 분리기능 ④ 보강기능 ⑤ 차수기능

☐☐☐ 09④

03 토목합성재의 토목섬유(Geosynthetics)는 1960년대부터 사용되기 시작하여 최근 들어 토목공사에 광범위하게 사용되고 있다. 토목섬유의 기능을 4가지만 기술하시오.

① _____ ② _____ ③ _____ ④ _____

득점	배점
	3

해답 ① 배수기능 ② 필터기능 ③ 분리기능 ④ 보강기능

☐☐☐ 13②, 16④

04 제방, 터널, 배수로, 사면 안정 및 보호 등에 사용되는 토목섬유의 종류를 4가지만 쓰시오.

① _____ ② _____

③ _____ ④ _____

득점	배점
	3

해답 ① 지오텍스타일(Geotextile) ② 지오그리드(Geogrid)
③ 지오컴포지트(Geocomposite) ④ 지오멤브레인(Geomembranec)
⑤ 지오매트(geomat)

□□□ 95③, 98⑤, 08②, 11①

05 국내에서 토목섬유(Geosynthetics)는 연약지반 보강, 제방의 필터 및 분리 등의 목적으로 사용이 증가되고 있다. 토목섬유의 종류를 4가지만 쓰시오.

득점	배점
	3

① _____   ② _____

③ _____   ④ _____

해답 ① 지오텍스타일(Geotextile)   ② 지오그리드(Geogrid)
③ 지오컴포지트(Geocomposite)   ④ 지오멤브레인(Geomembrane)

□□□ 95③, 98⑤, 08②

06 전 세계적으로 광범위한 이론적 실험적 연구결과 토공 및 기초공학 분야에서 배수재, 필터재, 분리재 및 보강재 등으로 폭넓게 사용되고 있으며, 국내에서도 '80년대 이후 그 수요가 급증하고 있다. 특히 서해안 사업이 본격화됨에 따라 연약지반 보강, 제방의 필터 및 분리 등의 목적으로 사용이 더욱 증가할 것으로 생각되는 토목섬유(Geosynthetics)의 종류 4가지를 쓰시오.

득점	배점
	3

① _____   ② _____

③ _____   ④ _____

해답 ① 지오텍스타일(Geotextile)   ② 지오그리드(Geogrid)
③ 지오컴포지트(Geocomposite)   ④ 지오멤브레인(Geomembrane)

□□□ 85③, 92③, 93③, 95④, 00⑤, 06①, 07①, 09④, 12②, 20①

07 토목시공에서 사용하고 있는 토목섬유의 주요기능을 4가지만 쓰시오.

득점	배점
	3

① _____   ② _____   ③ _____   ④ _____

해답 ① 배수기능   ② 여과기능   ③ 분리기능   ④ 보강기능

과년도 예상문제

Vertical drain 공법

□□□ 84②

01 연약지반 처리공법의 하나로 모래말뚝(sand pile)을 다수 박아 점성토층의 배수거리를 짧게 하여 압밀을 촉진시켜서 공기(工期)를 단축하는 공법은?

○

해답 샌드 드레인 공법(Sand drain method)

□□□ 94②, 00②

02 Sand drain 공법으로 연약지반을 개량할 때 U_v(연직방향 압밀도)=0.9, U_h(횡방향 압밀도) 0.15인 경우 전체 압밀도 U_{vr}의 크기는 얼마인가?

계산 과정)   답 : _____

해답 $U_{vr} = \{1-(1-U_h)(1-U_v)\}\times 100$
$= \{1-(1-0.15)(1-0.9)\}\times 100 = 91.50\%$

□□□ 94②, 19②

03 연약지반 처리공법에서 Paper drain 공법이 Sand drain 공법에 비하여 유리한 점 4가지를 쓰시오.

① _____   ② _____
③ _____   ④ _____

해답 ① 공사비가 저렴하다.
② 시공속도가 빠르다.
③ 배수효과가 양호하다.
④ Drain 단면이 깊이방향에 대해서 일정하다.
⑤ 타설에 의해서 주변지반을 교란하지 않는다.

□□□ 92②

04 폭이 10cm, 두께 0.3cm인 paper drain(card board)을 이용하여 점토지반에 0.5m 간격으로 정삼각형 배치로 설치하였다면, sand drain 이론의 등가환산원(등가원)의 직경 (d_w)과 유효직경(d_e)을 구하시오.

계산 과정)   답 : _____

해답 $d_w = \alpha\dfrac{2(A+B)}{\pi} = 0.75 \times \dfrac{2(10+0.3)}{\pi} = 4.92\text{cm}$
$d_e = 1.05d = 1.05 \times 0.5 = 0.525\text{m} = 52.5\text{cm}$

□□□ 92③, 95③, 97③

05 샌드 드레인(sand drain) 공법에서 sand pile을 정삼각형으로 배치할 경우에 모래기둥의 간격은 얼마인가?
(단, pile의 유효지름은 40cm이다.)

계산 과정)   답 : _____

해답 정삼각형 배치 $d_e = 1.05d$에서
∴ 모래기둥 간격 $d = \dfrac{d_e}{1.05} = \dfrac{40}{1.05} = 38.10\text{cm}$

□□□ 92③

06 샌드 드레인(sand drain) 설계를 하려고 모든 조사를 끝내고 보니 문제가 생겼다. 연약지반에 렌즈형태로 불규칙하게 모래층이 형성되어 sand plie을 타입한다고 볼 때 배수에 문제가 예상되었다. 현장여건상 공사기간이 촉박하다고 볼 때 치환공법이나 말뚝타입이 아닌 가장 좋은 연약지반 공법은?

○

해답 침투압(MAIS)공법

□□□ 91③

07 점토지반의 압밀을 촉진시키기 위하여 sand drain과 paper drain 공법을 이용하는 경우가 많다. 이때 sand drain 공법보다 paper drain 공법이 유리한 점은 무엇인지 5가지를 쓰시오.

① _____ ② _____

③ _____ ④ _____

⑤ _____

해답 ① 공사비가 저렴하다.
② 시공속도가 빠르다.
③ 배수효과가 양호하다.
④ Drain 단면이 깊이방향에 대해서 일정하다.
⑤ 타설에 의해서 주변 지반을 교란하지 않는다.

□□□ 84②, 85③, 86①

08 자연함수비가 액성한계 이상인 초연약 점성토지반을 압밀을 촉진시키기 위해 가장 적당한 것은?

○ _____

해답 페이퍼 드레인 공법(paper drain method)

□□□ 96⑤

09 연약점토지반의 pack drain 공법은 근본적으로 무슨 약점을 보완하기 위한 것인지 가장 중요한 것 1가지만 쓰시오.

○ _____

해답 샌드 드레인 기둥이 끊기거나 잘리는 결점을 보완하기 위해서

□□□ 89①, 91③, 95④

10 Sand drain 설계 시 수평방향 배수와 연직방향 배수 시의 압밀계수를 같은 값을 사용하는 이유는?

○ _____

해답 drain 타설 시 지반이 교란되기 때문이다.

□□□ 96③

11 연약지반 처리공법 중 Vertical Drain 공법으로서는 Paper Drain과 Sand Drain을 많이 사용하고 있으나, 근래에는 시공상과 공기 및 재료구득의 난이 등으로 인하여 Paper Drain 공법 채택이 증가하고 있다. Paper Drain 공법이 Sand Drain 공법과 비교하여 유리한 점 5가지를 쓰시오.

① _____ ② _____

③ _____ ④ _____

⑤ _____

해답 ① 공사비가 저렴하다.
② 시공속도가 빠르다.
③ 배수효과가 양호하다.
④ Drain 단면이 깊이방향에 대해서 일정하다.
⑤ 타설에 의해서 주변 지반을 교란하지 않는다.

점성토지반 개량공법

□□□ 84③

12 압밀에 의한 침하를 미리 끝나게 하며 구조물에 해로운 잔류침하를 남지 않게 하고, 압밀에 의하여 점성토지반의 강도를 증가시켜서 기초지반의 전단파괴를 방지하는 게 목적인 공법은 무엇인가?

○ _____

해답 프리로딩 공법(pre-loading method)

□□□ 85②

13 구조물을 건설하기 이전에 구조물 중량보다 크든가 또는 이와 같은 하중을 성토 등의 방법으로 재하하여 기초지반의 압밀침하를 촉진시키고 지반의 강도를 증가시켜서 기대하는 정도의 강도에 도달한 것을 확인한 후, 하중을 제거하고 구조물을 건설하는 공법은?

○ _____

해답 프리로딩 공법(Preloading method) 또는 사전압밀공법

□□□ 87③

14 연약지반에 성토하려면 지반을 개량해야 한다. 구조물의 중량과 같거나 또는 그 이상의 하중을 공사 전에 재하하여 미리 침하시키는 공법으로, 침하가 가장 큰 초기침하를 끝내게 되어 효과는 크나 기간이 길게 필요하고, 실제 시공은 불편한 이 공법은?

○

해답 프리로딩 공법(Preloading method) 또는 사전압밀공법

□□□ 93③, 97③

15 베일러(Bailer)와 케이싱 해머 등을 사용하여 점성토지반에 자갈 또는 쇄석 기둥을 설치하여 연직배수를 촉진시키는 공법은?

○

해답 쇄석말뚝 공법(Stone column method)

□□□ 86②

16 연약지반상에 모래를 부설하여 압밀을 위한 상부의 배수층을 형성하고, 성토 내의 지하배수층이 되어 지하수위를 저하시키고, 성토 시공을 하기 위한 트래피커빌리티(trafficability)를 좋게 하고, 샌드 드레인 등의 처리공에 필요한 시공기계의 작업로 또는 지지층이 되게 하기 위한 공법은?

○

해답 샌드 매트 공법(Sand mat method)

□□□ 87②, 91③

17 연약지반상에 포설하는 sand mat 층의 시공목적에 대하여 2가지만 쓰시오.

① _____

② _____

해답 ① 연약층 압밀을 위한 상부 배수층을 형성한다.
② 시공기계의 주행성(trafficability)을 확보한다.
③ 지하 배수층이 되어 지하수위를 저하시킨다.
④ 지하수위 상승 시 횡방향 배수로 성토지반의 연약화를 방지한다.

□□□ 89①

18 지반의 파괴작용이 일어나 침하가 일어나기 전에 제방의 양측에 흙을 돋우어서 그 압력을 균형시켜 흙의 이동을 적게 하는 공법은?

○

해답 압성토 공법

□□□ 86②

19 연약지반상에 성토할 때, 기초활동 파괴를 막기 위하여 활동에 대한 저항모멘트를 크게 하자는 것이 목적이고, 이 공법은 압밀촉진에는 큰 효과가 없으나 필요하다면 이 공법에 sand drain 공법을 병용하면 된다. 이 공법은?

○

해답 압성토 공법

□□□ 84③

20 저항모멘트를 크게 하는 게 목적이고, 연약지반에 축제하면 축제가 침하하여 기초지반이 옆으로 부풀어 오르는 현상을 방지하는 공법은?

○

해답 압성토 공법

□□□ 85④

21 연약지반상에 성토를 하게 되면 원지반의 침하에 따라 그의 측방이 융기될 때가 많은데 이를 방지하기 위하여 융기되는 방향에 소단 모양의 성토를 시행하여 균형을 잡게 하는 공법은?

○

해답 압성토 공법

□□□ 80①

22 연약지반 개량 공법 중 축제가 침하하여 그의 측방(側方)이 융기할 때 실행하여 균형을 잡는 방법은?

○

_____

해답 압성토 공법

사질토지반 개량공법

□□□ 84③

23 두께 10~15m로서 N치가 0에 가까운 실트질의 연약지반상에 높이 5m의 성토를 행하였을 때 가장 적당한 지반처리공법은?

○

_____

해답 다짐모래말뚝 공법(sand compaction method)

□□□ 87②, 88①, 16④

24 연약지반 중에 진동 또는 충격하중을 사용하여 모래를 압입하고, 직경이 큰 압축된 모래기둥을 조성하여 지반을 안정시키는 공법으로, 느슨한 사질토지반에 널리 활용되고, 점성토에도 적용이 가능한 공법은?

○

_____

해답 다짐모래말뚝 공법(sand compaction pile method)

□□□ 88②

25 모래지반에 봉상(棒狀)의 진동기를 삽입하여 진동시키면서 물을 분사(噴射)시켜 물다짐과 진동에 의해 지반을 다지며, 동시에 발생된 공극에 자갈 등을 보급해서 지반을 개량시키는 공법은?

○

_____

해답 바이브로 플로테이션 공법(vibroflotation method)

□□□ 88②

26 Sand compaction pile의 시공순서를 4가지로 구분하여 설명하시오.

① _____

② _____

③ _____

④ _____

해답 ① 내외관을 지표면에 고정하고 밑바닥용 모래를 하단에 넣는다.
② 내관을 작동시켜서 외관을 지중에 타입한다.
③ 외관을 고정시키고 내관 속에 상부로부터 모래를 공급한다.
④ 외관을 약간 들어 올리면서 모래를 지중에 압입한다.

□□□ 86①

27 수평방향으로 진동하는 봉으로 사수(射水)와 진동을 동시에 일으켜서 생긴 빈틈에 모래나 자갈을 채워서 느슨한 모래지반을 개량하는 공법은?

○

_____

해답 바이브로 플로테이션 공법(Vibroflotation method)

□□□ 92②

28 적용성으로 깊이 8m까지의 N값 20 정도까지의 사질지반에서 액상화(液狀化) 방지를 위해서 가장 유효하게 사용하는 공법은?

○

_____

해답 바이브로 플로테이션 공법(vibroflotation method)

□□□ 98⑤

29 쓰레기로 매립된 지반의 두께가 50m이다. 이 지반을 다지기 위하여 적용할 수 있는 공법 중 가장 유리한 방법 2가지를 쓰시오.

① _____   ② _____

해답 ① 동다짐공법   ② 동치환공법

□□□ 86②

30 바이브로 플로테이션(vibroflotation) 공법의 개요와 장점을 3가지만 쓰시오.

가. 개요 :

나. 장점 :

① _____ ② _____

③ _____

해답 가. 개요 : 수평방향으로 진동하는 봉으로 사수와 진동을 동시에 일으켜서 생긴 빈틈에 모래나 자갈을 채워서 느슨한 모래지반을 개량하는 공법

나. 장점 ① 깊은 곳의 다짐을 지표면에서 할 수 있다.

② 지하수위의 고저에 영향을 받지 않고 시공할 수 있다.

③ 공기가 빠르고 공사비가 싸다.

④ 상부 구조물이 진동하는 경우에 특히 효과적이다.

□□□ 89②, 95④

31 모래지반에 진동을 이용하여 지반개량을 하려고 할 때 쓰이는 방법 3가지를 쓰시오.

① _____ ② _____

③ _____

해답 ① Vibroflotation 공법

② 다짐모래말뚝 공법(Sand compaction pile method)
(=바이브로 컴포저 공법)

③ 동다짐공법(=동압밀공법)

④ 폭파다짐공법

□□□ 84①

32 최근 연약지반을 개량한다거나 기존 시설물을 보호하거나 시공을 용이하게 하기 위하여 각종 주입공법을 많이 이용하는데, 이때 어떤 주입재를 사용하는지 3가지만 쓰시오.

① _____ ② _____

③ _____

해답 ① 시멘트(Cement)   ② 점토계

③ 아스팔트(Asphalt)   ④ 벤토나이트(Bentonite)

□□□ 94①

33 다음 ( ) 안에 알맞은 말을 넣으시오.

> 지하수로 포화되어 있으며 입경이 균등하고 느슨한 상태로 퇴적되어 있고 전단에 의하여 쉽게 체적이 감소하는 사질토층에 지진이 발생하면 이 지반은 (①)하기 쉬운 지반이며, 이의 대표적인 대책공법은 (②), (③), 쇄석 드레인 공법 등이 있다.

① _____ ② _____

③ _____

해답 ① 액성화

② 다짐모래말뚝 공법

③ 바이브로 플로테이션 공법

□□□ 94④

34 지반 안정액의 종류 3가지만 쓰시오.

① _____ ② _____

③ _____

해답 ① 석회   ② 플라이애시   ③ 시멘트   ④ 아스팔트

□□□ 84③

35 수평방향으로 진동하는 봉을 사수(射水)와 진동을 동시에 일으켜서 생긴 빈틈에 모래나 자갈을 채워서 느슨한 모래지반을 개량하는 공법은?

○

해답 바이브로 플로테이션 공법(vibro flotation method)

□□□ 94③

36 약액주입재 중 주입되어 물과 접촉하는 순간부터 급속히 고결화가 이루어지기 때문에 유속이 빠른 지하수의 차수용으로 효과가 좋으나 유독성이 문제인 약액주입재는?

○

해답 우레탄(Urethane)계

□□□ 05④, 09④

37 그라우팅(Grouting) 공법 중 최종 깊이까지 한 번에 착공한 후 구멍 밑에서부터 순차적으로 주입재료를 주입하는 것으로서 주입심도가 깊고 암질이 좋은 경우에 적용하는 방법은?

ㅇ

해답 packer grouting

□□□ 92③

38 약액주입공법의 주입재료 중에 강도를 주목적으로 하는 재료와 지수를 주목적으로 하는 재료를 1가지씩 쓰시오.

가. 강도 주목적 재료 :

나. 지수 주목적 재료 :

해답 가. ① Cement
　　나. ① Bentonite　　② Asphalt

□□□ 93②, 96④

39 최근 지하철 연약구간에 사용되고 있는 공법으로 이중관 Rod에 특수 선단장치(Rocket)를 결합시켜 대상지반을 형성하여 순결에 가까운 겔(gel) 상태의 초미립 시멘트 혼합액을 사용하여 지반을 grouting하는 지반개량 공법은?

ㅇ

해답 SGR 공법(Space Grouting Rocket System)

□□□ 97③

40 혼화제에 의한 지반의 안정처리공법의 주목적을 3가지만 쓰시오.

①　　　　　　　　　　②

③

해답 ① 흙의 개량
　　② 급속시공
　　③ 흙의 강도와 내구성 증진

□□□ 95⑤

41 시가지에서 지하 터파기를 할 때 주로 가설 토류벽체 배면에 고결화 공법을 많이 쓴다. 이의 주목적은 무엇인가 2가지만 쓰시오.

①　　　　　　　　　　②

해답 ① 지반의 강도 증진
　　② 인접지반 변형 방지
　　③ 압력 감소(토압, 수압)

□□□ 87③

42 약액주입공법(藥液注入工法)이 이용되는 2가지 주요목적을 쓰시오.

①　　　　　　　　　　②

해답 ① 지반의 강도 증대
　　② 용수 및 누수 방지

지하수위 저하공법

□□□ 97①

43 지하배수공법 중 강제배수공법을 3가지만 쓰시오.

①　　　　　　　　　　②

③

해답 ① well point 공법
　　② 전기침투공법
　　③ 진공압밀공법

□□□ 84②, 85③, 88②

44 모래질 지반의 지하수위를 공사 중 임시로 저하시키기 위하여 파이프 선단에 여과기를 부착하여 흡입펌프로 물을 배출시키는 공법은?

ㅇ

해답 웰 포인트 공법(well point method)

☐☐☐ 88③
45 연약지반의 일시적인 개량공법 중 사질토 및 silt질 모래 지반에서 가장 경제적인 지하수위 저하공법은?

○

_____

해답 웰 포인트(well point) 공법

☐☐☐ 92④
46 웰 포인트로 저하시킬 수 있는 최대수위의 표준은 몇 m이고, 만일 그 수위를 넘을 때의 시공방법은?

① 최대수위의 표준 :

② 시공방법 :

_____

해답 ① 6m   ② 다단 설치 후 well point 설치

☐☐☐ 91③
47 Well point 공법을 사용 시 point의 지층 중의 타입간격은?

○

_____

해답 1~2m

토목섬유

☐☐☐ 97②
48 지오텍스타일(Geotextile)은 같은 실을 사용하더라도 천을 짜는 방법에 따라 최종 섬유제품의 물리적, 역학적 성질은 상당히 바뀔 수 있다. 이에 따른 지오텍스타일(Geotextile)의 직조법(織組法)을 4가지 쓰시오.

① _____   ② _____

③ _____   ④ _____

_____

해답 ① 부직포(Non-Woven Geotextile)
② 직포(Woven Geotextile)
③ 편직포(Knitted)
④ 복합포(Conposite Geotextile)

☐☐☐ 85③
49 토공사에서 이용하고 있는 토목섬유에는 어떠한 특성이 있는지 그 특성에 대하여 4가지만 쓰시오.

① _____   ② _____

③ _____   ④ _____

_____

해답 ① 배수기능   ② 여과기능   ③ 분리기능
④ 보강기능   ⑤ 차수기능

☐☐☐ 00①
50 폴리에스터, 폴리에틸렌, 폴리프로필렌 등의 합성섬유를 직조하여 만든 다공성 직물을 사용하는 토목섬유(Geotextile)의 주요기능을 4가지 쓰시오.

① _____   ② _____

③ _____   ④ _____

_____

해답 ① 배수기능   ② 필터기능
③ 분리기능   ④ 보강기능

☐☐☐ 98②
51 토목섬유(Geosynthetics) 종류 중 주로 차수목적으로 많이 이용되는 것은?

○

_____

해답 지오멤브레인(Geomembrane)

☐☐☐ 96②
52 다음 ( ) 안에 알맞은 말을 넣으시오.

토목공사에 사용되는(지반에 사용되는) 섬유(Geosynthetics)의 용도별 구분은 (①), (②), (③), (④)의 4가지를 말하며 이들은 보강, 차수, 필터 등의 재료로 많이 사용 되고 있다.

① _____   ② _____

③ _____   ④ _____

_____

해답 ① 지오텍스타일(Geotextile)
② 지오그리드(Geogrid)
③ 지오컴포지트(Geocomposite)
④ 지오멤브레인(Geomembrane)

3 chapter

토질공

√ 체크	출제경향	출제연도
☐☐☐	01 샌드콘 시험결과를 이용해 건조단위중량을 산출하시오.	03④
☐☐☐	02 매층마다 $1m^2$당 몇 l 물을 살수해야 하는가?	91③, 94①, 96⑤, 99③, 00②, 01②, 02②, 05③, 07④, 09①
☐☐☐	03 상대밀도를 구하여 흙의 상태를 판정하시오.	14④
☐☐☐	04 상대밀도까지 다짐할 때 두께의 감소를 산출하시오.	07④, 10②
☐☐☐	05 흙의 분류에서 자갈(가), (나)S, 무기질 점토(다)에서 ( ) 안을 채우시오.	01②
☐☐☐	06 군지수를 구하기 위해 필요로 하는 지배요소 3가지를 쓰시오.	07④, 09①, 10②, 18①
☐☐☐	07 흙의 입도분석 시험결과로 통일분류법에 따라 흙을 분류하시오.	08④, 09①, 11①, 21②
☐☐☐	08 Darcy의 식에 의한 이론침투속도, 실제침투속도를 산출하고, 다른 이유를 간단히 설명하시오.	08①
☐☐☐	09 투수계수에 영향을 미치는 요소를 4가지 쓰시오.	00⑤, 02②
☐☐☐	10 양압력 처리방법을 3가지 쓰시오.	09①, 11②, 16①, 20②
☐☐☐	11 다짐시공 후 흙의 단위중량을 구하는 방법을 3가지 쓰시오.	09②
☐☐☐	12 들밀도시험을 수행 후 상대다짐도를 산출하시오.	01①, 04①②, 07④, 09②, 10④, 14④
☐☐☐	13 상대다짐도 산출 후 합격여부를 판정하시오.	07②, 10①, 16①
☐☐☐	14 집중하중이 작용할 때 A, B점의 연직응력을 산출하시오.	10②, 17②, 20③
☐☐☐	15 과압밀비(OCR)를 간단히 기술하시오.	07④, 12①, 22③
☐☐☐	16 압축지수 대신에 팽창지수만을 사용할수 있는 OCR의 한계값을 구하시오.	93②, 97①, 03③, 05②, 11④, 14①
☐☐☐	17 지반의 압축에 의한 구조물의 침하가 발생하게 되는데 이러한 침하의 종류 3가지는?	13②
☐☐☐	18 흙의 애터버그 한계의 종류 3가지를 쓰시오.	17①, 19③, 23③
☐☐☐	19 점토층 위에 유효상재압력이 증가할 때의 침하량을 산출하시오.	93③, 99②, 01②, 02④, 04④, 05②, 11②, 18①
☐☐☐	20 점토지반의 압밀침하량을 산정하시오.	07①, 09④, 10④, 12①, 13① 17②, 22②, 23①
☐☐☐	21 정규압밀점토층에 발생하는 압밀침하량을 산정하시오.	01①, 07④
☐☐☐	22 유효증가하중이 일 때 점토층의 1차 압밀침하량을 계산하시오.	14④, 17④, 23③

✔ 체크	출제경향	출제연도
☐☐☐	23 점토층 중앙의 초기 유효연직압력, 압밀침하량을 산출하시오.	10①, 11④, 14②
☐☐☐	24 무한히 넓은 등분포하중이 작용하는 경우 압밀침하량을 산출하시오.	12②, 17①, 20①
☐☐☐	25 A지점에서의 간극수압을 산출하시오.	12②
☐☐☐	26 8개월 후 수주가 3m가 되었다면 지하 5m 되는 곳의 압밀도를 구하시오.	07②, 09①, 10④, 16②, 23①
☐☐☐	27 축조 6개월 후 압밀도, 수평방향 압밀도, 샌드 드레인 간의 중심간격을 산정하시오.	02②, 03④, 06②, 12①
☐☐☐	28 압밀도에 도달하는 데 소요되는 시간을 산정하시오.	06③, 09①, 21②
☐☐☐	29 체적변화계수를 구하시오.	06①, 08②, 11①, 18①
☐☐☐	30 점토층이 압밀도 60%에 이르는 데 걸리는 시간을 구하시오.	00⑤, 06①, 08②, 11①
☐☐☐	31 지표면으로부터의 5m 지점의 전단강도를 구하시오.	06④
☐☐☐	32 단답형 : 배압(백 프레셔 : back pressure)	95③, 98①, 00①
☐☐☐	33 무한사면에서 지하수위면과 지표면이 일치한 경우 사면의 안전율을 계산하시오.	11②, 21③
☐☐☐	34 갑자기 폭우가 쏟아져 지하수위가 지표면과 일치한 상태에서 침투가 발생할 때 사면의 안전율을 계산하시오.	01②, 03②, 07①, 10②, 14①
☐☐☐	35 반무한 사면에서 침투류가 지표면과 일치되는 경우 안전율을 계산하시오.	96①, 98④, 04①
☐☐☐	36 지하수위 면이 암반층 아래 존재할 때 이 사면의 활동파괴에 대한 안전율을 계산하시오.	09④, 11④, 16②, 22③
☐☐☐	37 한 무한 자연사면의 경사가 있고 지하수면이 지표면과 일치할 때 사면의 안전율을 계산하시오.	96③, 98②, 01③, 06①, 08③
☐☐☐	38 반무한 사면에서 침투류가 전혀 없는 경우는 침투류가 지표면과 일치되는 경우에 비해 몇 배만큼 안전율이 큰가?	99⑤, 02③, 09②
☐☐☐	39 내부마찰각 $\phi_u = 0$ 포화된 점토층의 사면에서 하나의 파괴면을 가정했을 때 안전율을 계산하시오.	95①, 97①, 02①, 05①
☐☐☐	40 사면에 인장균열이 발생하여 수압이 작용할 때 안전율을 계산하시오.	92①, 96④, 01②, 02④, 07② 21①
☐☐☐	41 한 사면에서 사면파괴가 한 평면을 따라 발생한다면 사면의 임계높이, 활동에 대한 안전율이 2가 되도록 사면높이를 구하시오	00③, 02①, 06②, 14④, 19①
☐☐☐	42 사면에서 AC는 가상파괴면을 나타낼 때 쐐기 ABC의 활동에 대한 안전율을 계산하시오.	99①, 01①, 12②, 15②, 18①, 23①
☐☐☐	43 연약토층 위에 있는 사면의 복합활동 파괴면에 대한 안전율을 계산하시오.	89①, 94④, 05①, 09②, 12④ 20①

03 토질공

01 흙의 기본적 성질

1 흙의 구성

(1) 흙의 상대정수

① 함수비 $w = \dfrac{W_w}{W_s} \times 100$

② 간극률 $n = \dfrac{V_v}{V} = \dfrac{e}{1+e} \times 100$

③ 간극비 $e = \dfrac{V_v}{V_s}$

$\qquad = \dfrac{n}{1-n} = \dfrac{\gamma_w}{\gamma_d} G_s - 1$

④ 포화도 $S = \dfrac{V_w}{V_v} \times 100 = \dfrac{w \cdot G_s}{e} \ (\because \ S \cdot e = G_s \cdot w)$

⑤ 흙입자 무게 $W_s = \dfrac{W}{1 + \dfrac{w}{100}}$

⑥ 물 무게 $W_w = \dfrac{w \cdot W}{100 + w}$

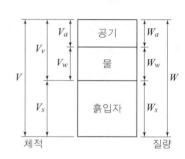

(2) 흙의 단위중량

$$W = \left(G_s + \dfrac{S \cdot e}{100}\right)\gamma_w$$

$W_a = 0$ 공기 V_a

$W_w = \dfrac{S \cdot e}{100}\gamma_w$ 물 $V_w = \dfrac{S \cdot e}{100}$ $V_v = e$

$W_s = G_s\gamma_w$ 흙 입자 $V_s = 1$ $V = 1+e$

① 습윤단위중량 $\gamma_t = \dfrac{W}{V} = \dfrac{W_s + W_w}{V_s + V_v} = \dfrac{G_s + \dfrac{S \cdot e}{100}}{1+e}\gamma_w$

② 건조단위중량 $\gamma_d = \dfrac{W_s}{V} = \dfrac{\gamma_t}{1+w} = \dfrac{G_s}{1+e}\gamma_w$

③ 포화단위중량 $\gamma_{\text{sat}} = \dfrac{G_s + e}{1+e}\gamma_w$

④ 수중단위중량 $\gamma_{\text{sub}} = \gamma_{\text{sat}} - \gamma_w = \dfrac{G_s + e}{1+e}\gamma_w - \gamma_w = \dfrac{G_s - 1}{1+e}\gamma_w$

☑ 흙의 단위중량
어떤 상태에 있는 흙덩이의 무게를 이에 대응하는 부피로 나눈값을 흙의 단위 중량 또는 밀도라 한다.

☑ 흙의 단위중량
• γ로 표시
• 물의 단위중량
$\gamma_w = 9.80 \text{kN/m}^3$
$\quad = 9.81 \text{kN/m}^3$

☑ 흙의 밀도
• ρ로 표시
• 물의 밀도
$\rho_w = 1 \text{g/cm}^3$

(3) 상대밀도 relative density

사질토가 느슨한 상태에 있는가 조밀한 상태에 있는가를 나타내는 것을 상대밀도라 한다.

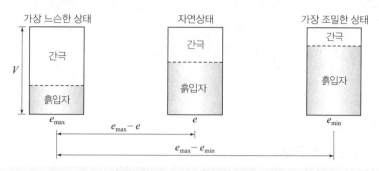

$$D_r = \frac{e_{max} - e}{e_{max} - e_{min}} \times 100 = \frac{\gamma_d - \gamma_{dmin}}{\gamma_{dmax} - \gamma_{dmin}} \cdot \frac{\gamma_{dmax}}{\gamma_d} \times 100$$

$$= \frac{\rho_d - \rho_{dmin}}{\rho_{dmax} - \rho_{dmin}} \cdot \frac{\rho_{dmax}}{\rho_d} \times 100$$

기억해요
상대밀도를 구하여 흙의 상태를 판정하시오.

여기서, e : 현장흙의 공극비

$\quad e_{max}$: 가장 느슨한 상태의 간극비

$\quad e_{min}$: 가장 조밀한 상태의 간극비

$\quad \gamma_d$: 현장흙의 건조단위중량(간극비가 e 일 때)

$\quad \gamma_{dmax}$: 가장 조밀한 상태에서의 건조단위중량(간극비가 e_{min} 일 때)

$\quad \gamma_{dmin}$: 가장 느슨한 상태에서의 건조단위중량(간극비가 e_{max} 일 때)

여기서
* ρ_d : 건조밀도
* ρ_{dmin} : 최소건조밀도
* ρ_{dmax} : 최대건조밀도

(4) 흙의 연경도 지수

① 소성지수(I_P, PI) : $I_P = W_L - W_P$

② 액성지수(I_L, LI) : $I_L = \dfrac{w_n - W_P}{I_P} = \dfrac{w_n - W_P}{W_L - W_P}$

③ 수축지수(I_S, SI) : $I_S = W_P - W_S$

④ 연경지수(I_C) : $I_C = \dfrac{W_L - w_n}{I_P} = \dfrac{W_L - w_n}{W_L - W_P}$

⑤ 유동지수(I_f) : $I_f = \dfrac{w_1 - w_2}{\log N_2 - \log N_1}$

⑥ 터프니스지수(I_t) : $I_t = \dfrac{I_P}{I_f}$

(5) 흙의 예민비

교란되지 않은 공시체의 일축압축강도와 다시 반죽한 공시체의 일축압축강도의 비

$$S_t = \frac{q_u}{q_{ur}} = \frac{\text{불교란 시료의 일축압축강도}}{\text{교란시료의 일축압축강도}}$$

여기서, W_L : 액성한계

$\quad W_P$: 소성한계

$\quad W_S$: 수축지수

$\quad w_n$: 자연함수비

$\quad w_1$: 타격횟수 N_1 일 때의 함수비

$\quad w_2$: 타격횟수 N_2 일 때의 함수비

(6) 흙의 애터버그(Atter berg)

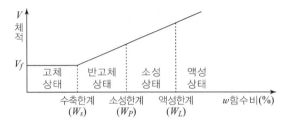

2 흙의 분류

(1) 입도분포의 판정

① 유효입경 D_{10} : 가적 통과율 10%에 해당하는 입경

② 균등계수 $C_u = \dfrac{D_{60}}{D_{10}}$

③ 곡률계수 $C_g = \dfrac{D_{30}^2}{D_{10} \times D_{60}}$

여기서, D_{60} : 통과 백분율 60%에 대응하는 입경

D_{30} : 통과 백분율 30%에 대응하는 입경

D_{10} : 통과 백분율 10%에 대응하는 입경

기억해요
통일분류법에 따라 흙을 분류하시오

(2) 흙의 기호

① G : gravel(자갈)

② S : sand(모래)

③ W : Well graded(입도배합이 양호)

④ P : poor graded(입도배합이 불량)

(3) 통일분류법

주요구분		분류기호	대표명	분류법
자갈 (G)	• No. 4체 통과분 50% 미만 • No. 200체 통과율 5% 미만	GW	입도분포가 양호한 자갈	$C_u > 4$ $1 < C_g < 3$
		GP	입도분포가 불량한 자갈	GW 기호에 맞지 않음.
모래 (S)	• No. 4체 통과분 50% 이상 • No. 200체 통과율 5% 미만	SW	입도분포가 양호한 모래	$C_u \geq 6$ $1 < C_g < 3$
		SP	입도분포가 불량한 모래	SW 기호에 맞지 않음.

⑷ **통일분류법에 의한 흙의 분류방법**

① 1단계 : No.200체 통과율을 구함.

　• No.200(0.075mm)체 통과율이 50% 미만인 경우 조립토(G, S)

　• No.200(0.075mm)체 통과율이 50% 이상인 경우 세립토(M, C, O)

② 2단계 : 자갈(G)과 모래(S)로 분류

　• No.4(4.76mm)체 통과율이 50% 이상이면 모래(S)

　• No.4(4.76mm)체 통과율이 50% 미만이면 자갈(G)

③ 3단계 : GW, GP, SW, SP 분리

　■ No.200(0.075mm)체 통과량이 5% 미만

　• 균등계수 $C_u > 4$, $1 < C_g < 3$: GW

　• GW를 만족하지 못하면 : GP

　■ No.200(0.075mm)체 통과율이 5% 미만

　• 균등계수 $C_u > 6$, $1 < C_g < 3$: SW

　• SW를 만족하지 못하면 : SP

⑸ **군지수** group index, GI

　$GI = 0.2a + 0.005ac + 0.01bd$

　■ a : 0~40정수, b : 0~40정수, c : 0~20정수, d : 0~20정수

　• a = No.200체(0.075mm)통과율 − 35

　• b = No.200체(0.075mm)통과율 − 15

　• c = 액성한계(W_L) − 40

　• d = 소성지수(I_P) − 10

기억해요
군지수를 구하기 위해 필요로 하는
지배요소 3가지를 쓰시오

| 흙의 기본적 성질 |

01 핵심 기출문제

□□□ 03④

01 현장 원지반의 건조단위중량 시험의 하나인 샌드콘 방법(Sand Cone Method)을 이용하여 다음과 같은 시험결과를 얻었다. 이 시험결과를 가지고 현장 원지반의 건조단위중량(kN/m^3)을 구하시오.

【시험 결과】

- 표준사의 건조단위중량 : $16.5kN/m^3$
- 현장에서 파낸 흙의 중량 : 33N
- 파낸 부분에 채워진 표준사의 중량 : 30N
- 파낸 흙의 함수비 : 11.6%
- 물의 단위중량 : $9.81kN/m^3$

계산 과정)   답 :

해답 ■ 건조단위중량 $\gamma_d = \dfrac{\gamma_t}{1+\dfrac{w}{100}}$

- 구멍의 체적 $V = \dfrac{W}{\gamma_s} = \dfrac{30 \times 10^{-3}}{16.5} = 1.818 \times 10^{-3} m^3$

  ($\because 1N = 10^{-3} kN$)

- 습윤단위중량 $\gamma_t = \dfrac{W}{V} = \dfrac{33 \times 10^{-3}}{1.818 \times 10^{-3}} = 18.15 kN/m^3$

  $\therefore \gamma_d = \dfrac{18.15}{1+0.116} = 16.26 kN/m^3$

□□□ 01②

02 흙의 분류에서 자갈(가), (나)S, 무기질 점토(다)에서 (   ) 안을 채우시오.

해답 가. G   나. 모래   다. C

□□□ 07④, 09①, 10②, 18①

03 흙의 노상재료 분류법으로서 흙의 성질을 숫자로 나타낸 것을 군지수(group index)라고 한다. 이러한 군지수를 구하기 위해 필요로 하는 지배요소 3가지를 쓰시오.

①   ②   ③

해답 ① No.200체(0.075mm) 통과율   ② 액성한계   ③ 소성지수

☐☐☐ 00②, 05③, 09①

04 자연함수비 10% 흙으로 성토하고자 한다. 시방서에는 다짐흙의 함수비를 16%로 관리하도록 규정하였을 때 매 층마다 1m²당 몇 l의 물을 살수해야 하는가?
(단, 1층의 두께는 30cm이고, 토량변화율 $C=0.9$, 원지반 흙의 단위중량 $\gamma_t = 18\text{kN/m}^3$)

계산 과정)

답 : _____

해답 ■ 방법 1
• 1m³당 흙의 중량
$$W = Ah\gamma_t = 1 \times 1 \times 0.30 \times 18 \times \frac{1}{0.90}$$
$$= 6\text{kN} = 6,000\text{N}$$

• 흙입자 중량 : $W_s = \dfrac{W}{1+w} = \dfrac{6,000}{1+0.1}$
$$= 5,454.55\text{N}$$

• 함수비 10%일 때의 물 중량
$$W_w = \frac{W \cdot w}{100+w} = \frac{6,000 \times 10}{100+10} = 545.45\text{N}$$

• 함수비 16%일 때 물의 중량
$$W_w = W_s w = 5,454.55 \times 0.16 = 872.73\text{N}$$

• 살수량 $= 872.73 - 545.45 = 327.28\text{N}$

$$\therefore \text{살수량} = \frac{327.28}{9.81 \times 10^3} = 0.0334\text{m}^3$$
$$= 33.4l$$

■ 방법 2
• 1층의 원지반 상태의 단위 체적
$$V = 1 \times 1 \times 0.30 \times \frac{1}{0.90} = \frac{0.30}{0.90} = 0.333\text{m}^3$$

• 0.333m³당 흙의 중량
$$W = \gamma_t V = 18 \times \frac{0.30}{0.90} = 6\text{kN} = 6,000\text{N}$$

• 10%에 대한 물 중량
$$W_w = \frac{W \cdot w}{100+w} = \frac{6,000 \times 10}{100+10} = 545.45\text{N}$$

• 함수비 16%에 대한 살수량
$$545.45 \times \frac{16-10}{10} = 327.27\text{N}$$

$$\therefore \text{살수량} = \frac{327.27}{9.81 \times 10^3} = 0.0334\text{m}^3 = 33.4l$$
$$(\because 1\text{m}^3 = 1,000l)$$

☐☐☐ 08④, 09①, 11①

05 어떤 흙의 입도분석시험 결과가 다음과 같을 때 통일분류법에 따라 이 흙을 분류하시오.

───【 시험 결과 】───
$D_{10} = 0.077\text{mm}$, $D_{30} = 0.54\text{mm}$, $D_{60} = 2.27\text{mm}$
No.4(4.76mm)체 통과율 $= 58.1\%$, No.200(0.075mm)체 통과율 $= 4.34\%$

계산 과정)

답 : _____

해답 통일분류법에 의한 흙의 분류방법
■ 제1문자 : No.4체 통과량이 $50\% < 58.1\%$: 모래(S)
■ 제2문자(SW의 조건)
• No.200체 통과율이 5% 미만 > 4.34%, $C_u > 6$, $1 < C_g < 3$: 양호(W)

• 균등계수 $C_u = \dfrac{D_{60}}{D_{10}} = \dfrac{2.27}{0.077} = 29.48 > 6$: 입도 양호(W)

• 곡률계수 $C_g = \dfrac{D_{30}^2}{D_{10} \times D_{60}} = \dfrac{0.54^2}{0.077 \times 2.27} = 1.67$: $1 < C_g < 3$: 입도 양호(W)

$\therefore$ SW($\because$ SW에 해당되는 두 조건을 만족)

□□□ 14④

06 어떤 사질토지반의 최대건조단위중량은 20.0kN/m^3, 최소건조단위중량은 13.0kN/m^3이고 자연상태에서의 건조단위중량이 17kN/m^3일 때 상대밀도를 구하여 흙의 상태를 판정하시오.

득점	배점
	3

계산 과정)　　　　　　　　　　　　　　　[답] 상대밀도 : ＿＿＿＿＿＿, 판정 : ＿＿＿＿＿

해답 • 상대밀도 $D_r = \dfrac{\gamma_d - \gamma_{d\min}}{\gamma_{d\max} - \gamma_{d\min}} \cdot \dfrac{\gamma_{d\max}}{\gamma_d} \times 100$

$\therefore D_r = \dfrac{17-13}{20-13} \times \dfrac{20}{17} \times 100 = 67.23\%$

• 흙의 상태 : 중간

◎ 상대밀도에 따른 흙의 상태

상대밀도	흙의 상태
0 ~ 15	매우 느슨(very loose)
15 ~ 50	느슨(loose)
50 ~ 70	중간(medium)
70 ~ 85	조밀(dense)
85 ~ 100	매우 조밀(very dense)

□□□ 07④

07 다짐되지 않은 두께 2m, 상대밀도 45%의 느슨한 사질토지반이 있다. 실내시험결과 최대 및 최소 간극비가 0.85, 0.40으로 각각 산출되었다. 이 사질토를 상대밀도 70%까지 다짐할 때 두께의 감소는 얼마나 되겠는가?

득점	배점
	3

계산 과정)　　　　　　　　　　　　　　　　　　　　답 : ＿＿＿＿＿

해답 ■ 상대밀도 $D_r = \dfrac{e_{\max} - e}{e_{\max} - e_{\min}} \times 100$　　■ 두께의 감소량 $S = \dfrac{e_1 - e_2}{1 + e_1} H$

• 상대밀도 45%일 때의 공극비

$D_r = \dfrac{0.85 - e_1}{0.85 - 0.40} \times 100 = 45\%$

$\therefore e_1 = 0.85 - 45 \times \dfrac{1}{100} \times (0.85 - 0.40) = 0.65$

• 상대밀도 70%일 때의 공극비

$D_r = \dfrac{0.85 - e_2}{0.85 - 0.40} \times 100 = 70\%$

$\therefore e_2 = 0.54$

• 두께의 감소량(최종 압밀침하량)

$\therefore S = \dfrac{0.65 - 0.54}{1 + 0.65} \times 2 = 0.1333\,\text{m} = 13.33\,\text{cm}$

□□□ 91③, 90⑤, 99③, 01②, 02②, 07④

08 자연함수비 12%인 흙으로 성토하고자 한다. 시방서에는 다짐한 흙의 함수비를 16%로 관리하도록 규정하였을 때 매 층마다 $1m^2$당 몇 l의 물을 살수해야 하는가?

(단, 1층의 다짐두께는 20cm이고 토량변화율은 $C = 0.9$이며 원지반 상태에서 흙의 단위중량 $\gamma_t = 1.8t/m^3 (18kN/m^3)$임.)

계산 과정)   답 : _____

특점	배점
3

해답 ■ [MKS] 단위

• $1m^2$당 흙의 중량

$$W = Ah\gamma_t = 1 \times 1 \times 0.20 \times 1.8 \times \frac{1}{0.9} = 0.4t$$
$$= 400kg$$

• 흙입자 무게 : $W_s = \dfrac{W}{1+w} = \dfrac{400}{1+0.12}$
$$= 357.14kg$$

• 함수비 12%일 때, 물의 중량

$$W_w = \frac{wW}{100+w} = \frac{12 \times 400}{100+12} = 42.86kg$$

• 함수비 16%일 때, 물의 중량

$$W_w = W_s w = 357.14 \times 0.16 = 57.14kg$$

$$\left(\because w = \frac{W_w}{W_s} \times 100 \right)$$

$\therefore$ 살수량 $= 57.14 - 42.86 = 14.28kg$
$$= 14.28 l$$

■ [SI] 단위

• 1층의 원지반 상태의 단위체적

$$V = 1 \times 1 \times 0.20 \times \frac{1}{0.90} = \frac{0.20}{0.90} = 0.222m^3$$

• $0.222m^3$당 흙의 중량

$$W = \gamma_t V = 18 \times \frac{0.20}{0.90} = 4kN$$

• 12%에 대한 물 중량

$$W_s = \frac{W \cdot w}{1+w} = \frac{4 \times 12}{100+12} = 0.429kN$$

• 16%에 대한 살수량

$$0.429 \times \frac{16-12}{12} = 0.143kN$$

$\therefore$ 살수량 $= \dfrac{0.143kN}{9.81kN/m^3} = 0.01458m^3$
$$= 14.58 l$$

□□□ 10②

09 다짐되지 않은 두께 1.5m, 상대밀도 45%의 느슨한 사질토지반이 있다. 실내시험결과 최대 및 최소 간극비가 0.70, 0.35로 각각 산출되었다. 이 사질토를 상대밀도 80%까지 다짐할 때 두께의 감소량을 구하시오.

계산 과정)   답 : _____

특점	배점
3

해답 ■ 상대밀도 $D_r = \dfrac{e_{\max} - e}{e_{\max} - e_{\min}} \times 100$ ■ 두께의 감소량 $S = \dfrac{e_1 - e_2}{1+e_1} H$

• 상대밀도 45%일 때의 공극비

$$D_r = \frac{0.70 - e_1}{0.70 - 0.35} \times 100 = 45\%   \therefore e_1 = 0.54$$

• 상대밀도 80%일 때의 공극비

$$D_r = \frac{0.70 - e_2}{0.70 - 0.35} \times 100 = 80\%   \therefore e_2 = 0.42$$

• 두께의 감소량(최종 압밀침하량)

$$\therefore S = \frac{0.54 - 0.42}{1+0.54} \times 1.5 = 0.1169m = 11.69cm$$

 SOLVE 사용

02 흙의 투수성

1 Darcy의 법칙

- $Q = v A = v_s A_v$

- $v_s = v \dfrac{A}{A_v} = v \dfrac{A L}{A_v L} = v \dfrac{V}{V_v} = \dfrac{v}{n}$

여기서, A : 시료의 전체 단면적 A_v : 공극의 단면적
　　　　L : 두 점 간의 거리 v : 평균유속
　　　　v_s : 실제유속 n : 간극률(%)

2 투수계수

투수계수에 영향을 주는 인자들은 입자의 모양과 크기, 간극비, 포화도,
간극수의 점성과 밀도, 흙의 구조 등이다.

$$K = D_s^{2} \cdot \frac{\gamma_w}{\eta} \cdot \frac{e^3}{1+e} \cdot C$$

여기서, D_s : 입경 γ_w : 물의 단위중량
　　　　η : 물의 점성계수 e : 간극비
　　　　C : 형상계수

3 실내투수시험

■ 투수계수 결정방법

투수계수 측정법	투수계수 범위(cm/sec)	적용시료
정수위 투수시험법	$K > 10^{-3}$	투수성이 큰 사질토
변수위 투수시험법	$K = 10^{-1} \sim 10^{-8}$	광범위한 시료
압밀시험	$K = 10^{-7}$ 이하	투수성이 낮은 불투성 점토

(1) **정수위 투수시험** 定水位 透水試驗 : constant head permeameter test

$$K = \frac{Q \cdot L}{A \cdot h \cdot t}$$

여기서, K : 투수계수(cm/sec)

　　　t : 투수시간(sec)

　　　Q : t시간의 투수량(cm^3)

　　　L : 시료의 길이(cm)

　　　A : 시료의 단면적(cm^2)

　　　h : 수두차(cm)

　　　i : 동수경사

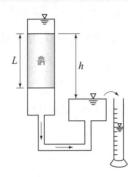

(2) **변수위투수시험** Variable head permeameter

$$K = \frac{aL}{AT} \log_e \frac{h_1}{h_2} = 2.3 \frac{aL}{AT} \log_{10} \frac{h_1}{h_2}$$

(3) **압밀시험** consolidation test

$$K = C_v \cdot m_v \cdot \gamma_w = C_v \frac{a_v}{1+e} \gamma_w$$

$$= C_v \cdot m_v \cdot \rho_w = C_v \frac{a_v}{1+e} \rho_w$$

여기서, C_v : 압밀계수(cm^2/sec)

　　　m_v : 체적변화계수(cm^2/g, m^2/kN)

　　　a_v : 압축계수(cm^2/g, m^2/kN)

　　　γ_w : 물의 단위중량

　　　ρ_w : 물의 밀도(g/cm^3)

02 핵심 기출문제 □□□

□□□ 08①

01 다음과 같이 간극비(e)가 0.52이고 수두차가 7.0m, 물의 흐름거리가 50m일 때 아래의 물음에 답하시오.

(단, 투수계수 $k = 2 \times 10^{-5}$m/sec)

득점	배점
	6

가. Darcy의 식에 의한 이론 침투속도(v)를 구하시오.

계산 과정)   답 : _____

나. 실제 침투속도(v_s)를 구하시오.

계산 과정)   답 : _____

다. v와 v_s의 값이 다른 이유를 간단히 설명하시오.

  ○

해답 가. $v = ki = k\dfrac{h}{L} = 2 \times 10^{-5} \times \dfrac{7}{50} = 2.8 \times 10^{-6}$m/sec

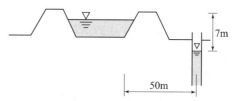

나. $v_s = \dfrac{v}{n}$

• $n = \dfrac{e}{1+e} \times 100 = \dfrac{0.52}{1+0.52} \times 100 = 34.21\%$

∴ $v_s = \dfrac{2.8 \times 10^{-6}}{0.3421} = 8.18 \times 10^{-6}$m/sec

다. v는 흙의 전단면적에 대한 유출속도이고, v_s는 흙의 간극면을 통과하는 침투속도이므로 v_s는 v보다 크다.

□□□ 00⑤, 02②

02 투수계수(K)는 침투와 관련된 공학적 문제를 해결하기 위해 꼭 필요한 값이다. 투수계수에 영향을 미치는 요소 4가지만 쓰시오.

득점	배점
	3

① _____   ② _____   ③ _____   ④ _____

해답 ① 입경(토립자의 크기)
② 포화도
③ 간극비
④ 간극수의 점성
⑤ 흙의 구조

03 흙의 다짐

1 흙의 다짐시험

(1) 현장에서 흙의 단위중량 구하는 방법

① **모래치환법**(sand cone method) : 돌이 적은 경우 흙을 파낸 구멍에서 모래를 채워 체적을 측정

② **절삭법**(core cutter test) : 얇은 관을 박아 흙을 파내어 그 흙의 단위 중량과 함수비 측정

③ **물치환법**(water replacement method)

④ **고무막법**(rubber balloon method) : 구멍에 고무막을 넣은 다음 물, 기름을 부어 체적을 측정

⑤ **방사선 밀도기에 의한 방법**(RI 밀도시험법) : 방사선을 이용하여 현장에 서 직접 단위중량을 산정하는 방법

기억해요
흙의 단위중량을 구하는 방법을 3가 지 쓰시오.

(2) 다짐도

① 실내 다짐시험에 의한 최대건조단위중량과 현장다짐에 의한 건조단위중량 과의 비를 다짐도(degree of compaction) 또는 상대다짐도(relative compaction) 라 한다.

② 다짐도는 다짐재료의 선정 또는 분류에 이용되며, 보통 90~95% 이상 의 상대다짐이 요구된다.

③ 다짐에 관련된 관계식

• 구멍의 체적 $V = \dfrac{W}{\gamma_s} = \dfrac{W}{\rho_s}$

• 습윤단위중량 $\gamma_t = \dfrac{W}{V}$, 습윤밀도 $\rho_t = \dfrac{W}{V}$

• 건조단위중량 $\gamma_d = \dfrac{\gamma_t}{1+w} = \dfrac{W}{V(1+w)}$, 건조밀도 $\rho_d = \dfrac{\rho_t}{1+w} = \dfrac{W}{V(1+w)}$

$$상대다짐도\ R = \frac{\gamma_d}{\gamma_{d\max}} \times 100 = \frac{\rho_d}{\rho_{d\max}} \times 100$$

여기서, V : 구멍의 체적

W : 현장에서 파낸 흙의 중량

w : 함수비

γ_s : 표준사의 건조단위중량, ρ_s : 표준사 밀도

γ_d : 현장다짐에 의한 건조단위중량, ρ_d : 건조밀도

$\gamma_{d\max}$: 표준다짐시험에 의한 최대건조단위중량, $\rho_{d\max}$: 최대건조밀도

기억해요
상대밀도를 구하시오.

(3) 다짐에너지

다짐에너지가 증가하면 최대건조밀도는 증가하고, 최적함수비(OCM)는 감소한다.

$$E = \frac{W_R \cdot H \cdot N_B \cdot N_L}{V}$$

여기서, W_R : 래머중량
  H : 낙하고
  N_B : 낙회횟수
  N_L : 다짐층수
  V : 몰드부피

2 모래치환법 들밀도시험, Field density

현장에서 최대입경이 53mm 이하인 흙의 단위중량을 모래치환에 의하여 파낸 지반의 부피를 측정하여 구하는 방법으로 들밀도시험(field density)이라고도 한다.

(1) **시험목적** : 현장에서 흙입자의 건조단위중량을 계산

들밀도시험

(2) **건조단위중량(밀도)**

$$\gamma_d = \frac{\text{시험공에서 파낸 흙의 건조중량}}{\text{시험공의 체적}}$$

건조단위중량 $\gamma_d = \dfrac{1}{V}\left(\dfrac{W}{1+\dfrac{w}{100}}\right) = \dfrac{\gamma_t}{1+\dfrac{w}{100}}$

여기서, W : 구멍에서 파낸 흙의 습윤중량
  w : 파낸 흙의 함수비
  V : 굴착한 구멍의 용적
  γ_t : 전체 단위중량

↓ 건조밀도

$$\rho_d = \frac{\rho_t}{1+\dfrac{w}{100}}$$

(3) **시험구멍의 체적**

$$V = \frac{\text{시험구멍에 채워진 표준모래의 무게}}{\text{표준모래의 단위중량}(\gamma_s)}$$

$$= \frac{\text{시험구멍에 채워진 표준모래의 무게}}{\text{표준모래의 밀도}(\rho_s)}$$

| 흙의 다짐 |

03 핵심 기출문제 □□□

□□□ 09②

01 현장관리시험에서 다짐시공 후 흙의 단위중량을 구하는 방법을 3가지만 쓰시오.

① _____ ② _____ ③ _____

[해답] ① 모래치환법 ② 절삭법 ③ 고무막법 ④ RI 밀도시험법

□□□ 01①, 04①②, 07④, 08③, 09②, 10④, 11①

02 현장다짐을 실시한 후 들밀도시험을 수행하였다. 시험결과 파낸 부분의 체적과 무게는 각각 $V = 1,820 \times 100^{-3} \text{m}^3$, $W = 38.7\text{N}$이었으며, 함수비는 12.6%였다. 흙의 비중이 $G_s = 2.65$, 실내표준다짐과 최대건조단위중량이 $\gamma_{d\max} = 19.7\text{kN/m}^3$일 때 상대다짐도를 구하시오.

계산 과정) 답 : _____

⚠ 주의점
1cm³=100⁻³m³
1kN=10³N

[해답] ■ 상대다짐도 $D_r = \dfrac{\gamma_d}{\gamma_{d\max}} \times 100$

• 습윤단위중량 $\gamma_t = \dfrac{W}{V} = \dfrac{38.7 \times 10^{-3}}{1,820 \times 100^{-3}} = 21.26\text{kN/m}^3$

• 건조단위중량 $\gamma_d = \dfrac{\gamma_t}{1+w} = \dfrac{21.26}{1+0.126} = 18.88\text{kN/m}^3$

∴ 상대다짐도 $D_r = \dfrac{18.88}{19.7} \times 100 = 95.84\%$

□□□ 01①, 04① ②, 07④, 08④, 09②, 10④, 11①

03 현장 흙에 대하여 모래치환법에 의한 밀도시험을 한 결과 파낸 구멍의 체적이 $V = 1,960\text{cm}^3$, 흙 무게가 3,250g(32.50N)이고, 이 흙의 함수비는 10%이었다. 최대건조밀도 1.65g/cm³(16.5kN/m³)일 때 상대다짐도를 구하시오.

계산 과정) 답 : _____

[해답] ■ 상대다짐도 $D_r = \dfrac{\rho_d}{\rho_{d\max}} \times 100$

• 습윤밀도 $\rho_t = \dfrac{W}{V} = \dfrac{3,250}{1,960} = 1.66\text{g/cm}^3$

• 건조밀도 $\rho_d = \dfrac{\rho_t}{1+\omega} = \dfrac{1.66}{1+0.10} = 1.51\text{g/cm}^3$

∴ $D_r = \dfrac{1.51}{1.65} \times 100 = 91.52\%$

■ 상대다짐도 $D_r = \dfrac{건조단위중량(\gamma_d)}{최대건조단위중량(\gamma_{d\max})} \times 100$

• $\gamma_t = \dfrac{W}{V} = \dfrac{32.50 \times 10^{-3}}{1,960 \times 100^{-3}} = 16.58\text{kN/m}^3$

• $\gamma_d = \dfrac{\gamma_t}{1+\omega} = \dfrac{16.58}{1+0.10} = 15.07\text{kN/m}^3$

∴ $D_r = \dfrac{15.07}{16.5} \times 100 = 91.33\%$

□□□ 01①, 04①②, 07④, 08③, 09②, 10④, 11①

04 현장 흙을 다진 후 모래치환법으로 아래 표와 같은 결과를 얻었다. 실내다짐시험에서 구한 최대건조단위중량은 $18.7\text{kN/m}^3 (1.87\text{g/cm}^3)$일 때 상대다짐도를 구하시오.

득점 배점
3

【결 과】
- 시험구덩이에서 파낸 흙의 무게 : 18N (1,800g)
- 시험구덩이에서 파낸 흙의 함수비 : 12.5%
- 샌드콘 내 전체 모래 무게 : 27N (2,700g)
- 시험구덩이를 채우고 남는 모래의 무게 : 12N (1,200g)
- 모래의 건조단위중량 : $16.5\text{kN/m}^3 (1.65\text{g/cm}^3)$

계산 과정)   답 : _____

해답 ■ [SI] 단위

상대다짐도 $R = \dfrac{\gamma_d}{\gamma_{d\max}} \times 100$

- 구멍의 체적 $V = \dfrac{W_s}{\gamma_s} = \dfrac{(27-12) \times 10^{-3}}{16.5}$
  $= 9.091 \times 10^{-4}\text{m}^3$

- 건조흙 무게 $W_s = \dfrac{W}{1+w} = \dfrac{18}{1+0.125} = 16\text{N}$

- 건조단위중량 $\gamma_d = \dfrac{W_s}{V} = \dfrac{16 \times 10^{-3}}{9.091 \times 10^{-4}}$
  $= 17.6\text{kN/m}^3$

  $\therefore R = \dfrac{17.6}{18.7} \times 100 = 94.12\%$

■ [MKS] 단위

상대다짐도 $R = \dfrac{\rho_d}{\rho_{d\max}} \times 100$

- $V = \dfrac{W_s}{\rho_s} = \dfrac{2,700-1,200}{1.65} = 909.09\text{cm}^3$

  $W_s = \dfrac{W}{1+w} = \dfrac{1,800}{1+0.125} = 1,600\text{g}$

  $\rho_d = \dfrac{W_s}{V} = \dfrac{1,600}{909.09} = 1.76\text{g/cm}^3$

  $\therefore R = \dfrac{1.76}{1.87} \times 100 = 94.12\%$

□□□ 07②, 10①

05 어떤 토공현장에서 흙시료를 채취하여 실내다짐시험하여 최대건조단위중량 19.4kN/m^3, 최적함수비 10.3%를 얻었다. 이 현장에서 다짐을 실시하여 상대다짐도 95% 이상을 얻으려고 한다. 다짐을 실시한 후 들밀도시험을 실시하였더니 $V = 1,630 \times 100^{-3}\text{m}^3$, $W = 29.34\text{N}$이었다. 흙의 비중이 2.62, 현장 흙의 함수비가 9.8%일 때 합격여부를 판정하시오.

득점 배점
3

계산 과정)   답 : _____

해답 다짐도 $R = \dfrac{\gamma_d}{\gamma_{d\max}} \times 100$, 합격($R \geq 95\%$), 불합격($R < 95\%$)

- $\gamma_t = \dfrac{W}{V} = \dfrac{29.34 \times 10^{-3}}{1,630 \times 100^{-3}} = 18.0\text{kN/m}^3$

- $\gamma_d = \dfrac{\gamma_t}{1+w} = \dfrac{18.0}{1+0.098} = 16.39\text{kN/m}^3$

  $\therefore R = \dfrac{16.4}{19.4} \times 100 = 84.54\% < 95\%$ $\therefore$ 불합격

□□□ 08③, 10④, 11①, 14④, 17④

06 현장토공에서 모래치환법에 의해 들밀도시험 결과가 다음 표와 같을 때 현장 흙의 다짐도를 구하시오.

【결 과】
- 시험구덩이에서 파낸 흙의 무게 : 16N (1,600g)
- 시험구덩이에서 파낸 흙의 함수비 : 20%
- 실험구멍에 채워진 표준모래의 무게 : 13.80N (1,380g)
- 실험구멍에 채워진 표준모래의 단위중량 : 16.5kN/m³ (1.65g/cm³)
- 실험실에서 얻은 최대건조단위중량 : 18.7kN/m³ (1.87g/cm³)

계산 과정)   답 : _____

해답 ■ [SI] 단위

상대다짐도 $R = \dfrac{\gamma_d}{\gamma_{d\max}} \times 100$

- 구멍의 체적 $V = \dfrac{W_s}{\gamma_s} = \dfrac{13.80 \times 10^{-3}}{16.5}$
  $= 8.36 \times 10^{-4} \mathrm{m}^3$

- 건조흙 무게 $W_s = \dfrac{W}{1+w} = \dfrac{16 \times 10^{-3}}{1+0.20}$
  $= 0.01333 \mathrm{kN}$

- 건조단위중량 $\gamma_d = \dfrac{W_s}{V} = \dfrac{0.01333}{8.36 \times 10^{-4}}$
  $= 15.94 \mathrm{kN/m}^3$

∴ $R = \dfrac{15.94}{18.7} \times 100 = 85.24\%$

■ [MKS] 단위

상대다짐도 $R = \dfrac{\rho_d}{\rho_{d\max}} \times 100$

- $V = \dfrac{W_s}{\rho_s} = \dfrac{1,380}{1.65} = 836.36 \mathrm{cm}^3$

  $W_s = \dfrac{W}{1+w} = \dfrac{1,600}{1+0.20} = 1,333.33 \mathrm{g}$

  $\rho_d = \dfrac{W_s}{V} = \dfrac{1,333.33}{836.36} = 1.59 \mathrm{g/cm}^3$

  ∴ $R = \dfrac{1.59}{1.87} \times 100 = 85.03\%$

□□□ 18①, 20②

07 흙의 다짐에 관한 다음 물음에 답하시오.

가. 흙 다짐의 정의를 간단히 설명하시오.

○

나. 흙 다짐의 기대되는 효과 3가지를 쓰시오.

① _____   ② _____   ③ _____

해답 가. 입자간의 거리를 단축시켜 간극 내부의 공기를 제거하는 것
나. ① 흙의 전단강도 증가
② 침하량 감소
③ 투수성 저하
④ 지반의 지지력 증가

04 지반내의 응력

1 모관영역의 유효응력

(1) 모관현상이 없는 경우

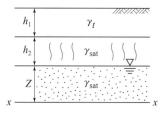

① 전응력 $\sigma = (h_1 + h_2)\gamma_t + z \cdot \gamma_{sat}$

② 공극수압 $u = z \cdot \gamma_w$

③ 유효응력 $\overline{\sigma} = \sigma - u = h_1\gamma_t + h_2\gamma_t + z\gamma_{sub}$

(2) 모관현상이 있는 경우

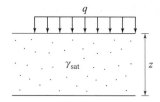

① 전응력 $\sigma = h_1\gamma_t + (h_2 + z)\gamma_{sat}$

② 공극수압 $u = z\gamma_w$

③ 유효응력 $\overline{\sigma} = \sigma - u = h_1\gamma_t + (h_2 + z)\gamma_{sat} - z\gamma_w$

$$= h_1\gamma_t + h_2\gamma_{sat} + z\gamma_{sub}$$

$$= h_1\gamma_t + (h_2 + z)\gamma_{sub} + h_2\gamma_w$$

(3) 상재하중이 작용하는 경우

① 전응력 $\sigma = z \cdot \gamma_{sat} + q$

② 공극수압 $u = z \cdot \gamma_w$

③ 유효응력 $\overline{\sigma} = \sigma - u = z(\gamma_{sat} - \gamma_w) + q$

$$= z \cdot \gamma_{sub} + q$$

기억해요
연직응력의 증가량을 구하시오.

2 집중하중에 의한 지중응력

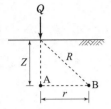

$$\sigma = \frac{3\,Q}{2\pi z^2}\frac{1}{\left[1+\left(\frac{r}{z}\right)^2\right]^{5/2}} = \frac{Q}{z^2}\cdot I_\sigma$$

① A점의 지중응력 $\Delta\sigma_A = \dfrac{3\,Q}{2\pi Z^2}$

② B점의 지중응력 $\Delta\sigma_B = \dfrac{3Q}{2\pi}\cdot\dfrac{Z^3}{R^5}$

여기서, $R = \sqrt{r^2 + z^2}$

3 2 : 1 분포법

지표면에 등분포 하중이 재하될 때 지중에 응력이 2 : 1 분포$\left(\tan\alpha = \dfrac{1}{2}\right)$로 분포된다고 가정하에 지중응력을 구한 것이다.

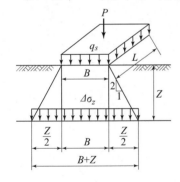

(1) **장방형 기초**$(B,\ L)$

$$P = q_s\cdot B\cdot L = \Delta\sigma_z(B+Z)(L+Z)$$
$$\Delta\sigma_z = \frac{P}{(B+Z)(L+Z)} = \frac{q_s\cdot B\cdot L}{(B+Z)(L+Z)}$$

(2) **정방형 기초**$(B = L)$

$$\Delta\sigma_z = \frac{q_s\cdot B^2}{(B+Z)^2}$$

| 지반내의 응력 |

04 핵심 기출문제

☐☐☐ 10②, 15①, 17②, 20③

01 아래 그림과 같이 지표면에 100kN의 집중하중이 작용할 때 다음 물음에 답하시오.
(단, 소수점 이하 넷째자리에서 반올림하시오.)

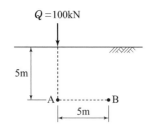

가. A점에서의 연직응력의 증가량을 구하시오.

계산 과정)　　　　　　　　　　　답 : _____

나. B점에서의 연직응력의 증가량을 구하시오.

계산 과정)　　　　　　　　　　　답 : _____

해답 가. $\Delta\sigma_A = \dfrac{3\,Q}{2\pi\,Z^2} = \dfrac{3\times100}{2\pi\times5^2} = 1.91\,\text{kN/m}^2$

나. $\Delta\sigma_B = \dfrac{3Q}{2\pi} \cdot \dfrac{Z^3}{R^5}$

　• $R = \sqrt{x^2+z^2} = \sqrt{5^2+5^2} = 7.071$

　$\Delta\sigma_B = \dfrac{3\times100}{2\pi} \times \dfrac{5^3}{7.071^5} = 0.34\,\text{kN/m}^2$

05 흙의 압축성

1 압밀시험결과

(1) $e - \log P$ 곡선

① 압축지수 : 무차원으로 압밀침하량을 산정하기 위해 구한다.

$$C_c = \frac{e_1 - e_2}{\log P_2 - \log P_1} = \frac{e_1 - e_2}{\log \frac{P_2}{P_1}} = \frac{\Delta e}{\log (P_o + \Delta P) - \log P_o}$$

② Terzaghi & Peck의 경험식
- 불교란 시료 $C_c = 0.009(W_L - 10)$
- 교란 시료 $C_c = 0.007(W_L - 10)$

여기서, W_L : 액성한계(%)

(2) 압축계수 coefficient of compressibility

압밀하중의 증가량에 대한 간극비의 감소율로 나타낸다.

$$a_v = \frac{e_1 - e_2}{P_2 - P_1} = \frac{\Delta e}{\Delta P}$$

(3) 과압밀비 OCR

흙이 현재 받고 있는 유효연직하중에 대한 선행압밀하중과의 비

즉, 과압밀비(OCR)= $\dfrac{\text{선행압밀하중}}{\text{현재의 유효연직하중}} = \dfrac{p_c}{p_o} = \dfrac{p_o + \Delta p}{p_o}$

① OCR<1 : 압밀이 진행 중인 점토
② OCR=1 : 정규압밀점토
③ OCR>1 : 과압밀점토

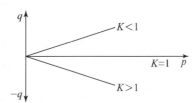

기억해요
• 과압밀비를 간단히 설명하시오.
• OCR의 한계값을 구하시오.

(4) 압밀계수 coefficient of consolidation

지반의 압밀침하속도를 알기 위해 시료의 압밀 속도를 측정하여 압밀계수를 구한다.

$$C_v = \frac{K}{m_v \gamma_w} = \frac{K(1+e)}{a_v \gamma_w} = \frac{T_v H^2}{t}$$

$\sqrt{t}$ 방법 : Taylor(1942)가 제안

$\log t$ 방법 : Casagrande와 Fadum(1940)가 제안

기억해요
상재하중에 의하여 압밀도에 도달
하는 시간을 구하시오.

① $\sqrt{t}$ 방법 : $C_v = \dfrac{T_{90}H^2}{t_{90}} = \dfrac{0.848H^2}{t_{90}}$

② $\log t$ 방법 : $C_v = \dfrac{T_{50}H^2}{t_{50}} = \dfrac{0.197H^2}{t_{50}}$

여기서, t_{90} : 압밀도 90%에 대한 압밀도

t_{50} : 압밀도 50%에 대한 압밀도

H : 배수거리

기억해요
체적변화계수를 구하시오.

(5) **체적변화계수** coefficient of volume compressibilty

$$m_v = \frac{e_1 - e_2}{1 + e_1} \cdot \frac{1}{P_1 - P_2} = \frac{a_v}{1 + e_o}$$

(6) **투수계수** coefficient of permeability

$$K = C_v \cdot m_v \cdot \gamma_w = C_v \left(\frac{a_v}{1 + e_o} \right) \gamma_w$$

여기서, C_v : 압밀계수 m_v : 체적변화계수

a_v : 압축계수 e_o : 초기공극비

2 압밀침하량

(1) 정규압밀점토의 침하량

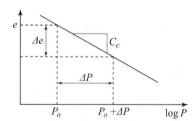

$S = \dfrac{H \cdot \Delta e}{1 + e_o}$

$C_c = \dfrac{e_1 - e_2}{\log P_2 - \log P_1} = \dfrac{e_1 - e_2}{\log \dfrac{P_2}{P_1}} = \dfrac{\Delta e}{\log (P_o + \Delta P) - \log P_o}$

$\Delta e = C_c \{ \log (P_o + \Delta P) - \log P_o \}$

침하량 $S = \dfrac{C_c H}{1 + e} \log \dfrac{P + \Delta P}{P}$

$\qquad = m_v \cdot \Delta P \cdot H$

(2) 압밀도 degree of consolidation

압밀의 정도를 압밀백분율로 나타낸 것을 압밀도라 한다.

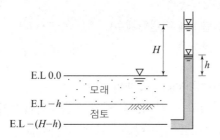

① 압밀도 $U = \dfrac{e_1 - e}{e_1 - e_2} = \dfrac{P - u}{P} = 1 - \dfrac{u}{P} = 1 - \dfrac{u_z}{u_o} = \dfrac{u_o - u_z}{u_o}$

- 정압력 $P = \gamma_w H$

- 간극수압 $u = \gamma_w h$

여기서, e_1, e_2 : 초기 및 최종 간극비

$\quad\quad\quad e$: 시간 t에서의 간극비

$\quad\quad\quad P$: 점토층에 가해진 하중

$\quad\quad\quad u$: 간극수압

$\quad\quad\quad u_o$: 초기의 과잉간극수압

$\quad\quad\quad u_z$: 시간 t에서의 과잉간극수압

② 평균압밀도 $U = 1 - \{(1 - U_v)(1 - U_h)\}$

여기서, U_v : 연직방향 압밀도

$\quad\quad\quad U_h$: 수평방향 압밀도

기억해요
- 간극수압을 구하시오.
- 압밀도를 구하시오.

3 침하량 산정

(1) 침하의 종류

기초지반면상에 작용하는 구조물 하중에 의해 생기는 응력증가는 반드시 변형을 동반하게 되고 지반의 압축에 의한 구조물의 침하가 발생하게 되는데 이러한 침하의 종류는 다음과 같다.

기억해요
- 침하의 종류를 3가지 쓰시오.
- 탄성 침하량을 구하시오.

① **즉시침하(immediate settlement)**

탄성침하라고도 하며, 외부하중이 지반에 작용하자마자 즉시 발생되는 침하로 모든 흙에서 발생하며, 함수비의 변화 없이 탄성변형으로 생긴 침하라고 하여 탄성침하라고도 한다.

$$\text{즉시침하량 } S_i = p \cdot B \frac{1 - \mu^2}{E} I_p$$

여기서, p : 응력증가, 작용압력, 순하중

      B : 기초 폭 또는 직경

      μ : 포아송비

      E : 탄성계수(변형계수)

      I_p : 영향계수

② 압밀침하(consolidation settlement)

1차 압밀침하라고도 하며, 흙 속에 있는 간극수가 천천히 빠지면서 발생되는 침하이므로 침하량은 시간에 의존한다.

③ 2차 압밀침하(secondary compression settlement)

크리프 침하라고도 하며, 과잉간극수압이 소멸된 후에도 장기간에 걸쳐 발생되는 침하이다.

⑵ **침하량 산정식**

① 정규압밀침하량 : 최종압밀침하량

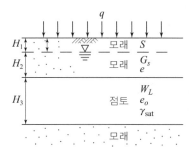

• H_1 부분 : 지하수 이상인 모래의 전체단위중량 $\gamma_t = \dfrac{G_s + Se}{1 + e}\gamma_w$

(∵ 포화도 S에 대한 포화밀도)

• H_2 부분 : 지하수 이하인 모래층 포화단위중량 $\gamma_{\mathrm{sat}} = \dfrac{G_s + e}{1 + e}\gamma_w$

• H_3 부분 모래층 수중단위중량 $\gamma_{\mathrm{sub}} = \gamma_{\mathrm{sat}} - \gamma_w$

• 초기 유효연직압력 $P_o = \gamma_t H_1 + \gamma_{\mathrm{sub}} H_2 + \gamma_{\mathrm{sub}}\dfrac{H_3}{2}$

• 압축지수 $C_c = 0.009(W_L - 10)$

• 점토층의 압밀침하량 $S = \Delta H = \dfrac{C_c H}{1 + e}\log\dfrac{P + \Delta P}{P}$

기억해요
점토층의 압밀침하량을 구하시오.

② 평균 유효응력증가량

$$\Delta P = \frac{1}{6}(\Delta P_t + 4\Delta P_m + \Delta P_b)$$

여기서, ΔP_t, ΔP_m, ΔP_b는 각각 점토층의 상면, 중간면 및 하면의 연직응력 증가량

③ 과입밀점토의 침하량

$$S = \Delta H = \frac{H_o}{1+e_o}\left(C_s \log\frac{P_c}{P_0} + C_c\log\frac{P_o+\Delta P}{P_o}\right)$$

$$= \frac{H_o}{1+e_o}\left(C_s \log\frac{P_o+\Delta P}{P_o}\right)(\because C_c = C_s)$$

④ 점성토의 1차 압밀침하량 산정방법

산정방법	침하량 계산식(ΔH)	특징
초기간극비법(e_o)	$S_c = \dfrac{e_o - e_1}{1+e_o}H$	$e-\log P$ 곡선의 분산이 클 경우 침하산정이 어려운 이론적 방법
압축지수법(C_c)	$S_c = \dfrac{C_c H}{1+e}\log\dfrac{P+\Delta P}{P}$	C_c는 $e-\log P$ 관계에서 직선으로 표시
체적압축계수법(m_v)	$S_c = m_v \cdot \Delta p \cdot H$	정규압밀 영역에서는 비교적 정도가 좋은 것으로 나타남.

기억해요
점성토 연약지반상에서 1차 압밀침하량 산정방법을 3가지 쓰시오.

(3) t시간 후의 압밀침하량

$$\Delta H_i = U \cdot \Delta H$$

여기서, ΔH_i : t시간의 압밀침하량

U : 압밀도

ΔH : 최종침하량

기억해요
t시간 후의 압밀침하량을 구하시오.

(4) **압밀시간과 압밀층 두께(배수거리)의 관계**

$$t_1 : t_2 = H_1^2 : H_2^2 \quad \therefore t_2 = \left(\frac{H_2}{H_1}\right)^2 \cdot t_1$$

여기서, t_1과 H_1 : 시료의 압밀시간과 압밀층 두께, 배수거리

t_2과 H_2 : 현장흙의 압밀시간과 압밀층 두께, 배수거리

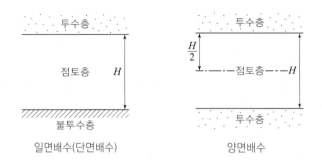

일면배수(단면배수)   양면배수

⑸ **점증하중으로 인한 압밀침하**

① 점증하중의 $\dfrac{1}{2}$이 순간하중에 해당된다.

② 임의시간에 대한 침하량$=\dfrac{t}{t_1}\times(t$의 $\dfrac{1}{2}$에 해당하는 순간하중 침하량$)$

　　여기서, t_1 : 점증하중이 최종치에 도달했을 때의 시간

　　　　　　t : 점증하중의 임의시간

| 흙의 압축성 |

05 핵심 기출문제 □□□

□□□ 07④, 12①, 22③

01 과압밀비(over consolidation ratio, OCR)를 간단히 설명하시오.

○

해답 흙이 현재 받고 있는 유효연직하중에 대한 선행압밀하중과의 비

또는 과압밀비(OCR)$=\dfrac{\text{선행압밀하중}}{\text{현재의 유효연직하중}}$

- OCR < 1 : 압밀이 진행 중인 점토
- OCR = 1 : 정규압밀 점토
- OCR > 1 : 과압밀 점토

□□□ 15①

02 점성토 연약지반상에서 1차 압밀침하량 산정방법 3가지를 쓰시오.

① _____ ② _____ ③ _____

해답 ① 초기간극(e_o)법 ② 압축지수(C_c)법 ③ 체적변화계수(m_v)법

□□□ 93②, 97①, 03③, 05②, 11④, 14①

03 그림과 같은 과압밀 점토지반 위에 넓은 지역에 걸쳐 $\gamma_t = 19.5\text{kN/m}^3$ 흙을 3.0m 높이로 성토계획을 세우고 있다. 이 점토지반의 중앙단면에서의 압밀침하량 계산에 압축지수(C_c) 대신에 팽창지수(C_e)만을 사용할 수 있는 OCR의 한계값을 구하시오.

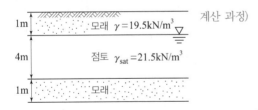

계산 과정)

답 : _____

해답 $\text{OCR} \geq \dfrac{P_o + \triangle P}{P_o}$

- $P_o = \gamma_1 H_1 + \gamma_{\text{sub}}\dfrac{H}{2} = 19.5 \times 1 + (21.5 - 9.81) \times \dfrac{4}{2} = 42.88\text{kN/m}^2$
- $\triangle P = \gamma_t H = 19.5 \times 3 = 58.5\text{kN/m}^2$

$\therefore \text{OCR} \geq \dfrac{P_o + \triangle P}{P_o} = \dfrac{42.88 + 58.5}{42.9} = 2.36$

□□□ 13②

04 기초지반면상에 작용하는 구조물 하중에 의해 생기는 응력증가는 반드시 변형을 동반하게 되고 지반의 압축에 의한 구조물의 침하가 발생하게 되는데 이러한 침하의 종류 3가지를 쓰시오.

① _____ ② _____ ③ _____

해답 ① 즉시침하(탄성침하)　② 1차 압밀침하(압밀침하)　③ 2차 압밀침하(크리프 침하)

□□□ 15①, 20④

05 균질한 모래층 위에 설치한 폭(B) 1m, 길이(L) 2m 크기의 직사각형 강성기초에 150kN/m² 의 등분포하중이 작용할 경우 기초의 탄성침하량을 구하시오.
(단, 흙의 푸아송비(μ) = 0.4, 지반의 탄성계수(E_s) = 15,000 kN/m², 폭과 길이(L/B)에 따라 변하는 계수(α_r) = 1.2)

계산 과정)　　　　　　　　　　　　　　　　답 : _____

해답 $S = q \cdot B \dfrac{1-\mu^2}{E} \cdot \alpha_r$

$= 150 \times 1 \times \dfrac{1-0.4^2}{15,000} \times 1.2 = 0.0101\,\text{m} = 1.01\,\text{cm}$

□□□ 08①

06 점토질 흙의 현장 간극비가 1.4, 액성한계 60%, 점토층의 두께가 5m이다. 점토층의 중간에서 유효상재압력이 100kN/m²이고 추가하중에 의한 연직응력증가량이 82kN/m²일 때, 점토층의 압밀침하량은 얼마인가?

계산 과정)　　　　　　　　　　　　　　　　답 : _____

해답 침하량 $S = \dfrac{C_c H}{1+e} \log \dfrac{P+\Delta P}{P}$

· 압축지수 $C_c = 0.009(W_L - 10) = 0.009(60-10) = 0.45$

(∵ 점토층의 중간이므로 불교란 시료)

∴ $S = \dfrac{0.45 \times 5}{1+1.4} \log \dfrac{100+82}{100} = 0.2438\,\text{m} = 24.38\,\text{cm}$

□□□ 93③, 99②, 01②, 02④, 04④, 05②, 11②, 18①

07 점토층의 두께 5m, 간극비 1.4, 액성한계 50%, 점토층 위에 유효상재압력이 100kN/m²에서 140kN/m²로 증가할 때의 침하량은 얼마인가?

계산 과정)   답 : _____

해답 침하량 $S = \dfrac{C_c H}{1+e} \log \dfrac{P+\Delta P}{P} = \dfrac{C_c H}{1+e} \log \dfrac{P_2}{P_1}$

- 압축지수 $C_c = 0.009(W_L - 10) = 0.009(50 - 10) = 0.36$

$\therefore S = \dfrac{0.36 \times 5}{1+1.4} \log \dfrac{140}{100} = 0.1096 \, \mathrm{m} = 10.96 \, \mathrm{cm}$

□□□ 11②

08 양면배수인 점토층의 두께 5m, 간극률 60%, 액성한계 50%인 점토층 위의 유효상재압력이 100kN/m²에서 140kN/m²로 증가할 때 침하량은?

계산 과정)   답 : _____

해답 침하량 $S = \dfrac{C_c H}{1+e} \log \dfrac{P+\Delta P}{P} = \dfrac{C_c H}{1+e} \log \dfrac{P_2}{P_1}$

- 압축지수 $C_c = 0.009(W_L - 10) = 0.009(50 - 10) = 0.36$

- 간극비 $e = \dfrac{n}{1-n} = \dfrac{0.60}{1-0.60} = 1.5$

$\therefore S = \dfrac{0.36 \times 5}{1+1.5} \log \dfrac{140}{100} = 0.1052 \, \mathrm{m} = 10.52 \, \mathrm{cm}$

⚠ 주의점
침하량 계산 시 양면
배수도 $\dfrac{H}{2}$ 가 아닌
H로 계산

□□□ 12②

09 아래 그림과 같이 지하수위가 지표면과 일치하는 지반에 하중을 가했더니 A지점에서 수위가 3m 증가하였다. A지점에서의 간극수압을 구하시오. (단, 물의 단위중량 $\gamma_w = 9.80 \mathrm{kN/m^3}$)

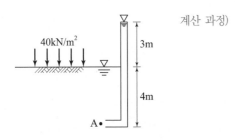

계산 과정)

답 : _____

해답 $u = (h_w + z)\gamma_w = (3+4) \times 9.81 = 68.67 \mathrm{kN/m^2}$

□□□ 10④, 12①, 16①

10 아래 그림과 같은 지반에서 지하수위가 지표면에 위치하다가 지표하부 2m까지 저하하였다. 점토지반의 압밀침하량을 산정하시오.
(단, 정규압밀 점토임.)

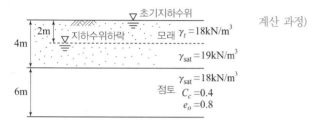

계산 과정)

답 : ＿＿＿＿＿＿＿＿＿

[해답] 침하량 $\triangle H = \dfrac{C_c H}{1+e_0} \log \dfrac{P_2}{P_1}$

• $P_1 = \gamma_{sub} H_1 + \gamma_{sub} \dfrac{H_3}{2} = (19-9.81) \times 4 + (18-9.81) \times \dfrac{6}{2} = 61.33 \,\text{kN/m}^2$

• $P_2 = \gamma_t H_1 + \gamma_{sub1} H_2 + \gamma_{sub2} \dfrac{H_3}{2}$

$= 18 \times 2 + (19-9.81) \times (4-2) + (18-9.81) \times \dfrac{6}{2} = 78.95 \,\text{kN/m}^2$

$\therefore \ \triangle H = \dfrac{0.4 \times 6}{1+0.8} \times \log \dfrac{78.95}{61.33} = 0.1462 \,\text{m} = 14.62 \,\text{cm}$

□□□ 01①, 07④

11 그림과 같이 매우 넓은 면적에 120kN/m²의 등분포하중이 작용할 때, 정규압밀점토층에 발생하는 압밀침하량을 구하시오.

계산 과정)

답 : ＿＿＿＿＿＿＿＿＿

[해답] 압밀침하량 $S = \dfrac{C_c H}{1+e_0} \log \dfrac{P_2}{P_1} = \dfrac{C_c H}{1+e_0} \log \dfrac{P_1 + \Delta P}{P_1}$

• $P_1 = \gamma_t H_1 + \gamma_{sub} \dfrac{H_2}{2} = 18.5 \times 4 + (17.5 - 9.81) \times \dfrac{10}{2} = 112.45 \,\text{kN/m}^2$

$\therefore \ S = \dfrac{0.42 \times 10}{1+0.56} \log \dfrac{112.45 + 120}{112.45} = 0.8491 \,\text{m} = 84.91 \,\text{cm}$

□□□ 07①, 09④, 10④, 23②

12 아래 그림과 같이 지하수위가 지표면에 위치하다가 완전갈수기에 지하수위가 넓은 범위에 걸쳐 3m 하락하였다. 이 경우 점토지반에서의 압밀침하량을 구하시오.

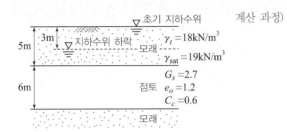

계산 과정)

답 : _____

해답 압밀침하량 $S = \dfrac{C_c H}{1 + e_0} \log \dfrac{P_2}{P_1}$

- $\gamma_{sub} = \dfrac{G_s - 1}{1 + e}\gamma_w = \dfrac{2.7 - 1}{1 + 1.2} \times 9.81 = 7.58 \text{kN/m}^3$

- $P_1 = \gamma_{sub1} H_1 + \gamma_{sub2}\dfrac{H_2}{2} = (19 - 9.81) \times 5 + 7.58 \times \dfrac{6}{2} = 68.69 \text{kN/m}^2$

- $P_2 = \gamma_t H_1 + \gamma_{sub2} H_2 + \gamma_{sub3}\dfrac{H_3}{2}$

$$= 18 \times 3 + (19 - 9.81) \times (5 - 3) + 7.58 \times \dfrac{6}{2} = 95.12 \text{kN/m}^2$$

$$\therefore S = \dfrac{0.6 \times 6}{1 + 1.2} \log \dfrac{95.12}{68.69} = 0.2313 \text{m} = 23.13 \text{cm}$$

□□□ 06①, 08②, 11①, 18①

13 두께가 3m인 정규압밀 점토층에서 시료를 채취하여 압밀시험을 실시하였다. 시험결과가 다음과 같을 때, 체적변화계수를 구하시오.

- 초기상태의 유효응력($\sigma_0{'}$) : 0.02MPa(0.2kg/cm²)
- 실험 후 유효응력(σ_1) : 0.04MPa(0.4kg/cm²)
- 초기간극비(e_o) : 1.2
- 실험 후 간극비(e_1) : 0.97

계산 과정)

답 : _____

해답 ■ 체적변화계수 $m_v = \dfrac{a_v}{1 + e_0}$

- 압축계수 $a_v = \dfrac{e_0 - e_1}{\sigma_1 - \sigma_0{'}}$

$$= \dfrac{1.2 - 0.97}{0.04 - 0.02} = 11.5 \text{mm}^2/\text{N}$$

$\therefore m_v = \dfrac{11.5}{1 + 1.2} = 5.23 \text{mm}^2/\text{N}$

■ 체적변화계수 $m_v = \dfrac{a_v}{1 + e_0}$

- 압축계수 $a_v = \dfrac{e_0 - e_1}{\sigma_1 - \sigma_0{'}}$

$$= \dfrac{1.2 - 0.97}{0.4 - 0.2} = 1.15 \text{cm}^2/\text{kg}$$

$\therefore m_v = \dfrac{1.15}{1 + 1.2} = 0.52 \text{cm}^2/\text{kg}$

⚠ 주의점

1kg/m²
=0.1MPa
=0.1N/mm²
=100kN/m²
=100kPa

□□□ 예상문제

14 두께가 2m인 정규압밀 점토층에서 시료를 채취하여 압밀시험을 실시하였다. 시험결과가 아래와 같을 때, 이 점토층이 압밀도 50%에 이르는 데 걸리는 시간(일)을 구하시오. (단, 배수조건은 일면배수이다.)

득점	배점
	3

- 공극비 $e = 0.95$
- 압축계수 $a_v = 3.5 \times 10^{-4} \text{cm}^2/\text{g}$
- 투수계수 : $K = 5.0 \times 10^{-7} \text{cm/sec}$

해답 $t_{50} = \dfrac{0.197 H^2}{C_v}$

- 체적변화계수 $m_v = \dfrac{a_v}{1+e_0} = \dfrac{3.5 \times 10^{-4}}{1+0.95} = 1.8 \times 10^{-4} \text{cm}^2/\text{g}$

- 압밀계수 $C_v = \dfrac{K}{m_v \rho_w} = \dfrac{5.0 \times 10^{-7}}{1.8 \times 10^{-4} \times 1} = 2.8 \times 10^{-3} \text{cm}^2/\text{sec}$

$\therefore t_{50} = \dfrac{0.197 \times 200^2}{2.8 \times 10^{-3}} = 2,814,286 \sec = 32.57 \text{일}$ $\therefore$ 33일

⚠ 주의점
1년 = 365일
1일 = 24시간
1시간 = 60분
1분 = 60초

□□□ 07②, 09①, 10④, 16②

15 그림과 같이 지하 5m 되는 곳에 피에조미터를 설치하고 연약지반에서 공사를 진행한다. 구조물 축조 직후에 수주가 지표면으로부터 8m였다. 8개월 후 수주가 3m가 되었다면 지하 5m 되는 곳의 압밀도를 구하시오.

득점	배점
	3

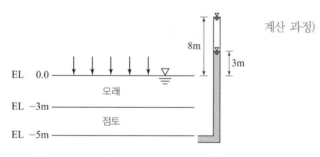

계산 과정)

답 :

해답 압밀도 $U = 1 - \dfrac{\text{과잉간극수압}}{\text{정압력}} = 1 - \dfrac{u}{P}$

- $u = \gamma_w h = 9.81 \times 3 = 29.43 \text{kN/m}^2$
- $P = \gamma_w h = 9.81 \times 8 = 78.48 \text{kN/m}^2$

$\therefore U = 1 - \dfrac{29.43}{78.48} = 0.625 = 62.5\%$

□□□ 예상문제

16 다음 그림과 같은 지반에 70kN/m²의 하중이 작용하고 있다. 이 흙은 정규압밀점토이며 압축지수(C_c)가 0.45일 때, 다음 물음에 답하시오.

특점 배점
3

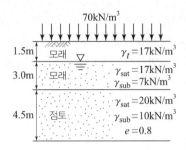

가. 점토층의 중간 지점에서의 유효상재압력(P_o)은 얼마인가?

　계산 과정)　　　　　　　　　　　　　　　　　　　　답 : _____

나. 70kN/m²의 압력으로 인한 점토층의 1차 압밀침하량은 얼마인가?
　　(단, 소수 셋째자리에서 반올림하여 소수 둘째자리까지 구하시오.)

　계산 과정)　　　　　　　　　　　　　　　　　　　　답 : _____

해답 가. $P_o = \gamma_t H_1 + \gamma_{sub1} H_2 + \gamma_{sub2} \cdot \dfrac{H_3}{2} = 17 \times 1.5 + 7 \times 3.0 + 10 \times \dfrac{4.5}{2} = 69\,\text{kN/m}^2$

　　나. $S = \dfrac{C_c H}{1+e} \log \dfrac{P_o + \Delta P}{P_o} = \dfrac{0.45 \times 4.5}{1 + 0.8} \log \dfrac{69 + 70}{69} = 0.3422\,\text{m} = 34.22\,\text{cm}$

□□□ 12②, 17①, 20①

17 아래 그림과 같은 지반에서 다음 물음에 답하시오.

특점 배점
8

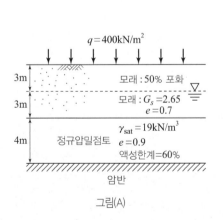

그림(A)

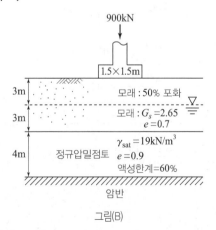

그림(B)

가. 그림(A)와 같이 지표면에 400kN/m²의 무한히 넓은 등분포하중이 작용하는 경우 압밀침하량을 구하시오.

계산 과정)   답 : _____

나. 그림(B)와 같이 지표면에 설치한 정사각형 기초에 900kN의 하중이 작용하는 경우 압밀침하량을 구하시오. (단, 응력증가량 계산은 2 : 1 분포법을 사용하고, 평균유효응력 증가량($\Delta\sigma$)은 $(\Delta\sigma_t + 4\Delta\sigma_m + \Delta\sigma_b)/6$으로 구한다. 여기서, $\Delta\sigma_t$, $\Delta\sigma_m$, $\Delta\sigma_b$는 점토층의 상단부, 중간층, 하단부의 응력증가량이다.)

계산 과정)   답 : _____

해답 가. 압밀침하량 $S = \dfrac{C_c H}{1+e} \log \dfrac{P_2}{P_1}$

- $C_c = 0.009(W_L - 10) = 0.009(60 - 10) = 0.45$

- 모래 $\gamma_t = \dfrac{G_s + \dfrac{S \cdot e}{100}}{1+e} \cdot \gamma_w = \dfrac{2.65 + \dfrac{50 \times 0.7}{100}}{1+0.7} \times 9.81 = 17.31 \, \text{kN/m}^3$

- 모래 $\gamma_{\text{sub}} = \dfrac{G_s - 1}{1+e} \gamma_w = \dfrac{2.65 - 1}{1+0.7} \times 9.81 = 9.52 \, \text{kN/m}^3$

- 정규압밀점토 $\gamma_{\text{sub}} = \gamma_{\text{sat}} - \gamma_w = 19 - 9.81 = 9.19 \, \text{kN/m}^3$

- $P_1 = \gamma_t \cdot h_1 + \gamma_{\text{sub}} \cdot h_2 + \gamma_{\text{sub}} \cdot \dfrac{h_3}{2}$

  $= 17.31 \times 3 + 9.52 \times 3 + 9.19 \times \dfrac{4}{2} = 98.87 \, \text{kN/m}^2$

- $P_2 = P_1 + q = 98.87 + 400 = 498.87 \, \text{kN/m}^2$

  $\therefore S = \dfrac{0.45 \times 4}{1+0.9} \log \dfrac{498.87}{98.87} = 0.6659 \, \text{m} = 66.59 \, \text{cm}$

나. 압밀침하량 $S = \dfrac{C_c H}{1+e} \log \dfrac{P + \Delta\sigma}{P}$

- $\Delta\sigma_t = \dfrac{Q}{(B+z)^2} = \dfrac{900}{(1.5+6)^2} = 16.0 \, \text{kN/m}^2$

- $\Delta\sigma_m = \dfrac{Q}{(B+z)^2} = \dfrac{900}{(1.5+8)^2} = 9.97 \, \text{kN/m}^2$

- $\Delta\sigma_b = \dfrac{Q}{(B+z)^2} = \dfrac{900}{(1.5+10)^2} = 6.81 \, \text{kN/m}^2$

- $\Delta\sigma = \dfrac{\Delta\sigma_t + 4\sigma_m + \Delta\sigma_b}{6} = \dfrac{16.0 + 4 \times 9.97 + 6.81}{6} = 10.45 \, \text{kN/m}^2$

  $\therefore S = \dfrac{0.45 \times 4}{1+0.9} \log \dfrac{98.87 + 10.45}{98.87} = 0.0413 \, \text{m} = 4.13 \, \text{cm}$

18 그림과 같은 지반조건에서 유효증가하중이 200kN/m²일 때, 점토층의 1차 압밀침하량을 계산하시오.

득점	배점
	3

(단, 정규압밀점토로 가정하며, 압축지수는 경험식을 사용하며, LL은 액성한계임.)

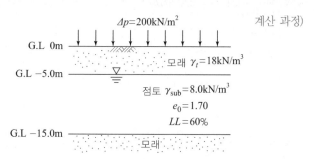

계산 과정)

답 :

해답 압밀 침하량 $S = \dfrac{C_c H}{1+e_0} \log \dfrac{P_2}{P_1} = \dfrac{C_c H}{1+e_0} \log \dfrac{P_1 + \Delta P}{P_1}$

- $P_1 = \gamma_t H_1 + \gamma_{sub} \dfrac{H_2}{2} = 18.0 \times 5 + 8 \times \dfrac{(15-5)}{2} = 130 \text{kN/m}^2$
- $C_c = 0.009(LL-10) = 0.009(60-10) = 0.45$

$\therefore S = \dfrac{0.45 \times (15-5)}{1+1.70} \log \dfrac{130+200}{130} = 0.6743 \text{m} = 67.43 \text{cm}$

19 아래 같은 지층 위에 성토로 인한 등분포하중 $q = 50 \text{kN/m}^2$이 작용할 때, 다음 물음에 답하시오.

득점	배점
	6

(단, 점토층은 정규압밀점토이며, W_L은 액성한계이다.)

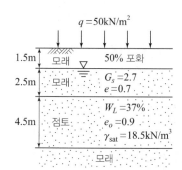

가. 점토층 중앙의 초기 유효연직압력(P_o)을 구하시오.

계산 과정)

답 :

나. 점토층의 압밀침하량을 구하시오.

계산 과정)

답 :

해답 가. 초기 유효연직압력 $p_o = \gamma_t H_1 + \gamma_{sat} H_2 + \gamma_{sub} \dfrac{H_3}{2}$

• 지하수위 이상인 모래층 단위중량 $\gamma_t = \dfrac{G_s + Se}{1+e} \gamma_w = \dfrac{2.7 + 0.5 \times 0.7}{1+0.7} \times 9.81 = 17.60\,\text{kN/m}^2$

• 지하수위 이하 모래층 수중단위중량 $\gamma_{sat} = \dfrac{G_s - 1}{1+e} \gamma_w = \dfrac{2.7 - 1}{1+0.7} \times 9.81 = 9.81\,\text{kN/m}^3$

• 점토층 수중단위중량 $\gamma_{sub} = \gamma_{sat} - \gamma_w = 18.5 - 9.81 = 8.69\,\text{kN/m}^3$

$\therefore\ P_o = 17.60 \times 1.5 + 9.81 \times 2.5 + 8.69 \times \dfrac{4.5}{2} = 70.48\,\text{kN/m}^2$

나. 압밀침하량 $S = \dfrac{C_c H}{1+e_o} \log\left(\dfrac{P_o + \Delta P}{P_o} \right)$

• $C_c = 0.009(W_L - 10) = 0.009(37 - 10) = 0.243$

$\therefore\ S = \dfrac{0.243 \times 4.5}{1+0.9} \log\left(\dfrac{70.48 + 50}{70.48} \right) = 0.1340\,\text{m} = 13.40\,\text{cm}$

□□□ 00⑤, 06①, 08②, 11①

20 두께가 3m인 정규압밀점토층에서 시료를 채취하여 압밀시험을 실시하였다. 시험결과가 다음과 같을 때, 이 점토층이 압밀도 60%에 이르는 데 걸리는 시간(일)을 구하시오.
(단, 배수조건은 일면배수이다.)

득점	배점
	3

- 초기상태의 유효응력(σ_0') : $0.2\,\text{kg/cm}^2$ ($20\,\text{kN/m}^2$)
- 실험 후 유효응력(σ_1) : $0.4\,\text{kg/cm}^2$ ($40\,\text{kN/m}^2$)
- 시험점토의 투수계수(K) : $3.0 \times 10^{-7}\,\text{cm/sec}$
- 초기간극비(e_o) : 1.2
- 실험 후 간극비(e_1) : 0.97
- 60% 압밀 시 시간계수(T_v) : 0.287

계산 과정)   답 : _____

해답 ■ [MKS] 단위

$$t_{60} = \frac{T_v \cdot H^2}{C_v}$$

• 압축계수

$$a_v = \frac{e_0 - e_1}{\sigma_1 - \sigma_0'} = \frac{1.2 - 0.97}{0.4 - 0.2} = 1.15\,\text{cm}^2/\text{kg}$$

• 체적변화계수

$$m_v = \frac{a_v}{1+e_0} = \frac{1.15}{1+1.2} = 0.523\,\text{cm}^2/\text{kg}$$

• 압밀계수

$$C_v = \frac{k}{m_v \rho_w} = \frac{3.0 \times 10^{-7}}{0.523 \times 1 \times 10^{-3}}$$

$$= 5.736 \times 10^{-4}\,\text{cm}^2/\text{sec}$$

$$\therefore\ t_{60} = \frac{0.287 \times 300^2}{5.736 \times 10^{-4}} = 45,031,380.75\,\text{sec}$$

$$= 12,508.72\,\text{hr} = 522\,\text{일}$$

■ [SI] 단위

$$t_{60} = \frac{T_v \cdot H^2}{C_v}$$

• 압축계수

$$a_v = \frac{e_0 - e_1}{\sigma_1 - \sigma_0'} = \frac{1.2 - 0.97}{40 - 20} = 0.0115\,\text{m}^2/\text{kN}$$

• 체적변화계수

$$m_v = \frac{a_v}{1+e_0} = \frac{0.0115}{1+1.2} = 5.227 \times 10^{-3}\,\text{m}^2/\text{kN}$$

• 압밀계수

$$C_v = \frac{k}{m_v \gamma_w} = \frac{3.0 \times 10^{-7} \times 10^2}{5.227 \times 10^{-3} \times 9.81}$$

$$= 5.851 \times 10^{-4}\,\text{cm}^2/\text{sec}$$

$$\therefore\ t_{60} = \frac{0.287 \times 300^2}{5.851 \times 10^{-4}} = 44,146,299.78\,\text{sec}$$

$$= 12,262,86\,\text{hr} = 511\,\text{일}$$

21 그림과 같은 지반에서 100kN/m^2의 하중이 지표면에 작용할 때, 다음 물음에 답하시오. (단, 3m 깊이의 점토층에 걸쳐 초기 공극수압이 균등하게 증가한다고 가정한다.)

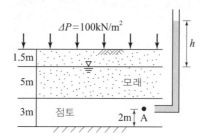

가. 하중을 가한 순간 피조미터의 물이 올라간 높이를 구하시오.

계산 과정)   답 : _____

나. 그림에서 h가 5m일 때, A점에서의 압밀도를 구하시오.

계산 과정)   답 : _____

다. A점에서 압밀도가 60%일 때, h를 구하시오.

계산 과정)   답 : _____

해답 가. 과잉간극수압 $u_o = \gamma_w h = \Delta P = 100\text{kN/m}^2$ (∵ 테르자기 압밀이론 : $t = 0$, $\sigma = U$)

$$\therefore \ h = \frac{u_o}{\gamma_w} = \frac{100}{9.81} = 10.19\text{m}$$

나. $h = \dfrac{u_z}{\gamma_w} = \dfrac{u_z}{9.81} = 5\text{m}$, $u_z = 5 \times 9.81 = 49.05\text{kN/m}^2$

$\therefore$ 압밀도 $U = 1 - \dfrac{u_z}{u_o} = 1 - \dfrac{49.05}{100} = 0.51$ $\therefore$ 51%

다. $U = 1 - \dfrac{u_z}{u_o} = 1 - \dfrac{u_z}{100} = 0.6$에서

간극수압 $u_z = (1 - U) \times 100 = (1 - 0.6) \times 100 = 40\text{kN/m}^2$

$\therefore \ h = \dfrac{u_z}{\gamma_w} = \dfrac{40}{9.81} = 4.08\text{m}$

□□□ 13①, 14②, 17②, 18②, 22②

22 아래 그림과 같은 지층의 지표면에 $40kN/m^2$의 압력이 작용할 때, 이로 인한 점토층의 압밀침하량을 구하시오.

(단, 이 점토층은 정규압밀점토이다.)

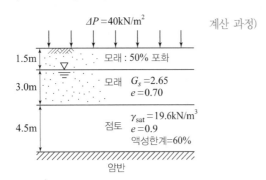

계산 과정)

답 : _____

해답 압밀침하량 $S = \dfrac{C_c H}{1+e_o} \log\left(\dfrac{P_o + \Delta P}{P_o}\right)$

• $C_c = 0.009(W_L - 10) = 0.009(60 - 10) = 0.45$

• 지하수 이상의 모래의 단위중량 $\gamma_t = \dfrac{G_s + S \cdot e}{1+e}\gamma_w = \dfrac{2.65 + 0.5 \times 0.7}{1 + 0.7} \times 9.81 = 17.31\,kN/m^3$

• 지하수 이하 모래의 수중단위중량 $\gamma_{sub} = \dfrac{G_s - 1}{1+e}\gamma_w = \dfrac{2.65 - 1}{1 + 0.7} \times 9.81 = 9.52\,kN/m^3$

• 모래의 수중단위중량 $\gamma_{sub} = \gamma_{sat} - \gamma_w = 19.6 - 9.81 = 9.79\,kN/m^3$

• 초기 유효연직압력 $P_o = \gamma_t H_1 + \gamma' H_2 + \gamma' \dfrac{H_3}{2}$

$\qquad\qquad = 17.31 \times 1.5 + 9.52 \times 3 + 9.79 \times \dfrac{4.5}{2} = 76.55\,kN/m^3$

∴ $S = \dfrac{0.45 \times 4.5}{1 + 0.9} \log\left(\dfrac{76.55 + 40}{76.55}\right) = 0.1946\,m = 19.46\,cm$

□□□ 02②, 03④, 06②, 12①, 15①

23 불투수층 위에 놓인 8m 두께의 연약 점토지반에 직경 40cm의 샌드 드레인(sand drain)을 정사각형으로 배치하고 그 위에 상재유효압력 $100kN/m^2$인 제방을 축조하였다. 축조 6개월 후 제방의 허용압밀침하량을 25mm로 하려고 한다. 다음 물음에 답하시오.

(단, 연약 점토지반의 체적변화계수 $m_v = 2.5 \times 10^{-4}\,m^2/kN$이다.)

가. 축조 6개월 후 압밀도는 몇 %까지 해야 하는가?

계산 과정) 답 : _____

나. 축조 6개월 후 연직방향 압밀도가 20%이었다면 이때의 수평방향 압밀도는?

계산 과정) 답 : _____

다. 배수 영향 반경이 샌드 드레인 반경의 10배라면 샌드 드레인 간의 중심간격은?

계산 과정) 답 : _____

해답 가. 침하량 $\Delta H = m_v \cdot \Delta P \cdot H = 2.5 \times 10^{-4} \times 100 \times 8 = 0.2\text{m} = 20\text{cm}$

$$\therefore U = \frac{\Delta H_i}{\Delta H} \times 100 = \frac{20-2.5}{20} \times 100 = 87.5\%$$

나. $U = \{1 - (1-U_h)(1-U_v)\}$

$0.875 = 1 - (1-U_h)(1-0.20)$

$$\therefore U_h = 0.84375 = 84.38\%$$

참고 SOLVE 사용

다. 영향의 반경=샌드드레인 반경의 10배

$$\frac{1.13d}{2} = \frac{\text{샌드드레인의 직경}}{2} \times 10(\text{배}) = \frac{40}{2} \times 10$$

$$\therefore d = 353.98\text{cm}$$

□□□ 06③, 09①, 21②

24 그림과 같은 포화점토층이 상재하중에 의하여 압밀도(U)=90%에 도달하는 데 소요되는 시간(년)을 각각의 경우에 대하여 구하시오.

(단, 압밀계수(C_v)=3.6×10^{-4}cm²/sec, 시간계수(T_v)=0.848임.)

득점	배점
	4

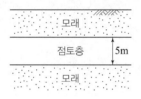

①의 경우

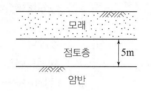

②의 경우

가. ①의 경우에 대하여 구하시오.

계산 과정)   답 : _____

나. ②의 경우에 대하여 구하시오.

계산 과정)   답 : _____

해답 가. $t_{90} = \dfrac{0.848\,H^2}{C_v} = \dfrac{0.848 \times \left(\dfrac{500}{2}\right)^2}{3.6 \times 10^{-4}} = 147,222,222.2\text{sec}(\because 양면배수)$

$$= 147,222,222.2 \times \frac{1}{60 \times 60 \times 24 \times 365} = 4.67년$$

나. $t_{90} = \dfrac{0.848\,H^2}{C_v} = \dfrac{0.848 \times 500^2}{3.6 \times 10^{-4}} = 588,888,888.9\text{sec}(\because 일면배수)$

$$= 588,888,888.9 \times \frac{1}{60 \times 60 \times 24 \times 365} = 18.67년$$

06 흙의 전단강도

1 흙의 전단강도

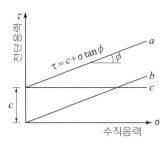

(1) 보통 흙의 전단강도

$$\tau = c + \sigma\tan\phi$$

(2) 간극수압이 발생하는 경우

$$\tau = c + (\sigma - u)\tan\phi = c + \overline{\sigma}\tan\phi$$

여기서, c : 점착력

σ : 흙 중 어느 면에 작용하는 수직응력(전응력)

ϕ : 내부마찰각

$\overline{\sigma}$: 유효수직응력

u : 간극수압

기억해요
전단강도를 구하시오.

2 응력경로 Stress path

흙이 파괴에 이를 때까지 응력을 받는 상태로 연속해서 표시한 경로를 응력경로(應力經路)라 한다.

(1) K_f선과 Mohr-Coulomb선의 기하학적 관계

$p - q$ Diagram에서 K_f선의 절편과 경사각을 재면 흙의 점착력(c)과 내부마찰각(ϕ)을 계산할 수 있다.

기억해요
$p - q$ Diagram에서 K_f선이 파괴선을 나타낼 때 흙의 강도정수 c, ϕ를 구하시오.

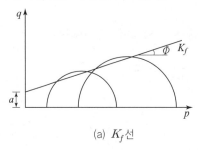

(a) K_f선

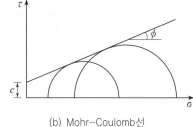

(b) Mohr-Coulomb선

① 내부마찰각

$\sin\phi = \tan\alpha$ 에서 ∴ 내부마찰각 $\phi = \sin^{-1}(\tan\alpha)$

② 점착력

$\dfrac{c}{\tan\phi} = \dfrac{a}{\tan\alpha}$ 에서 ∴ $c = \dfrac{\tan\phi}{\tan\alpha}a = \sin^{-1}(\tan\alpha) = \dfrac{a}{\cos\phi}$

⑵ **응력비와 응력경로의 기울기 관계**

① 응력비

$\dfrac{q}{p} = \tan\beta = \dfrac{1 - K_o}{1 + K_o}$

② 토압계수

$K_o = \dfrac{1 - \tan\beta}{1 + \tan\beta}$

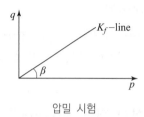

압밀 시험

⑶ **CU 삼축압축실험 결과**

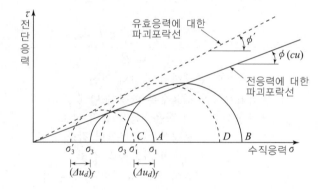

① 내부마찰각 $\phi = \sin^{-1}\left(\dfrac{\sigma_1 - \sigma_3}{\sigma_1 + \sigma_3}\right)$

② 최대주응력 $\sigma_1 = \Delta\sigma + \sigma_3$

③ 축차응력 $\Delta\sigma = \sigma_1 - \sigma_3$

④ 구속응력 σ_3

⑤ 비압밀비배수 전단특성 : $\dfrac{c_u}{p} = 0.11 + 0.0037 I_p$

　여기서, p : 유효상재하중
　　　　　I_p : 소성지수

기억해요
CU-test를 실시하였을 때 흙의
내부마찰각을 구하시오.

(4) 배압 백 프레셔 : back pressure

지하수위 아래 흙을 채취하면 물속에 용해되어 있던 산소는 그 수압이 없어져 체적이 커지고 기포를 형성하므로 포화도는 100%보다 떨어진다. 이러한 시료는 불포화된 시료를 형성하여 올바른 값이 되지 않게 되어 이 기포가 다시 용해되도록 원상태의 압력을 받도록 가하는 압력으로 삼축압축시험에 사용된다.

(5) 틱소트로피 thixotropy

교란된 시료의 강도는 불교란 시료에 비해 현저하게 떨어진다. 틱소트로피란 시간이 지남에 따라 강도의 일부가 회복되는 현상을 말한다.

기억해요

진동이나 충격과 같은 동적외력의 작용으로 모래의 간극비가 감소하여 이로 인하여 간극수압이 상승하여 흙의 전단강도가 급격히 소실되어 현탄액과 같은 상태로 되는 현상은?

3 액상화 현상 Liquefaction

간극수압의 상승으로 인하여 유효응력이 감소되고 그 결과 사질토가 외력에 대한 전단저항을 잃게 되는 현상을 액상화 현상이라 한다.

(1) 지배요인

지배요인		내용
지반	점착력 유무	• 점착력이 존재하면 액상화 안전
	유효응력 크기	• 유효응력이 적을수록 액상화 발생 • 토립자 입경이 작을수록 유효력 감소 • 입도분포가 불량할수록 유효력 감소 • 간극수압이 클수록 유효응력 감소
하중	동적하중 작용	• 하중재하 시간이 짧아 비배수 상태 유지
	진동 크기 및 지속시간	• 진동이 클수록 과잉간극수압이 크게 증가

(2) 액상화 대책공법

액상화의 대책으로는 액상화의 발생을 억제시키는 방향으로 지반의 성질을 변형시키는 것과 응력-변형 조건을 변경시키는 것이 있다.

① 밀도 증대 : 바이브로 플로테이션, 모래다짐말뚝 등 다짐공법으로 밀도를 크게 하여 액상화 강도를 증대

② 고결 : 치환, 주입고화, 표층혼합처리, 심층혼합처리 등 입도개량 또는 고결 등으로 사질토지반 내 시멘트 등의 안정재료를 혼합하여 지반을 고결

③ 유효응력 증대 : deep well 공법으로 지하수위 저하

④ 간극수압 소산 : gravel drain으로 배수, Dewatering으로 수위 저하

⑤ 전단변형 억제 : sheet pile으로 구조물을 보강

| 흙의 전단강도 |

06 핵심 기출문제

01 그림과 같은 모래지반에 지표면으로부터 2m 지점에 지하수위가 있을 때, 지표면으로부터의 5m 지점의 전단강도를 구하시오.

(단, 내부마찰각 $\phi = 30°$, 점착력 $c = 0$)

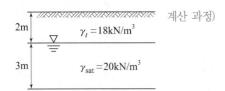

계산 과정)

답 : _____

[해답] 전단강도 $\tau = c + \bar{\sigma} \tan\phi$
- 유효응력 $\bar{\sigma} = 2 \times 18 + 3 \times (20 - 9.81) = 66.57 \text{kN/m}^2$
  $\therefore \tau = 0 + 66.57 \tan 30° = 38.43 \text{kN/m}^2$

□□□ 예상문제

02 그림과 같은 지층에 지표면으로부터 2m 지점에 지하수위가 있을 때 지하수위면으로부터 5m 지점에서 정규압밀점토의 전단강도를 구하시오.

(단, 점토지반의 소성지수는 48%이다.)

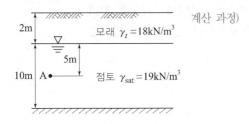

계산 과정)

답 : _____

[해답] 전단강도 $\tau = c + \bar{\sigma} \tan\phi$
- $\dfrac{c_u}{p} = 0.11 + 0.0037 I_p$

  $p = \gamma_t h_1 + \gamma_{\text{sub}} h_2 = 18 \times 2 + (19 - 9.81) \times 5 = 81.95 \text{kN/m}^2$

  $\dfrac{c_u}{81.95} = 0.11 + 0.0037 \times 48 \quad \therefore c_u = 23.57 \text{kN/m}^2$

  $\therefore$ A점의 전단강도
  $\tau = 23.57 + 0 = 23.57 \text{kN/m}^2$

□□□ 92④, 95④, 01③

03 다음 그림과 같은 $p-q$ Diagram에서 K_f선이 파괴선을 나타낼 때 이 흙의 강도정수 c, ϕ를 각각 구하시오.

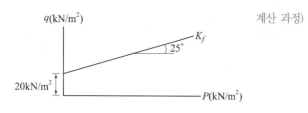

계산 과정)

답 : _____

해답 $\sin\phi = \tan\alpha$에서 $\alpha = 25°$, $a = 20\text{kN/m}^2$

• 내부마찰각 $\phi = \sin^{-1}(\tan\alpha)$
$$= \sin^{-1}(\tan25°) = 27.79°$$

• 점착력 $c = \dfrac{a}{\cos\phi} = \dfrac{20}{\cos 27.79°} = 22.61\,\text{kN/m}^2$

또는 $\dfrac{c}{\tan\phi} = \dfrac{a}{\tan\alpha}$에서

$$c = \frac{\tan\phi}{\tan\delta}a = \frac{\tan27.79°}{\tan25°} \times 20 = 22.60\,\text{kN/m}^2$$

□□□ 95③, 98①, 00①

04 지하수위 아래 흙을 채취하면 물속에 용해되어 있던 산소는 그 수압이 없어져 체적이 커지고 기포를 형성하므로 포화도는 100%보다 떨어진다. 이러한 시료는 불포화된 시료를 형성하여 올바른 값이 되지 않게 된다. 그러므로 이 기포가 다시 용해되도록 원 상태의 압력을 받게 가하는 압력으로 삼축압축시험에 사용된다. 이 압력은?

○

해답 배압(백 프레셔 : back pressure)

□□□ 96①, 00⑤

05 액상화 현상에 대한 대책으로는 흙의 성질을 바꾸는 방법과 응력 − 변형 조건을 변경시키는 방법이 있는데, 이 가운데 응력 − 변형 조건을 바꾸는 방법을 2가지 쓰시오.

① _____   ② _____

해답 ① Gravel drain으로 배수
　　② Dewatering으로 수위 저하

□□□ 02②

06 현장에서 채취한 불교란 사질토를 성형하여 CU-test를 실시하였다. $\sigma_3 = 10\text{MPa}$이었을 때, 축차응력 $\Delta\sigma = 10\text{MPa}$에서 파괴되었다. 이 흙의 내부마찰각 ϕ를 구하시오.

계산 과정)   답 : _____

───────────────────────────────

해답 내부마찰각 $\phi = \sin^{-1}\left(\dfrac{\sigma_1 - \sigma_3}{\sigma_1 + \sigma_3}\right)$

• 축차응력 $\Delta\sigma = \sigma_1 - \sigma_3$에서

$\sigma_1 = \Delta\sigma + \sigma_3 = 10 + 10 = 20\text{MPa}$

$\therefore \ \phi = \sin^{-1}\left(\dfrac{20-10}{20+10}\right) = 19.47°$

□□□ 16②, 21①

07 항만구조물 설계시 기초지반의 액상화 평가시 실시되는 현장시험을 3가지만 쓰시오.

① _____   ② _____   ③ _____

───────────────────────────────

해답 ① 표준관입시험
② 콘관입시험
③ 탄성파탐사(탄성파시험)
④ 지하수위 조사

07 사면의 안정

1 사면안정 대책공법

(1) 안전율 감소방지 시공법

① 표층안정공법 : 보호 net, Rock bolt, Shotcrete

② 피복공법 : 떼, Seed Spray

③ 블록공법 : 격자틀, 콘크리트 블록

④ 배수공법 : 지표배수, 지하배수

(2) 안전율을 증가시키는 방법

기억해요
사면안전 대책공법 중 안전율을 증
가시키는 방법 5가지를 쓰시오.

① 억지말뚝공법 : 사면의 활동 토괴를 관통하여 부동지반까지 말뚝을 일렬로 설치, 사면의 활동하중을 말뚝의 수평저항으로 부동지반에 전달시키는 공법이다.

② 앵커공법 : 고강도 강재를 앵커재로 하여 보링공 내에 삽입하여 그라우트 주입을 실시하여 앵커재를 지반에 정착시켜 앵커체 두부에 작용한 하중을 정착지반에 전달하여 안정시키는 공법이다.

③ 옹벽공법 : 주로 자연사면 선단부에 도로를 축조하거나 주택단지를 조성할 경우 사용된다.

④ 압성토 공법 : 산사태가 우려되는 자연사면의 하단부에 토사를 성토하여 활동력을 감소시키는 공법이다.

⑤ 소일 네일링(soil nailing) 공법 : 비탈면에 강철봉을 타입 또는 천공 후 삽입시켜 전단력과 인장력에 저항할 수 있도록 하는 시공법이다.

(3) 원형활동면에 의한 사면파괴의 종류

  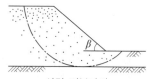

사면 내 파괴   사면 선단 파괴   사면 저부파괴

① 사면 내 파괴(slope failure) : 사면 선단파괴의 일부로서 성토층이 여러 층일 때 나타난다.

② 사면 선단파괴(toe failure) : 사면이 급하고 점착성이 적은 흙의 사면에 나타난다.

③ 사면 저부파괴(base failure) : 사면구배가 비교적 완만하고 연약한 점성토지반에 나타난다.

2 무한사면의 안정해석

(1) 무한사면의 활동

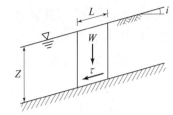

① 수직응력 $\sigma = \gamma_t Z \cos^2 i$

② 전단응력 $\tau = \gamma_w Z \sin i \cos i$

③ 간극수압 $u = \gamma_w Z \cos^2 i$

④ 전단강도 $S = c' + (\sigma - u) \tan\phi$

(2) 안전율

① 전단강도에 대한 안전율

$$F_s = \frac{S}{\tau} = \frac{c' + (\sigma - U)\tan\phi}{\gamma_{sat} Z \sin i \cos i}$$

② 지하수위가 지표면과 일치된 경우($c' \neq 0$인 일반적인 흙)

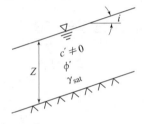

$$F_s = \frac{c'}{\gamma_{sat} Z \cos i \cdot \sin i} + \frac{\gamma_{sub}\tan\phi}{\gamma_{sat}\tan i}$$

③ 지하수위가 지표면과 일치하는 경우($c' = 0$인 사질토의 경우)

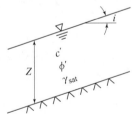

$$F_s = \frac{c'}{\gamma_{sat} Z \cos i \sin i} + \frac{\gamma_{sub}}{\gamma_{sat}} \cdot \frac{\tan\phi}{\tan i}$$

$$= \frac{\gamma_{sub}}{\gamma_{sat}} \cdot \frac{\tan\phi}{\tan i}$$

④ 침투수가 없는 무한사면($c \neq 0$)

$$F_s = \frac{c'}{\gamma_t Z \cos i \sin i} + \frac{\tan\phi}{\tan i}$$

⑤ 침투수가 없고 사질토인 경우($c = 0$)

$$F_s = \frac{\tan\phi}{\tan i}$$

기억해요

• 무한사면에서 지하수위면은 지표면과 일치하고 지표면에 암반층이 있을 때 비탈의 안전율을 구하시오.

• 무한사면에서 지하수위면과 지표면이 일치한 경우 사면의 안전율을 구하시오.

• 반무한 사면에서 침투류가 전혀 없는 경우는 침투류가 지표면과 일치되는 경우에 비해 몇 배만큼 안전한가?

3 유한사면의 안정해석

(1) $\phi = 0$의 사면안정 해석

Skempton에 의하여 발표된 것으로서 완전히 포화된 점토가 비배수 상태,
즉 구조물의 시공 직후의 상태라고 보고 전응력법으로 해석하는 $\phi = 0$인
균질한 점성토의 사면에 적용 가능하다.

$$\text{안전율 } F_s = \frac{c_u \cdot L_a \cdot r}{W \cdot d}$$

여기서, • c_u : 비배수강도

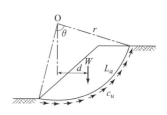

• 사면부분 중량 $W = A \cdot \gamma_t$

• 호의 길이 $L_a = 2\pi r\left(\dfrac{\theta}{360°}\right)$

• r : 호의 반경

• d : W의 중심거리

(2) 인장균열의 영향

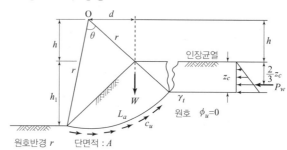

$$\text{안전율 } F_s = \frac{c_u \cdot L_a \cdot r}{W \cdot d + P_w \cdot x}$$

여기서, • c_u : 비배수강도

• 인장균열 깊이 $z_c = \dfrac{2c_u}{\gamma_t} (\because \phi_u = 0)$

$$= \dfrac{2c_u}{\gamma_t} \tan\left(45° + \dfrac{\phi}{2}\right)$$

• 사면부분 중량 $W = A \cdot \gamma_t$

• 호의 길이 $L_a = 2\pi r\left(\dfrac{\theta}{360°}\right)$

• 수압 $P_w = \dfrac{1}{2}\gamma_w \cdot z_c^2$

• $x = h + \dfrac{2}{3}z_c$

4 평면파괴면을 가진 유한사면의 해석 Culmann의 도해법

평면활동면을 가정한 경우의 사면안정해석

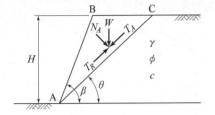

기억해요

• 쐐기 ABC의 활동에 대한 안전율을 구하시오.

• 사면의 임계높이를 구하시오.

① ABC의 중량 W

$$W = \frac{1}{2}H \cdot \overline{BC} \cdot \gamma$$

$$= \frac{1}{2}\gamma \cdot H \cdot \frac{\sin(\beta-\theta)}{\sin\beta} \cdot \overline{AC} = \frac{1}{2}\gamma H^2 \left\{ \frac{\sin(\beta-\theta)}{\sin\beta\sin\theta} \right\}$$

② $\overline{AC}$면의 법선과 접선 성분(전단저항력)

$$\overline{AC} = \frac{H}{\sin\theta}, \quad N_A = W\cos\theta, \quad T_A = W\sin\theta$$

$$T_R = \overline{AC} \cdot c + N_A \tan\phi = \frac{H}{\sin\theta} \cdot c + N_A \tan\phi$$

③ 안전율

$$F_s = \frac{T_R}{T_A} = \frac{\dfrac{H}{\sin\theta} \cdot c + N_A \tan\phi}{W\sin\theta}$$

④ 임계평형상태일 때의 사면의 최대높이 H_c

$$H_c = \frac{4c}{\gamma} \left\{ \frac{\sin\beta\cos\phi}{1 - \cos(\beta-\phi)} \right\}$$

여기서, c : 점착력

γ : 흙의 단위중량

ϕ : 흙의 내부마찰각

β : 사면의 경사각

5 평면활동면의 조합

3개의 평면활동면으로 표현한 상단의 활동면 AB상의 토압은 주동토압,
하단의 활동면 위에 토압은 수동토압으로 생각한다.

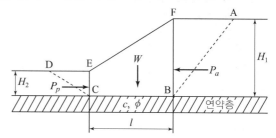

$$\text{안전율 } F_s = \frac{c \cdot L + W\tan\phi + P_p}{P_a} > 1.5$$

여기서, • 주동토압 $P_a = \dfrac{\gamma H^2}{2}\tan^2\left(45° - \dfrac{\phi}{2}\right)$

• 수동토압 $P_p = \dfrac{\gamma H^2}{2}\tan^2\left(45° + \dfrac{\phi}{2}\right)$

• 저면의 점착력에 의한 저항력 : $c \cdot L$

• 자중의 마찰력에 의한 저항력 : $W\tan\phi$

6 곡면 복합활동

주동과 수동토압을 받는 쐐기형 사면안정해석

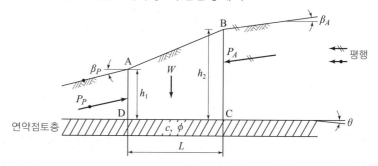

(1) 활동파괴를 일으키는 전단력 S_m

$$S_m = P_A\cos(\beta_A - \theta) - P_p\cos(\beta_p - \theta) + W\sin\theta$$

(2) 활동파괴에 저항하는 전단강도 S

$$S = c \cdot L + \{W\cos\theta + P_A\sin(\beta_A - \theta) + P_p\sin(\beta_p - \theta)\}\tan\phi$$

(3) 안정율

$$F_s = \frac{S}{S_m} = \frac{c \cdot L + \{W\cos\theta + P_A\sin(\beta_A - \theta) - P_p\sin(\beta_p - \theta)\}\tan\phi}{P_A\cos(\beta_A - \theta) - P_p\cos(\beta_p - \theta) + W\sin\theta}$$

여기서, W : 블록 ABCD의 자중

L : DC의 길이

| 사면의 안정 |

07 핵심 기출문제 □□□

□□□ 00⑤

01 사면안정 대책공법은 크게 사면의 안전율이 감소하는 것을 방지하는 방법과 사면의 안전율을 증가시키는 방법으로 나눌 수 있다. 안전율 감소 방지 공법에는 배수공법, 블록공법, 피복공법, 표층안정공법 등이 있다. 안전율을 증가시키는 방법 5가지를 쓰시오.

① _____   ② _____   ③ _____

④ _____   ⑤ _____

해답 ① 억지말뚝공법   ② 앵커공법   ③ 옹벽공법
④ 압성토공법   ⑤ 절토공법   ⑥ soil nailing 공법

□□□ 92①, 95①, 97②

02 흙으로 축조된 비탈안정의 역학적 검사를 시행할 활동면에 대한 안전율을 구하고자 한다. 이때 안전율 산정에 요구되는 흙의 토질실험 성과 3가지를 쓰시오.

① _____   ② _____   ③ _____

해답 ① 흙의 단위중량(γ)   ② 흙의 점착력(c)   ③ 흙의 내부마찰각(ϕ)

□□□ 01②, 03②, 07①, 10②, 11②, 15④, 21③

03 아래 그림과 같은 무한사면에서 지하수위면과 지표면이 일치한 경우, 사면의 안전율을 구하시오. (여기서, 지반의 $c = 0$, $\phi = 30°$, $\gamma_{sat} = 18.0\text{kN/m}^3$이다.)

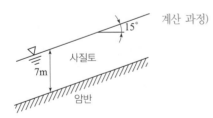

계산 과정)

답 : _____

해답 $F_s = \dfrac{\gamma_{sub}}{\gamma_{sat}} \cdot \dfrac{\tan\phi}{\tan i} = \dfrac{18.0 - 9.81}{18.0} \times \dfrac{\tan 30°}{\tan 15°} = 0.98$

(점착력 $c = 0$이고, 지하수위가 지표면과 일치할 때 반무한사면의 안전율)

04 한 사질토 사면의 경사가 $26°$로 측정되었다. 지표면으로부터 5m 깊이에 암반층이 존재하며 사면흙을 채취하여 토질시험을 한 결과 $c'=0$, $\phi'=42°$, $\gamma_{sat}=19\text{kN/m}^3$였다. 갑자기 폭우가 쏟아져 지하수위가 지표면과 일치한 상태에서 침투가 발생한다면, 이때 사면의 안전율은 얼마인가?

계산 과정) 답 : _____

해답 지하수위가 지표면과 일치할 때 : $F_s = \dfrac{\gamma_{sub}}{\gamma_{sat}} \cdot \dfrac{\tan\phi}{\tan i}$

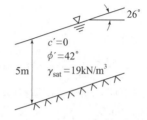

• $\gamma_{sub} = \gamma_{sat} - \gamma_w = 19 - 9.81 = 9.19\text{kN/m}^3$

∴ $F_s = \dfrac{9.19}{19} \times \dfrac{\tan 42°}{\tan 26°} = 0.89$

□□□ 95③, 97④, 00⑤, 04④

05 한 무한사면의 경사가 $12°$로 측정되었다. 지하수위면은 지표면과 일치하고 지표면에서 5m에 암반층이 있다. 이 비탈의 흙을 채취하여 토질시험을 한 결과는 다음과 같다. 이 비탈의 안전율은 얼마인가?

─────【 조 건 】─────

$c'=10\text{kN/m}^2$, $\phi'=28°$, $\gamma_{sat}=19\text{kN/m}^3$

계산 과정) 답 : _____

해답 ■ 방법 1

$F_s = \dfrac{c'}{\gamma_{sat} Z \cos i \cdot \sin i} + \dfrac{\gamma_{sub} \tan\phi}{\gamma_{sat} \tan i}$

$= \dfrac{10}{19 \times 5 \cos 12° \sin 12°} + \dfrac{(19-9.81)\tan 28°}{19 \tan 12°}$

$= 1.73$

■ 방법 2

• $\sigma = \gamma_{sat} \cdot Z \cos^2 i = 19 \times 5 \cos^2 12° = 90.89\text{kN/m}^2$

• $U = \gamma_w \cdot Z \cos^2 i = 9.81 \times 5 \cos^2 12° = 46.93\text{kN/m}^2$

• $\tau = \gamma_{sat} \cdot Z \sin i \cos i = 19 \times 5 \sin 12° \cos 12°$

$= 19.32\text{kN/m}^2$

∴ $F_s = \dfrac{c' + (\sigma - u)\tan\phi}{\tau}$

$= \dfrac{10 + (90.89 - 46.93)\tan 28°}{19.32} = 1.73$

□□□ 96①, 98④, 04①

06 $G_s = 2.65$, $n = 35\%$인 사질토($c = 0$, $\phi = 38°$)의 반무한사면에서 침투류가 지표면과 일치되는 경우, 안전율을 구하시오.
(단, 사면의 경사각은 20°이다.)

계산 과정)   답 : _____

해답 안전율 $F_s = \dfrac{\gamma_{sub}}{\gamma_{sat}} \cdot \dfrac{\tan\phi}{\tan i}$

- $e = \dfrac{n}{100-n} = \dfrac{35}{100-35} = 0.538$

- $\gamma_{sat} = \dfrac{G_s + e}{1+e}\gamma_w = \dfrac{2.65 + 0.538}{1+0.538} \times 9.81 = 20.33 \text{kN/m}^3$

- $\gamma_{sub} = \gamma_{sat} - \gamma_w = 20.33 - 9.81 = 10.52 \text{kN/m}^3$

  $\therefore F_s = \dfrac{10.52}{20.33} \times \dfrac{\tan 38°}{\tan 20°} = 1.11$

□□□ 99⑤, 02③, 09②

07 $G_s = 2.65$, $n = 30\%$인 사질토($c = 0$)의 반무한사면에서 침투류가 전혀 없는 경우는 침투류가 지표면과 일치되는 경우에 비해 몇 배만큼 안전율이 큰가?

계산 과정)   답 : _____

해답 • 침투류가 전혀 없는 경우

$F_{s_1} = \dfrac{\tan\phi}{\tan i}$

• 침투류가 지표면과 일치할 때

$F_{s_2} = \dfrac{\gamma_{sub}}{\gamma_{sat}} \cdot \dfrac{\tan\phi}{\tan i}$

$\therefore \dfrac{F_{s_1}}{F_{s_2}} = \dfrac{\dfrac{\tan\phi}{\tan i}}{\dfrac{\gamma_{sub}}{\gamma_{sat}} \cdot \dfrac{\tan\phi}{\tan i}} = \dfrac{\gamma_{sat}}{\gamma_{sub}}$

- $e = \dfrac{n}{100-n} = \dfrac{30}{100-30} = 0.43$

- $\gamma_{sat} = \dfrac{G_s + e}{1+e}\gamma_w = \dfrac{2.65 + 0.43}{1+0.43} \times 9.81 = 21.13 \text{kN/m}^3$

- $\gamma_{sub} = \gamma_{sat} - \gamma_w = 21.13 - 9.81 = 11.32 \text{kN/m}^3$

  $\therefore F_s = \dfrac{21.13}{11.32} = 1.87$

오른쪽 그림:
$G_s = 2.65$
$n = 30\%$
$c = 0$
$\phi = 38°$

□□□ 09④, 11④, 16①, 22③

08 어느 지역에 지표경사가 30°인 자연사면이 있다. 지표면에서 6m 깊이에 암반층이 있고, 지하수위면은 암반층 아래 존재할 때 이 사면의 활동파괴에 대한 안전율을 구하시오.

(단, 사면 흙을 채취하여 토질시험을 실시한 결과 $c' = 25\text{kN/m}^2$, $\phi = 35°$, $\gamma_t = 18\text{kN/m}^3$이다.)

계산 과정)　　　　　　　　　　　　　　　　　답 : _____

해답 지하수위가 파괴면 아래에 있는 경우(사면 내 침투류가 없는 경우)

$$F_s = \frac{c'}{\gamma_t\, Z\cos i \cdot \sin i} + \frac{\tan\phi}{\tan i}$$

$$= \frac{25}{18 \times 6\cos 30° \cdot \sin 30°} + \frac{\tan 35°}{\tan 30°} = 1.75$$

□□□ 92①, 96④, 01②, 02④, 07②, 21①

09 그림과 같은 사면에 인장균열이 발생하여 수압이 작용한다면 $F_s = \dfrac{M_r}{M_o}$의 개념으로 F_s를 구하시오.

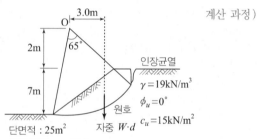

- 3.0m
- O
- 2m
- 65°
- 7m
- 인장균열
- $\gamma = 19\text{kN/m}^3$
- $\phi_u = 0°$
- $c_u = 15\text{kN/m}^2$
- 원호
- 자중 $W \cdot d$
- 단면적 : 25m²
- 원호 반경 : $r = 11.0\text{m}$

계산 과정)

답 : _____

해답 안전율 $F_s = \dfrac{c_u \cdot L_a \cdot r}{W \cdot d + P_w \cdot x}$

- 인장균열 깊이 $z_c = \dfrac{2c_u}{\gamma_t} = \dfrac{2 \times 15}{19} = 1.58\text{m}\,(\because \phi_u = 0)$
- 사면부분 무게 $W = A \cdot \gamma_t = 25 \times 19 = 475\text{kN/m}$
- $W \cdot d = 475 \times 3 = 1425\text{kN}$
- 호의 길이 $L_a = 2\pi r \cdot \theta = (2\pi \times 11) \times \dfrac{65°}{360°} = 12.48\text{m}$
- 수압 $P_w = \dfrac{1}{2}\gamma_w \cdot z_c^2 = \dfrac{1}{2} \times 9.81 \times 1.58^2 = 12.24\text{kN/m}$
- $x = 2 + \dfrac{2}{3}z_c = 2 + \dfrac{2}{3} \times 1.58 = 3.05\text{m}$

$$\therefore F_s = \frac{15 \times 12.48 \times 11}{1425 + 12.24 \times 3.05} = 1.41$$

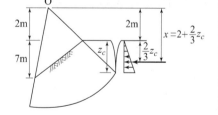

◎ **인장균열 깊이**

$$z_c = \frac{2c\tan\left(45° + \dfrac{\phi}{2}\right)}{\gamma_t} = \frac{2 \times 15\tan\left(45° + \dfrac{0}{2}\right)}{19} = 1.58\text{m}$$

□□□ 96③, 98②, 01③, 06①, 08③
10 한 무한 자연사면의 경사가 20°이고 경사방향으로 흐르는 지하수면이 지표면과 일치하여 지표면에서 5m 깊이에 암반층이 있다고 할 때, 이 사면의 안전율은 얼마인가?

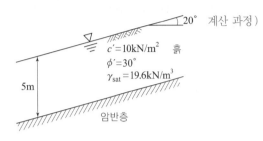

계산 과정)

답 : _____

해답 ■ 방법 1
$$F_s = \frac{c'}{\gamma_{sat} Z \cos i \cdot \sin i} + \frac{\gamma_{sub} \tan\phi}{\gamma_{sat} \tan i}$$
$$= \frac{10}{19.6 \times 5 \cos 20° \sin 20°} + \frac{(19.6 - 9.81) \times \tan 30°}{19.6 \times \tan 20°}$$
$$= 0.32 + 0.79$$
$$= 1.11$$

■ 방법 2
$$\sigma = \gamma_{sat} Z \cos^2 i = 19.6 \times 5 \cos^2 20° = 86.54 \,\text{kN/m}^2$$
$$\tau = \gamma_{sat} Z \sin i \cos i = 19.6 \times 5 \sin 20° \cos 20°$$
$$= 31.50 \,\text{kN/m}^2$$
$$u = \gamma_w Z \cos^2 i = 9.81 \times 5 \cos^2 20° = 43.31 \,\text{kN/m}^2$$
$$S = c' + (\sigma - u)\tan\phi$$
$$= 10 + (86.54 - 43.31)\tan 30° = 34.96 \,\text{kN/m}^2$$
$$\therefore F_s = \frac{S}{\tau} = \frac{34.96}{31.50} = 1.11$$

□□□ 95①, 97①, 02①, 05①
11 내부마찰각 $\phi_u = 0$, 점착력 $c_u = 45\text{kN/m}^2$, 단위중량이 19kN/m^3 되는 포화된 점토층에 경사각 45°로 높이 8m인 사면을 만들었다. 그림과 같은 하나의 파괴면을 가정했을 때 안전율은? (단, 총 폭당 중량(W)은 1,333kN/m, 호의 길이(L_a)는 20m이다.)

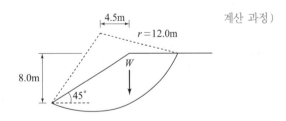

계산 과정)

답 : _____

해답 $F_s = \dfrac{c_u \cdot L_a \cdot r}{W \cdot d} = \dfrac{45 \times 20 \times 12}{1,333 \times 4.5} = 1.80$

□□□ 99①, 01①, 12②, 15②, 18①, 23②

12 다음 그림과 같은 사면에서 AC는 가상파괴면을 나타낸다. 쐐기 ABC의 활동에 대한 안전율은 얼마인가?

득점	배점
	3

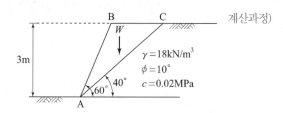

계산과정)

답 : _____

해답 ■ **방법 1**

안전율 $F = \dfrac{c \cdot L + W\cos\theta \cdot \tan\phi}{W\sin\theta}$

- $\overline{BC}$ 거리 계산
  $x_1 = 3\tan30° = 1.732\,\text{m}$
  $x_1 + x_2 = 3\tan50° = 3.575\,\text{m}$
  $\therefore \overline{BC} = x_2 = 3.575 - 1.732 = 1.843\,\text{m}$

- $\overline{AC}$ 거리 계산
  $\overline{AC} = L = \dfrac{3}{\cos50°} = 4.667\,\text{m}$
  $\left(\because \cos50° = \dfrac{3}{\overline{AC}}\right)$

- 파괴토사면 $\triangle ABC$의 중량 W
  $W = \dfrac{3 \times 1.843}{2} \times 18 = 49.76\,\text{kN/m}$
  $c = 0.02\text{MPa} = 0.02\text{N/mm}^2$
  $= 20\text{kN/m}^2$
  $\therefore F = \dfrac{20 \times 4.667 + 49.76\cos40° \times \tan10°}{49.76\sin40°}$
  $= 3.13$

■ **방법 2**

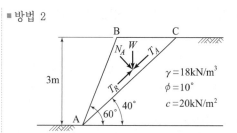

- $W = \dfrac{1}{2}\gamma H^2 \dfrac{\sin(\beta-\theta)}{\sin\beta\sin\theta}$
  $= \dfrac{1}{2} \times 18 \times 3^2 \times \dfrac{\sin(60°-40°)}{\sin60°\sin40°} = 49.77\,\text{kN/m}$

- $\overline{AC}$ 면의 법선과 접선 성분(전단저항력)
  $N_A = W\cos\theta = 49.77\cos40° = 38.13\,\text{kN/m}$
  $T_A = W\sin\theta = 49.77\sin40° = 31.99\,\text{kN/m}$
  $T_R = \overline{AC} \cdot c + N_A\tan\phi$
  $= \dfrac{H}{\sin\theta} \cdot c + N_A\tan\phi$
  $= \dfrac{3}{\sin40°} \times 20 + 38.13\tan10° = 100.07\,\text{kN/m}$

$\therefore$ 안전율 $F_s = \dfrac{T_R}{T_A} = \dfrac{100.07}{31.99} = 3.13$

⚠ 주의점

$c = 0.02\text{MPa}$
$= 0.02\text{N/mm}^2$
$= 20\text{kN/m}^2$
$= 20\text{kPa}$

□□□ 00③, 02①, 06②, 14④, 19①

13 그림과 같은 유한사면에서 사면파괴가 한 평면을 따라 발생한다면 (Culmann의 가정) 사면의 임계높이, 활동에 대한 안전율이 2가 되도록 사면높이 H를 구하시오.

득점	배점
	6

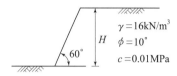

가. 사면의 임계높이를 구하시오.

계산 과정)   답 : _____

나. 활동에 대한 안전율이 2가 되도록 사면높이 H를 구하시오.

계산 과정)   답 : _____

해답 가. $H_c = \dfrac{4c}{\gamma_t}\left\{\dfrac{\sin\beta\cos\phi}{1-\cos(\beta-\phi)}\right\}$

⚠ 주의점
$c = 0.1 \text{kg/cm}^2$
$= 0.01 \text{N/mm}^2$
$= 0.01 \text{MPa}$
$= 10 \text{kN/m}^2$
$= 1.0 \text{t/m}^2$

• $c = 0.01\text{MPa} = 0.01\text{N/mm}^2 = 10\text{kN/m}^2$

$H_c = \dfrac{4\times10}{16}\left\{\dfrac{\sin60°\cos10°}{1-\cos(60°-10°)}\right\} = 5.97\text{m}$

나. $F_s = F_c = F_\phi = 2$에서 $F_c = \dfrac{C}{C_d} = 2$, $C_d = \dfrac{C}{F_c} = \dfrac{C}{F_s} = \dfrac{10}{2} = 5\text{kN/m}^2$

$F_\phi = \dfrac{\tan\phi}{\tan\phi_d} = 2$에서 $\phi_d = \tan^{-1}\left(\dfrac{\tan10°}{2}\right) = 5.038°$

$\therefore H = \dfrac{4C_d}{\gamma}\left\{\dfrac{\sin\beta\cos\phi_d}{1-\cos(\beta-\phi_d)}\right\}$

$= \dfrac{4\times5}{16}\left\{\dfrac{\sin60°\cos5.038°}{1-\cos(60°-5.038°)}\right\} = 2.53\text{m}$

□□□ 92①, 98①, 99⑤

14 그림과 같은 사면의 안전율을 구하시오.
(단, $\gamma = 18\text{kN/m}^3$)

득점	배점
	3

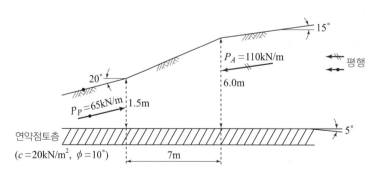

계산 과정)   답 : _____

$$\boxed{\text{해답}}\; F_s = \frac{c \cdot L + \left[W\cos\theta + P_a\sin(\beta_A - \theta) - P_p\sin(\beta_p - \theta) \right]\tan\phi}{P_a\cos(\beta_A - \theta) - P_p\cos(\beta_p - \theta) + W\sin\theta}$$

- $W = \dfrac{1.5 + 6}{2} \times 7 \times 18 = 472.5\,\text{kN/m}$

- $L = \dfrac{7}{\cos 5°} = 7.03\,\text{m}$

$$\therefore\; F_s = \frac{20 \times 7.03 + \left[472.5\cos 5° + 110\sin(15° - 5°) - 65\sin(20° - 5°) \right]\tan 10°}{110\cos(15° - 5°) - 65\cos(20° - 5°) + 472.5\sin 5°}$$

$$= \frac{224.0}{86.72} = 2.58$$

□□□ 00②

15 다음 그림과 같은 조건하에 있는 복합활동 파괴면에 대한 안전율을 구하시오.
(단, 소수점 둘째자리에서 반올림하시오.)

득점 배점
3

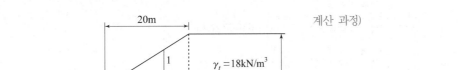
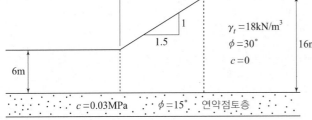

계산 과정)

답 :

$\boxed{\text{해답}}$ 안전율 $F_s = \dfrac{c \cdot L + W\tan\phi + P_P}{P_a}$

- 주동토압 $P_a = \dfrac{\gamma H^2}{2}\tan^2\left(45° - \dfrac{\phi}{2}\right) = \dfrac{18 \times 16^2}{2}\tan^2\left(45° - \dfrac{30°}{2}\right) = 768\,\text{kN/m}$

- 수동토압 $P_P = \dfrac{\gamma H^2}{2}\tan^2\left(45° + \dfrac{\phi}{2}\right) = \dfrac{18 \times 6^2}{2}\tan^2\left(45° + \dfrac{30°}{2}\right) = 972\,\text{kN/m}$

- $c = 0.03\,\text{MPa} = 0.03\,\text{N/mm}^2 = 3\,\text{N/cm}^2 = 30\,\text{kN/m}^2$

- 저면의 저항력 $P_c = c \cdot L = 30 \times 20 = 600\,\text{kN/m}$

- 자중의 저항력 $P_f = W\tan\phi = \dfrac{6 + 16}{2} \times 20 \times 18\tan 15° = 1{,}061.08\,\text{kN/m}$

$$\therefore\; F_s = \frac{600 + 1{,}061.08 + 972}{768} = 3.43$$

□□□ 89①, 94④, 05①, 09②, 12④, 17①, 20①

16 아래 그림과 같이 연약토층 위에 있는 사면의 복합활동 파괴면에 대한 안전율을 구하시오.

득점	배점
	3

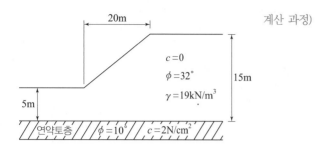

계산 과정)

답 : _____

해답 안전율 $F_s = \dfrac{c \cdot L + W\tan\phi + P_P}{P_a}$

• $P_a = \dfrac{\gamma H^2}{2}\tan^2\left(45° - \dfrac{\phi}{2}\right) = \dfrac{19 \times 15^2}{2}\tan^2\left(45° - \dfrac{32°}{2}\right) = 656.77\,\text{kN/m}$

• $P_p = \dfrac{\gamma H^2}{2}\tan^2\left(45° + \dfrac{\phi}{2}\right) = \dfrac{19 \times 5^2}{2}\tan^2\left(45° + \dfrac{32°}{2}\right) = 772.96\,\text{kN/m}$

• $c = 0.02\,\text{MPa} = 0.02\,\text{N/mm}^2 = 2\,\text{N/cm}^2 = 20\,\text{kN/m}^2$

• $c \cdot L = 20 \times 20 = 400\,\text{kN/m}$

• $W\tan\phi = \dfrac{15+5}{2} \times 20 \times 19\tan10° = 670.04\,\text{kN/m}$

$\therefore F_s = \dfrac{400 + 670.04 + 772.96}{656.77} = 2.81$

□□□ 11②, 18①

17 아래의 표에서 설명하는 사면보호공법의 명칭을 쓰시오.

득점	배점
	2

> 사면의 활동토체를 관통하여 부동지반까지 말뚝을 일렬로 시공함으로써 사면의 활동하중을 말뚝의 수평저항으로 받아 부동지반에 전달시키는 공법이다.

○

해답 억지말뚝공법

과년도 예상문제

흙의 기본적 성질

□□□ 97③

01 어떤 현장 토취장 흙의 자연상태 습윤단위중량이 18.5kN/m³, 함수비가 9.5%이었다. 이 흙으로 아래 그림과 같은 성토($\gamma_d = 17.5$kN/m³, $w = 12$%)를 하려고 할 때, 토취장 흙을 자연상태로 얼마나 가져와야 하는가? 또한 이 흙의 비중이 2.66인 경우, 토취장과 성토상태 각각의 간극비, 간극률 및 포화도를 각각 구하시오.

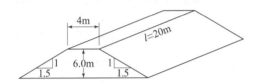

계산 과정)　　　　　　　　답 : _____

해답	구분	토취장	성토상태
	체적	$\dfrac{4 + (1.5 \times 6 + 4 + 1.5 \times 6)}{2} \times 6 \times 20$ $= 1,560\,\text{m}^3$	
	습윤밀도 $\gamma_t = \gamma_d(1+w)$	18.5kN/m³	$17.5(1+0.12)$ $= 19.6\text{kN/m}^3$
	건조밀도 $\gamma_d = \dfrac{\gamma_t}{1+w}$	$\dfrac{18.5}{1+0.095}$ $= 16.9\text{kN/m}^3$	$= 17.5\text{kN/m}^3$
	운반토량 (자연상태)	$V = \dfrac{W}{\gamma_t} = \dfrac{30,576}{18.5}$ $= 1,652.76\,\text{m}^3$	$W = V \cdot \gamma_t$ $= 1,560 \times 19.6$ $= 30,576\text{kN}$
	간극비 $e = \dfrac{G_s}{\gamma_d}\gamma_w - 1$	$\dfrac{2.66}{16.9} \times 9.81 - 1 = 0.54$	$\dfrac{2.66}{17.5} \times 9.81 - 1$ $= 0.49$
	간극률 $n = \dfrac{e}{1+e} \times 100$	$\dfrac{0.54}{1+0.54} \times 100$ $= 35.06\%$	$\dfrac{0.49}{1+0.49} \times 100$ $= 32.89\%$
	포화도 $S = \dfrac{G_s \cdot w}{e}$	$\dfrac{2.66 \times 9.5}{0.54}$ $= 46.80\%$	$\dfrac{2.66 \times 12}{0.49}$ $= 65.14\%$

□□□ 94①, 18①

02 자연함수비 8%인 흙으로 성토하고자 한다. 시방에서는 다짐한 흙의 함수비를 15%로 관리하도록 규정하였을 때, 매 층마다 1m²당 몇 l의 물을 살수해야 하는가? (단, 1층의 다짐두께는 20cm이고 토량환산계수 $C = 0.9$이며 원지반상태에서 흙의 단위중량은 18kN/m³이다.)

계산 과정)　　　　　　　　답 : _____

해답
- 1층의 원지반 상태의 단위체적

$$V = 1 \times 1 \times 0.20 \times \frac{1}{0.90} = \frac{0.20}{0.90} = 0.222\,\text{m}^3$$

- 0.222m³당 흙의 중량

$$W = \gamma_t V = 18 \times \frac{0.20}{0.90} = 4\text{kN}$$

- 8%에 대한 물 무게

$$W_w = \frac{W \cdot w}{100 + w} = \frac{4 \times 8}{100 + 8} = 0.296296\text{kN}$$

- 15%에 대한 살수량

$$0.296296 \times \frac{15 - 8}{8} = 0.259259\text{kN}$$

$$\therefore \text{살수량} = \frac{0.259259}{9.81} = 0.026428\,\text{m}^3 = 26.43l$$

$$(\because 1\text{m}^3 = 1,000l)$$

□□□ 95①, 98①

03 자연함수비가 15%이며 간극비가 0.6이고 비중이 2.7인 토취장의 흙을 사용하여 체적이 38,180m³인 제방을 건설하기 위해 덤프트럭으로 흙을 운반한다. 이때 트럭당 흙의 평균무게는 58,970N이나, 운반된 흙은 제방을 만들기 위해 함수비가 18%될 때까지 살수하며 동시에 건조단위중량이 17.62kN/m³가 되도록 다짐을 한다. 다음 물음에 답하시오.

가. 덤프트럭당 운반된 흙의 평균 체적이 덤프트럭의 용량과 같을 때 제방 완성을 위해 몇 대 분의 흙이 필요한가?

계산 과정)　　　　　　답 :

나. 제방건설에 사용된 모든 흙을 토취장으로부터 가져온다면 제방건설 후 토취장의 줄어든 체적은 얼마인가?

계산 과정)　　　　　　답 :

다. 운반 중 발생되는 물의 손실을 무시한다면 제방건설을 위해 트럭당 소요되는 살수량은 얼마인가?

계산 과정)　　　　　　답 :

라. 만약 제방 완공 후 제방이 포화되었다면(제방의 체적 변화 무시) 그 제방의 포화함수비는 얼마인가?

계산 과정)　　　　　　답 :

마. 만약 제방이 본래 체적보다 15% 팽창된다면 그 제방의 포화함수비는 얼마인가?

계산 과정)　　　　　　답 :

─────────────

해답

■ 토취장 조건

가. • 건조단위중량 $\gamma_d = \dfrac{G_s}{1+e}\gamma_w = \dfrac{2.7}{1+0.6}\times 9.81$
　　　　　　　　　$= 16.55\,\mathrm{kN/m^3}$(토취장)

　• 습윤단위중량 $\gamma_t = \gamma_d(1+w) = 16.55(1+0.15)$
　　　　　　　　　$= 19.03\,\mathrm{kN/m^3}$(토취장)

　• 건조흙무게 $W_s = V\cdot\gamma_d = 38,180\times 17.62$
　　　　　　　　$= 672,731.6\,\mathrm{kN}$

　• 토취장 체적 $V = \dfrac{W_s}{\gamma_d} = \dfrac{672,731.6}{16.55}$
　　　　　　　　　$= 40,648.44\,\mathrm{m^3}$

　• 토취장 흙무게 $W = V\cdot\gamma_t = 40,648.44\times 19.03$
　　　　　　　　　$= 773,539.81\,\mathrm{kN}$

　∴ 소요대수 $N = \dfrac{\text{토취장 흙무게}}{\text{덤프트럭 적재량}} = \dfrac{773,539.81}{58970\times 10^{-3}}$
　　　　　　　$= 13,117.51$　∴ 13,118 대

나. $V = \dfrac{W_s}{\gamma_d} = \dfrac{672,731.6}{16.55} = 40,648.44\,\mathrm{m^3}$

다. • 15%일 때의 물무게
　　$W_{w15} = W - W_s = 773,539.81 - 672,731.6$
　　　　　$= 100,808.21\,\mathrm{kN}$

　• 18%일 때의 물무게($w = \dfrac{W_{w18}}{W_s}$ 에서)

　　$W_{w18} = W_s\,w = 672,731.6\times 0.18 = 121,091.69\,\mathrm{kN}$

　∴ 트럭당 살수량 $= \dfrac{121,091.69 - 100,808.21}{13,118}$

　　　　　　　　　$= 1.5462\,\mathrm{kN}$

　　　　　　　　　$= \dfrac{1.5462}{9.81} = 0.15761\,\mathrm{m^3}$

　　　　　　　　　$= 157.61\,l$

라. $e = \dfrac{G_s}{\gamma_d}\gamma_w - 1 = \dfrac{2.7}{17.62}\times 9.81 - 1 = 0.503$

　∴ 포화함수비 $w = \dfrac{S\cdot e}{G_s} = \dfrac{100\times 0.503}{2.7} = 18.63\%$

마. $\gamma_d = \dfrac{W_s}{V} = \dfrac{672,731.6}{38,180(1+0.15)} = 15.32\,\mathrm{kN/m^3}$

　$e = \dfrac{G_s}{\gamma_d}\gamma_w - 1 = \dfrac{2.7}{15.32}\times 9.81 - 1 = 0.729$

　∴ 포화함수비 $w = \dfrac{S\cdot e}{G_s} = \dfrac{100\times 0.729}{2.7} = 27.0\%$

─────────────

□□□ 92①

04 모래, 실트, 그리고 점토 등과 같은 여러 가지 크기의 흙입자가 혼합된 것을 무엇이라 하는가?

○

─────────────

해답 로옴(Loam)

흙의 투수성

05 보오링공으로 부터의 투수를 나타내기 위한 것으로 $10kg/cm^2$ (1MPa)의 압력으로 보오링공에 송수하였을 때 공장(孔長) 1m에 대하여 매초의 투수량을 리터 수로 표시하고 보통 10분간의 시험 평균치를 취하고 투수 계수의 측정이 곤란할 때에 쓰면 편리한 계수는?

○ _____

_____

해답 류전 계수(Lugeon coefficient)

06 원래 암석의 투수계수를 측정하기 위해 사용되었던 시험으로 굴착 동안이나 굴착이 완료된 후 시추공에서 시행할 수 있는 시험이다. 시험 중인 시추공에 일정한 압력이 가해진 물을 공급해서 투수계수를 측정하는 방법은?

○ _____

_____

해답 팩커시험(packer test)

지반내의 응력

07 다음 그림과 같이 $50kN/m^2$의 외력이 무한대의 지표면에 작용 할 경우 A점에 작용하는 총 연직응력은 얼마인가?

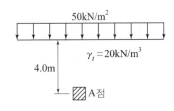

계산 과정) 답 : _____

해답 $\sigma_v = q_s + \gamma_t \cdot z = 50 + 20 \times 4 = 130kN/m^2$

08 다음 그림에서 A의 수평전응력(σ_h)은 얼마인가?
(단, K_o(정지토압계수)는 0.8이다.)

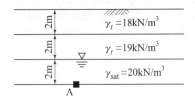

계산 과정) 답 : _____

해답 $\sigma_h = \sigma_v \times K_o$
$= \gamma_t h_1 + \gamma_2 h_2 + (\gamma_{sat} - \gamma_w)h_3 + \gamma_w h_3$
$= [(18 \times 2 + 19 \times 2) + (20 - 9.81) \times 2] \times 0.8 + 9.81 \times 2$
$= 95.12 kN/m^2$

흙의 압축성

09 과압밀점토(OC)의 정지토압계수는 정규압밀토(NC)의 정지토압계수와 다음과 같은 관계가 있다.

$$K_{o(OC)} = K_{o(NC)} \sqrt{OCR}$$

정규압밀점토의 정지토압계수를 0.5라고 하면 응력경로(stress path)의 $p-q$ 다이어그램에서 p축 아래 K_o선이 있기 위해서는 OCR이 얼마 이상이어야 하는가?

계산 과정) 답 : _____

해답 $K' = K_o \sqrt{OCR} = 0.5\sqrt{OCR} > 1$
$\therefore OCR > 4$

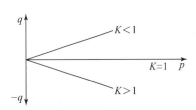

□□□ 93④

10 연약 점토지반에 도로성토를 하는 경우, 공사 완료기간이 120일일 때, 압밀이론에 의한 순간하중으로 보는 경우의 각 일수에 따른 침하량이 표와 같았다. Terzaghi 방법으로부터 점증하중으로 보는 경우 공사시작 시각으로부터 60일, 90일, 120일, 150일 각각의 침하량을 구하시오.

일수(일)	침하량(mm)
30	14
45	24
60	30
75	34
90	37
120	39

계산 과정)　　　　　　　　　답 : _____

해답 • 60일에 대한 침하량 $= \dfrac{60}{120} \times 14 = 7\,\mathrm{mm}$

(∵ $\dfrac{60}{2} = 30$일 때의 침하량 14mm)

• 90일에 대한 침하량 $= \dfrac{90}{120} \times 24 = 18\,\mathrm{mm}$

(∵ $\dfrac{90}{2} = 45$일 때의 침하량 24mm)

• 120일에 대한 침하량 $= \dfrac{120}{120} \times 30 = 30\,\mathrm{mm}$

(∵ $\dfrac{120}{2} = 60$일 때의 침하량 30mm)

• 150일에 대한 침하량 $= \dfrac{120}{2} + (150 - 120) = 90$일에

해당하는 침하량은 37mm

(∵ 120일까지는 순간하중, $(150 - 120)$일은 점증하중)

□□□ 92④, 95①, 96③

11 포화된 연약 점토지반상에서 성토작업을 1년 6개월에 걸쳐 행한다. 성토작업을 점증하중으로 보는 경우, 시공 시작 후 2년 6개월 후의 압밀침하량은 순간하중으로 보는 경우 몇 개월 후의 압밀침하량으로 간주하는가?
(단, Terzaghi의 개념으로부터)

계산 과정)　　　　　　　　　답 : _____

해답

점증하중	
1년 6개월	2년 6개월
순간하중	점증하중
9개월	12개월

∴ $9 + 12 = 21$개월

∴ 순간하중 $= \dfrac{점증하중}{2} = \dfrac{18}{2} = 9$개월

흙의 전단강도

□□□ 95④, 98①

12 교란된 시료의 강도는 불교란 시료에 비해 현저하게 떨어진다. 시간이 지남에 따라 강도의 일부가 회복되는데, 이런 현상을 무엇이라 하는가?

○

해답 틱소트로피(thixotrophy) 현상

□□□ 92③, 95③

13 다음 그림과 같은 $p - q$ Diagram에서 K_f선이 파괴선을 나타낼 때, 이 흙의 내부마찰각을 구하시오.

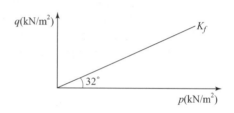

계산 과정)　　　　　　　　　답 : _____

해답 $\sin\phi = \tan\delta$ 에서

∴ 내부마찰각 $\phi = \sin^{-1}(\tan\alpha) = \sin^{-1}(\tan 32°)$

$= 38.67°$

□□□ 96⑤, 99①

14 다음 $p - q$ 다이어그램에서 $\tan\beta = \dfrac{1}{3}$일 때, k_o은 얼마인가?

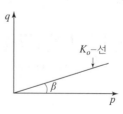

계산 과정)　　　　　　　　　답 : _____

해답 $k_o = \dfrac{1 - \tan\beta}{1 + \tan\beta} = \dfrac{1 - \dfrac{1}{3}}{1 + \dfrac{1}{3}} = 0.5$

□□□ 98①

15 진동이나 충격과 같은 동적외력의 작용으로 모래의 간극비가 감소하여 이로 인하여 간극수압이 상승하여 흙의 전단강도가 급격히 소실되어 현탁액과 같은 상태로 되는 현상은?

○

해답 액상화 현상(liquefaction)

□□□ 92③, 97②

16 간극수압의 상승으로 인하여 유효응력이 감소되고 그 결과 사질토가 외력에 대한 전단저항을 잃게 되는 현상을 무엇이라고 하는가?

○

해답 액상화 현상(liquefaction)

사면의 안정

□□□ 84②

17 그림과 같은 사질토 반무한사면에서의 안전율을 구하시오.

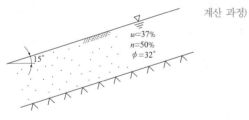

계산 과정)

답 : _____

해답 $F_s = \dfrac{c'}{\gamma_{sat} Z \cos\beta \cdot \sin\beta} + \dfrac{\gamma_{sub}\tan\phi}{\gamma_{sat}\tan\beta}$

- $e = \dfrac{n}{100-n} = \dfrac{50}{100-50} = 1$

- $G_s = \dfrac{Se}{w} = \dfrac{100 \times 1}{37} = 2.70$

- $\gamma_{sat} = \dfrac{G_s + e}{1+e}\gamma_w = \dfrac{2.7+1}{1+1} \times 9.81 = 18.15\,\text{kN/m}^3$

- $\gamma_{sub} = \gamma_{sat} - \gamma_w = 18.15 - 9.81 = 8.34\,\text{kN/m}^3$

$\therefore F_s = 0 + \dfrac{8.34\tan32°}{18.15\tan15°} = 1.07$

(∵ 지하수위와 일치하고, 사질토이므로 점착력 $c=0$이다.)

□□□ 93②

18 사면안정 해석방법인 Bishop의 간편법에서는 어떠한 가정을 하여 사면안정 해석의 내적부정정을 해결하였는가?

○

해답 절편(切片) 양측에 작용하는 연직방향의 합력은 0이라고 가정한다.
즉, $X_1 - X_2 = 0$

□□□ 92③, 99④

19 그림과 같은 조건하에 있는 사면의 복합활출의 안정성을 검토하시오.

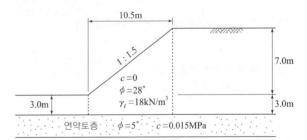

계산 과정)   답 : _____

해답 안전율 $F_s = \dfrac{c \cdot L + W\tan\phi + P_P}{P_a}$

- $P_a = \dfrac{\gamma H^2}{2}\tan^2\left(45° - \dfrac{\phi}{2}\right) = \dfrac{18 \times 10^2}{2}\tan^2\left(45° - \dfrac{28°}{2}\right)$
$= 324.93\,\text{kN/m}$

- $P_p = \dfrac{\gamma H^2}{2}\tan^2\left(45° + \dfrac{\phi}{2}\right) = \dfrac{18 \times 3^2}{2}\tan^2\left(45° + \dfrac{28°}{2}\right)$
$= 224.36\,\text{kN/m}$

- $c = 0.15\,\text{kg/cm}^2 = 0.015\,\text{N/mm}^2 = 0.015\,\text{MPa} = 15\,\text{kN/m}^2$

- $c \cdot L = 15 \times 10.5 = 157.5\,\text{kN/m}$

- $W\tan\phi = \dfrac{3+10}{2} \times 10.5 \times 18\tan5°$
$= 107.48\,\text{kN/m}$

$\therefore F_s = \dfrac{157.5 + 107.48 + 224.36}{324.93} = 1.51$

1.51 > 1.5이므로 안정

20 그림과 같은 조건하의 복합활동에 대하여 물음에 답하시오.
(단, 토압은 Rankine식을 이용하고 단위길이당에 대하여 계산하고 소수 셋째자리에서 반올림한다.)

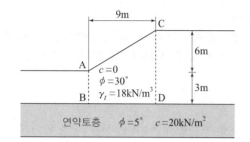

가. CD면에 작용하는 주동토압

계산 과정)   답 :

나. AB면에 작용하는 수동토압

계산 과정)   답 :

다. 점착력에 의한 저면(BD)의 저항력

계산 과정)   답 :

라. ABDCA의 자중에 의한 저면의 마찰저항력

계산 과정)   답 :

마. 활동에 대한 안전율

계산 과정)   답 :

해답 가. $P_a = \dfrac{\gamma H^2}{2}\tan^2\!\left(45° - \dfrac{\phi}{2}\right)$

$\quad = \dfrac{18 \times 9^2}{2}\tan^2\!\left(45° - \dfrac{30°}{2}\right) = 243\,\text{kN/m}$

나. $P_p = \dfrac{\gamma H^2}{2}\tan^2\!\left(45° + \dfrac{\phi}{2}\right)$

$\quad = \dfrac{18 \times 3^2}{2}\tan^2\!\left(45° + \dfrac{30°}{2}\right) = 243\,\text{kN/m}$

다. $c \cdot L = 20 \times 9 = 180\,\text{kN/m}$

$\quad 20\,\text{kN/m}^2 = 0.02\,\text{N/mm}^2 = 0.02\,\text{MPa}$

라. $W\tan\phi = \dfrac{3+9}{2} \times 9 \times 18\tan 5° = 85.04\,\text{kN/m}$

마. $F_s = \dfrac{c \cdot L + W\tan\phi + P_P}{P_a} = \dfrac{180 + 85.04 + 243}{243} = 2.09$

21 흙의 예민비를 간단히 설명하시오.

○

해답 교란되지 않은 공시체의 일축압축강도와 다시 반죽한 공시체의 일축압축강도의 비

· 예민지 $S_t = \dfrac{q_u}{q_{ur}}$

여기서, q_u : 불교란시료의 일축압축강도
q_{ur} : 교란시료의 일축압축강도

22 흙의 애터버그(Atterberg)한계의 3종류를 쓰시오.

①_____   ②_____

③_____

해답 ① 액성한계   ② 소성한계   ③ 수축한계

chapter

4 얕은 기초

√ 체크	출제경향	출제연도
☐☐☐	01 얕은 기초의 근입(根入)깊이 결정 시 고려사항을 3가지 쓰시오.	93①, 04④, 07④
☐☐☐	02 직접기초의 터파기 시공법을 3가지 쓰시오.	14②, 23①
☐☐☐	03 강성이 큰 지하층의 slab와 beam을 흙막이 지보공으로 이용하면서 지상층과의 작업을 병행할 수 있는 흙막이 지보공법은?	94③, 97②, 00②
☐☐☐	04 역타(역권) 공법의 장점을 5가지 쓰시오.	96④, 02①
☐☐☐	05 기존 구조물이 얕은 기초에 인접하고 있어 보강할 필요가 생긴 보강공법은?	89①, 96⑤, 99②
☐☐☐	06 연속기초의 지지력(q_u)을 Terzaghi(테르자기)식으로 구하시오.	91③, 94④, 99⑤, 03④, 08②
☐☐☐	07 Terzaghi의 지지력 공식을 사용하여 이 기초가 받을 수 있는 최대허용하중을 결정하시오.	00④
☐☐☐	08 흙의 단위중량 $\gamma = 1.82t/m^3$이고, 안전율이 3일 때, 기초상의 허용 전하중을 결정하시오.	98⑤, 00④, 10②, 19②
☐☐☐	09 지하수위에 대한 영향이 없을 때 얕은 기초의 극한지지력을 Terzaghi의 방법으로 구하시오.	10①, 20②
☐☐☐	10 기초의 도심에 200t의 하중이 작용하고 지하수위의 영향은 없을 때, 이 기초의 폭 B를 결정하시오.	87③, 89①, 00②, 05②, 07①
☐☐☐	11 50ton의 축하중을 받는 정사각형 기초의 폭 B를 구하시오.	00②, 05②, 16①
☐☐☐	12 극한지지력에 대한 안전율(F_s)이 3일 때 최대로 채울 수 있는 물의 높이는 얼마인가?	98②, 03①, 05②, 11②, 14①, 18②
☐☐☐	13 부착력은 0.9배이며 지하수위는 지표면과 일치한다. 극한지지력을 구하시오.	96③, 98②, 00③, 02④, 18③
☐☐☐	14 지반의 극한지지력을 Meyerhof 공식을 이용하여 구하시오.	98①
☐☐☐	15 말뚝기초의 축방향 허용지지력 감소요인을 4가지 쓰시오.	08②
☐☐☐	16 점성토지반의 평균 비배수강도를 $3t/m^2$라 할 때 지지력에 대한 안전율은 얼마인가?	88③, 97④, 00⑤
☐☐☐	17 점성토지반의 평균 비배수강도가 $2.5t/m^2$일 때, 쌓을 수 있는 높이를 결정하시오.	00④, 01④
☐☐☐	18 Terzaghi 공식을 이용하여 전허용하중(Q_{all})과 순허용하중($Q_{all(net)}$)을 각각 구하시오.	95④, 99③, 05③
☐☐☐	19 지지력 파괴에 대한 안전율을 Meyerhof 방법으로 구하시오.	92②, 96④, 98②, 02②
☐☐☐	20 하중 작용점 기초 모서리에서의 탄성침하가 16mm이었다. 이 기초의 침하각도를 구하시오.	93③, 97③, 12①

✔ 체크	출제경향	출제연도
☐☐☐	21 지하수위가 지표면에서 7m 깊이에 있을 때의 극한지지력을 Terzaghi 공식으로 구하시오.	98④, 05①, 11④, 18①, 21①, 23②
☐☐☐	22 지하수위가 지표면에서 1m, 3m, 5m 깊이에 있을 때의 극한지지력을 각각 구하시오.	98④, 05①, 10④, 13④, 21③
☐☐☐	23 연속기초의 극한지지력을 테르자기(Terzaghi)식을 이용하여 ①, ②의 경우에 대해 각각 구하시오.	04②, 21②
☐☐☐	24 연직하중과 모멘트를 받는 구형기초의 극한하중과 안전율을 Terzaghi 공식을 이용하여 구하시오.	94④, 99④, 00⑤, 06④, 15①④, 18③, 22①③
☐☐☐	25 정방형 기초의 경우 Terzaghi의 지지력 공식을 이용하여 허용지지력과 순허용지지력을 구하시오.	03①, 07②
☐☐☐	26 복합 footing에 있어서 기초지반의 허용지내력이 2t/m²일 때, L 및 B를 구하시오.	92④, 99③, 01①, 08①
☐☐☐	27 직사각형 복합확대기초의 크기(B, L)를 구하시오.	09①, 12④
☐☐☐	28 사다리꼴 복합확대기초의 크기(B_1, B_2)를 구하시오.	98⑤, 01②, 11①, 15②, 23②
☐☐☐	29 얕은 기초의 대표적인 파괴형태를 3가지 쓰시오.	07②, 11④
☐☐☐	30 완전보상기초(fully compensated foundation)의 깊이를 구하시오.	93④, 95⑤
☐☐☐	31 부분보상기초(partially compensated foundation)의 지지력파괴에 대한 안전율을 구하시오.	93①, 96④, 08②, 13④
☐☐☐	32 전면기초 해석 시 지반을 무한개의 탄성스프링으로 대치하여 이 스프링 이외의 영향은 받지 않는다고 가정하는 해법은?	92③
☐☐☐	33 토압이 직선적으로 분포하고 토압의 중심이 기둥하중의 합력의 작용선과 일치한다고 가정하는 설계법은?	96③
☐☐☐	34 전면기초를 시공할 때의 가장 나쁜 점을 1가지만 쓰시오.	94②
☐☐☐	35 무근콘크리트 기초에 집중하중 100t이 중심에 작용할 때 footing의 두께는?	92③
☐☐☐	36 직사각형 복합확대기초의 폭 B를 구하시오.	96①, 98④, 12④, 16①
☐☐☐	37 기초지반의 허용지내력 1t/m²일 때, L 및 B를 결정하시오.	84①, 85③, 87②

04 얕은 기초

---

01 기초공

1 기초의 구분

상부구조에서 오는 하중을 지반에 전하는 부분을 총칭하여 기초(foundation)라 하며 기초는 직접기초(direct foundation)와 깊은 기초(deep foundation)로 대별된다.

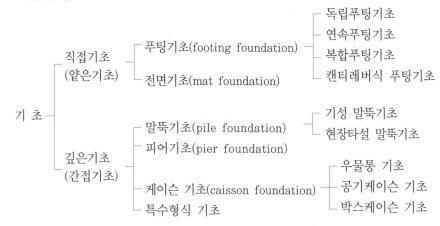

기초
- 직접기초 (얕은기초)
  - 푸팅기초(footing foundation)
    - 독립푸팅기초
    - 연속푸팅기초
    - 복합푸팅기초
    - 캔티레버식 푸팅기초
  - 전면기초(mat foundation)
- 깊은기초 (간접기초)
  - 말뚝기초(pile foundation)
    - 기성 말뚝기초
    - 현장타설 말뚝기초
  - 피어기초(pier foundation)
  - 케이슨 기초(caisson foundation)
    - 우물통 기초
    - 공기케이슨 기초
    - 박스케이슨 기초
  - 특수형식 기초

(1) 얕은기초 Direct Foundation

기초판과 지지 지반 사이에 중개물을 설치하는 형식과 기초 B와 기초 깊이 D_f와 비 $\dfrac{D_f}{B} \leq 1$인 경우

▶ 얕은 기초의 종류

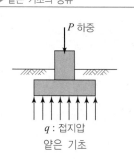

P 하중

q : 접지압
얕은 기초

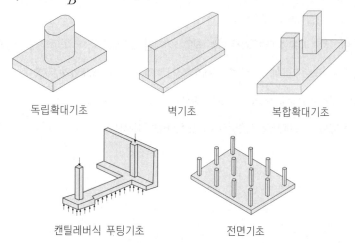

독립확대기초   벽기초   복합확대기초

캔틸레버식 푸팅기초   전면기초

① 독립푸팅기초 : 상부구조의 전하중을 단일기둥으로 지지하는 형식
② 연속푸팅기초 : 일련의 기둥 또는 벽에서의 하중을 띠 모양의 기초판으로 지지하는 형식
③ 복합푸팅기초 : 상부구조의 전하중을 2개 이상의 기둥으로 지지하는 형식
④ 캔틸레버식 푸팅기초 : 2개의 기초를 strap으로 연결시킨 기초형식
⑤ 전면기초 : 푸팅기초의 전면적이 커져서 그 합계가 건축면적의 2/3를 초과하는 경우, 전체의 기둥하중을 단일 기초판으로 지지하는 형식
 • 사일로나 굴뚝의 기초에 사용한다.
 • 굴착하여 버린 무게만큼 구조물 무게가 가벼워진다.
 • 절대 침하량이 커지는 단점이 있다.

(2) **깊은기초** Deep Foundation

기초판과 지지 지반 사이에 중개물을 설치하는 형식과 기초 B와 기초 깊이 D_f와의 비 $\dfrac{D_f}{B} > 1$인 경우

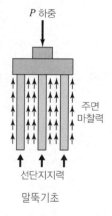

P 하중

주면 마찰력

선단지지력

말뚝기초

① 말뚝기초
   말뚝에 의하여 구조물을 지지하는 기초, 튼튼한 지반이 대단히 깊이 있어서 굳은 지층에 직접기초 구축이 불가능할 때 쓰이는 기초
② 피어기초(Pier Foundation)
   구조물의 하중을 충분한 지지력을 얻을 수 있는 지반에 전달하기 위하여 수직공을 굴착하여 그 속에 현장 콘크리트를 타설하여 만들어진 주상(柱狀)의 기초
③ 케이슨 기초(caisson foundation)
   바닥이 없는 지하구조물을 지상에서 건조한 케이슨을 필요로 하는 곳까지 운송한 다음 자중이나 적재하중에 의하여 소정의 위치까지 침하시킨 후에 모래, 자갈 또는 빈배합으로 채움하는 기초

(3) **기초형식의 선정기준**

기초형식	선정기준
직접기초	① 지지층이 얕은 심도로 분포하는 경우 ② 경제성 및 시공성을 고려하여 얕은 기초가 유리한 경우 ③ 인접구조물, 지하매설물, 침투유량 등 직접기초 시공이 문제가 없는 경우
깊은기초	① 지지층이 깊은 심도에 분포하는 경우 ② 직접기초와 비교하여 깊은기초가 경제적인 경우 ③ 인접구조물, 지하매설물, 침투유량 등 직접기초 시공이 어려운 경우

⑷ **기초의 비교**

기초형식	얕은 기초	깊은 기초
단면도		
$\dfrac{D_f}{B}$	$\dfrac{D_f}{B} \leq 1$	$\dfrac{D_f}{B} > 1$
장단점	• 공사비가 저렴 • 품질유지가 양호 • 기초지반의 육안확인이 가능 • 넓은 부지 필요	• 다양한 기초공법을 적용 • 지지층 심도가 깊은 경우에 적합 • 공사비가 상대적으로 고가 • 항타 시 소음과 진동을 유발
시공방법	■ 푸팅기초(footing foundation) • 독립푸팅기초 • 연속푸팅기초 • 복합푸팅기초 • 캔틸레버식 푸팅기초 ■ 전면기초	■ 말뚝기초 • 기성 말뚝기초 • 현장타설 말뚝기초 ■ 피어기초 ■ 케이슨 기초 • 우물통 기초 • 공기케이슨 기초 • 박스케이슨 기초 ■ 특수형식 기초
적용범위	① 지반을 굴착하여 양질의 지반상에 확대기초를 설치하고 상부하중을 기초지반에 전달하는 강체기초 ② 얕은 심도에 양호한 지반이 분포할 때 적용 가능	① 말뚝시공 후 말뚝 두부에서 확대기초를 타설하며, 탄성체 기초임. ② 연직력은 말뚝선단 및 주면마찰력으로 지지, 수평력은 휨저항과 주변지반으로 저항
환경조건	① 기초지반 교란방지대책 필요 ② 시공 시 진동, 소음이 비교적 적음.	① 점유면적이 직접기초보다 적음. ② 항타 시 진동, 소음이 큼.

2 기초 일반

(1) 기초의 필요조건

구조물 안전을 위한 기초의 형식을 선정하고자 할 때, 기초가 구비해야 할 조건은 다음과 같다.

① 최소의 근입깊이를 가질 것
② 안전하게 하중을 지지할 수 있을 것
③ 침하가 허용치를 넘지 않을 것
④ 경제적인 시공이 가능할 것
⑤ 기초공의 시공이 가능할 것

기억해요
• 직접기초의 구비조건을 4가지 쓰시오.
• 기초가 구비해야 할 조건 3가지를 쓰시오.

(2) 기초공의 선정

① 구조물의 기능 : 상부구조물과의 상대적인 연성에 대해 고려
② 구조물의 하중
③ 지반상태 : 토질의 종류, 지하수위, 지층구조, 토질특성
④ 시공조건 : 시공위치, 기초공의 단면적

(3) 기초설계 시에 고려하여야 할 하중

① 구조물의 사하중과 활하중
② 횡방향하중(토압, 풍하중)
③ 기초면 상부의 유효하중
④ 진동하중

(4) 직접기초의 근입깊이 결정 시 고려사항

① 동결 이하로 한다.
② 풍화의 영향을 고려하여 1.2m 이하로 한다.
③ 경사지 푸팅은 60~100cm 떨어지게 한다.
④ 푸팅의 고저차는 지반의 응력이 중복되지 않게 한다.

| 기초공 |

01 핵심 기출문제

01 기초가 구비하여야 할 구조상의 요구조건 4가지를 쓰시오.

① _____ ② _____ ③ _____ ④ _____

해답 ① 최소의 근입깊이를 가질 것
② 안전하게 하중을 지지할 것
③ 침하가 허용치를 넘지 않을 것
④ 기초공의 시공이 가능할 것

02 기초는 직접기초(Direct Foundation)와 깊은 기초(Deep Foundation)로 대별된다. 직접기초의 구비조건을 4가지만 쓰시오.

① _____ ② _____ ③ _____ ④ _____

해답 ① 최소의 근입깊이를 가질 것
② 안전하게 하중을 지지할 수 있을 것
③ 침하가 허용치를 넘지 않을 것
④ 경제적인 시공이 가능할 것

03 구조물 안전을 위한 기초의 형식을 선정하고자 할 때, 기초가 구비해야 할 조건을 아래의 예시와 같이 3가지만 쓰시오.

> 경제적인 시공이 가능할 것

① _____ ② _____ ③ _____

해답 ① 최소의 근입깊이를 가질 것
② 안전하게 하중을 지지할 수 있을 것
③ 침하가 허용치를 넘지 않을 것
④ 기초공의 시공이 가능할 것

02 얕은(직접) 기초

1 직접기초의 일반사항

(1) 직접 기초의 일반사항

① 침하량이 구조물의 허용침하 이내이어야 한다.
② 구조물을 포함하는 지반 전체가 안정되어야 한다.
③ 구조물 하중에 대해 지반의 지지력이 충분해야 한다.
④ 구조물에 의한 수평하중을 지반으로 전달할 수 있어야 한다.

(2) 직접 기초 근입깊이 결정 시 고려사항

고려사항	고려내용
세굴 및 지반면의 저하	• 유수에 의한 세굴로 지반면 저하 • 세굴심도 이하로 기초계획고 조정
지지력 및 침하	• 허용지지력이 작용하중을 만족하도록 계획 • 침하량이 허용침하량을 만족하도록 계획
동결 및 융해의 영향	• 동결 융해, 건습의 반복 등 계절적 변화로 인한 지반성상 변화 • 동결깊이 이하로 기초계획고 조정
시공에 의한 지반 이완 및 연약화	• 시공 및 건설장비에 의한 지반의 흐트러짐, 지하수위 상승으로 인한 지반의 연약화 • 지하수 영향 및 지반의 연약화 방지를 위한 기초 시공법 결정

기억해요
얕은 기초의 근이깊이 결정 시 고려사항을 3가지 쓰시오.

2 직접기초의 터파기 시공법

직접기초의 굴착은 자연상태, 지하수위, 지하매설물과 기초주변의 상황을 충분히 조사하여 경제적이고 안전한 굴착공법을 선정해야 한다.

기억해요
직접기초의 터파기 시공법을 3가지 쓰시오.

(1) 개착공법 Open cut method

양호한 토질이며 부지에 여유가 있고, 또 흙막이가 필요한 때에는 나무 널말뚝, 강널말뚝 등을 사용하는 경우에 가장 적당한 공법

(2) 아일랜드공법 Island method

직접 기초굴착 시 저면중앙부에 섬과 같이 기초부를 먼저 구축하여 이것을 발판으로 주면부를 시공하는 방법

(3) 역권공법

구조물의 기초를 그대로 지보공으로 이용하는 공법으로 흙막이용 지보공을 가설물로 사용하지 않고 지하구조물의 기둥, 벽 등에 이용하는 공법

(4) 트랜치컷공법 Trench cut method

먼저 주변부를 굴착, 축조하고 후에 중앙부를 굴착·시공하는 것으로 중앙부의 토질이 연약할 때 주변부를 먼저 시공해 두면 흙의 붕괴를 막고 안전하게 시공할 수 있는 공법

(5) 역타공법 top down method

굴착공사와 병행하여 지하 영구구조물 자체를 지표면에서 가까운 부분부터 역순으로 시공하여 강성이 큰 지하층의 slab와 beam을 흙막이 지보공으로 이용하면서 지상층과의 작업을 병행할 수 있는 흙막이 지보공법이다.

■ **역타공법의 장점**
① 바닥 슬래브 자체가 버팀이 되어 영구적이다.
② 지하 주벽을 먼저 시공하므로 지하수 차단이 쉽다.
③ 지하층 슬래브를 치기 위한 거푸집이 필요하지 않다.
④ 지하와 지상층을 동시에 시공하므로 공기가 단축된다.
⑤ 강성이 높은 흙막이가 되어 동바리공이 필요하지 않다.

■ **역타공법의 단점**
① 소형의 고성능 장비가 필요하다.
② 설계변경이 곤란하다.
③ 정밀한 시공계획수립이 필요하다.
④ 환기, 전기 설비가 필요하다.
⑤ 공사비가 상승한다.

3 언더피닝 공법 Under pinning method

(1) 정의

기존 구조물이 얕은 기초에 인접하고 있어 새로이 깊은 별도의 기초를 축조할 때 구 기초를 보강할 필요가 있는 보강공법

(2) 언더피닝 공법이 적용되는 경우

① 지상구조물을 이동시키는 경우
② 현재 기초로는 지지력이 부족한 경우
③ 현재 구조물 인접한 곳에 심층 굴착할 경우
④ 현재 구조물 직하에 새로운 구조물을 신설할 경우

기억해요
역타공법의 장점을 5가지 쓰시오.

기억해요
언더피닝 공법이 적용되는 경우 3가지를 쓰시오.

(3) 언더피닝 공법의 종류

분류방법	공법	
상수면 위에서 공사가 가능한 공법	• 이중널말뚝공법 • 피트 및 웰 공법	• 차단벽공법
말뚝시공에 의한 공법	• 현장타설 콘크리트말뚝공법 • Caisson 공법	• 강재말뚝공법
지반안정액에 의한 공법	• Well point 이중치기공법 • 전기화학고결공법	• 약액주입공법

4 얕은(직접) 기초의 지지력

지반의 극한지지력은 전단파괴에 대한 지반의 최대하중 지지능력을 말하며, 토질의 점착력과 내부마찰각, 기초의 크기와 형상, 그리고 기초의 근입깊이 등의 요인에 따라 크기가 결정된다.

(1) 극한지지력 산정법

① Terzaghi의 극한지지력 공식

$$q_u = \alpha c N_c + \beta \gamma_1 B N_r + \gamma_2 D_f N_q$$

기억해요
연속기초의 지지력을 Terzaghi식으로 구하시오.

여기서, α, β : 기초의 형상계수

c : 점착력

N_c, N_r, N_q : 지지력계수

γ_1 : 근입심 부위의 흙의 단위중량

γ_2 : 기초밑면의 흙의 단위중량

B : 기초의 폭

D_f : 기초의 근입깊이

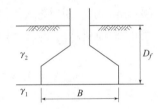

■ Terzaghi의 수정공식에서 형상계수

구분	연속	정사각형	원형	직사각형
α	1.0	1.3	1.3	$1 + 0.3\dfrac{B}{L}$
β	0.5	0.4	0.3	$0.5 - 0.1\dfrac{B}{L}$

B : 장방형의 단변길이 L : 장방형의 장변길이

② **Meyerhof의 극한지지력**

$$q_u = 3NB\left(1 + \frac{D_f}{B}\right)$$

여기서, N : 표준관입시험치
B : 푸팅의 폭
D_f : 기초의 근입깊이

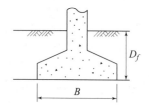

(2) 허용지지력

$$q_a = \frac{Q_a}{A} = \frac{q_u}{F_s}$$

여기서, Q_a : 총허용하중
A : 기초의 크기
q_u : 극한지지력
F_s : 안전율

(3) 총허용하중

$$Q_a = q_a \cdot A$$

(4) Skempton에 의한 지지력

Skempton은 지지력 공식에 대해 검토한 결과 비배수상태($\phi_u = 0$)인 포화점토에 대해서는 다음 지지력 공식을 사용한다.

$$q_u = c_u N_c + \gamma D_f \qquad F_s = \frac{q_u}{q_a}$$

여기서, c_u : 평균 비배수강도
q_a : 허용지지력
F_s : 안전율

(5) 순극한 지지력 net ultimate bearing capacity

기초면 주위에 있는 흙에 생기게 되는 압력을 제외한 것으로서 기초면 아래에 있는 흙에 의해 지지될 수 있는 단위면적당 극한지지력을 순극한지지력이라 한다.

① 허용지지력 $q_a = \dfrac{q_u}{F_s}$

② 전허용하중 $Q_{all} = q_a \cdot A$

③ 순극한지지력 $q_{u(net)} = q_u - q$

순극한지지력

④ 순허용지지력 $q_{all(net)} = \dfrac{q_u - q}{F_s}$

⑤ 순허용하중 $Q_{all(net)} = q_{all(net)} \cdot A$

　　여기서, q_u : 극한지지력, $q = \gamma \cdot D_f$

5 편심하중을 받는 기초

연직하중(Q)과 모멘트(M)를 같이 받는 경우 흙이 기초에서 받는 압력분포는 일정하지 않다.

편심하중을 받는 기초 ◀

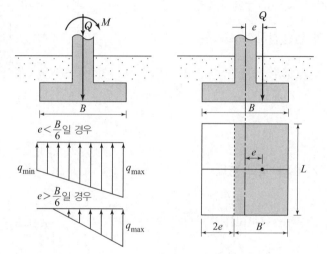

(1) $e = \dfrac{M}{Q}$ 일 때 압축응력

① $e \leq \dfrac{B}{6}$ 일 때

$$q_{\max} = \frac{Q}{A}\left(1 + \frac{6e}{B}\right), \quad q_{\min} = \frac{Q}{A}\left(1 - \frac{6e}{B}\right)$$

② $e = \dfrac{B}{6}$ 일 때 : $q_{\min} = 0$

③ $e > \dfrac{B}{6}$ 일 때 : $q_{\max} = \dfrac{Q}{A}\left(\dfrac{4B}{3B - 6e}\right) = \dfrac{4Q}{3L(B - 2e)}$

　　$q_{\min}$ 은 ($-$)가 되며, 인장력이 생겨 흙이 견디지 못하여 기초 분리가 생긴다.

기억해요
최대압축응력을 계산하시오.

(2) 기초와 유효단면적

① 편심이 길이(L) 방향에 작용하는 경우

- 유효폭 $B' = B$
- 유효길이 $L' = L - 2e$
- 유효폭은 B'와 L' 중 작은 값(L')

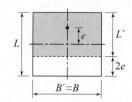

② 편심이 폭(B) 방향에 작용하는 경우
- 유효폭 $B' = B - 2e$
- 유효길이 $L' = L$
- 유효폭은 B'와 L' 중 작은 값(B')

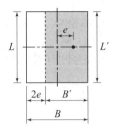

(3) **기초가 부담하는 전극한하중** Meyerhof식

① 전극한하중 $Q_{all} = q_u' \cdot B \cdot L$

② 안전율 $F_s = \dfrac{Q_{all}}{Q}$

여기서, q_u' : 극한지지력

(4) **기초의 탄성침하** parkash 방법

$$침하각도 \ t = \sin^{-1}\left(\dfrac{S_1 - S_2}{\dfrac{B}{2} - e}\right)$$

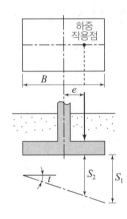

6 얕은 기초의 파괴형태

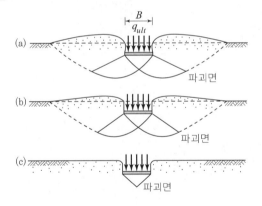

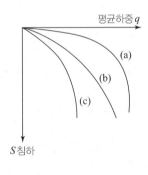

(1) **전반전단파괴** general shear failure

조밀한 모래나 굳은 점토지반과 같이 비교적 단단한 지반에서 발생한다. (a)

(2) **국부전단파괴** local shear failure

느슨하거나 중간 정도 다짐상태의 모래지반이나 점성토에서 주로 발생한다. 이때의 압력을 극한지지력이라고 한다. (b)

(3) 관입전단파괴 punching shear failure

매우 느슨한 사질토나 매우 연약한 점토지반에서 발생되는 것으로 기초에 인접해 있는 지반에서 부풀어 오르는 현상이 나타나지 않고 파괴되는 것 (c)

7 지하수위의 영향

지지력 공식에 사용되는 흙의 단위중량(γ)은 유효단위중량이므로 기초부근에 지하수위가 존재한다면 지지력에 크게 영향을 미친다.

$$q_u = \alpha\, c N_c + \beta \gamma_1 B N_r + \gamma_2 D_f N_q$$

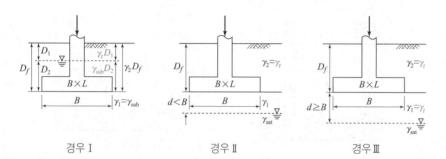

경우 I   경우 II   경우 III

구분	I 의 경우	II 의 경우	III 의 경우
위치	$0 \leq D_1 \leq D_f$	$0 < d < B$	$d \geq B$
둘째항	$\gamma_1 = \gamma_{sat} - \gamma_w = \gamma_{sub}$	$\gamma_1 = \gamma_{sub} + \dfrac{d}{B}(\gamma_t - \gamma_{sub})$	γ_1 (원래와 동일)
셋째항	$\gamma_2 D_f = \gamma_t D_1 + \gamma_{sub} D_2$	$\gamma_2 = \gamma_t$	γ_2 (원래와 동일)

기억해요
지하수위가 지표면에서 길이에 따라 있을 때 극한지지력을 구하시오.

(1) $0 \leq D_1 \leq D_f$ 인 경우

지하수위가 기초의 근입깊이 D_f 사이에 있을 때

① $\gamma_1 = \gamma_{sat} - \gamma_w = \gamma_{sub}$

② $\gamma_2 D_f = \gamma_t D_1 + \gamma_{sub} \cdot D_2$

$\therefore\ q_u = \alpha c N_c + \beta \gamma_{sub} B N_r + (\gamma_t D_1 + \gamma_{sub} D_2) N_q$

(2) $0 < d < B$ 인 경우

지하수위가 기초의 근입깊이 D_f 이하에 있을 때

① $\gamma_1 = \gamma_{sub} + \dfrac{d}{B}(\gamma_t - \gamma_{sub})$

② $\gamma_2 = \gamma_t$

$\therefore\ q_u = \alpha c N_c + \beta \left\{ \gamma_{sub} + \dfrac{d}{B}(\gamma_t - \gamma_{sub}) \right\} B N_r + \gamma_t D_f N_q$

(3) $d \geq B$인 경우

지하수위의 위치가 $d \geq B$인 경우는 지지력 공식에 영향이 없다.

$\therefore \; q_u = \alpha c N_c + \beta \gamma_1 B N_r + \gamma_2 D_f N_q$

8 복합푸팅기초

두 개 이상의 기둥을 하나의 푸팅으로 받치는 기초구조를 복합푸팅기초라 한다.

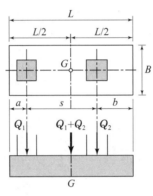

장방형 복합푸팅

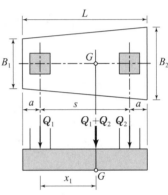

사다리꼴 복합푸팅

(1) 장방형 복합푸팅

$$L = 2a + \frac{2Q_2 \cdot s}{Q_1 + Q_2}$$

$$B = \frac{Q_1 + Q_2}{q_a \cdot L}$$

여기서, q_a : 지반의 허용지지력

(2) 사다리꼴 복합푸팅

① 하중중심이 푸팅의 도심과 일치

$$\frac{Q_1 \cdot s}{Q_1 + Q_2} = \frac{L}{3} \cdot \frac{2B_1 + B_2}{B_1 + B_2} - a$$

② 허용지지력으로부터

$$\frac{B_1 + B_2}{2} \cdot L = \frac{Q_1 + Q_2}{q_a}$$

기억해요
장방형 복합푸팅기초의 L, B를 구하시오.

$y_a = \frac{L}{3} \frac{2B_1 + B_2}{B_1 + B_2}$

(3) **연속푸팅기초**

연속푸팅기초는 벽 아래를 따라 또는 일연의 기둥을 묶어 띠 모양으로 설치하는 푸팅에 의해 상부구조로 부터의 하중을 지반에 전달하는 형식의 기초

$$\sigma = \frac{P}{A} \leq q_a$$

여기서, σ : 접지압

$\quad\quad P$: 기둥의 연직하중

$\quad\quad A$: 푸팅의 저면적

$\quad\quad q_a$: 지반의 허용지지력

9 전면기초 Mat foundation

전면기초는 여러 개의 기둥과 벽을 지지하는 구조물 아래의 전면적을 차지하는 복합기초이다.

(1) 전면기초의 설계방법

전면기초의 설계는 재래식 강성법(conventional rigid method)과 근사적인 연성법(approximate flexible method)의 두 가지 방법이 있다.

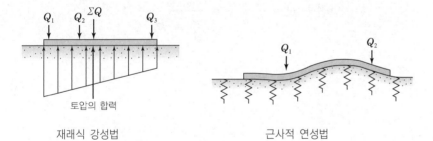

재래식 강성법   근사적 연성법

① 재래식 강성법 : 전면기초는 완전 강체라고 가정하며, 토압은 직선분포이며 토압의 중심은 기둥의 전하중의 작용선과 일치한다고 가정한 방법이다.

② 근사적인 연성법 : 흙이 지반을 무한개의 스프링으로 대치하며 이 스프링 이외의 영향은 받지 않는다고 가정하는 방법이다. 이 스프링의 탄성정수는 흙의 지반 반력계수와 같으며 인장과 압축에 저항한다고 가정하고 있다. 이것을 Winkler 기초라 한다.

(2) 보상기초

기초의 근입깊이 D_f를 증가시켜 흙에 작용하는 순압력을 감소시켜 전면기초의 침하를 줄인다.

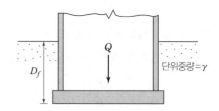

① 완전보상기초(fully compensated foundation)

전면기초 밑에 있는 흙에 응력이 전혀 생기지 않는 기초($q=0$)

$$q = \frac{Q}{A} - \gamma D_f = 0 \text{에서} \qquad \therefore D_f = \frac{Q}{A\gamma}$$

여기서, Q : 구조물의 사하중 + 활하중

　　　A : 전면기초의 단면적

　　　γ : 흙의 단위중량

　　　D_f : 근입깊이

② 부분보상기초(partially compensated foundation) : ($q > 0$)

$$q = \frac{Q}{A} - \gamma D_f$$

$$\text{안전율 } F_s = \frac{q_{u(net)}}{q} = \frac{q_{u(net)}}{\dfrac{Q}{A} - \gamma D_f}$$

| 얕은(직접) 기초 |

02 핵심 기출문제

93①, 04④, 07④

01 얕은 기초의 근입(根入)깊이 결정 시 고려사항을 3가지만 쓰시오.

① _____ ② _____ ③ _____

득점	배점
	3

[해답] ① 세굴 및 지반면의 저하
② 지지력 및 침하
③ 동결 및 융해의 영향
④ 시공에 의한 지반 이완 및 연약화

14②

02 직접기초의 터파기 시공법을 3가지만 쓰시오.

① _____ ② _____ ③ _____

득점	배점
	3

[해답] ① Open cut 공법
② Island 공법
③ Trench cut 공법
④ 역권공법
⑤ 역타공법

98⑤, 10②, 17④

03 3m×3m 크기인 정사각형 기초를 마찰각 $\phi=20°$, $c=30\text{kN/m}^2$인 지반에 설치하였다. 흙의 단위중량 $\gamma=19\text{kN/m}^3$이고 안전율(F_s)이 3일 때, 기초의 허용하중을 구하시오.
(단, 기초의 깊이는 1m이고, 전반전단파괴가 일어난다고 가정하고, Terzaghi 공식을 사용하고, $\phi=20°$일 때 $N_c=18$, $N_r=5$, $N_q=7.5$)

득점	배점
	3

계산 과정) 답 : _____

[해답] $q_a = \dfrac{Q_a}{A} = \dfrac{q_u}{F_s}$, $q_u = \alpha\,c\,N_c + \beta\gamma_1 B N_r + \gamma_2 D_f N_q$

• $\alpha=1.3$, $\beta=0.4$

• $q_u = 1.3\times30\times18 + 0.4\times19\times3\times5 + 19\times1\times7.5$
$\quad = 958.5\text{kN/m}^2$

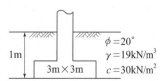

• $q_a = \dfrac{958.5}{3} = 319.5\text{kN/m}^2$

∴ 허용하중 $Q_a = q_a \cdot A = 319.5\times3\times3 = 2,875.5\text{kN}$

□□□ 96④, 02①

04 역타(역권)공법의 장점을 5가지만 쓰시오.

득점 배점
3

① _____ ② _____ ③ _____

④ _____ ⑤ _____

해답 ① 바닥 슬래브 자체가 버팀이 되어 영구적이다.
② 지하 주벽을 먼저 시공하므로 지하수 차단이 쉽다.
③ 지하층 슬래브를 치기 위한 거푸집이 필요하지 않다.
④ 지하와 지상층을 동시에 시공하므로 공기가 단축된다.
⑤ 강성이 높은 흙막이가 되어 동바리공이 필요하지 않다.

□□□ 00④

05 그림과 같이 근입깊이 1.5m를 갖는 1.2m×1.2m의 정사각형 기초가 시공되었다. 안전율이 3일 때, Terzaghi의 지지력 공식을 사용하여 이 기초가 받을 수 있는 최대허용하중은 얼마인가? (단, 형상계수는 각각 $\alpha=1.3$, $\beta=0.4$이며, 지지력계수는 $N_q=18.4$, $N_c=30.14$, $N_r=22.4$이다.)

득점 배점
3

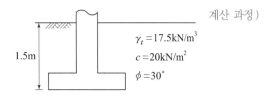

$\gamma_t=17.5\text{kN/m}^3$
$c=20\text{kN/m}^2$
$\phi=30°$

계산 과정)

답 : _____

해답 $q_a=\dfrac{Q_{\max}}{A}$

$\alpha=1.3$, $\beta=0.4$

• $q_u=\alpha c N_c+\beta B\gamma_1 N_r+\gamma_2 D_f N_q$

    $=1.3\times20\times30.14+0.4\times1.2\times17.5\times22.4+17.5\times1.5\times18.4$

    $=1,454.8\text{kN/m}^2$

• $q_a=\dfrac{q_u}{F_s}=\dfrac{1,454.8}{3}=484.93\text{kN/m}^2$

• $q_a=\dfrac{Q_{\max}}{A}$ 에서

  ∴ $Q_{\max}=q_a\cdot A=484.93\times1.2\times1.2=698.30\text{kN}$

□□□ 94③, 97②, 00②, 20③

06 굴착공사와 병행하여 지하 영구구조물 자체를 지표면에서 가까운 부분부터 역순으로 시공하여 강성이 큰 지하층의 slab와 beam을 흙막이 지보공으로 이용하면서 지상층과의 작업을 병행할 수 있는 흙막이 지보공법은?

○ _____

해답 역타공법(Top-Down method)

□□□ 89①, 96⑤, 99②

07 기존 구조물이 얕은 기초에 인접하고 있어 새로이 깊은 별도의 기초를 축조할 때 구 기초를 보강할 필요가 생긴다. 이 보강공법은?

○ _____

해답 언더피닝 공법(under pinning method)

□□□ 예상문제

08 언더피닝(Under pinning) 공법이 적용되는 경우를 3가지 쓰시오.

① _____ ② _____ ③ _____

해답 ① 지상구조물을 이동시키는 경우
② 현재 기초로는 지지력이 부족한 경우
③ 현재 구조물 인접한 곳에 심층 굴착할 경우
④ 현재 구조물 직하에 새로운 구조물을 신설할 경우

□□□ 91③, 94④, 99⑤, 03④, 08②, 20②

09 그림과 같은 연속기초의 지지력(q_u)을 Terzaghi(테르자기)식으로 구하시오.
(단, 점착력 $c = 10\text{kN/m}^2$, 내부마찰각 $\phi = 15°$, $N_c = 6.5$, $N_r = 1.2$, $N_q = 2.7$이다.)

계산 과정)

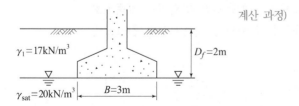

답 : _____

! 주의점
$c = 0.1\text{kg/cm}^2$
$= 0.01\text{N/mm}^2$
$= 0.01\text{MPa}$
$= 10\text{kN/m}^2$

*연속기초
$\alpha = 1$, $\beta = 0.5$
*물의 단위중량
$\gamma_w = 9.80\text{kN/m}^3$
$= 9.81\text{kN/m}^3$

해답 $q_u = \alpha c N_c + \beta \gamma_1 B N_r + \gamma_2 D_f N_q$
$= 1 \times 10 \times 6.5 + 0.5 \times (20 - 9.81) \times 3 \times 1.2 + 17 \times 2 \times 2.7$
$= 175.14\text{kN/m}^2$

□□□ 96④, 02①

10 1.5m×1.5m의 크기인 정방형 기초가 마찰각 $\phi=20°$, $c=15.5\text{kN/m}^2$인 지반에 위치해 있다. 흙의 단위중량 $\gamma=18.2\text{kN/m}^3$이고, 안전율이 3일 때, 기초상의 허용 전하중을 결정하시오. (단, 기초깊이는 1m이고, 전반전단파괴가 일어난다고 가정하고, $N_c=17.7$, $N_q=7.4$, $N_r=5$이다.)

계산 과정) 　　　　　　　　　　　　　　　　답 : _____

해답 허용 전하중 $Q_a = q_a \times A$

• 극한 지지력 $q_u = \alpha c N_c + \beta \gamma_1 B N_r + \gamma_2 D_f N_q$

$$= 1.3 \times 15.5 \times 17.7 + 0.4 \times 18.2 \times 1.5 \times 5 + 18.2 \times 1 \times 7.4$$

$$= 545.94 \text{kN/m}^2$$

• 허용 지지력 $q_a = \dfrac{q_u}{F_s} = \dfrac{545.94}{3} = 181.98 \text{kN/m}^2$

$$\therefore Q_a = 181.98 \times 1.5 \times 1.5 = 409.46 \text{kN}$$

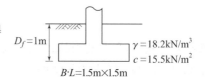

□□□ 10①, 18②

11 1.5m×1.5m의 정사각형 독립확대기초가 $c=10\text{kN/m}^2$, $\gamma=19\text{kN/m}^3$인 지반에 설치되어 있다. 기초의 깊이는 지표면 아래 1m에 있고 지하수위에 대한 영향이 없을 때 얕은 기초의 극한지지력을 Terzaghi의 방법으로 구하시오. (단, 국부전단파괴가 발생하는 지반이며, $N_c=12$, $N_q=1.8$, $N_r=8$이다.)

계산 과정) 　　　　　　　　　　　　　　　　답 : _____

해답 $q_u = \alpha c N_c + \beta \gamma_1 B N_r + \gamma_2 D_f N_q$

• 국부전단파괴의 점착력

$$c' = \frac{2}{3}c = \frac{2}{3} \times 10 = \frac{20}{3} \text{kN/m}^2$$

$$\therefore q_u = 1.3 \times \frac{20}{3} \times 12 + 0.4 \times 19 \times 1.5 \times 8 + 19 \times 1 \times 1.8$$

$$= 229.4 \text{kN/m}^2$$

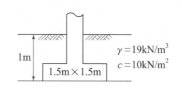

□□□ 08②

12 말뚝의 축방향 허용지지력 지반의 허용지지력과 말뚝재료의 허용하중 이외에도 말뚝기초의 지지력 감소요인을 고려하여 결정하여야 한다. 말뚝기초의 축방향 허용지지력 감소요인을 4가지만 쓰시오.

① _____　② _____　③ _____　④ _____

해답 ① 말뚝이음에 의한 감소
　　② 세장비에 의한 감소
　　③ 무리말뚝에 의한 감소
　　④ 말뚝의 침하량에 의한 감소

□□□ 87③, 89①, 00②, 05②, 07①

13 $c = 0$, $\phi = 30°$, $\gamma_t = 18\text{kN/m}^3$인 사질토지반 위에 근입깊이 1.5m의 정방향 기초가 놓여 있다. 이때 기초의 도심에 2000kN의 하중이 작용하고 지하수위의 영향은 없다고 본다. 이 기초의 폭 B는?

(단, Terzaghi의 지지력 공식을 이용하고 안전율은 $F_s = 3$, 형상계수 $\alpha = 1.3$, $\beta = 0.4$, $\phi = 30°$일 때, 지지력계수는 $N_c = 37$, $N_q = 23$, $N_r = 20$이다.)

독점 배점
3

계산 과정)   답 : _____

해답 • $q_u = \alpha c N_c + \beta B \gamma_1 N_r + \gamma_2 D_f N_q$

$\qquad = 1.3 \times 0 \times 37 + 0.4 \times B \times 18 \times 20 + 18 \times 1.5 \times 23$

$\qquad = 0 + 144B + 621$

• $q_a = \dfrac{q_u}{F_S} = \dfrac{P}{A} = \dfrac{144B + 621}{3} = \dfrac{2,000}{B^2}$

$\therefore B = 2.48\text{m}$

참고 SOLVE 사용

□□□ 00②, 05②

14 그림과 같이 500kN의 축하중을 받는 정사각형 기초의 폭 B를 구하시오.

(단, 안전율 = 3)

독점 배점
3

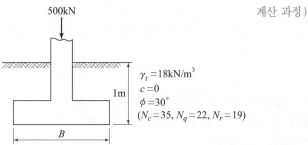

계산 과정)

$\gamma_t = 18\text{kN/m}^3$
$c = 0$
$\phi = 30°$
($N_c = 35$, $N_q = 22$, $N_r = 19$)

답 : _____

해답 • $q_u = \alpha c N_c + \beta B \gamma_1 N_r + \gamma_2 D_f N_q$

$\qquad = 0 + 0.4 \times 18 \times B \times 19 + 18 \times 1 \times 22 = 136.8B + 396$

• $q_a = \dfrac{q_u}{F_S} = \dfrac{P}{B^2}$ 에서

• $B^2 = \dfrac{P}{q_a} = \dfrac{500}{\dfrac{136.8B + 396}{3}}$

$\therefore B = 1.57\text{m}$

참고 SOLVE 사용

□□□ 98②, 03①, 05②, 11②, 14①, 18②

15 다음과 같이 점토지반에 직경이 10m, 자중이 40,000kN인 물탱크가 설치되어 있다. 극한지지력에 대한 안전율(F_s)이 3일 때, 최대로 채울 수 있는 물의 높이는 얼마인가?
(단, $N_c = 5.14$)

$P = 40,000\text{kN}$

10m

계산 과정)

$\gamma_t = 17.5\text{kN/m}^3$, $c_u = 300\text{kN/m}^2$, $\phi = 0$

답 : _____

해답 허용하중 $Q_a = Q + \left(\dfrac{\pi D^2}{4} H\right)\gamma_w$ (물탱크의 허용하중 = 물탱크 중량 + 물의 중량)

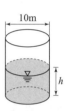

- 극한지지력 $q_u = \alpha c N_c + \beta \gamma_1 B N_\gamma + \gamma_2 D_f N_q$ ($\phi = 0$이면 $N_r = 0$, $D_f = 0$)
  $= 1.3 \times 300 \times 5.14 + 0 + 0 = 2,004.6 \text{kN/m}^2$

- 허용지지력 $q_a = \dfrac{q_u}{F_s} = \dfrac{2,004.6}{3} = 668.2 \text{kN/m}^2$

- $668.2 \times \dfrac{\pi \times 10^2}{4} = 40,000 + \left(\dfrac{\pi \times 10^2}{4} H\right) \times 9.81$

  ∴ 물의 높이 $H = 16.20\text{m}$

참고 SOLVE 사용

□□□ 96③, 98②, 00③, 02④, 18③

16 깊이 20m이고 폭이 30cm인 정방형 철근콘크리트 말뚝이 두꺼운 균질한 점토층에 박혀 있다. 이 점토의 전단강도는 60kN/m²이고, 단위중량은 18kN/m²이며, 부착력은 점착력의 0.9배이다. 지하수위는 지표면과 일치한다. 극한지지력을 구하시오.
(단, $N_c = 9$, $N_q = 1$)

계산 과정)

답 : _____

해답 극한지지력 $q_u = q_p \cdot A_p + A_s f_s = q_p \cdot A_p + 4B L f_s$

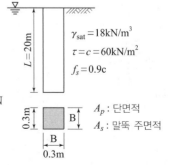

A_p : 단면적
A_s : 말뚝 주면적

- 선단지지력 $q_p = c \cdot N_c + \gamma_{\text{sub}} \cdot D_f \cdot N_q$

  $\tau = c + \overline{\sigma} \tan\phi$에서 $\tau = c$, $c = 60\text{kN/m}^2$ (∵ 점토층 $\phi = 0$)

  ∴ $q_p = 60 \times 9 + (18 - 9.81) \times 20 \times 1 = 703.8 \text{kN/m}^2$

- 주면마찰계수 $f_s = 0.9c = 0.9 \times 60 = 54\text{kN/m}^2$

  ∴ $q_u = 703.8 \times (0.3 \times 0.3) + 4 \times 0.30 \times 20 \times 54 = 1,359.34\text{kN}$

□□□ 89②, 98①

17 기초폭 4m, 근입길이 3m의 연속기초를 설치하려고 표준관입시험을 실시해서 지지력을 측정해 본 결과, $N=18$을 얻었다. 이 지반의 극한지지력을 Meyerhof 공식을 이용하여 구하시오.

계산 과정)   답 : _____

해답 $q_u = 3NB\left(1 + \dfrac{D_f}{B}\right)$

$= 3 \times 18 \times 4 \times \left(1 + \dfrac{3}{4}\right) = 378\,\mathrm{t/m^2} = 3,780\,\mathrm{kN/m^2}$

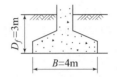

□□□ 88①, 97④, 00⑤

18 폭 10m에 걸쳐 $q_s = 100\,\mathrm{kN/m^2}$의 무한 등분포하중이 점토지반 위에 놓여 있다. 점토지반의 평균 비배수강도를 $30\,\mathrm{kN/m^2}$라 할 때, 지지력에 대한 안전율은 얼마인가? (단, Skempton 방법일 때 $N_c = 5.1$)

계산 과정)   답 : _____

해답 $F_s = \dfrac{q_u}{q_s}$

• $q_u = c_u N_c = 30 \times 5.1 = 153\,\mathrm{kN/m^2}\,(\because\ c_u = $평균 비배수강도$)$

$\therefore\ F_s = \dfrac{153}{100} = 1.53$

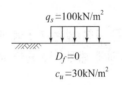

□□□ 00④

19 지표면까지 포화된 연약 점토지반을 개량하기 위해 상당히 넓은 지역에 흙을 쌓아 하중을 재하시키려고 한다. 점성토지반의 평균 비배수강도가 $25\,\mathrm{kN/m^2}$일 때, 쌓을 수 있는 높이를 결정하시오. (단, 점성토의 단위중량은 $18\,\mathrm{kN/m^3}$이고, 안전율은 2.0을 사용하고 $N_c = 5.14$이다.)

계산 과정)   답 : _____

해답 안전율 $F_s = \dfrac{q_u}{q_s} = \dfrac{q_u}{\gamma \cdot h}$

• 극한지지력 $q_u = c_u N_c + \gamma \cdot h$

$= 25 \times 5.14 + 0 = 128.5\,\mathrm{kN/m^2}$

$(\because\ c_u : $평균 비배수강도$)$

• 안전율 $F_s = \dfrac{q_u}{q_s} = \dfrac{128.5}{18 \times h} = 2$에서

$\therefore\ h = 3.57\,\mathrm{m}$

참고 SOLVE 사용

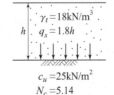

□□□ 95④, 99③, 05③

20 2m×2m 정방향 기초가 1.5m 깊이에 있다. 이 흙의 단위중량 $\gamma = 17\text{kN/m}^3$, 점착력 $c = 0$ 이며, $N_r = 19$, $N_q = 22$이다. Terzaghi 공식을 이용하여 전허용하중(Q_{all})과 순허용하중 ($Q_{all(net)}$)을 각각 구하시오. (단, 안전율 $F_s = 3$으로 한다.)

계산 과정)   답 : _____

해답
- $q_u = \alpha c N_c + \beta \gamma_1 B N_r + \gamma_2 D_f N_q$
  $= 0 + 0.4 \times 17 \times 2 \times 19 + 17 \times 1.5 \times 22 = 819.4 \text{kN/m}^2$

- $q_a = \dfrac{q_u}{F_s} = \dfrac{819.4}{3} = 273.13 \text{kN/m}^2$

- $q_a = \dfrac{Q_{all}}{A}$ 에서

  $\therefore Q_{all} = q_a A = 273.13 \times 2 \times 2 = 1,092.52 \text{kN}$

- $q = \gamma D_f = 17 \times 1.5 = 25.5 \text{kN/m}^2$

- $q_{all(net)} = \dfrac{q_u - q}{F_s} = \dfrac{819.4 - 25.5}{3} = 264.63 \text{kN/m}^2$

  $\therefore Q_{all(net)} = q_{all(net)} \times B^2 = 264.63 \times 2 \times 2 = 1,058.52 \text{kN}$

□□□ 92②, 96④, 98②, 02②

21 다음 그림과 같은 구형 얕은 기초에 편심이 작용하는 경우의 극한지지력이 $q_u' = 500\text{kN/m}^2$ 이었다. 지지력 파괴에 대한 안전율을 Meyerhof 방법으로 구하시오.

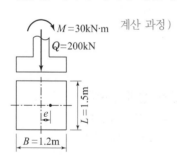

계산 과정)

답 : _____

해답
- 편심거리 $e = \dfrac{M}{Q} = \dfrac{30}{200} = 0.15 \text{m}$

- 유효폭 $B' = B - 2e = 1.2 - 2 \times 0.15 = 0.9 \text{m}$

- 유효길이 $L' = L = 1.5 \text{m}$

- 전극한하중 $Q_{ult} = q_u' \times B' \times L' = 500 \times 0.9 \times 1.5 = 675 \text{kN}$

  $\therefore F_s = \dfrac{675}{200} = 3.38$

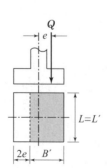

□□□ 93③, 97③, 12①

22 모래지반에 기초폭 $B=1.2$m인 얕은 기초에서 편심 $e=0.15$m로 연직하중이 작용하고 있다. 하중 작용점 아래의 탄성침하가 12mm, 하중 작용점 기초 모서리에서의 탄성침하가 16mm이었다. 이 기초의 침하각도를 구하시오.

득점 배점
　 3

계산 과정)　　　　　　　　　　　　　　　　　　　　　답 : _____

[해답] 침하각도 $t=\sin^{-1}\left(\dfrac{S_1-S_2}{\dfrac{B}{2}-e}\right)$

$\qquad\qquad =\sin^{-1}\left(\dfrac{1.6-1.2}{\dfrac{120}{2}-15}\right)=0.51°$

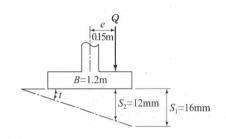

□□□ 98④, 05①, 11④, 18①, 21①, 23②

23 3m×3m 크기의 정사각형 기초를 마찰각 $\phi=20°$, 점착력 $c=12$kN/m²인 지반에 설치하였다. 흙의 단위중량 $\gamma=18$kN/m³이며, 기초의 근입깊이는 5m이다. 지하수위가 지표면에서 7m 깊이에 있을 때의 극한지지력을 Terzaghi 공식으로 구하시오.
(단, 지지력계수 $N_c=17.7$ $N_q=7.4$, $N_r=5$이고, 흙의 포화단위중량은 20kN/m³이다.)

득점 배점
　 3

계산 과정)　　　　　　　　　　　　　　　　　　　　　답 : _____

[해답] $q_u=\alpha cN_c+\beta B\gamma_1 N_r+\gamma_2 D_f N_q$

■ $d=(7-5)$m $<B=3$m인 경우

・ $\gamma_1=\gamma_{sub}+\dfrac{d}{B}(\gamma_t-\gamma_{sub})$

$\gamma_{sub}=\gamma_{sat}-\gamma_w=20-9.81=10.19$kN/m³

$\gamma_1=10.19+\dfrac{2}{3}\times(18-10.19)=15.4$kN/m³

∴ $q_u=1.3\times12\times17.7+0.4\times3\times15.4\times5+18\times5\times7.4$

$\qquad=1,034.52$kN/m²

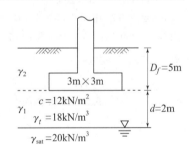

γ_2　$D_f=5$m

3m×3m

γ_1　$c=12$kN/m²

$\gamma_t=18$kN/m³　$d=2$m

$\gamma_{sat}=20$kN/m³

□□□ 92③

24 전면기초 해석 시 지반을 무한개의 탄성 스프링으로 대치하여 이 스프링 이외의 영향은 받지 않는다고 가정하는 해법은?

득점 배점
　 2

○ _____

[해답] 근사적인 연성도법(Approximate Flexible Method)
　　　또는 간이 탄성해석법(Simplified Elastic Method)

□□□ 98④, 05①, 10④, 13④, 16④, 21③

25 3m×3m 크기의 정사각형 기초를 마찰각 $\phi = 30°$, 점착력 $c = 50\text{kN/m}^2$인 지반에 설치하였다. 흙의 단위중량 $\gamma = 17\text{kN/m}^3$이며, 기초의 근입깊이는 2m이다. 지하수위가 지표면에서 1m, 3m, 5m 깊이에 있을 때의 극한지지력을 각각 구하시오.
(단, 지하수위 아래의 흙의 포화단위중량은 19kN/m^3, 물의 단위중량 $\gamma_w = 9.81\text{kN/m}^3$, Terzaghi 공식을 사용하고, $\phi = 30°$일 때, $N_c = 36$, $N_r = 19$, $N_q = 22$이다.)

 득점 | 배점
6

가. 지하수위가 1m 깊이에 있는 경우

계산 과정)   답 : _____

나. 지하수위가 3m 깊이에 있는 경우

계산 과정)   답 : _____

다. 지하수위가 5m 깊이에 있는 경우

계산 과정)   답 : _____

해답 가. $D_1 \leq D_f$인 경우(1m < 2m)

$$q_u = \alpha c N_c + \beta \gamma_1 B N_r + \gamma_2 D_f N_q$$
$$= \alpha c N_c + \beta \gamma_{\text{sub}} B N_r + (D_1 \gamma_1 + D_2 \gamma_{\text{sub}}) N_q$$

- $\gamma_1 = \gamma_{\text{sub}} = 19 - 9.81 = 9.19\text{kN/m}^3$
- $\gamma_2 D_f = D_1 \gamma_t + D_2 \gamma_{\text{sub}}$
  $= 1 \times 17 + 1 \times 9.19 = 26.19\text{kN/m}^2$

∴ $q_u = 1.3 \times 50 \times 36 + 0.4 \times 9.19 \times 3 \times 19 + 26.19 \times 22$
$= 2,340 + 209.532 + 576.18 = 3,125.71\text{kN/m}^2$

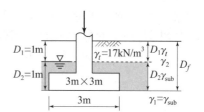

나. $d < B$인 경우(1m < 3m)

$$q_u = \alpha c N_c + \beta \left\{ \gamma_{\text{sub}} + \frac{d}{B}(\gamma_t - \gamma_{\text{sub}}) \right\} B N_r + \gamma_t D_f N_q$$

- $\gamma_{sub} = \gamma_t - \gamma_w = 19 - 9.81 = 9.19\text{kN/m}^3$
- $\gamma_1 = \gamma_{\text{sub}} + \frac{d}{B}(\gamma_t - \gamma_{\text{sub}})$
  $= 9.19 + \frac{1}{3}(17 - 9.19) = 11.79\text{kN/m}^3$

∴ $q_u = 1.3 \times 50 \times 36 + 0.4 \times 11.79 \times 3 \times 19 + 17 \times 2 \times 22$
$= 2,340 + 268.812 + 748 = 3,356.81\text{kN/m}^2$

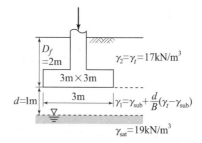

다. $d \geq B$인 경우(3m ≥ 3m)

$$q_u = \alpha c N_c + \beta B \gamma_1 N_r + \gamma_2 D_f N_q$$

- $\gamma_1 = \gamma_2 = \gamma_t = 17\text{kN/m}^3$

∴ $q_u = 1.3 \times 50 \times 36 + 0.4 \times 3 \times 17 \times 19 + 17 \times 2 \times 22$
$= 2,340 + 387.6 + 748 = 3,475.60\text{kN/m}^2$

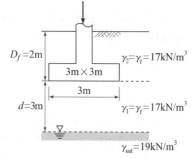

□□□ 04②, 17②, 21①②

26 다음과 같은 연속기초의 극한지지력을 테르자기(Terzaghi)식을 이용하여 ①, ②의 경우에 대해 각각 구하시오.

(단, 점착력 $c = 0.01\text{MPa}$, 물의 단위중량 $\gamma_w = 9.81\text{kN/m}^3$, 내부마찰각 $\phi = 15°$, $N_c = 6.5$, $N_r = 1.2$, $N_q = 2.7$이며 전반전단파괴가 발생하며, 흙은 균질이다.)

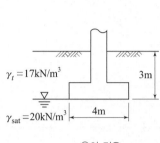

①의 경우

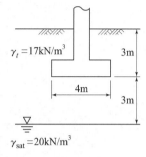

②의 경우

가. ①의 경우에 대하여 극한지지력을 구하시오.

계산 과정)　　　　　　　　　　　　　　　　답 : _____

나. ②의 경우에 대한 극한지지력을 구하시오.

계산 과정)　　　　　　　　　　　　　　　　답 : _____

해답 가. $D_1 = 3\text{m} \leq D_f = 3\text{m}$인 경우

$$q_u = \alpha c N_c + \beta \gamma_1 B N_r + \gamma_2 D_f N_q$$

$c = 0.1\text{kg/cm}^2 = 0.01\text{N/mm}^2 = 0.01\text{MPa} = 10\text{kN/m}^2$

$= 1.0 \times 10 \times 6.5 + 0.5 \times (20 - 9.81) \times 4 \times 1.2 + 17 \times 3 \times 2.7 = 227.16\text{kN/m}^2$

나. $d < B$인 경우

$$q_u = \alpha c N_c + \beta \gamma_1 B N_r + \gamma_2 D_f N_q$$

・ $\gamma_1 = \gamma_{\text{sub}} + \dfrac{d}{B}(\gamma_t - \gamma_{\text{sub}}) = (20 - 9.81) + \dfrac{3}{4}[17 - (20 - 9.81)] = 15.30\text{kN/m}^3$

∴ $q_u = 1.0 \times 10 \times 6.5 + 0.5 \times 15.30 \times 4 \times 1.2 + 17 \times 3 \times 2.7$

$\qquad = 239.42\text{kN/m}^2$

⚠ 주의점

$c = 0.01\text{MPa}$

$= 10\text{kN/m}^2$

□□□ 93④, 95⑤

27 20m×30m의 전면기초가 단위중량이 19kN/m³인 연약지반 위에 놓여 있다. 기초에 작용하는 활하중과 사하중의 합은 110,000kN일 때, 완전보상기초(fully compensated foundation)의 깊이를 구하시오.

계산 과정)　　　　　　　　　　　　　　　　답 : _____

해답 $D_f = \dfrac{Q}{A \cdot \gamma} = \dfrac{110,000}{20 \times 30 \times 19} = 9.65\text{m}$

□□□ 94④, 99④, 00⑤, 06④, 15①④, 18③, 22①③

28 다음 그림과 같이 연직하중과 모멘트를 받는 구형기초의 극한하중과 안전율을 Terzaghi 공식을 이용하여 구하시오.

(단, $N_c = 37.2$, $N_q = 22.5$, $N_r = 19.7$이다.)

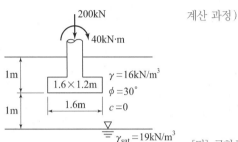

계산 과정)

[답] 극한하중 : _____ , 안전율 : _____

해답 안전율 $F_s = \dfrac{Q_u}{Q_a}$

- 편심거리 $e = \dfrac{M}{Q} = \dfrac{40}{200} = 0.2\,\mathrm{m}$
- 유효길이 $L' = L - 2e = 1.6 - 2 \times 0.2 = 1.2\,\mathrm{m}$ (∵ 정사각형 기초 $\alpha = 1.3$, $\beta = 0.4$)
- $d < B\,(1\mathrm{m} < 1.2\mathrm{m})$인 경우

$$\gamma_1 = \gamma_{\mathrm{sub}} + \dfrac{d}{B}(\gamma_t - \gamma_{\mathrm{sub}})$$

$$= (19 - 9.81) + \dfrac{1}{1.2}\left[16 - (19 - 9.81)\right] = 14.87\,\mathrm{kN/m^3}$$

- $q_u = \alpha c N_c + \beta \gamma_1 B N_r + \gamma_2 D_f N_q$

$$= 0 + 0.4 \times 14.87 \times 1.2 \times 19.7 + 16 \times 1 \times 22.5$$

$$= 500.61\,\mathrm{kN/m^2}$$

- 극한하중 $Q_u = q_u A = q_u \cdot B' \cdot L$

$$= 500.61 \times (1.2 \times 1.2) = 720.88\,\mathrm{kN}$$

$$\therefore F_s = \dfrac{720.88}{200} = 3.60$$

□□□ 93①, 96④, 08②, 13④

29 다음 그림과 같은 20m×30m 전면기초인 부분보상기초(partially compensated foundation)의 지지력파괴에 대한 안전율을 구하시오.

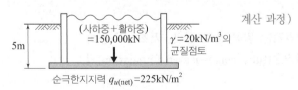

계산 과정)

답 :

해답 $F_s = \dfrac{q_{u(net)}}{\dfrac{Q}{A} - \gamma \cdot D_f} = \dfrac{225}{\dfrac{150,000}{20 \times 30} - 20 \times 5} = 1.5$

30 그림과 같은 정방형 기초의 경우 Terzaghi의 지지력 공식을 이용하여 허용지지력과 순
허용지지력을 구하시오.
(단, 안전율은 3으로 하고, $N_c = 17.7$, $N_r = 5.0$, $N_q = 7.4$이다.)

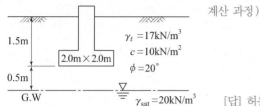

계산 과정)

[답] 허용지지력 : _____, 순허용지지력 : _____

해답 허용지지력 $q_a = \dfrac{q_u}{F_s}$, 순허용 지지력 $q_{all(net)} = \dfrac{q_u - q}{F_s}$

- $d < B$인 경우
- $\gamma_1 = \gamma_{sub} + \dfrac{d}{B}(\gamma_t - \gamma_{sub})$

  $= (20 - 9.81) + \dfrac{0.5}{2}\left[17 - (20 - 9.81)\right] = 11.89 \text{kN/m}^3$

- $q_u = \alpha c N_c + \beta \gamma_1 B N_r + \gamma_2 D_f N_q$

  $= 1.3 \times 10 \times 17.7 + 0.4 \times 11.89 \times 2 \times 5 + 17 \times 1.5 \times 7.4$

  $= 466.36 \text{kN/m}^2$

- $q = D_f \gamma_t = 1.5 \times 17 = 25.5 \text{kN/m}^2$

  $\therefore$ 허용지지력 $q_a = \dfrac{466.36}{3} = 155.45 \text{kN/m}^2$

  $\therefore$ 순허용지지력 $q_{all(net)} = \dfrac{466.36 - 25.5}{3} = 146.95 \text{kN/m}^2$

31 다음 그림과 같은 복합 footing에 있어서 기초지반의 허용지내력이 20kN/m^2일 때, L
및 B를 구하시오.

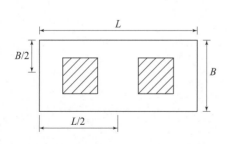

계산 과정)

답 : _____

해답 ■ 공식에 의한 방법

- $L = 2a + \dfrac{2Q_2 \cdot S}{Q_1 + Q_2} = 2 \times 1 + \dfrac{2 \times 80 \times 3}{60 + 80} = 5.43\,\mathrm{m}$

- $B = \dfrac{Q_1 + Q_2}{q_a \cdot L} = \dfrac{60 + 80}{20 \times 5.43} = 1.29\,\mathrm{m}$

■ 평형방정식 조건식에 의한 방법

- $\sum F_v = 0 \ : \ Q_1 + Q_2 = q_a \cdot (B \cdot L)$

$B \cdot L = \dfrac{Q_1 + Q_2}{q_a} = \dfrac{60 + 80}{20} = 7$ .... ①

- $\sum M_0 = 0 \ : \ 60 \times 1 + 80 \times 4 = q_a \cdot (B \cdot L) \cdot \dfrac{L}{2} = q_a \dfrac{B \cdot L^2}{2}$

$B \cdot L^2 = \dfrac{60 \times 1 + 80 \times 4}{\frac{1}{2} q_a} = \dfrac{60 \times 1 + 80 \times 4}{\frac{1}{2} \times 20} = 38$ .... ②

①과 ②에서 $7L = 38$

∴ $L = 5.43\,\mathrm{m}$, $B = 1.29\,\mathrm{m}$

□□□ 98⑤, 01②, 11①, 15②, 23②

32 다음과 같은 조건일 때, 사다리꼴 복합확대기초의 크기(B_1, B_2)를 구하시오.
(단, 지반의 허용지지력 $q_a = 100\,\mathrm{kN/m^2}$)

특점	배점
	4

【조 건】

기둥 1 : 0.5m × 0.5m, $Q_1 = 1,000\,\mathrm{kN}$

기둥 2 : 0.5m × 0.5m, $Q_2 = 800\,\mathrm{kN}$

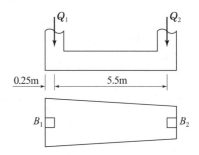

계산 과정)   답 : _____

해답 ■ $\dfrac{Q_1 \cdot S}{Q_1 + Q_2} = \dfrac{L}{3} \cdot \dfrac{2B_1 + B_2}{B_1 + B_2} - a$

- $\dfrac{1,000 \times 5.5}{1,000 + 800} = \dfrac{6}{3} \times \dfrac{2B_1 + B_2}{B_1 + B_2} - 0.25$

$= \dfrac{(3.056 + 0.25)}{2} = \dfrac{2B_1 + B_2}{B_1 + B_2} = 1.653$ .... ①

■ $\dfrac{B_1 + B_2}{2} \cdot L = \dfrac{Q_1 + Q_2}{f_e}$

- $\dfrac{B_1 + B_2}{2} \times 6 = \dfrac{1,000 + 800}{100} = 18$

$B_1 + B_2 = 6$, $B_2 = 6 - B_1$ .... ②

①과 ②에서 $B_1 = 3.92\,\mathrm{m}$, $B_2 = 2.08\,\mathrm{m}$

□□□ 09①

33 다음 그림과 같은 조건일 때 직사각형 복합확대기초의 크기(B, L)를 구하시오.

(조건 : 지반의 허용지지력 $q_a = 100\text{kN/m}^2$, 기둥 1 : 0.4m×0.4m, $Q_1 = 600\text{kN}$, 기둥 2 :

0.5m×0.5m, $Q_2 = 900\text{kN}$)

득점 배점
3

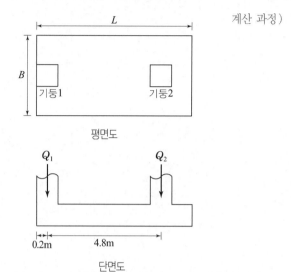

평면도

단면도

계산 과정)

답 : _____

해답 ■ 공식에 의한 방법

• $L = 2a + \dfrac{2Q_2 \cdot S}{Q_1 + Q_2} = 2 \times 0.2 + \dfrac{2 \times 900 \times 4.8}{600 + 900}$

   $= 6.16\text{m}$

• $B = \dfrac{Q_1 + Q_2}{q_a \cdot L} = \dfrac{600 + 900}{100 \times 6.16} = 2.44\text{m}$

■ 평형방정식 조건식에 의한 방법

• $\sum F_v = 0$: $Q_1 + Q_2 = q_a \cdot (B \cdot L)$

  $B \cdot L = \dfrac{Q_1 + Q_2}{q_a} = \dfrac{600 + 900}{100} = 15$ ········· ①

• $\sum M_0 = 0$: $600 \times 0.2 + 900 \times 5.0$

       $= q_a \cdot (B \cdot L) \cdot \dfrac{L}{2}$

  $B \cdot L^2 = \dfrac{600 \times 0.2 + 900 \times 5.0}{100 \times \dfrac{1}{2}} = 92.4$ ········ ②

①과 ②에서 $15L = 92.4\text{m}$

∴ $L = 6.16\,\text{m}$, $B = 2.44\text{m}$

□□□ 07②, 11④

34 얕은 기초(직접기초) 지반에 하중을 가하면 그에 따라서 침하가 발생되면서 기초지반은 점진적인 파괴가 발생한다. 이때 대표적인 파괴형태 3가지를 쓰시오.

득점 배점
3

① _____   ② _____   ③ _____

해답 ① 전반전단파괴   ② 국부전단파괴   ③ 관입전단파괴

□□□ 92④, 99③, 01①, 08①, 09①, 12④, 16①

35 다음과 같은 조건일 때, 직사각형 복합확대기초의 크기(B, L)를 구하시오.

득점	배점
	3

─── 【조 건】 ───

지반의 허용지지력 $q_a = 150\,\mathrm{kN/m^2}$, 기둥 1 : 0.4m × 0.4m, $Q_1 = 600\mathrm{kN}$

기둥 2 : 0.5m × 0.5m, $Q_2 = 900\mathrm{kN}$

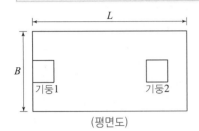

(평면도)

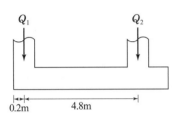

계산 과정)

답 : _____

해답 ■ 공식에 의한 방법

$$L = 2a + \frac{2Q_2 \cdot S}{Q_1 + Q_2} = 2 \times 0.2 + \frac{2 \times 900 \times 4.8}{600 + 900}$$

$$= 6.16\,\mathrm{m}$$

$$B = \frac{Q_1 + Q_2}{q_a \cdot L} = \frac{600 + 900}{150 \times 6.16} = 1.62\,\mathrm{m}$$

■ 평형방정식 조건식에 의한 방법

$$\sum F_v = 0 \; : \; Q_1 + Q_2 = q_a \cdot (B \cdot L)$$

$$B \cdot L = \frac{Q_1 + Q_2}{q_a} = \frac{600 + 900}{150} = 10 \;\cdots\cdots\cdots (1)$$

$$\sum M_0 = 0 \; : \; 600 \times 0.2 + 900 \times 5.0$$

$$= q_a \cdot (B \cdot L) \cdot \frac{L}{2}$$

$$B \cdot L^2 = \frac{600 \times 0.2 + 900 \times 5.0}{150 \times \frac{1}{2}} = 61.6 \;\cdots\cdots (2)$$

(1)과 (2)에서 $10L = 61.6\,\mathrm{m}$

$$\therefore \; L = 6.16\,\mathrm{m}, \; B = 1.62\,\mathrm{m}$$

제4장 얕은 기초

과년도 예상문제

기초공

□□□ 98①

01 기초공은 구조물의 기본이 되는 것으로 기초공의 경계 및 시공이 불완전하면 상부구조의 침하, 경사, 전도, 활동 등의 원인이 되어 심하면 구조물이 파괴되는 경우도 있다. 이와 같이 기초는 구조물 축조에 대단히 중요한 몫을 차지한다. 기초가 구비하여야 할 구조상의 요구조건을 4가지만 쓰시오.

①   ②

③   ④

해답 ① 최소의 근입깊이를 가질 것
② 안전하게 하중을 지지할 수 있을 것
③ 침하가 허용치를 넘지 않을 것
④ 경제적인 시공이 가능할 것

□□□ 86①

02 토목구조물의 기초(foundation)가 구비해야 할 조건 3가지만 쓰시오.

①   ②

③

해답 ① 최소의 근입깊이를 가질 것
② 안전하게 하중을 지지할 것
③ 침하가 허용치를 넘지 않을 것
④ 기초공의 시공이 가능할 것

□□□ 89①

03 얕은 기초가 제기능을 발휘하기 위한 지반의 주된 두 가지 조건을 쓰시오.

①

②

해답 ① 기초지반은 전단파괴에 대해 안전해야 한다.
② 과도한 침하가 일어나지 않아야 한다.

□□□ 89②

04 상부구조에서 오는 하중을 지반에 전하는 부분을 총칭하여 기초라 하는데 기초의 적합한 조건 4가지를 쓰시오.

①   ②

③   ④

해답 ① 최소의 근입깊이를 가질 것
② 안전하게 하중을 지지할 것
③ 침하가 허용치를 넘지 않을 것
④ 기초공의 시공이 가능할 것

□□□ 84③

05 구조물 안전을 위한 기초의 형식을 선정할 때, 기초의 구비조건 4가지를 쓰시오.

①   ②

③   ④

해답 ① 최소의 근입깊이를 가질 것
② 안전하게 하중을 지지할 것
③ 침하가 허용치를 넘지 않을 것
④ 기초공의 시공이 가능할 것

□□□ 96⑤

06 기초지반에 요구되는 지지력 및 예상 침하량은 상부구조의 각종 하중의 종류와 크기에 의해서 정해지는데, 이 중에서 기초설계 시에 고려하여야 할 하중을 3가지만 쓰시오.

①   ②

③

해답 ① 구조물의 사하중과 활하중
② 횡방향하중(토압, 풍하중)
③ 기초면 상부의 유효하중
④ 진동하중

□□□ 84③

07 양호한 토질이며 부지에 여유가 있고, 또 흙막이가 필요한 때에는 나무널말뚝, 강널말뚝등을 사용하는데, 이런 경우 가장 적당한 공법은?

○

_____

해답 개착공법(Open cut method)

□□□ 93④

08 먼저 주변부를 굴착, 축조하고 후에 중앙부를 굴착 시공하는 것으로 중앙부의 토질이 연약할 때 주변부를 먼저 시공해 두면 흙의 붕괴를 막고 안전하게 시공할 수 있는 공법은?

○

_____

해답 트렌치컷 공법(Trench cut method)

□□□ 98⑤

09 고층건물 시공 시 터파기 공사에 앞서 지하연속벽과 지하층 기둥을 먼저 시공하고 지면을 기점으로 지하 1, 2, 3층과 지상의 구조물을 동시에 시공해 나가는 공법은?

○

_____

해답 역타공법(Top – Down method)

□□□ 89①

10 Terzaghi은 공식을 이용하는 다음 그림과 같은 세장기초에 대한 극한지지력을 구하시오.
(단, $\phi = 30°$에 대한 $N_c = 38$, $N_r = 20$, $N_q = 22$이다.)

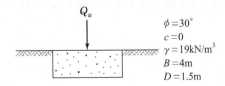

계산 과정)

답 : _____

해답 $q_u = \alpha c N_c + \beta \gamma_1 B N_r + \gamma_2 D_f N_q$
$= 0 + 0.5 \times 19 \times 4 \times 20 + 19 \times 1.5 \times 22$
$= 1,387 \text{kN/m}^2$

□□□ 88③

11 기존 구조물의 기초가 얕은데 그 인접지역에 다른 구조물을 축조하게 될 때 기존 기초의 보강공사가 필요하게 된다. 그것을 무엇이라고 하는가?

○

_____

해답 언더피닝(under pinning)

□□□ 94③, 97④

12 다음 그림과 같이 폭이 5m인 정방형 기초에 5,000kN의 총 하중이 작용할 때 지반의 지지력에 대한 안전율은 얼마인가?
(단, 기초의 형상계수 $\alpha = 1.3$, $\beta = 0.4$이고, 지지력계수는 $N_c = 6.5$, $N_r = 1.2$, $N_q = 2.7$이다.)

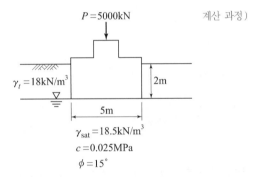

답 : _____

해답 • $q_u = \alpha c N_c + \beta \gamma_1 B N_r + \gamma_2 D_f N_q$
$= 1.3 \times 25 \times 6.5 + 0.4 \times 5 \times (18.5 - 9.81)$
$\times 1.2 + 18 \times 2 \times 2.7$
$= 329.31 \text{kN/m}^2 \,(\because c = 0.025\text{MPa} = 25\text{kN/m}^2)$
• $Q_u = q_u \cdot A = 329.31 \times (5 \times 5) = 8,232.75 \text{kN}$
$\therefore F_s = \dfrac{Q_u}{P} = \dfrac{8,232.75}{5,000} = 1.65$

□□□ 92③, 94③

13 두꺼운 모래층 위에 구조물을 축조하는 경우의 지반에 대하여 표준관입시험을 하였더니 $N = 15$이었다. 그 구조물의 기초폭이 3m, 근입깊이가 2m인 경우에 Meyerhof 공식에 의한 극한지지력은?

계산 과정)

답 : _____

해답 $q_u = 3NB\left(1 + \dfrac{D_f}{B}\right) = 3 \times 15 \times 3 \times \left(1 + \dfrac{2}{3}\right) = 225 \text{t/m}^2$

□□□ 89②

14 사질토상에 직접기초를 만들 필요를 발견하고 극한지지력을 계산하고자 한다. N값이 30, 기초의 근입깊이를 2m, footing 폭을 2m로 한다면 극한지지력은 얼마인가?

계산 과정)

답 : _____

──────────────

해답 $q_u = 3NB\left(1+\dfrac{D_f}{B}\right)$

$\qquad = 3 \times 30 \times 2 \times \left(1+\dfrac{2}{2}\right)$

$\qquad = 360 \,\mathrm{t/m^2}$

$\qquad = 3{,}600 \,\mathrm{kN/m^2}$

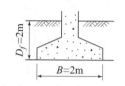

□□□ 95⑤, 97②

15 흙의 단위중량이 $17\mathrm{kN/m^3}$, 점착력이 $10\mathrm{kN/m^2}$, $\phi = 15°$ 인 지반에 가로×세로가 각각 3m인 근입깊이 2m의 연속기초를 시공하려고 한다. 다음에 답하시오.
(단, 기초지반은 균질이고 지하수위는 무시하고 Terzaghi $N_c = 6.5$, $N_r = 1.2$, $N_q = 4.7$, $\alpha = 1$, $\beta = 0.5$, $F_s = 3$으로 계산하되 소수 셋째자리 이하는 버리시오.)

가. 극한지지력(q_u)은 몇 $\mathrm{kN/m^2}$인가?

계산 과정)

답 : _____

나. 기초지반이 받을 수 있는 총허용하중(Q_{all})은 몇 kN인가?

계산 과정)

답 : _____

──────────────

해답

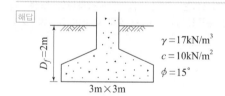

가. $q_u = \alpha c N_c + \beta \gamma_1 B N_r + \gamma_2 D_f N_q$

$\qquad = 1 \times 10 \times 6.5 + 0.5 \times 3 \times 17 \times 1.2 + 17 \times 2 \times 4.7$

$\qquad = 255.4 \,\mathrm{kN/m^2}$

나. $q_a = \dfrac{q_u}{F_s} = \dfrac{255.4}{3} = 85.13 \,\mathrm{kN/m^2}$

$\quad \therefore Q_{all} = q_a \cdot A = 85.13 \times 3 \times 3 = 766.17 \,\mathrm{kN} \left(\because q_a = \dfrac{Q_{all}}{A}\right)$

□□□ 92③

16 가로×세로가 각각 2m인 정사각형 기초의 Terzaghi식을 이용하여 지지력을 구하고자 한다. 전반전단파괴를 하고 토질은 균질이며 안전율을 3이라 할 때 다음을 계산하시오.
(단, 형상계수 $\alpha = 1.3$, $\beta = 0.4$, 지지력계수 $N_c = 18$, $N_q = 7$, $N_r = 5$이다.)

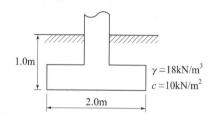

가. 극한지지력(q_u)은 몇 $\mathrm{kN/m^2}$인가?

계산 과정)   답 : _____

나. 기초지반이 받을 수 있는 총허용하중(Q_{all})은 몇 kN 인가?

계산 과정)   답 : _____

──────────────

해답 가. $q_u = \alpha c N_c + \beta \gamma_1 B N_r + \gamma_2 D_f N_q$

$\qquad = 1.3 \times 10 \times 18 + 0.4 \times 18 \times 2 \times 5 + 18 \times 1.0 \times 7$

$\qquad = 432 \,\mathrm{kN/m^2}$

나. $q_a = \dfrac{q_u}{F_s} = \dfrac{432}{3} = 144 \,\mathrm{kN/m^2}$

$\quad \therefore Q_{all} = q_a \cdot A = 144 \times 2 \times 2 = 576 \,\mathrm{kN} \left(\because q_a = \dfrac{Q_{all}}{A}\right)$

□□□ 89①

17 $c = 0$, $\phi = 30°$, $\gamma_t = 18\mathrm{kN/m^3}$인 사질토지반 위에 근입깊이 1.5m의 정방형 기초가 놓여 있다. 이때 기초의 도심에 1,500kN의 하중이 작용하고 지하수위의 영향은 없다고 본다. 이 기초의 폭 B는?
(단, Terzaghi의 지지력 공식을 이용하고 안전율은 $F_s = 3$ 형상계수 $\alpha = 1.3$, $\beta = 0.4$ $\phi = 30°$일 때, 지지력계수는 $N_c = 37$, $N_q = 23$, $N_r = 20$이다.)

계산 과정)

답 : _____

──────────────

해답 • $q_u = \alpha c N_c + \beta \gamma_1 B N_r + \gamma_2 D_f N_q$

$\qquad = 1.3 \times 0 \times 37 + 0.4 \times B \times 18 \times 20 + 18 \times 1.5 \times 23$

$\qquad = 0 + 144B + 621$

• $q_a = \dfrac{q_u}{F_s} = \dfrac{P}{A} = \dfrac{144B + 621}{3} = \dfrac{1{,}500}{B^2}$

$\therefore B = 2.19 \,\mathrm{m}$

참고 SOLVE 사용

□□□ 87③, 16①

18 $\phi=0°$이고, $c=0.04\text{MPa}$, $\gamma_t=18\text{kN/m}^3$인 단단한 점토 지반 위에 근입깊이 1.5m의 정방형 기초가 놓여 있다. 이 때, 이 기초의 도심에 1,500kN의 하중이 작용하고 지하수위의 영향은 없다고 한다. 이 기초의 기초폭 B는?
(단, Terzaghi의 지지력 공식을 이용하고, 안전율 $F_s=3$, 형상계수 $\alpha=1.3$, $\beta=0.4$, $\phi=0°$일 때, 지지력계수는 $N_c=5.14$, $N_r=0$, $N_q=1.0$이다.)

계산 과정)

답 : _____

해답 • $q_u=\alpha cN_c+\beta\gamma_1 BN_r+\gamma_2 D_f N_q$
$$=1.3\times40\times5.14+0.4\times18\times B\times0+18\times1.5\times1.0$$
$$(\because c=0.04\text{MPa}=40\text{kN/m}^2)$$
$$=294.28\text{kN/m}^2$$

• 허용지지력 $q_a=\dfrac{q_u}{F_s}=\dfrac{294.28}{3}=98.09\text{kN/m}^2$

• $q_a=\dfrac{P}{B^2}$에서 $B^2=\dfrac{P}{q_a}=\dfrac{1,500}{98.09}$

$\therefore B=\sqrt{\dfrac{1,500}{98.09}}=3.91\text{m}$

□□□ 93②, 98⑤

19 다음 그림과 같은 구형 얕은 기초에 기초폭(B) 방향에 대한 편심이 작용하는 경우 지반에 작용하는 최대압축응력을 구하시오.

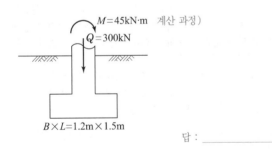
$M=45\text{kN·m}$　계산 과정)
$Q=300\text{kN}$
$B\times L=1.2\text{m}\times1.5\text{m}$

답 : _____

해답 편심거리 $e=\dfrac{M}{Q}=\dfrac{45}{300}=0.15\text{m}(\because M=Q\cdot e)$

$e\leq\dfrac{B}{6}=\dfrac{1.2}{6}=0.20\text{m}$일 때

$q_{max}=\dfrac{Q}{A}\left(1+\dfrac{6e}{1.2}\right)=\dfrac{300}{1.2\times1.5}\left(1+\dfrac{6\times0.15}{1.2}\right)$
$$=291.67\text{kN/m}^2$$

□□□ 93③

20 다음 그림과 같은 구형 얕은 기초에 기초폭(B) 방향에 대한 편심이 작용하는 경우 지반에 작용하는 최대압축응력을 구하시오.

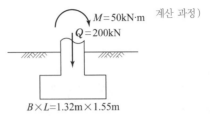
$M=50\text{kN·m}$　계산 과정)
$Q=200\text{kN}$
$B\times L=1.32\text{m}\times1.55\text{m}$

답 : _____

해답 편심거리 $e=\dfrac{M}{Q}=\dfrac{50}{200}=0.25\text{m}$

• $e=0.25\text{m}>\dfrac{B}{6}=\dfrac{1.32}{6}=0.22\text{m}$일 때

$q_{max}=\dfrac{Q}{A}\left(\dfrac{4B}{3B-6e}\right)$
$$=\dfrac{200}{1.32\times1.55}\times\left(\dfrac{4\times1.32}{3\times1.32-6\times0.25}\right)$$
$$=209.81\text{kN/m}^2$$

또는

$q_{max}=\dfrac{4Q}{3L(B-2e)}=\dfrac{4\times200}{3\times1.55(1.32-2\times0.25)}$
$$=209.81\text{kN/m}^2$$

□□□ 93①, 95⑤, 97③

21 다음 그림과 같은 구형 얕은 기초에 기초폭(B) 방향에 대한 편심이 작용하는 경우, 지반에 인장응력이 발생되지 않기 위해서는 모멘트(moment)가 얼마 이하이어야 하는가?

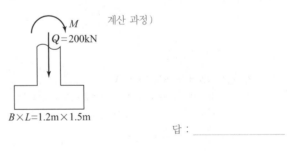
M　계산 과정)
$Q=200\text{kN}$
$B\times L=1.2\text{m}\times1.5\text{m}$

답 : _____

해답 $e\leq\dfrac{B}{6}$일 때, 인장응력이 발생하지 않는다.

$e=\dfrac{M}{Q}\leq\dfrac{B}{6}$

$\therefore M\leq\dfrac{Q\cdot B}{6}=\dfrac{200\times1.2}{6}=40\text{kN·m}$

□□□ 97①

22 기초면 주위에 있는 흙에 생기게 되는 압력을 제외한 것으로서 기초면 아래에 있는 흙에 의해 저지될 수 있는 단위면적당 극한지지력으로 정의되는 힘은?

 ○

해답 순극한지지력(net ultimate bearing capacity)

□□□ 93④, 98①

23 그림과 같이 구형 얕은 기초에서 기초깊이(L) 방향에 대한 편심이 작용하는 경우, 극한지지력 공식 $q_u' = cN_cF_{cs}F_{cd}$ $F_{ci} + qN_qF_{qs}F_{qd}F_{qi} + \frac{1}{2}\gamma B'N_rF_{rs}F_{rd}F_{ri}$ 에서 B'를 구하시오. (단, Meyerhof의 방법 이용)

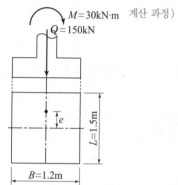

계산 과정)

답 : _____

해답 • 편심

$$e = \frac{M}{Q} = \frac{30}{150} = 0.2\text{m}$$

• $L' = L - 2e = 1.5 - 2 \times 0.2 = 1.1\text{m}$

∴ $B' = 1.1\text{m}$(∵ 두 값 중 작은 값이 유효폭)

□□□ 94②

24 전면기초를 시공할 때의 가장 나쁜 점을 1가지만 쓰시오.

 ○

해답 절대침하량

□□□ 97①

25 Terzaghi 공식을 이용하여 다음과 같이 0.3m 거리에 편심하중이 작용하는 연속기초의 허용지지력을 구하시오. (단, 지지력계수는 $N_c=0$, $N_r=20$, $N_q=22$, 안전율=3 적용)

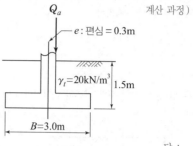

계산 과정)

답 : _____

해답 • 유효폭 $B' = B - 2e = 3 - 2 \times 0.3 = 2.4\text{m}$

• $q_u = \alpha cN_c + \beta B\gamma_1 N_r + \gamma_2 D_f N_q$

$= 0 + 0.5 \times 2.4 \times 20 \times 20 + 20 \times 1.5 \times 22$

$= 1,140\text{kN/m}^2$

∴ 허용지지력 $q_a = \frac{q_u}{3} = \frac{1,140}{3} = 380\text{kN/m}^2$

□□□ 94①

26 Terzaghi의 극한지지력 공식 $q_u = \alpha cN_c + \beta\gamma_1 BN_r$ $+ \gamma_2 D_f N_q$에서 그림과 같이 지하수위가 있는 경우 γ_1은 얼마 이하로 하는가?

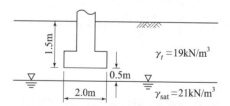

계산 과정)

답 : _____

해답 $d < B$인 경우($d=0.5\text{m} < B=2.0\text{m}$)

$\gamma_1 = \gamma$

$= (\gamma_{sat} - \gamma_w) + \frac{d}{B}\{\gamma_t - (\gamma_{sat} - \gamma_w)\}$

$= (21 - 9.81) + \frac{0.5}{2}\{19 - (21 - 9.81)\} = 13.14\text{kN/m}^3$

□□□ 99①, 19②

27 기초의 폭(B)이 6m, 길이(L)가 12m인 직사각형 기초가 있다. 이 기초의 근입심도는 3.5m이고 지하수위는 1.5m 아래에 있다. 기초지반의 흙은 단위중량이 18.5kN/m³인 사질토로서 $c=6$kN/m², $\phi=22°$ 일 때 지반의 허용지지력(kN/m²)을 구하시오. (단, 물의 단위중량 $\gamma_w=9.81$kN/m³, $\phi=22°$ 일 때, $N_c=21.1$, $N_r=11.6$, $N_q=13.5$)

계산 과정)

답 : _____

───────────────

해답 $0 \leq D_1 \leq D_f$ 인 경우(지하수위가 기초의 근입깊이 D_f 사이에 있을 때)

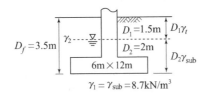

$$\gamma_1 = \gamma_{sub} = 8.7 \text{kN/m}^3$$

* $q_u = \alpha c N_c + \beta \gamma_1 B N_r + \gamma_2 D_f N_d$
  $= \alpha c N_c + \beta \gamma_{sub} B N_r + (D_1 \gamma_t + D_2 \gamma_{sub}) N_q$
* $\alpha = 1 + 0.3 \dfrac{B}{L} = 1 + 0.3 \times \dfrac{6}{12} = 1.15$
* $\beta = 0.5 - 0.1 \dfrac{B}{L} = 0.5 - 0.1 \times \dfrac{6}{12} = 0.45$
* $\gamma_1 = \gamma_t - \gamma_w = \gamma_{sub} = 18.5 - 9.81 = 8.69 \text{kN/m}^3$
* $\gamma_2 D_f = D_1 \gamma_t + D_2 \gamma_{sub}$
  $= 1.5 \times 18.5 + 2 \times 8.69 = 45.13 \text{kN/m}^2$
  $q_u = 1.15 \times 6 \times 21.1 + 0.45 \times 8.69 \times 6 \times 11.6 + 45.13 \times 13.5$
  $= 1,027.02 \text{kN/m}^2$
  $\therefore q_a = \dfrac{q_u}{F_s} = \dfrac{1,027.02}{3} = 342.34 \text{kN/m}^2$

───────────────

□□□ 86①

28 연직하중 400kN, 독립기초 2m×2m 사각형일 때, 가는 모래층의 최대압축력 σ_c는 얼마인가? 모래층의 허용지지력 200kN/m²일 때, 이 기초는 안전한가를 판별하시오. (단, 굴착깊이는 2m)

계산 과정)

답 : _____

───────────────

해답 * $\sigma_c = \dfrac{P}{A} = \dfrac{400}{2 \times 2} = 100 \text{kN/m}^2$
* $\sigma_c = 100 \text{kN/m}^2 < q_a = 200 \text{kN/m}^2$
  $\therefore$ 안정

───────────────

□□□ 84①, 85③, 87②

29 아래 그림과 같은 복합 footing에 있어서 L 및 B를 결정하시오. (단, 기초지반의 허용지내력 10kN/m²이며, 소수 셋째자리에서 반올림하시오.)

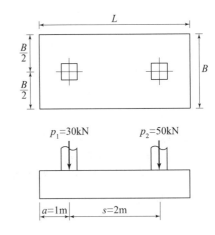

계산 과정)

[답] L : _____ , B : _____

───────────────

해답 ■ 공식에 의한 방법
* $L = 2a + \dfrac{2Q_2 \cdot S}{Q_1 + Q_2} = 2 \times 1 + \dfrac{2 \times 50 \times 2}{30 + 50} = 4.5 \text{m}$
* $B = \dfrac{Q_1 + Q_2}{q_a \cdot L} = \dfrac{30 + 50}{10 \times 4.5} = 1.78 \text{m}$

■ 평형방정식 조건식에 의한 방법
* $\sum F_v = 0 : Q_1 + Q_2 = q_a \cdot (B \cdot L)$
  $B \cdot L = \dfrac{Q_1 + Q_2}{q_a} = \dfrac{30 + 50}{10} = 8$ .... ①
* $\sum M_0 = 0 : 30 \times 1 + 50 \times 3 = q_a \cdot (B \cdot L) \cdot \dfrac{L}{2} = q_a \dfrac{B \cdot L^2}{2}$
  $B \cdot L^2 = \dfrac{30 \times 1 + 50 \times 3}{\frac{1}{2} q_a} = \dfrac{30 \times 1 + 50 \times 3}{\frac{1}{2} \times 10} = 36$ ...... ②

①과 ②에서 $8L = 36$m
$\therefore L = 4.5$m, $B = 1.78$m

───────────────

□□□ 96③

30 토압이 직선적으로 분포하고 토압의 중심이 기둥하중의 합력작용선과 일치한다고 가정하는 설계법은?

○

───────────────

해답 재래식 강성도법(conventional rigid method)

□□□ 96①, 98④

31 다음과 같은 조건일 때 직사각형 복합확대기초의 폭 B를 구하시오.
(단, 지반의 허용지지력 $q_a = 100\text{kN/m}^2$)

【조 건】

· 기둥 1 : $0.4\text{m} \times 0.4\text{m}$, $Q_1 = 500\text{kN}$

· 기둥 2 : $0.4\text{m} \times 0.4\text{m}$, $Q_2 = 1,000\text{kN}$

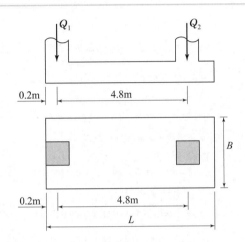

계산 과정)

답 : _____

해답 ■ 공식에 의한 방법

· $L = 2a + \dfrac{2Q_2 \cdot S}{Q_1 + Q_2} = 2 \times 0.2 + \dfrac{2 \times 1,000 \times 4.8}{500 + 1,000} = 6.80\text{m}$

· $B = \dfrac{Q_1 + Q_2}{q_a \cdot L} = \dfrac{500 + 1,000}{100 \times 6.80} = 2.21\text{m}$

■ 평형방정식 조건식에 의한 방법

· $\sum F_v = 0$: $Q_1 + Q_2 = q_a \cdot (B \cdot L)$

   $B \cdot L = \dfrac{Q_1 + Q_2}{q_a} = \dfrac{500 + 1,000}{100} = 15$ ············ ①

· $\sum M_0 = 0$: $500 \times 0.2 + 1,000 \times 5.0 = q_a \cdot (B \cdot L) \cdot \dfrac{L}{2}$

   $= q_a \dfrac{B \cdot L^2}{2}$

   $B \cdot L^2 = \dfrac{500 \times 0.2 + 1,000 \times 5.0}{\frac{1}{2}q_a}$

   $= \dfrac{500 \times 0.2 + 1,000 \times 5.0}{\frac{1}{2} \times 100}$

   $= 102$ ················· ②

①과 ②에서 $15L = 102\text{m}$

∴ $L = 6.8\text{m}$, $B = 2.21\text{m}$

□□□ 92③

32 그림과 같은 무근콘크리트 기초에 집중하중 1,000kN이 중심에 작용할 때 footing의 두께는?
(단, 콘크리트의 허용휨응력은 0.2MPa이고, 기초의 폭은 1m이며 지반은 경암임.)

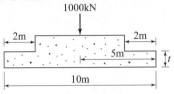

계산 과정)

답 : _____

해답 foot 두께 : $\sigma_a = \dfrac{M}{Z} = \dfrac{M}{\dfrac{bt^2}{6}} = \dfrac{6M}{bt^2}$ ∴ $t = \sqrt{\dfrac{6M}{\sigma_a b}}$

· 허용휨응력 $\sigma_a = 0.2\text{MPa} = 200\text{kN/m}^2$

· 지반응력 $q = \dfrac{P}{A} = \dfrac{1,000}{10 \times 1} = 100\text{kN/m}^2$

· $M_A =$ 지반응력 × 하중작용점 × 도심거리

   $= 100 \times (2 \times 1) \times \dfrac{2}{2} = 200 \text{ kN} \cdot \text{m}$

∴ $t = \sqrt{\dfrac{6 \times 200}{200 \times 1}} = 2.45\text{m}$

□□□ 93①, 96④

33 다음 그림과 같이 20m×30m 전면기초의 부분보상기초 (partially compensated foundation)의 지지력 파괴에 대한 안전율을 구하시오.

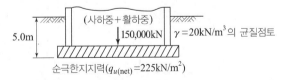

계산 과정)

답 : _____

해답 $F_S = \dfrac{q_{u(net)}}{\dfrac{Q}{A} - \gamma \cdot D_f} = \dfrac{225}{\dfrac{150,000}{20 \times 30} - 20 \times 5} = 1.5$

34 30×40m의 전면기초에 120,000kN의 하중이 작용하고 있다. 이 기초는 연약토층 위에 놓고 있고, 이 연약토층의 단위체적중량이 18kN/m³이다. 완전보상기초(fully compensated foundation)의 근입깊이를 구하시오.

계산 과정)

답 : _____

해답 $D_f = \dfrac{Q}{A \cdot \gamma} = \dfrac{120,000}{30 \times 40 \times 18} = 5.56\text{m}$

35 기초의 폭(B)이 6m이고, 길이(L)가 12m인 직사각형 기초가 있다. 이 기초의 근입심도는 3.5m이고, 지하수위는 1.5m 아래에 있다. 기초지반의 흙은 단위 중량이 18.5kN/m³인 사질토로서 $c = 0.006\text{MPa}$, $\phi = 22°$일 때 지반의 허용지지력을 구하시오. (단, $\phi = 22°$일 때 $N_c = 21.2$, $N_r = 11.6$, $N_q = 13.5$)

계산 과정)

답 : _____

해답 ■ 형상계수

· $\alpha = 1 + 0.3\dfrac{B}{L} = 1 + 0.3 \times \dfrac{6}{12} = 1.15$

· $\beta = 0.5 - 0.1\dfrac{B}{L} = 0.5 - 0.1 \times \dfrac{6}{12} = 0.45$

■ $\gamma_1 = \gamma_{\text{sub}} = 18.5 - 9.81 = 8.69\text{kN/m}^3$

■ $D_f\gamma_2 = D_1\gamma_t + D_2\gamma_{\text{sub}}$
$= 1.5 \times 18.5 + 2 \times 8.69 = 45.13\text{kN/m}^2$

$c = 0.006\text{MPa} = 0.006\text{N/mm}^2 = 6\text{kN/m}^2$

■ $q_u = \alpha c N_c = \beta B\gamma_1 N_r + D_f\gamma_2 N_q$
$= 1.15 \times 6 \times 21.1 + 0.45 \times 6 \times 8.69 \times 11.6 + 45.13 \times 13.5$
$= 1,027.02\text{kN/m}^2$

■ $q_a = \dfrac{q_u}{F_s} = \dfrac{1,027.02}{3} = 342.34\text{kN/m}^3$

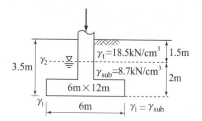

36 $c = 20\text{kN/m}^2$, $\phi = 15°$, $\gamma_t = 17\text{kN/m}^3$인 지반에 3.0×3.0m의 정사각형 기초가 근입깊이 2m에 놓여있고 지하수위 영향은 없다. 이 때 이 정사각형 기초의 극한 지지력과 총허용하중을 구하시오. (단, Terzaghi의 지지력공식을 이용하고 안전율은 3이고, $N_c = 6.5$, $N_r = 1.1$, $N_q = 4.7$)

가. 극한 지지력을 구하시오.

계산 과정)

답 : _____

나. 기초지반이 받을 수 있는 총허용하중을 구하시오.

계산 과정)

답 : _____

해답 가. $q_u = \alpha c N_c + \beta \gamma_1 B N_r + \gamma_2 D_f N_q$

· 정사각형의 형상계수 $\alpha = 1.3$, $\beta = 0.4$

$q_u = 1.3 \times 20 \times 6.5 + 0.4 \times 17 \times 3 \times 1.1 + 17 \times 2.0 \times 4.7$
$= 351.24\text{kN/m}^2$

나. $q_a = \dfrac{q_u}{F_s} = \dfrac{351.24}{3} = 117.08\text{kN/m}^2$

$\therefore Q_{all} = q_a \times A = 117.08 \times 3 \times 3 = 1053.72\text{kN}$

5 chapter

깊은 기초

√ 체크	출제경향	출제연도
□□□	01 원심력 철근콘크리트 말뚝의 장점 3가지를 쓰시오.	08④
□□□	02 원심력 철근콘크리트 말뚝의 단점 4가지를 쓰시오.	94③, 02④
□□□	03 기성 말뚝의 근입시공 시 발생하는 말뚝 자체 파손의 형태를 4가지 쓰시오.	00①
□□□	04 배토, 소배토, 비배토 말뚝의 설치 특성을 쓰시오.	10④
□□□	05 수동말뚝을 해석하는 방법 3가지를 쓰시오.	10①, 18③
□□□	06 말뚝기초의 허용지지력을 구하시오.(Converse-Labarre공식)	87③, 03④, 09④, 12①, 14④, 23③
□□□	07 말뚝을 항타하여 설치하는 현장에서 시험항타의 목적 5가지를 쓰시오.	14②
□□□	08 강말뚝(Steel Pile) 시공 시 강말뚝 선단에 설치하는 것은?	95③, 02④
□□□	09 연약지반에서도 연속타입이 가능하고 타격력 조정에 의해 연약지반에 긴 말뚝 시공이 가능한 해머는?	08①
□□□	10 피어(Pier) 공법의 종류 3가지를 쓰시오.	00①
□□□	11 기초파일공법의 명칭을 각각 기입하시오	05①, 06④, 14④
□□□	12 슬라임을 제거하는 방법 3가지를 쓰시오.	03①, 04④, 06④, 11①, 14④, 18①
□□□	13 케이슨 기초의 시공방법에 따른 종류 3가지를 쓰시오.	95①, 03③, 06①, 07①, 09④, 10②
□□□	14 오픈케이슨 공법의 장점 3가지를 쓰시오.	94③, 96①, 98④, 13②
□□□	15 오픈케이스 공법의 시공상 단점 3가지를 쓰시오.	89②, 13④, 18①
□□□	16 우물통 기초의 수중거치방법 3가지를 쓰시오.	92②④, 95⑤, 03②, 05①, 07④, 08②
□□□	17 오픈케이슨의 침하공법 4가지를 쓰시오.	92①, 94④, 00④, 11④
□□□	18 우물통기초의 침하 시 편위의 원인 4가지를 쓰시오.	86③, 03①, 06④, 22①
□□□	19 공기케이슨 공법의 단점 4가지를 쓰시오.	85②, 94①, 03②, 14④, 20④
□□□	20 공기케이슨이 사용되는 경우 3가지를 쓰시오.	01①, 09②
□□□	21 오픈케이슨 공법과 공기케이슨 공법 각각의 공식을 제시하고 차이점을 설명하시오.	01②, 05②
□□□	22 우물통 케이슨 기초의 침하조건식과 침하촉진방법 2가지를 쓰시오.	04②, 21②, 23③
□□□	23 사질토의 표준관입시험치 N값이 균일할 때 말뚝의 선단지지력과 마찰지지력을 구하시오.	96④, 98③, 04④

✓ 체크	출제경향	출제연도
□□□	24 말뚝 직경이 40cm일 경우 Meyerhof의 공식을 이용하여 극한지지력을 구하시오.	93③, 94①②, 97④, 99①, 00②, 01③, 03③, 10①, 10②, 12④, 23①
□□□	25 표준관입치가 3종인 말뚝의 허용지지력을 구하시오.	94②, 99①, 01③, 03③, 07④, 10①②, 13①, 14②, 19③
□□□	26 허용지지력을 Meyerhof식을 이용하여 구하시오.	09①, 12②, 21②
□□□	27 RC pile의 최소지중깊이는?	93②, 97②, 02②, 05③, 10④, 13②
□□□	28 말뚝기초 시공 시에 말뚝이 지탱할 수 있는 최대상부하중을 구하시오.	96②, 98④, 03①, 06④
□□□	29 원형말뚝이 점토지반에 설치되었을 때 전주면마찰력을 α방법으로 구하시오.	00④, 03①
□□□	30 현장콘크리트 말뚝에 대한 주면마찰력을 계산하시오.	97①, 00①
□□□	31 말뚝의 허용지지력을 샌더(Sander) 공식을 이용하여 구하시오.	85②③, 02①
□□□	32 Engineering news 공식을 사용하여 말뚝의 허용지지력을 구하시오.	94①, 94④, 00⑤, 08②, 12①
□□□	33 항타기록을 보고 Hiley식을 이용하여 허용지지력을 산정하시오.	00③, 08①, 14①
□□□	34 수평방향으로 10ton의 하중이 작용할 때 말뚝머리의 수평변위를 계산하시오.	97①, 01②, 02②, 04②, 09①
□□□	35 말뚝의 부마찰력의 정의를 쓰고 부마찰력을 구하시오.	06②, 11②, 21②
□□□	36 부마찰력(Negative Friction) 발생원인 4가지를 쓰시오.	92②, 02②, 07②, 09④, 13①, 20①
□□□	37 부마찰력을 줄이는 방법 3가지를 쓰시오.	96⑤, 99③, 03③, 05④, 13②, 22①
□□□	38 부마찰력을 계산하시오.	85②, 85③, 98⑤, 99③, 01④, 13②, 17①
□□□	39 군항 또는 단항인지 여부를 판정하시오.	95⑤, 99②, 00④, 02①
□□□	40 외말뚝과 무리말뚝 여부를 판단하고, 무리말뚝인 경우 허용지지력을 계산하시오.	13④
□□□	41 군항에서 A점에 45t의 힘이 가해지고 있다. 1, 6, 8번 말뚝에 가해지는 하중은?	87②, 04③
□□□	42 A점에 60t의 하중이 가해질 때, 1번 말뚝에 가해지는 하중은?	87②, 04④, 08②
□□□	43 배치된 말뚝 A, 말뚝 B에 작용하는 하중을 검토(계산)하시오.	95④, 97④, 99②, 00③, 06①, 10④, 13①
□□□	44 기초파일공법의 명칭을 쓰시오.	05①, 06④, 14④, 23③
□□□	45 어스드릴공법의 시공순서를 쓰시오.	92②, 97①, 23②

05 깊은 기초

딴 알아두기

말뚝기초 기초의 밑면에 접하는 토층이 적당한 지내력을 갖지 못하여 푸팅이나 전면기초와 같은 얕은 기초로 할 수 없을 경우, 구조물을 말뚝으로 지지하는 것이 경제적으로 될 때 이러한 기초를 말뚝기초라 한다.

01 말뚝기초

말뚝기초(pile foundation)는 비교적 직경이 작은 긴 구조체를 타격이나 진동에 의해 소정의 위치까지 박는 기초를 말한다. 이러한 말뚝의 기능은 상부구조물의 하중을 지지하고, 좋은 지지력을 가진 흙이나 암반의 층에 구조물의 하중을 전달하며, 지반을 다져서 지반의 지지력을 증가시킨다.

1 말뚝의 분류

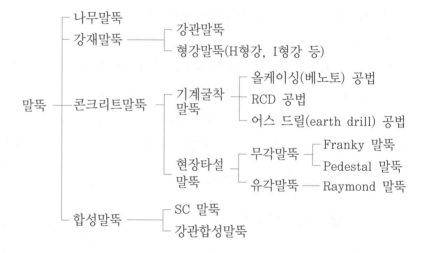

(1) 나무말뚝 Wooden pile

나무말뚝은 생송이나 통나무로서 곧은 것이 좋으며 항타식으로 시공할 때는 껍질을 벗겨 사용하는 것이 좋다.

■ 나무말뚝의 장단점

장점	단점
• 재질이 균일하여 믿을 수 있다. • 타설 후 곧 공사를 계속할 수가 있다. • 말뚝길이 15m 이하에서는 경제적이다.	• 지지력이 작다. • 타설 시 소음이 심하다. • 지하수면 이하에서만 사용할 수 있다.

(2) 원심력 철근콘크리트 말뚝 RC-Pile, Reinforced Concrete pile

원심력을 이용하여 만든 철근 콘크리트 말뚝은 큰 지지력을 가지고 있고 지하수가 깊은 경우도 이용할 수 있어 가장 많이 사용되는 말뚝

■ 원심력 철근콘크리트 말뚝의 장단점

장점	단점
• 재료가 균등하여 신뢰성이 높다. • 강도가 크므로 지지말뚝에 적합하다. • 말뚝길이 15m 이하에서 경제적이다. • 말뚝재료의 구입이 용이하다.	• 말뚝이음의 신뢰성이 적다. • 굳은 토층에 관통하기가 곤란하다. • 무게가 무거워서 운반 및 취급이 어렵다. • 타입 시 균열이 생기기 쉽다.

기억해요
• 원심력 철근콘크리트 말뚝의 장점 3가지만 쓰시오.
• 원심력 철근콘크리트 말뚝의 단점 4가지만 쓰시오.

(3) 강말뚝 steel pile

다른 말뚝의 재료에 비하여 지지력이 크고 시공능률이 우수하여 널리 사용되고 있다. 일반적으로 H형강 강말뚝과 강관말뚝으로 구분된다.

■ 강말뚝의 장단점

장점	단점

• 재질이 균일하고 신뢰성이 크다.
• 재질의 강도가 크고 지지층에 깊게
  관입할 수 있고 지지력이 크다.
• 단면의 휨강성이 크므로 수평저항력
  이 크다.
• 이음에는 현장 용접이음이 가능하다.
• 임의의 길이로 절단할 수 있으며 운
  반 및 취급이 쉽다.
	• 단가가 비싸다.
	• 부식하기 쉽다.
	• 다짐말뚝이나 마찰말뚝으로 적합하지
	  않다.
	• 지지층의 지지력이 크지 않을 경우
	  비경제적이다.

■ 강말뚝(steel pile)의 부식방지 대책

① 두께를 증가시키는 방법
② 콘크리트로 피복하는 방법
③ 도장에 의한 방법
④ 전기방식법

기억해요
강말뚝의 부식방지 대책을 3가지만 쓰시오.

(4) 프리스트레스트 콘크리트 말뚝 PSC pile

RC 말뚝의 단점을 보완해서 만든 말뚝으로 프리텐션(pretension) 방식과 포스트텐션(post tension) 방식이 있으며 기초말뚝으로는 프리텐션 방식이 이용되고 있고 대경 피어기초나 교각의 경우는 포스트텐션 방식이 널리 이용되고 있다.

① 프리스트레스트 콘크리트 말뚝의 장단점

장점	단점
• 중량이 가벼워 운반이 쉽다. • 길이의 조절이 비교적 쉽다. • 휨력을 받았을 때의 휨량이 적다. • 시공 시 이음이 쉽고 이음의 신뢰성이 크다.	• RC 말뚝에 비하여 고가이다. • 내화성에 있어서 불리하다. • 강성이 작아 변형하기 쉽다. • 말뚝길이가 15m 이하일 때는 RC 말뚝에 비하여 비경제적이다.

② 시공방법
• 타격방식
• pre − boring 방식
• 중공굴착 방식
• 제트(jet) 방식

(5) 현장타설 콘크리트 말뚝 Cast-in-place concrete pile

현장 콘크리트 말뚝이란 현장위치에 적당한 방법으로 구멍을 뚫고 그 속에 콘크리트를 넣어서 만든 말뚝이다. 일반적으로 케이싱(casing) 또는 얇은 철판의 코어(core)를 땅속에 남겨 두는 유각현장 콘크리트 말뚝과 땅속에 남겨 두지 않은 무각 콘크리트 말뚝으로 구분한다.
• 무각 콘크리트 말뚝 : 프랭키(Franky) 말뚝, 페디스털(Pedestal) 말뚝
• 유각 콘크리트 말뚝 : 레이몬드(Raymond) 말뚝

① 프랭키말뚝(Franky pile) : 외관 속에 콘크리트를 채워서 지지층까지 박은 후 외관을 빼면서 콘크리트를 타격하여 만든 말뚝
② 페디스털말뚝(Pedstal pile) : 내외 외중관을 박은 후 내관을 빼내고 콘크리트 구군이 만들어진 후 외관을 빼내어 만든 말뚝
③ 레이몬드말뚝(Raymond pile) : 얇은 철판의 외관 안에 굳은 심대를 넣어 처박은 후 심대는 떼어 내고 콘크리트를 다져 넣어 만든 콘크리트 말뚝

(6) 그물식 뿌리말뚝 RRP : Reticulated Root Piles

말뚝의 중심이 이형철근이나 강봉과 같은 보강재가 들어 있는 현장타설 콘크리트 말뚝으로 말뚝 지름은 대체로 100 ~ 250mm 정도이다. 이 말뚝은 그 용도에 따라 하중지지말뚝과 지반보강말뚝으로 구분되며, 특히 지반보강말뚝은 나무뿌리가 지반에 뻗은 형상과 같이 배치되어 root piles라고 불린다.

(7) 합성말뚝 composite piles

합성말뚝은 상하부가 강철과 콘크리트 또는 목재와 콘크리트같이 서로 다른 재료로 구성된 말뚝을 말한다.

① SC 말뚝 : 강철콘크리트 합성말뚝(steel concrete pile)은 아랫부분은 강철로, 윗부분은 현장 콘크리트로 구성되는 말뚝으로 단순한 현장 콘크리트 말뚝만으로 소요의 지지력을 지탱하지 못할 때 사용되는 말뚝의 형태이다.

② AC 말뚝(autoclave concrete pile) : AC 말뚝은 압축강도 80MPa 이상의 콘크리트를 사용하여 만든 높은 강도의 PC 말뚝으로서 고강도 콘크리트는 고온·고압 속에서 말뚝을 양생하거나 고강도 혼합재를 섞어서 상압증기양생하여 만든다.

🔧 **이음말뚝** Connected pile 같은 재료의 말뚝을 2개 이상 이은 말뚝

🔧 **합성말뚝** 다른 재료의 말뚝으로 이은 말뚝

핵심용어
합성말뚝

2 말뚝의 설치 특성

(1) 배토말뚝 displacement piles

콘크리트 말뚝이나 선단이 폐색된 강관말뚝(폐단말뚝)을 타입하면 주변지반과 선단지반이 밀려서 배토되므로 배토말뚝이라 한다.

(2) 소배토말뚝

H-말뚝, 선굴착 최종 항타말뚝은 타입 시에 주변지반으로 횡방향 이동이 적고 지반이 약간만 다져지므로 소배토말뚝이라 한다.

(3) 비배토말뚝 nondisplacement piles

매입말뚝 및 현장타설 말뚝은 흙을 파낸 후에 설치하므로 말뚝에 의해 흙을 밀어내는 것이 적으므로 비배토말뚝이라 한다.

기억해요
말뚝의 설치 특성에 따른 배토말뚝, 소배토말뚝, 비배토말뚝을 쓰시오.

3 말뚝박기의 일반사항

(1) 시험항타의 목적

① 항타장비의 성능 및 적합성 판정
② 지지층 깊이에 따른 말뚝의 길이 결정
③ 말뚝의 길이에 따른 이음공법의 결정
④ 시간경과 효과를 고려한 말뚝의 지지력 추정
⑤ 본 항타 시 최종관입량, 낙하높이, 타격횟수, 지내력 확인으로 적절한 시공관리

기억해요
시험항타의 목적을 5가지만 쓰시오.

🔰 **슈 Shoe** 말뚝을 조밀한 자갈층이나 혈암 및 연약층과 같이 단단한 층에 타입할 때 강말뚝 선단에 부착하는 것

(2) **말뚝박기 순서**

① 한 구조물의 말뚝 기초작업 시 : 중앙부의 말뚝부터 먼저 박고 외측으로 향하여 타입한다.

② 해안선에서 작업 시 : 지표면이 한쪽으로 경사진 경우는 육지 쪽에서 바다 쪽으로 타입한다.

③ 기존 건물 가까운 작업 시 : 구조물 쪽부터 타입한다.

(3) **말뚝의 간격**

① 말뚝 사이의 간격은 최소한 말뚝지름의 2.5d 이상

② 기초판의 측면과 말뚝 중심 사이의 간격은 적어도 말뚝지름의 1.5d 이상

기억해요
기성말뚝의 근입시공 시 발생하는 말뚝 자체의 파손형태를 4가지만 쓰시오.

(4) **말뚝의 손상형태**

① 말뚝의 두부 파손

② 선단부의 파손

③ 이음부의 파손

④ 말뚝 두부의 종방향 균열

⑤ 횡방향 균열

⑥ 휨균열

(5) **항타할 때 파일 두부頭部의 파손 원인과 대책**

파손원인	파손대책
• 편심항타	• 편심항타의 방지
• Cushion 두께의 부족	• Cushion 두께의 증가
• 말뚝강도의 부족	• 말뚝강도의 증가
• 대형 해머(hammer)의 사용	• 소형해머의 사용

4 말뚝박기 공법

항타기 ─┬ 타입식 : ① 드롭해머 ② 증기해머 ③ 디젤해머
　　　　├ 진동식 : 진동해머(vibro hammer)
　　　　├ 압입식
　　　　└ 사수식

(1) **드롭해머** drop hammer

말뚝박기 기계 가운데 타격력이 다른 해머에 비해 떨어지고 말뚝머리를 손상시키지만 모래 또는 점성지반에도 손쉽게 사용하는 항타기

드롭해머

(2) 디젤해머 diesel hammer

외부에서 에너지를 공급받지 않고 해머 자체가 모든 것을 갖추고 있기 때문에 이동과 항타준비가 단순하며 편리하게 사용된다.

① 단동식 해머 : 단단한 점성토지반에서는 타격속도(35~60회/min)가 늦은 단동식 해머가 복동식 해머보다 유리하고 경사말뚝타입에는 불리하다.

② 복동식 해머 : 타격속도가 단동식의 두 배 정도로 빠르기 때문에 경사말뚝타입과 연약점토지반 및 사질토지반에서 단동식보다 유리하다.

■ 디젤해머의 장단점

장점	단점
• 취급이 간단하고, 기동성이 좋다. • 타격력이 커서 타입능률이 높다. • 연료비가 저렴하여 경제적이다.	• 중량이 무거워서 설치비가 커진다. • 연약지반에서는 능률이 떨어진다. • 타격음이 크고 배기가스의 공해가 있다.

디젤해머

기억해요
디젤해머와 진동해머의 장점을 각 2가지씩 쓰시오.

(3) 유압해머 hydraulic hammer

① 영국에서 제작·공급되어 최근 그 사용이 늘고 있다.

② 시공조건에 따라 낙하높이를 결정하여 말뚝지름에 따라 해머의 타격력을 조정할 수 있다.

③ 폭발음이 없고, 완전밀폐형의 방음커버를 장착하여 소음을 저감할 수 있다.

④ 연약지반에서도 연속타입이 가능하고 타격력 조정에 의해 연약지반에 긴 말뚝시공이 발생하는 과도한 인장력을 억제하는 특징이 있다.

유압해머

기억해요
유압해머의 명칭을 쓰시오.

(4) 진동해머 vibro hammer

말뚝상단에 진동을 일으키는 기진기를 설치하여 말뚝을 종방향으로 강제진동시켜서 지반에 관입시키는 장치이다.

■ 진동해머의 장단점

장 점	단 점
• 말뚝머리의 손상이 없다. • 말뚝타입 때 타격음이 적다. • 말뚝의 타입속도가 빠르다.	• 특수한 캡이 필요하다. • 전기설비가 커진다. • 시가지에는 시공이 곤란하다.

진동해머

압입공법

(5) 압입공법 Press-in method

오일잭(oil jack)을 사용하여 말뚝을 강제로 말뚝체에 손상을 주지 않고
무진동, 무소음으로 말뚝을 지반에 타입하는 공법으로 말뚝 주변이나 선
단부를 교란시키지 않는 말뚝타입 공법이다.

(6) 사수공법 water jet

기성말뚝의 내부 또는 외측에 파이프를 설치하여 압력수를 말뚝 선단부에서
분출시켜 말뚝의 관입저항을 감소시키는 공법이다.

5 깊은 말뚝의 수평거동

수평력을 받는 말뚝은 말뚝과 지반 중 어느 것이 움직이는 주체인가에 따
라 주동말뚝 및 수동말뚝의 2종류로 대별할 수 있다.

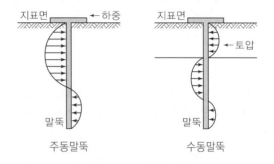

주동말뚝   수동말뚝

(1) 주동말뚝 active pile

① 수평력이 작용하는 상부구조물에 의해 말뚝 두부가 먼저 변형되어 주
변지반이 저항하는 말뚝

② 주동말뚝은 지표면에서 수평하중을 받음.

③ 지표면상의 말뚝부분에 작용하게 되는 수평력은 옹벽 및 교대, 배면의
성토, 바람, 파도, 충격, 지진 등의 현상에서 볼 수 있다.

(2) 수동말뚝 passive pile

① 말뚝 인접지반의 성토나 압밀침하 등으로 말뚝 지반이 먼저 변형되어
말뚝에 측방 토압이 작용하는 말뚝

② 수동말뚝은 말뚝주변 지반의 측방이동에 의하여 측방토압을 받음.

③ 연직하중 및 수평하중이 지중의 말뚝지반에 작용할 경우 지반이 말뚝
의 이동에 저항하는 현상에서 볼 수 있다.

(3) 수동말뚝의 해석방법

① **간편법** : 지반의 측방변형으로 발생할 수 있는 최대 측방토압을 고려한 상태에서 해석하는 방법

② **탄성법** : 지반을 이상적 탄성체 혹은 탄소성체로 가정하여 해석하는 방법

③ **지반반력법** : 주동말뚝에서와 같이 지반을 독립한 Winkler 모델로 이상화시켜 해석하는 방법

④ **유한요소법** : 지반의 응력변형률 관계를 Bilinear, Multilinear, Hyperbolic 등의 모델을 사용하여 해석하는 방법

기억해요
수동말뚝을 해석하는 방법을 3가지만 쓰시오.

| 말뚝기초 |

01 핵심 기출문제 □□□

□□□ 08④

01 원심력 철근콘크리트 말뚝의 장점 3가지만 쓰시오.

득점	배점
	3

① _____ ② _____ ③ _____

해답 ① 재료가 균등하여 신뢰성이 높다.
② 강도가 크므로 지지말뚝에 적합하다.
③ 말뚝길이 15m 이하에서 경제적이다.
④ 말뚝재료의 구입이 용이하다.

□□□ 94③, 02④

02 원심력을 이용하여 만든 철근콘크리트 말뚝은 큰 지지력을 가지고 있고 지하수가 깊은 경우도 이용할 수 있어 가장 많이 사용되는 말뚝이다. 이 말뚝은 장점도 많지만 단점도 있다. 원심력 철근콘크리트 말뚝의 단점 4가지만 쓰시오.

득점	배점
	3

① _____ ② _____
③ _____ ④ _____

해답 ① 말뚝이음의 신뢰성이 적다.
② 굳은 토층에 관통하기가 곤란하다.
③ 무게가 무거워서 운반 및 취급이 어렵다.
④ 타입 시 균열이 생기기 쉽다.

□□□ 10④

03 말뚝의 설치 특성에 따른 아래 표의 ( ) 안에 알맞은 말을 쓰시오.

득점	배점
	3

콘크리트 말뚝이나 선단폐쇄 강관말뚝과 같은 타입말뚝은 흙을 횡방향으로 이동시켜서 주위의 흙을 다져 주는 효과가 있으며, 이러한 말뚝을 (①)말뚝이라고 한다. H형 강말뚝이나 선단개방 강관말뚝은 타입 시 흙을 수평방향으로 약간만 이동시키므로 (②)말뚝이라고 하며, 천공말뚝은 말뚝을 설치하더라도 흙의 응력상태에 변화가 거의 일어나지 않으므로 (③)말뚝이라고 한다.

① _____ ② _____ ③ _____

해답 ① 배토 ② 소배토 ③ 비배토

□□□ 10①, 18③

04 주동말뚝은 말뚝머리에 기지(旣知)의 하중(수평력 및 모멘트)이 작용하는 반면에 수동말뚝은 어떤 원인에 의해 지반이 먼저 변형하고 그 결과 말뚝에 측방토압이 작용한다. 이러한 수동 말뚝을 해석하는 방법을 3가지만 쓰시오.

특점	배점
	3

① _____ ② _____ ③ _____

_____

해답 ① 간편법 ② 탄성법 ③ 지반반력법 ④ 유한요소법

□□□ 15②

05 수평력을 받는 말뚝은 말뚝과 지반 중 어느 것이 움직이는 주체인가에 따라 2종류로 대별 할 수 있는 말뚝을 2가지 쓰시오.

특점	배점
	3

① _____ ② _____

_____

해답 ① 주동말뚝(active pile) ② 수동말뚝(passive pile)

□□□ 04②

06 말뚝기초는 기성말뚝기초와 현장타설 콘크리트 말뚝으로 대별된다. 이 중 기성말뚝기초의 지지력 저하요인을 3가지만 기술하시오.

특점	배점
	3

① _____ ② _____

③ _____

_____

해답 ① 말뚝의 부마찰력에 의한 지지력 저하 ② 말뚝의 침하에 의한 지지력 저하
③ 말뚝이음에 의한 지지력 저하 ④ 세장비에 따른 지지력 저하

□□□ 14②

07 말뚝을 항타하여 설치하는 현장에서 시험항타의 목적을 5가지만 쓰시오.

특점	배점
	3

① _____ ② _____ ③ _____

④ _____ ⑤ _____

_____

해답 ① 말뚝의 길이 결정
② 말뚝길이에 따른 이음공법 결정
③ 항타장비의 성능 및 적합성 판정(타입공법 선정)
④ 적절한 시공성 검토
⑤ 말뚝의 지지층 확인

□□□ 95③, 02④

08 조밀한 자갈층, 연암층 등 단단한 지반에 강말뚝(steel pile)시공시 강말뚝 선단에 설치하는 것은?

○ ───────────────────────────────

─────────────────────────────────

해답 슈(shoe)

□□□ 00①

09 기성 말뚝의 근입시공시 발생하는 말뚝자체 파손의 형태를 4가지만 쓰시오.

① ───────────────── ② ─────────────────

③ ───────────────── ④ ─────────────────

─────────────────────────────────

해답 ① 말뚝 두부 파손   ② 선단부 파손   ③ 이음부 파손
④ 횡방향 균열   ⑤ 휨균열   ⑥ 말뚝 두부의 종방향 균열

□□□ 예상문제

10 말뚝박기 기계 가운데 타격력이 다른 해머에 비해 떨어지고 말뚝머리를 손상시키지만 모래 또는 점성지반에도 손 쉽게 사용하는 기계이름은?

○ ───────────────────────────────

─────────────────────────────────

해답 드롭해머(drop hammer)

□□□ 08①

11 아래 표에서 설명하고 있는 말뚝 시공용 해머의 명칭을 쓰시오.

> 시공조건에 따라 낙하높이를 결정하여 말뚝지름에 따라 해머의 타격력을 조정할 수 있다. 또한 폭발음이 없고, 완전밀폐형의 방음커버를 장착하여 소음을 저감할 수 있다. 연약지반에서도 연속타입이 가능하고 타격력 조정에 의해 연약지반에 긴 말뚝시공이 발생하는 과도한 인장력을 억제하는 특징이 있다. 최근 그 사용이 늘고 있다.

○ ───────────────────────────────

─────────────────────────────────

해답 유압해머(hydraulic hammer)

□□□ 88③, 02①

12 Cast-in-place concrete pile(현장타설 콘크리트 말뚝)의 종류를 3가지만 쓰시오

득점	배점
	3

① _____ ② _____ ③ _____

해답 ① 프랭키(Franky) 말뚝   ② 페디스털(Pedestal) 말뚝   ③ 레이몬드(Raymond) 말뚝

□□□ 20④

13 프리스트레스트 콘크리트(PSC)말뚝의 장점 4가지를 쓰시오.

득점	배점
	4

① _____ ② _____

③ _____ ④ _____

해답 ① 신뢰성이 크다.
② 균열이 잘 생기지 않는다.
③ 휨량을 받았을 때 휨량이 적다.
④ 인장파괴의 발생 방지에 효력이 있다.
⑤ 길이의 조절이 비교적 쉽다.

□□□ 17①

14 말뚝상부는 모멘트 저항능력이 우수한 강관말뚝으로 하고, 압축력이 주로 작용하는 하부는 고강도 콘크리트 말뚝(PHC)으로 구성된 말뚝을 무엇이라고 하는가?

득점	배점
	2

○ _____

해답 매입형 복합말뚝(Hydrid Composite Pile)

기억해요
피어(pier) 공법의 종류를 3가지 쓰시오.

02 현장타설 피어공법

현장타설 피어(pier) 공법은 구조물의 하중을 견고한 지반에 전달하기 위하여 먼저 지반을 굴착한 후 그 속에 현장콘크리트를 타설하여 만든 기둥 모양의 기초를 말한다.

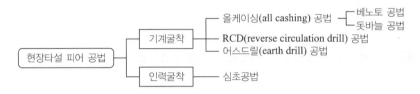

1 베노토 공법 benoto method

현장타설 피어공법으로 굴착소요깊이까지 케이싱 관입 후 및 내부굴착 후, 케이싱 인발, 철근망 투입, 콘크리트 타설 및 완성하는 주상기초를 만드는 공법이다.

(1) 베노토 공법의 시공순서

베노토 공법

기억해요
현장타설 피어공법으로 케이싱 튜브의 인발 시 철근이 따라 뽑히는 공상현상이 일어나는 단점이 있는 공법은?

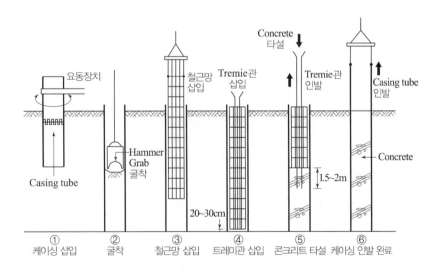

(2) 베노토 공법의 장단점

장 점	단 점
• 지반조건에 구애를 받지 않고 시공이 가능하다. • 저소음, 저진동공법이다. • 지질상태를 확인할 수 있다. • 토사의 붕괴나 여굴이 방지된다.	• 넓은 작업장이 필요하다. • 기계가 고가이다. • 케이싱 인발 시 공상현상의 염려가 있다. • 지하수의 처리가 어렵다.

2 돗바늘 공법 All casing method

(1) 베노토 공법은 hammer grab으로 굴착하고 난후 요동기(oscillator)를 사용하여 케이싱을 설치하지만, 돗바늘 공법은 360° 전회전기(Rotator)를 사용하여 케이싱 선단에 특수강 비트를 부착하고 굴진하면서 동시에 hammer grab으로 굴착토를 배출하는 것이 다른 점이다.

(2) 최근 산악지역에 있어서는 전석층, 암반층을 굴삭하는 기초말뚝공사와 도시 부근, 매립지에서 지중 장애물의 철거공사에 적용하고 있다.

3 RCD 공법 Reverse circulation drill, 역순환 공법

RCD 공법은 독일에서 개발된 공법으로 표층에 케이싱을 설치하여 굴착공 내에 압력수를 순환시켜 드릴 파이프 내의 굴착토사를 배출하는 기초공법이다.

(1) 시공순서

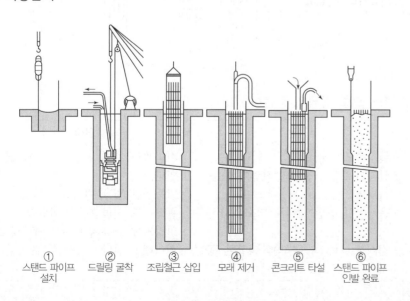

① 스탠드 파이프 설치   ② 드릴링 굴착   ③ 조립철근 삽입   ④ 모래 제거   ⑤ 콘크리트 타설   ⑥ 스탠드 파이프 인발 완료

💡 **돗바늘 공법** 일본에서 개발한 것으로서 장비 제작사별로 제각기 이름을 붙인 것을 우리나라에 최초로 도입하면서 이미 도입되어 있는 베노토 공법과 확실하게 구분하고 또 일관된 명칭으로 본 공법을 정착·보급시키기 위하여 고유의 우리말을 사용하여 돗바늘 공법으로 명명하게 되었다.

돗바늘 공법

RCD 굴착장비

기억해요
비트를 회전시켜 굴착배출하는 공법으로 연속굴착이 가능하고 버킷을 끌어 올릴 절토가 없는 작업능률이 좋은 공법은?

(2) RCD 공법의 장단점

장점	단점
• 깊은 굴착이 가능하다. • 저소음 저진동 공법이다. • 모래층의 굴착에 용이하다. • 벤토나이트 용액을 사용하므로 케이싱이 필요 없다. • 연·경암의 굴착과 수상시공이 가능하다.	• Drill Pipe 직경보다 큰 전석 등의 출현 시 굴착 불가 • 지반 중에 큰 피압수나 복류수가 있는 경우는 시공 곤란 • 콘크리트 시공관리가 나쁘면 강도발현이 불가

4 어스 드릴 공법 earth drill method

어스 오거(earth auger) 굴착기로 말뚝구멍을 굴착하려고 중벽을 벤토나이트로 채운 후, 그 속에 철근망을 넣어서 타설하는 현장 말뚝공법

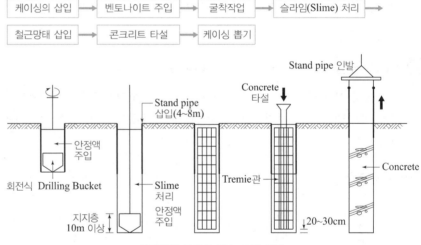

Earth drill 공법

기억해요
굴착기로 말뚝구멍을 굴착하려고 중벽을 벤토나이트로 채운 후, 그 속에 철근망을 넣어서 타설하는 현장 말뚝공법을 무엇이라 하는가?

(1) 시공순서

케이싱의 삽입 → 벤토나이트 주입 → 굴착작업 → 슬라임(Slime) 처리 →

철근망태 삽입 → 콘크리트 타설 → 케이싱 뽑기

안정액을 사용한 어스 드릴 공법

(2) 어스 드릴 공법의 장단점

장점	단점
• 굴착속도가 빠르다. • 굴착기 1대로 전체의 작업이 가능하다. • 올케이싱 공법에 비해 저소음 저진동이다. • 점성토 지반의 굴착에 적합한 공법이다.	• 시공관리 부실 시 공벽 붕괴 염려가 있다. • 말뚝선단 및 주변지반 연약화 • 콘크리트 시공관리가 어렵다. • 안정액에 함유된 토사는 폐기물로 처리해야 한다.

5 심초공법 Caisson Type Pile Method

심초공법은 수직갱의 공벽을 파형강판과 링 지보재를 사용하여 토압을 지지하면서 인력으로 소요심도까지 굴착하고 저부를 확대 굴착한 후에 철근망의 건입 또는 철근을 조립하고 콘크리트를 타설하여 큰 지지력을 가지는 말뚝기초를 시공하는 공법이다.

(1) 심초공법의 장점
① 말뚝길이에 따른 저감율이 적용되지 않는다.
② 경사지 및 좁은 장소에서도 시공이 가능하다.
③ 굴착작업 시에 진동이나 소음이 거의 발생하지 않는다.
④ 기초저부를 확대 굴착하므로 지지력이 커서 타공법보다 경제적이다.

(2) 심초공법의 단점
① 지하수의 양수에 의해 인접한 지반에 변형이 발생할 수 있다.
② 암반, 전석층에서 발파공법의 적용이 곤란하다.
③ 선단지반과 말뚝주변이 연약해질 수 있다.
④ 큰 편토압이 작용하는 장소에는 부적당하다.

6 SIP 기초공법

SIP(Soil Cement Injected Precast Pile) 기초공법은 기성말뚝을 항타 시에 생기는 소음이 없어 도시에서 시공 중인 아파트 공사에 많이 사용된다. 국내에서는 1987년에 한강변에 신축된 초고층아파트에 사용된 기초공법으로 다음과 같은 장점이 있다.

(1) 소음·진동이 적어 도심지 공사에 적합하다.
(2) 말뚝선단부의 지지력 및 말뚝주면의 마찰력이 증대한다.
(3) 말뚝에 가해지는 충격응력이 작아 품질이 우수하다.

SIP 공법

핵심용어
SIP 기초공법

기억해요
슬라임을 제거하는 방법을 3가지만 쓰시오.

7 Slime 처리방법

현장타설 말뚝은 콘크리트를 칠 때 공저에 슬라임(Slime)이 퇴적되어 있으면 침하원인이 되고 말뚝으로서 기능이 현저하게 저하한다. 이 같은 슬라임을 제거하는 방법은 다음과 같다.

(1) 샌드펌프 sand pump 방법
수중 pump를 굴착 바닥까지 내려서 pump로 직접 퍼 올리는 방법

(2) 에어리프트 air lift 방법

trench 내에 tremie pipe를 설치한 노즐을 부착한 에어분출구를 관내에 투입하고 compressor로 공기를 보내 그 반발력으로 돌아온 공기와 함께 안정액이 흡입되어 나오는 방식

(3) 석션펌프 Suction pump 방법

양수관(또는 트레미관)에 석션펌프를 연결해 물과 함께 배출하는 방법

(4) 수중 Pump 방법

공내에 수중펌프를 설치하여 slime이 쌓이지 않게 여과지를 통해서 안정 액을 순화시키는 방법

(5) Water jet 방법

고압의 압력수를 이용하여 tremie관으로 콘크리트를 배출하기 전에 공배 하부에 쌓인 선단부의 slime를 교란시켜 콘크리트가 최하단부에 위치하도 록 하는 방식

(6) 모르타르 바닥처리방법

공저에 모르타르를 투입하여 슬라임과 혼합하여 콘크리트의 타설 시에 밀 어냄.

| 현장타설 피어공법 |

02 핵심 기출문제 □□□

□□□ 00①

01 피어(Pier) 공법의 종류를 3가지 쓰시오.

득점	배점
	3

① _____   ② _____   ③ _____

해답 ① 어스 드릴(earth drill) 공법   ② 베노토(benoto) 공법   ③ RCD 공법

□□□ 98③

02 어스 오거(earth auger) 굴착기로 말뚝구멍을 굴착하려고 중벽을 벤토나이트로 채운 후, 그 속에 철근망을 넣어서 타설하는 현장말뚝공법을 무엇이라고 하는가?

득점	배점
	2

○

해답 어스 드릴(earth drill) 공법(=Calweld earth drill 공법)

□□□ 95③

03 현장타설 피어공법으로 소정의 지지 지반까지 구멍을 파서 그 속에 콘크리트를 타설하여 확실한 원형의 주상기초를 만드는 공법이다. 케이싱 튜브의 인발 시 철근이 따라 뽑히는 공상 현상이 일어나는 단점이 있는 공법은?

득점	배점
	2

○

해답 베노토(benoto) 공법(=all casing공법)

□□□ 96⑤

04 다음은 피어 시공방법 중 무슨 방법에 관한 설명인가?

득점	배점
	2

> 비트(bit)를 회전시켜 굴착한 흙을 굴착파이프(drill pipe)를 통해 물과 함께 배출하는 공법이다. 이 공법에서는 굴착파이프를 연장해 주는 것만으로 연속굴착이 가능하며, 다른 공법에서처럼 버킷을 끌어 올릴 필요가 없으므로 작업능률이 좋다.

○

해답 RCD 공법(Reverse circulation drill : 역순환공법)

□□□ 05①, 06④, 14④, 23③

05 다음의 기초파일공법의 명칭을 각각 기입하시오.

득점 배점
3

> A. 굴착소요깊이까지 케이싱 관입 후 및 내부굴착 후, 케이싱 인발, 철근망 투입, 콘크리트 타설, 완성
> B. 표층 케이싱 설치, 굴착공 내에 압력수를 순환시킴, 드릴파이프 내의 굴착토사 배출
> C. 얇은 철판의 내외관 동시 관입, 내관 인발, 외관 내부에 콘크리트 타설

A : _____   B : _____   C : _____

해답 A : 베노토(Benoto) 공법
　　 B : RCD(역순환) 공법
　　 C : 레이몬드(Raymond) 말뚝공법

□□□ 03①, 04④, 06④, 11①, 14④, 18①, 23②

06 현장타설 말뚝은 콘크리트를 칠 때 공저에 슬라임(Slime)이 퇴적되어 있으면 침하원인이 되고 말뚝으로서 기능이 현저하게 저하한다. 이 같은 슬라임을 제거하기 위한 방법을 3가지만 기술하시오.

득점 배점
3

① _____   ② _____   ③ _____

해답 ① 샌드펌프 방법
　　 ② 에어리프트 방법
　　 ③ 석션펌프 방법
　　 ④ Water jet 방법
　　 ⑤ 수중펌프 방법

03 케이슨 기초

케이슨 기초(Caisson foundation)는 깊은 기초 중 지지력과 수평저항력이 가장 큰 기초형식으로 시공방법에 따라 3가지로 분류한다.

(1) 오픈케이슨(open caisson)＝우물통 기초(well foundation)＝정통기초
(2) 공기케이슨(pneumatic caisson)＝뉴매틱케이슨
(3) 박스케이슨(box caisson)

기억해요
케이슨 기초를 시공방법에 따라 3가지로 분류하시오.

■ 오픈케이슨(open caisson)과 공기케이슨(pneumatic caisson)의 비교

구분	오픈케이슨	공기케이슨
굴착/침하	• 굴착 중에 장애물의 제거가 곤란하다. • 케이슨의 경사변위가 많고 경사수정이 거의 불가능하다. • 침하 중에 주변지반을 교란시킨다.	• 작업이 정밀하고 많은 설비가 필요하다. • 장애물 철거가 용이하고 경사의 교정이 가능하다. • 굴착깊이(수심 30m)에 한계가 있다.

1 오픈케이슨 open caisson, 우물통기초, 정통기초

오픈케이슨는 우물통 기초(well foundation) 또는 정통기초라고도 부르며, 교각, 옹벽 등의 기초에 많이 사용되는 공법이다. 지상에서 만든 콘크리트 타설 2～3m 높이의 케이슨을 1로드(rod)라 한다.

(1) **우물통 기초의 장점**
① 침하깊이에 제한이 없다.
② 기계설비가 비교적 간단하다.
③ 공사비가 일반적으로 싸다.
④ 무진동으로 시공할 수 있어서 시가지 공사에 적합하다.

(2) **우물통 기초의 단점**
① 선단의 연약토 제거 및 토질상태 파악이 어렵다.
② 큰 전석이나 장애물이 있는 경우 침하작업이 지연된다.
③ 굴착 시 히빙이나 보일링 현상의 우려가 있다.
④ 경사가 있을 경우는 케이슨이 경사질 염려가 있다.
⑤ 저부 콘크리트가 수중시공이 되어 불충분하게 되기 쉽다.

우물통 기초

기억해요
오픈케이슨 공법의 장점을 3가지만 쓰시오.

우물통 거치작업

기억해요
우물통의 수중거치 방법을 3가지 쓰
시오.

(3) **우물통의 수중 거치방법**

① **축도법**(築島法) : 수심 5m까지는 축조가 가능하다. 수심에 따라 흙가마니, 나무널말뚝, 강널말뚝 등으로 물을 막고 내부를 토사로 채워 육상 거치와 같이 한다.

② **비계식**(발판식) : 부설장소에 발판을 마련하고 발판 위에서 우물통을 제작하며 미리 잠수부에 의해 평평하게 고른 지반 위에 설치한다.

③ **부동식**(예항식) : 수심이 깊은 곳에서는 우물통의 측벽을 철제로 만들어서 부상 우물통을 만들고 소정의 위치에 끌고 가서 콘크리트를 쳐서 가라앉히는 방법이다.

(4) **우물통 well의 침하조건식**

$$W > F + Q + B$$

W : 우물통의 수직하중(자중+재하중)
F : 총주면마찰력($F = f_s \cdot U \cdot h$)
Q : 우물통의 선단부의 지지력($Q = q_d \cdot A$)
B : 부력
f_s : 단면적당 주면마찰력
U : 우물통의 주장
h : 우물통의 관입깊이
q_d : 지반의 극한지지력
A : 날끝 면적

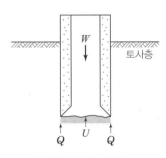

우물통의 침하조건

기억해요
케이슨 기초의 침하를 촉진시키기
위한 공법을 3가지 쓰시오.

(5) **우물통 기초 open caisson의 특수 침하공법**

① **재하중에 의한 침하공법** : 초기는 자중으로 침하되지만 심도가 깊어짐에 따라 레일, 철괴, 콘크리트 블록, 흙가마니 등이 사용된다.

② **분사식 침하공법** : 케이슨 침하 시 케이슨의 주변마찰력을 감소시키기 위해 날끝 부근에서 공기, 물, 또는 그 외 혼합물을 분사시켜 침하를 촉진시키는 공법이다.

③ **물하중식 침하공법** : 수밀한 상자형 정통에 물을 넣어서 침하하중으로 한 것이다.

④ **발파에 의한 침하공법** : 침하의 최종단계에서 침하가 곤란한 경우에는 진동발파에 의해서 침하시키는 방법이다.

⑤ **내수위 저하공법** : 케이슨 내의 수위를 내려서 부력을 감소시키므로 구체무게를 증가시키는 방법이다.

⑥ **감압에 의한 침하공법** : 공기케이슨 공법에서 작업실 내 상향의 양압력을 감소시킴으로써 케이슨을 침하시키는 공법이다.

⑹ 우물통의 침하 시 굴착방법

① 인력굴착

② 기계굴착 : 크램쉘, 버킷, 캇트멜

③ 수중굴착

⑺ 우물통 침하 시 편위의 원인

① 유수에 의해 이동하는 경우

② 지층의 경사 또는 연약지반 때문에 날끝 지지력이 불균등하게 된 경우

③ 침하 하중의 불균등 또는 굴착토 때문에 편하중이 걸린 경우(편압토)

④ 수중 기계굴착으로 굴착이 한쪽으로 치우친 경우(우물통 비대칭)

⑤ 날끝에 호박돌, 전석, 유목 등의 장애물이 있는 경우

⑻ 케이슨의 선단부

정통의 제자리 거치 중 제1로드는 직접 지반을 파고 들어가는 부분이므로 특별히 견고한 구조인 철제 커브 슈(curve choe)를 붙인다. 이 커브 슈의 각도는 토질의 종류에 따라 다음과 같다.

■ 케이슨 선단부의 각도

토 질	단단한 지반	중간 정도의 지반	연약지반
각 도	30°	45°	60°

2 공기케이슨 pneumatic caisson, air caisson

공기케이슨(air caisson)은 뉴매틱케이슨(pneumatic caisson) 기초라고도 부르며, 압축공기를 이용하여 소정 깊이까지 굴착하여 정통을 설치하는 공법이다.

⑴ 공기케이슨 기초의 장점

① dry work이므로 침하공정이 빠르고 장애물 제거가 쉽다.

② 토층의 확인이 가능하고 지지력 시험도 가능하다.

③ 침하 하중의 증감이 쉽고, 이동경사가 적어 경사수정이 쉬우며, 부등침하가 생길 염려가 없다.

④ 수중 콘크리트 시공이 아니므로 저부 콘크리트의 신뢰도가 높다.

⑤ 기초지반의 보일링과 히빙을 방지할 수 있으므로 인접구조물에 피해를 주지 않는다.

기억해요
• 오픈케이슨의 침하 시 굴착방법을 3가지 쓰시오.
• 우물통 기초의 침하 시 편위의 원인을 4가지 쓰시오.

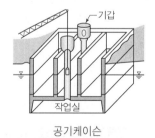
공기케이슨

(2) 공기케이슨 기초의 단점

① 기계설비가 비싸므로 소규모공사에는 비경제적이다.
② 주야작업하므로 노무관리비가 많이 든다.
③ 소음과 진동이 커서 도시에서는 부적당하다.
④ 케이슨병이 발생한다. 의료설비인 요양갑(療養閘 : hospital lock)을
   설치한다.
⑤ 굴착깊이에 제한이 있다.

(3) 적용범위

① 작업한계 : 35 ~ 40m
② 압축공기의 압력 : 3.5kg/cm^2 (350kN/m^2)

(4) 공기케이슨의 침하조건

$$W > U + F + Q + B$$

여기서, W : 케이슨의 수직하중(케이슨 자중+재하하중)
  U : 작업기압에 의한 양압력 F : 총주면마찰력
  Q : 날끝 지지력 B : 부력

(5) 공기케이슨이 사용되는 경우

① 인접구조물의 안전을 위해 기존 지반의 교란을 최소화해야 할 경우
② 기존 구조물에 인접하여 깊이가 더 깊은 구조물의 기초를 시공해야 할 경우
③ 전석층이나 호박돌 층 또는 깊게 깔린 풍화암층을 관통해야 할 경우
④ 기초암반이 경사졌거나 불규칙할 경우

3 박스케이슨 box caisson

박스케이슨 공법은 보통 철근 콘크리트로 만든 상자형의 구조물을 육상에
서 만들어 경사로를 통해 해상에 띄워서 소정의 위치에 예인한 다음 내부
에 모래, 자갈, 콘크리트 또는 물을 채워서 침하시키는 공법으로 방파제나
안벽용으로 사용한다.

(1) 박스케이슨 공법의 장점

박스케이슨의 수중거치

① 공사비가 싸고 공사하기가 쉽다.
② 설치할 위치에서 케이슨을 구축하는 것이 고가이거나 부적당할 때 사
   용된다.
③ 케이슨을 지지하기에 알맞은 토층이 지표면 근처에 있는 경우에 적합하다.

⑵ 박스케이슨 공법의 단점
  ① 굴착깊이가 깊어지면 부적합하다.
  ② 기초지반이 세굴되지 않도록 한다.
  ③ 지반의 표면이 수평으로 되어 있거나 수평면으로 굴착하여야 한다.

| 케이슨 기초 |

03 핵심 기출문제 □□□

□□□ 95①, 03③, 06①, 07①, 09④, 10②

01 케이슨(caisson)은 깊은 기초 중 지지력과 수평저항력이 가장 큰 기초형식이다. 시공방법에 따라 3가지로 분류하시오.

득점	배점
	3

① _____ ② _____ ③ _____

해답 ① 오픈케이슨(open caisson)
② 공기케이슨(pneumatic caisson)
③ 박스케이슨(box caisson)

□□□ 13②

02 케이슨 기초 시공공법 중 오픈케이슨 공법의 장점을 3가지만 쓰시오.

득점	배점
	3

① _____ ② _____ ③ _____

해답 ① 침하깊이에 제한이 없다.
② 기계설비가 비교적 간단하다.
③ 공사비가 일반적으로 싸다.
④ 무진동으로 시공할 수 있어 시가지 공사에도 적합하다.

□□□ 92②④, 95⑤, 03②, 05①, 07④

03 수중에 설치하는 우물통 기초공사에서 우물통의 제자리놓기(거치) 방법을 3가지만 쓰시오.

득점	배점
	3

① _____ ② _____ ③ _____

해답 ① 축도법 ② 비계식(발판식) ③ 부동식(예항식)

□□□ 92②④, 95⑤, 08②

04 정통공법에서 케이슨의 수중거치방법을 3가지만 쓰시오.

득점	배점
	3

① _____ ② _____ ③ _____

해답 ① 축도법 ② 비계식(발판식) ③ 부동식(예항식)

□□□ 89②, 13④, 18①, 20④

05 공기케이슨 공법과 비교하였을 때 오픈케이스 공법의 시공상 단점을 3가지만 쓰시오.

득점	배점
	3

① _____ ② _____ ③ _____

해답 ① 선단의 연약토 제거 및 토질상태 파악이 어렵다.
　　② 큰 전석이나 장애물이 있는 경우 침하작업이 지연된다.
　　③ 굴착 시 히빙이나 보일링 현상의 우려가 있다.
　　④ 경사가 있을 경우는 케이슨이 경사질 염려가 있다.
　　⑤ 저부 콘크리트가 수중시공이 되어 불충분하게 되기 쉽다.

□□□ 92④

06 Open caisson의 침하 시 굴착방법을 3가지만 쓰시오.

득점	배점
	3

① _____ ② _____ ③ _____

해답 ① 인력굴착　　② 기계굴착　　③ 수중굴착

□□□ 92①, 94④, 00④, 11④

07 케이슨 기초의 침하를 촉진시키기 위한 공법을 5가지만 쓰시오.

득점	배점
	3

① _____ ② _____ ③ _____

④ _____ ⑤ _____

해답 ① 재하중에 의한 침하공법
　　② 분사식 침하공법
　　③ 물하중식 침하공법
　　④ 발파에 의한 침하공법
　　⑤ 감압에 의한 침하공법

□□□ 94④, 00④

08 우물통 기초공사에서 특수 침하공법 3가지를 쓰시오.

득점	배점
	3

① _____ ② _____ ③ _____

해답 ① 분사식 침하공법
　　② 물하중식 침하공법
　　③ 진동공법
　　④ 발파에 의한 침하공법

□□□ 86③, 03①, 22①

09 우물통 기초의 침하 시 편위의 원인을 4가지 쓰시오.

① _____ ② _____

③ _____ ④ _____

해답 ① 유수에 의해서 이동하는 경우
② 지층의 경사
③ 편토압
④ 우물통의 비대칭
⑤ 날끝에 호박돌, 전석 등의 장해물이 있는 경우

□□□ 85②, 94①, 03②, 14④

10 공기케이슨(Pneumatic Caisson) 공법의 단점을 4가지만 쓰시오.

① _____ ② _____

③ _____ ④ _____

해답 ① 케이슨병이 발생하기 쉽다.
② 굴착깊이에 제한이 있다.
③ 소음과 진동이 커서 도심지에서는 부적당하다.
④ 주야로 작업하므로 노무관리비가 많이 필요하다.
⑤ 기계설비가 비싸므로 소규모공사에는 비경제적이다.
⑥ 노무자의 모집이 어려워 노무비가 비싸다.

□□□ 01②, 05②

11 오픈케이스(우물통) 공법과 공기케이슨 공법에서의 침하조건은 다르다. 각각의 공식을 제시하여 그 차이점을 설명하시오.

가. 공식 :

나. 차이점 :

해답 가. • 오픈케이스 공법 : $W > F + Q + B$
   • 공기케이슨 공법 : $W > U + F + Q + B$
   여기서, W : 케이슨의 수직하중(자중+재하중)
        F : 총주면마찰력
        Q : 우물통 선단부의 지지력
        B : 부력
        U : 작업기압에 의한 양압력
나. 공기케이슨 공법에서는 작업기압에 의한 양압력(U)을 고려해야 한다.

☐☐☐ 01①, 09②

12 지중에 설치하는 기초 케이슨 중에 공기케이슨은 많은 장비와 인력이 필요하고 공사비가 많이 소요되므로 특수한 경우가 아니면 사용하지 않는다. 공기케이슨이 사용되는 경우를 3가지 쓰시오.

득점	배점
	3

① _____ ② _____ ③ _____

해답 ① 인접구조물의 안전을 위해 기존 지반의 교란을 최소화해야 할 경우
　　② 기존 구조물에 인접하여 깊이가 더 깊은 구조물의 기초를 시공해야 할 경우
　　③ 전석층이나 호박돌 층 또는 깊게 깔린 풍화암층을 관통해야 할 경우
　　④ 기초암반이 경사졌거나 불규칙할 경우

☐☐☐ 86③, 06④

13 케이슨 침하 시 편위의 원인을 3가지만 쓰시오.

득점	배점
	3

① _____ ② _____ ③ _____

해답 ① 유수에 의해서 이동하는 경우
　　② 지층의 경사
　　③ 편토압
　　④ 우물통의 비대칭
　　⑤ 날끝에 호박돌, 전석 등의 장애물이 있는 경우

☐☐☐ 04②, 21②, 23③

14 우물통 케이슨 기초의 수직하중이 W, 주면마찰력이 F, 선단부지지력이 Q, 부력이 B일 때, 침하조건식을 작성하고, 적절한 침하촉진방법을 2가지만 쓰시오.

득점	배점
	3

가. 침하조건식 :

나. 침하촉진방법

① _____ ② _____

해답 가. $W > F + Q + B$
　　나. ① 재하중에 의한 침하공법
　　　　② 분사식 침하공법
　　　　③ 물하중식 침하공법
　　　　④ 발파에 의한 침하공법
　　　　⑤ 감압에 의한 침하공법

마찰의 지지력

Q_f

선단의 지지력

Q_p

말뚝의 하중 부담

04 말뚝의 지지력

1 말뚝의 지지력 전달상태에 의한 분류

말뚝에 작용하는 하중은 전달방법에 따라 다음과 같이 3종류로 분류할 수 있다.

(1) **선단지지말뚝** end bearing pile

상부의 연약한 지반을 뚫고 하부의 견고한 곳까지 이르게 하여 선단의 지지력에만 의존하여 지지하는 말뚝

(2) **마찰말뚝** friction pile

지반중에 박힌 말뚝의 주변장에 걸친 주면마찰력에 의해 의존하여 지지하는 말뚝

(3) **다짐말뚝** compaction pile

말뚝을 박음으로써 지반의 다짐효과를 기대하여 사용되는 것으로, 느슨한 사질토지반에 주로 사용되며 그 길이는 다음 조건에 좌우된다.

① 소요다짐 깊이
② 다짐 이전 흙의 상대밀도
③ 다짐 이후 흙의 소요 상대밀도

2 말뚝의 정적 지지력

(1) **말뚝의 지지력을 구하는 방법**
① 정역학적 공식에 의한 방법
② 동역학적 공식에 의한 방법
③ 정재하시험에 의한 방법

(2) **Terzaghi 공식의 지지력**

$$Q_u = q_p \cdot A_p + U \cdot l \cdot f_s$$

여기서, q_p : 말뚝끝 지반의 선단지지력
U : 말뚝둘레의 길이
l : 지중에 박힌 말뚝의 길이
f_s : 단위마찰저항력

(3) Meyerhof 공식의 지지력

① 선단지지력 $Q_p = 40 \cdot N \cdot A_p$

② 마찰지지력 $Q_f = \dfrac{1}{5} \overline{N} \cdot A_s$

③ 극한지지력 $Q_u = Q_p + Q_f$

$$= 40 \cdot N \cdot A_p + \dfrac{1}{5} \overline{N} \cdot A_s$$

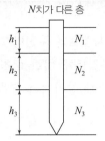

N치가 다른 층

여기서, N : 말뚝선단부 부근의 N치

A_p : 말뚝선단의 면적

A_s : 지반에 묻힌 말뚝의 주면적($\pi D l$)

$\overline{N}$: 사질토지반의 평균 N치

$$\overline{N} = \dfrac{N_1 h_1 + N_2 h_2 + N_3 h_3}{H_1 + H_2 + H_3}$$

기억해요

말뚝의 선단지지력과 마찰지지력을
구하시오.

(4) 정역학공식에 의한 극한지지력

$$Q_u = Q_p + Q_f = q_p A_p + \sum f_s A_s$$

여기서, Q_p : 선단지지에 의한 말뚝의 지지력

Q_f : 주면마찰에 의한 말뚝의 지지력

기억해요

• 정역학적 지지력 공식에 의해 RC 말
뚝의 최소지중깊이를 구하시오.

• 정역학적 지지력 공식에 의해 최대상
부하중을 구하시오.

① 선단지지력

• Berezantzev의 방법 $Q_p = A_p (q' \cdot N_q)$

• Meyerhof의 방법 $Q_p = A_p (c_u N_c + q' N_q)$

② 주면마찰저항력

$$Q_f = \sum P_s \cdot \Delta L \cdot f_s$$

여기서, Q_f : 말뚝의 주면마찰저항력

ΔL : P_s와 f_s가 일정한 곳에서의 말뚝길이

P_s : 말뚝단면의 윤변

f_s : 말뚝둘레의 마찰력

c_u : 말뚝선단 주위 흙의 점착력

q' : 말뚝선단과 같은 위치의 연직유효응력

q_p : 말뚝선단을 지지하는 흙의 점착력

3 말뚝의 주면마찰력 계산

(1) 사질토의 주면마찰저항력

사질토에 대한 마찰저항을 구하는 방법 유효연직응력은 말뚝직경의 15~20배 깊이에서 말뚝의 깊이에 따라 최대한계까지 증가한다.

$$f_s = K\sigma_v'\tan\delta$$

여기서, k : 토압계수($K_o = 1 - \sin\phi$)

σ_v' : 중립점 깊이에서의 유효연직응력

δ : 흙과 말뚝 사이의 마찰각

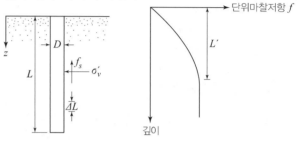

모래층에 박힌 말뚝의 단위마찰저항

(2) 점토의 주면마찰저항력

기억해요
현장 콘크리트 말뚝에 대한 주면마찰력을 계산하시오.

점토에 대한 마찰저항을 구하는 방법은 pile 이론에서 부착계수 λ, α, β을 이용하여 점토지반 말뚝의 단위마찰(표면) 부착저항력을 구한다.

① α방법 : 전응력으로 마찰저항을 구하는 방법

$$Q_s = \sum f_s \cdot P_s \cdot \Delta L = \sum \alpha \cdot c_u \cdot P \cdot \Delta L \ (\because f_s = \alpha \cdot c_u)$$

여기서, α : 부착계수 $\qquad c_u$: 비배수강도

② β방법 : 유효응력으로 얻은 강도정수를 이용하는 방법

$$f_s = \beta\sigma_v' = K\sigma_v'\tan\delta$$

여기서, $K = 1 - \sin\phi'$ (정규압밀점토)

$K = 1 - \sin\phi'\sqrt{\mathrm{OCR}}$ (과압밀점토)

③ λ방법 : 말뚝타입에 의한 흙의 변형으로 인한 수동토압 개념으로 구하는 방법

$$f_s = \lambda(\overline{\sigma_v'} + 2s_u)$$

여기서, s_u : 비배수강도

$\overline{\sigma_v'}$: 전체 근입깊이에 대한 평균유효연직응력

4 말뚝의 동적 지지력

(1) Sander 공식

$$Q_a = \frac{W_h \cdot H}{8S}$$

(2) 엔지니어링 뉴스 Engineering News 공식

① Drop hammer : $Q_a = \dfrac{W_h \cdot H}{F_s\,(S+2.54)}$

② 단동식 해머 : $Q_a = \dfrac{W_h \cdot H}{F_s\,(S+0.254)}$

③ 복동식 해머 : $Q_a = \dfrac{(W_h + A_p \cdot P)\,H}{F_s\,(S+0.254)}$

여기서, Q_a : 말뚝의 허용지지력
$\quad\quad\quad H$: 해머의 낙하고(cm)
$\quad\quad\quad S$: 말뚝의 최종관입량(cm)
$\quad\quad\quad A_p$: piston의 유효면적(cm^2)
$\quad\quad\quad P$: piston의 유효증기압
$\quad\quad\quad F_s$: 안전율($F_s = 6$)

(3) Hiley 공식

• 극한지지력 $Q_u = \dfrac{e_f \cdot F}{S+\dfrac{1}{2}(C_1 + C_2 + C_3)} \cdot \left(\dfrac{W_h + n^2 W_p}{W_h + W_p}\right)$

$\quad\quad\quad\quad\quad = \dfrac{e_f \cdot F}{S+\dfrac{1}{2}(C_1 + C_2 + C_3)}\,(n=1일\ 때)$

• 허용지지력 $Q_a = \dfrac{Q_u}{3}$

여기서, W_h : 해머의 중량
$\quad\quad\quad W_p$: 말뚝의 무게
$\quad\quad\quad F$: 타격에너지($F = W_h \cdot H$: kN·cm)
$\quad\quad\quad e_f$: 해머의 효율
$\quad\quad\quad n$: 반발계수
$\quad\quad\quad S$: 말뚝의 최종관입량(cm)
$\quad\quad\quad C_1$: 말뚝의 탄성변형량(cm)
$\quad\quad\quad C_2$: 지반의 탄성변형량(cm)
$\quad\quad\quad C_3$: Cap의 탄성변형량(cm)

기억해요
샌더공식에 의해 말뚝의 허용지지력을 구하시오.

기억해요
단동식이며 엔지니어링 뉴스 공식에 의해 말뚝의 허용지지력을 구하시오.

기억해요
Hiley 공식을 이용하여 허용지지력을 산정하시오.

▶ Hiley의 항타기록

말뚝머리의 움직임

탄성변형량

말뚝관입량

시간

(4) Weisbash의 공식

① 극한지지력

$$Q_u = \frac{A \cdot E}{L}\left(-S + \sqrt{S^2 + W_h \cdot H \frac{2L}{A \cdot E}}\right)$$

여기서, A : 말뚝의 선단면적

E : 말뚝의 탄성계수

L : 말뚝의 길이

S : 타격량 말뚝의 관입량

② 허용지지력

$Q_a = 0.15 Q_u$

5 수평력에 의한 변위량

(1) 푸팅과 말뚝 상단의 연결이 힌지이고 수평력이 말뚝상단에 작용하는 경우

$$\delta = \frac{2\beta H}{K_h D}$$

기억해요
수평방향으로 하중이 작용할 때 말뚝 머리의 수평변위를 계산하시오.

(2) 푸팅과 말뚝상단의 연결이 강점이고 수평력이 말뚝상단에 작용할 때

$$\delta = \frac{\beta H}{K_h D}$$

여기서, $\beta = \sqrt[4]{\dfrac{KD}{4EI}}$

D : 말뚝의 직경(cm)

E : 말뚝의 탄성계수

I : 말뚝의 단면 2차 모멘트(cm^4)

δ : 말뚝 상단의 수평변위량(cm)

H : 말뚝 상단에 작용하는 수평력

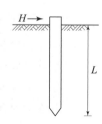

6 부마찰력

연약지반에서 말뚝기초를 시공했을 때, 연약지반은 상재하중 등에 의해 지반침하가 발생하고 이 지반침하에 따라 말뚝은 하향력을 받게 되어 말뚝의 지지력이 감소되는 하향력을 부마찰력(負摩擦力, negative friction)이라 한다.

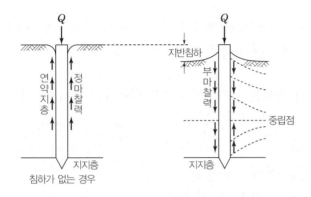

(1) 부마찰력의 발생원인

① 말뚝의 타입지반이 압밀진행 중인 경우
② 상재하중이 말뚝과 지표에 작용하는 경우
③ 지하수위의 저하로 체적이 감소하는 경우
④ 점착력 있는 압축성 지반일 경우(팽창성 점토지반일 경우)

(2) 부마찰력을 줄이는 방법

① 표면적이 작은 말뚝을 사용하는 방법
② 말뚝직경보다 약간 큰 케이싱(casing)을 박는 방법
③ 말뚝표면에 역청재료를 피복하는 방법
④ 말뚝지름보다 크게 preboring을 하는 방법
⑤ 지하수위를 미리 저하시키는 방법

(3) 부마찰력 계산

$$R_{nf} = U \cdot l_c \cdot f_c = \pi d \cdot l_c \cdot \frac{q_u}{2}$$

여기서, U : 말뚝의 둘레길이(m)
l_c : 연약층의 말뚝길이(m)
f_c : 말뚝의 평균마찰력$\left(f_c = \dfrac{q_u}{2}\right)$
q_u : 일축압축강도

기억해요
• 부마찰력의 정의를 쓰시오.
• 부마찰력의 발생원인을 4가지 쓰시오.
• 부마찰력을 줄이는 방법을 3가지 쓰시오.
• 부마찰력을 계산하시오.

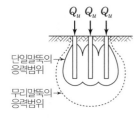

일반적으로 기초말뚝에 군항을 사용하게 되는데 군항이 되면 말뚝부터의 지중응력이 중복하게 되어 말뚝 한 개당 지지력이 약화되고 침하량도 커진다.

기억해요
군항인지 단항인지 여부를 판정하시오.

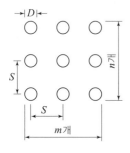

기억해요
• 말뚝의 효율을 구하시오.
• 군항의 허용지지력을 구하시오.

7 무리말뚝

(1) 단항

2개 이상의 말뚝에 의한 지중응력이 거의 중복하지 않을 정도로 떨어져 있을 때는 단항인 지지말뚝(외말뚝)

(2) 군항

① 2개 이상의 말뚝이 서로 영향이 미칠 때는 군항인 마찰말뚝(무리말뚝)
② 군항은 전달되는 응력이 겹쳐져서 단항의 지지력에 개수를 곱한 값보다 작다.
③ 군항의 영향을 고려하지 않아도 좋은 최대의 간격 D_0

$$D_o = 1.5\sqrt{r \cdot L}$$

여기서, r : 말뚝의 반경(m)
L : 말뚝의 매입깊이(m)

④ 말뚝의 중심간격이 S일 때
$D_o \leq S$: 군항으로서의 효과를 고려하지 않는다. $(E = 1)$
$D_o > S$: 군항으로서의 효과를 고려한다. $(E < 1)$

(3) 효율을 구하는 방법 Converse-Labarre의 저감식

$$E = 1 - \phi\left\{\frac{(n-1)m + (m-1)n}{90 \cdot m \cdot n}\right\}$$

여기서, E : 군항의 효율 S : 말뚝 중심간격(m)
D : 말뚝직경(m) m : 각 열의 말뚝 수
n : 말뚝 열의 수 $\phi = \tan^{-1}\left(\dfrac{D}{S}\right)$

(4) 군항의 허용지지력

$$Q_{ag} = E \cdot N \cdot R_a$$

여기서, Q_{ag} : 군항의 허용지지력
N : 말뚝 총수
R_a : 단항의 허용지지력

(5) 무리말뚝의 극한지지력

$$Q_u = q_u \cdot A + U \cdot l \cdot f_s$$

여기서, Q_u : 무리말뚝의 극한지지력

q_u : 지반의 극한지지력

A : 무리말뚝의 저면적($A = B \cdot L$)

U : 무리말뚝의 주변장($U = 2(B+L)$)

l : 무리말뚝의 길이

f_s : 흙의 전단력

(6) 군말뚝의 하중분포

군말뚝을 구성하는 단말뚝에 작용하는 하중은 다음 식과 같이 탄성론을 바탕으로 결정할 수 있다.

$$P_m = \frac{Q}{n} \pm \frac{M_y \cdot x}{\sum x^2} \pm \frac{M_x \cdot y}{\sum y^2}$$

여기서, P_m : m 말뚝에 작용하는 축하중

Q : 군말뚝의 중심에서 작용하는 수직하중

n : 말뚝 개수

M_y, M_x : x, y방향의 모멘트

x, y : y, x축에서의 거리

기억해요
군말뚝의 허용지지력을 구하시오.

| 말뚝의 지지력 |

04 핵심 기출문제

□□□ 96④, 98③, 04④

01 균질한 사질토($c=0$)에 타입된 콘크리트 말뚝의 길이가 12m이고, 말뚝은 한 변이 30cm인 정사각형 단면이다. 사질토의 표준관입시험치 N이 20으로 균일할 때, 말뚝의 선단지지력과 마찰지지력을 구하시오.

득점 / 배점 3

계산 과정)

답) 선단지지력 : _____ 마찰지지력 : _____

해답 말뚝의 극한지지력(Q_u)=선단지지력(Q_p)+마찰지지력(Q_f)
- 선단지지력 $Q_p = 40NA_p = 40 \times 20 \times (0.30 \times 0.30) = 72\,\mathrm{t}$
- 마찰지지력 $Q_f = \dfrac{1}{5}\overline{N}A_f = \dfrac{1}{5} \times 20 \times (0.3 \times 4) \times 12 = 57.6\,\mathrm{t}$

□□□ 93③, 94①②, 97④, 99①, 00②, 01③, 03③, 10①②, 12④, 23①

02 그림과 같이 N치가 다른 3층의 사질토층으로 이루어져 있는 지반에 길이 20m의 강관말뚝을 박았다. 말뚝직경이 40cm일 경우, 극한지지력을 구하시오.
(단, Meyerhof의 공식 이용)

득점 / 배점 3

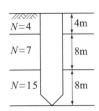

계산 과정)

답 : _____

해답 $Q_u = 40 \cdot N \cdot A_p + \dfrac{1}{5}\overline{N} \cdot A_s$

- $A_p = \dfrac{\pi d^2}{4} = \dfrac{\pi \times 0.40^2}{4} = 0.126\,\mathrm{m}^2$
- $\overline{N} = \dfrac{N_1 h_1 + N_2 h_2 + N_3 h_3}{h_1 + h_2 + h_3} = \dfrac{4 \times 4 + 7 \times 8 + 15 \times 8}{4 + 8 + 8} = 9.60$
- $A_f = \pi d l = \pi \times 0.40 \times 20 = 25.13\,\mathrm{m}^2$

$\therefore Q_u = 40 \times 15 \times 0.126 + \dfrac{1}{5} \times 9.60 \times 25.13 = 123.85\,\mathrm{t}$

□□□ 94②, 99①, 03③, 07④, 10②, 14②, 21①

03 Meyerhof 공식을 이용하여 지름 30cm, 길이 14m인 콘크리트 말뚝을 표준관입치가 다른 3종의 지층으로 되어 있는 기초지반에 박을 경우 말뚝의 허용지지력을 구하시오. (단, 안전율은 3을 적용한다.)

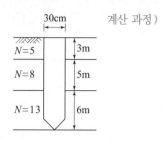

계산 과정)

답 : _____

해답 극한지지력 $Q_u = 40NA_p + \dfrac{1}{5}\overline{N}A_s$

• $N = 13$

• $A_p = \dfrac{\pi d^2}{4} = \dfrac{\pi \times 0.30^2}{4} = 0.071\,\text{m}^2$

• $\overline{N} = \dfrac{N_1 h_1 + N_2 h_2 + N_3 h_3}{h_1 + h_2 + h_3} = \dfrac{5 \times 3 + 8 \times 5 + 13 \times 6}{3 + 5 + 6} = 9.5$

• $A_s = \pi d l = \pi \times 0.30 \times (3 + 5 + 6) = 13.20\,\text{m}^2$

∴ $Q_u = 40 \times 13 \times 0.071 + \dfrac{1}{5} \times 9.5 \times 13.20 = 62.0\,\text{t}$

∴ 허용지지력 $Q_a = \dfrac{Q_u}{F_s} = \dfrac{62.0}{3} = 20.67\,\text{t}$

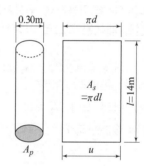

□□□ 93③, 01③, 10①, 13①

04 그림과 같이 표준관입값이 다른 3종의 모래지름층으로 되어 있는 기초지반에 지름 30cm, 길이 12m의 콘크리트 말뚝을 박았을 때 말뚝의 허용지지력을 안전율 3으로 하여 Meyerhof 의 공식으로 구하시오.

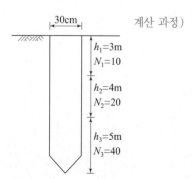

계산 과정)

답 : _____

⚠ 주의점
중간계산은 소수 셋째
자리까지, 결과값은 소
수 둘째자리까지 계산
하면 가장 정확한 정답
을 얻을 수 있다.

해답 극한지지력 $Q_u = 40 \cdot N_3 \cdot A_p + \dfrac{\overline{N} \cdot A_f}{5}$

• $A_p = \dfrac{\pi d^2}{4} = \dfrac{\pi \times 0.3^2}{4} = 0.071 \, \text{m}^2$

• $N = \dfrac{N_1 h_1 + N_2 h_2 + N_3 h_3}{h_1 + h_2 + h_3} = \dfrac{10 \times 3 + 20 \times 4 + 40 \times 5}{3 + 4 + 5} = 25.83$

• $A_f = \pi d l = \pi \times 0.3 \times 12 = 11.31 \, \text{m}^2$

  $\therefore \ Q_u = 40 \times 40 \times 0.071 + \dfrac{25.83 \times 11.31}{5} = 172.03 \, \text{t}$

  $\therefore \ Q_a = \dfrac{Q_u}{3} = \dfrac{172.03}{3} = 57.34 \, \text{t}$

□□□ 09①, 12②

05 다음과 같은 조건의 지층에 직경 350mm의 강관말뚝(관입깊이 22m)을 타입 시공하였다. 허용지지력을 Meyerhof식을 이용하여 구하시오.
(단, 말뚝선단은 완전히 폐색된 것으로 가정하며, 안전율은 3을 적용한다.)

【조 건】

지표로부터 0 ~ 5m 느슨한 모래 $N_1 = 5$
  5 ~ 18m 실트질 모래 $N_2 = 8$
  18 ~ 22m 촘촘한 모래 $N_3 = 45$

계산 과정)   답 : _____

해답 허용지지력 $Q_a = \dfrac{Q_u}{3}$, 극한지지력 $Q_u = 40 \cdot N \cdot A_p + \dfrac{\overline{N} \cdot A_s}{5}$

• $A_p = \dfrac{\pi \cdot d^2}{4} = \dfrac{\pi \times 0.35^2}{4} = 0.096 \, \text{m}^2$

• $\overline{N} = \dfrac{N_1 h_1 + N_2 h_2 + N_3 h_3}{h_1 + h_2 + h_3} = \dfrac{5 \times 5 + 8 \times (18-5) + 45 \times (22-18)}{5 + 13 + 4}$ $= 14.05$

• $A_f = \pi D l = \pi \times 0.35 \times 22 = 24.19 \, \text{m}^2$

• $Q_u = 40 \times 45 \times 0.096 + \dfrac{14.05 \times 24.19}{5} = 240.77 \, \text{t}$

  $\therefore \ Q_a = \dfrac{240.77}{3} = 80.26 \, \text{t}$

□□□ 96①②, 98③, 00③, 03②, 06②, 09④, 13④

06 그림과 같은 지층에 직경 400mm의 말뚝이 항타되어 박혀 있을 때의 극한지지력은 얼마인가?

(단, Meyerhof식을 적용)

계산 과정)

답 : _____

⚠️ 주의점

0보다 작은 소수점 둘째 자리보다는 소수점 셋째 자리까지 계산하고 결과만 소수점 둘째자리까지 계산하면 더 정확한 근사값이 산출된다.

[해답] 극한지지력 $Q_u = 40 \cdot N \cdot A_p + \dfrac{\overline{N} \cdot A_f}{5}$ (Meyerhof식)

- $A_p = \dfrac{\pi \cdot d^2}{4} = \dfrac{\pi \times 0.4^2}{4} = 0.126 \text{m}^2$

- $\overline{N} = \dfrac{N_1 h_1 + N_2 h_2 + N_3 h_3}{h_1 + h_2 + h_3} = \dfrac{5 \times 5 + 8 \times (18-5) + 45 \times 4}{5+13+4} = 14.05$

- $A_f = \pi Dl = \pi \times 0.4 \times 22 = 27.65 \text{m}^2$

$\therefore Q_u = 40 \times 45 \times 0.126 + \dfrac{14.05 \times 27.65}{5} = 304.50 \text{t}$

□□□ 93②, 97②, 02②, 05③, 10④, 13②

07 극한지지력 $Q_u = 200 \text{kN}$ 이고, RC pile의 직경이 30cm, 주면마찰력이 25kN/m², 말뚝선단의 지지력 $q_u = 280 \text{kN/m}^2$ 이라 할 때, RC pile의 최소지중깊이는?

(단, 정역학적 지지력 공식개념에 의한다.)

계산 과정)

답 : _____

[해답] $Q_u = Q_p + Q_f = q_u \cdot A_p + f_s \cdot A_s = \pi r^2 q_u + 2\pi r f_s l$ 에서

$200 = \pi \times 0.15^2 \times 280 + 2\pi \times 0.15 \times 25 \times l$

$\therefore$ 지중깊이 $l = 7.65 \text{m}$

[참고] SOLVE 사용

□□□ 85②③, 02①

08 드롭해머의 무게가 3,000N, 추의 낙하고 1.8m, 1회 타격으로 인한 말뚝의 침하량이 2cm 이었다. 이때 말뚝의 허용지지력을 샌더(Sander) 공식을 이용하여 구하시오.

계산 과정)

답 : _____

[해답] $Q_a = \dfrac{W_h H}{8S} = \dfrac{3,000 \times 180}{8 \times 2} = 33,750 \text{N} = 33.75 \text{kN}$

□□□ 96②, 98④, 03①, 06④

09 직경 40cm, 깊이 10m의 말뚝 기초시공 시에 말뚝이 지탱할 수 있는 최대상부하중을 구하시오.

(단, 지반의 극한지지력=800kN/m², 주면마찰력=0.04MPa, 정역학적 지지력 공식의 개념으로 구함)

계산 과정)   답 : _____

해답 $Q_u = Q_p + Q_f = q_u \cdot A_p + \sum f_s \cdot A_s$

$\cdot f_s = 0.04\text{MPa} = 0.04\text{N/mm}^2 = 40\text{kN/m}^2$

$\cdot A_s = \pi dl = \pi \times 0.40 \times 10 = 12.57\text{m}^2$

$\therefore Q_u = 800 \times \dfrac{\pi \times 0.4^2}{4} + 40 \times 12.57 = 603.33\text{kN}$

□□□ 00④, 03①, 17④

10 그림과 같이 길이 10m, 직경 40cm의 원형말뚝이 점토지반에 설치되었다. 전주면마찰력을 α방법으로 구하시오.

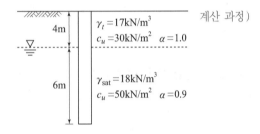

계산 과정)

답 : _____

해답 $Q_s = \sum \alpha \cdot c_u \cdot P_s \cdot \Delta L \cdot A_s = f_{s1}A_{s1} + f_{s2}A_{s2}$

$= \alpha_1 c_u A_{s1} + \alpha_2 c_u A_{s2}$

$= (1 \times 30) \times \pi \times 0.4 \times 4 + (0.9 \times 50) \times \pi \times 0.4 \times 6 = 490.09\text{kN}$

□□□ 94①④, 08②, 12①

11 직경 30cm, 길이 10m인 철근콘크리트 말뚝을 무게 20kN인 증기해머로 낙하높이 2m에서 말뚝타입을 할 때 1회 타격당 말뚝의 관입량이 1.0cm이었다. 이 말뚝의 허용지지력을 구하시오.

(단, 단동식이며 Engineering News 공식을 적용한다.)

계산 과정)   답 : _____

해답 $Q_a = \dfrac{W_h \cdot H}{6(S + 0.254)} = \dfrac{20 \times 200}{6(1 + 0.254)} = 531.63\text{kN}$

□□□ 97①, 00①

12 그림과 같은 직경 45cm, 길이 18.0m의 현장콘크리트 말뚝에 대한 주면마찰력을 계산하시오.
(단, 횡방향 토압계수 $k=1.0$, 부착계수(adhesion factor)는 0.40, 말뚝과 흙과의 마찰각은 0.5ϕ로 한다.)

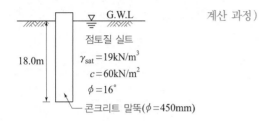

계산 과정)

답 : _____

해답 ■ 한계깊이에서 주면마찰력
- 한계깊이 $L = 15D = 15 \times 0.45 = 6.75\,\mathrm{m}$
- 평균유효응력 $\sigma_v{}' = \gamma_{sub} \cdot \dfrac{L}{2} = (19 - 9.81) \times \dfrac{6.75}{2} = 31.02\,\mathrm{kN/m^2}$
- 주면마찰저항 $f_{s1} = a \cdot c + \sigma_v{}' \cdot k \cdot \tan\delta$
  $= 0.4 \times 60 + 31.02 \times 1.0 \times \tan(0.5 \times 16°) = 28.36\,\mathrm{kN/m^2}$
  ∴ 주면마찰력 $Q_{s1} = f_{s1} \cdot A_s = 28.36 \times (\pi \times 0.45 \times 6.75) = 270.63\,\mathrm{kN}$
■ l'에서 주면마찰력
- 유효응력 $\sigma_v{}' = \gamma_{sub} \cdot l_c = (19 - 9.81) \times 6.75 = 62.03\,\mathrm{kN/m^2}$
- 주면마찰저항 $f_{s1} = a \cdot c + \sigma_v{}' \cdot k \cdot \tan\delta$
  $= 0.4 \times 60 + 62.03 \times 1.0 \times \tan(0.5 \times 16°) = 32.72\,\mathrm{kN/m^2}$
- 주면마찰력 $Q_{s2} = f_{s1} \cdot A_s = 32.72 \times \{\pi \times 0.45 \times (18 - 6.75)\} = 520.39\,\mathrm{kN}$
  ∴ 총주면마찰력 $Q_s = Q_{s1} + Q_{s2} = 270.63 + 520.39 = 791.02\,\mathrm{kN}$

□□□ 13②, 22①

13 연약지반층에 설치한 말뚝(pile)에 발생하는 부마찰력(negative friction)을 줄이는 방법 3가지를 기술하시오.

① _____ ② _____

③ _____

해답 ① 표면적이 작은 말뚝을 사용하는 방법
② 말뚝직경보다 약간 큰 케이싱(casing)을 박는 방법
③ 말뚝표면에 역청재료를 피복하는 방법
④ 말뚝지름보다 크게 preboring을 하는 방법
⑤ 지하수위를 미리 저하시키는 방법

□□□ 00⑤

14 외경 30cm, 두께 6cm, 길이 10m인 원심력 철근콘크리트 말뚝을 무게 20kN인 drop hammer로 박는다. hammer의 낙하고가 3m일 때, 1회 타격당 최종침하량이 2cm이면 지지력은 얼마인가? (단, Engineering News Record의 공식 적용)

득점 배점
3

계산 과정)   답 : _____

───

해답 Engineering News Record의 drop hammer

$$Q_a = \frac{W_h \cdot H}{6(S+2.54)} = \frac{20 \times 300}{6(2+2.54)} = 220.26 \text{kN}$$

□□□ 92②, 02②, 07②, 09③, 13①, 17①

15 말뚝기초에 발생하는 부마찰력(negative friction) 발생원인을 4가지만 쓰시오.

득점 배점
3

① _____   ② _____

③ _____   ④ _____

───

해답 ① 말뚝의 타입지반이 압밀진행 중인 경우
② 상재하중이 말뚝과 지표에 작용하는 경우
③ 지하수위의 저하로 체적이 감소하는 경우
④ 점착력 있는 압축성 지반일 경우(팽창성 점토지반일 경우)

□□□ 97①, 01②, 02②, 04②, 09①

16 다음 그림과 같이 수평방향으로 100kN의 하중이 작용할 때, 말뚝머리의 수평변위는 얼마나 발생하는가? (단, 말뚝머리는 자유)

득점 배점
3

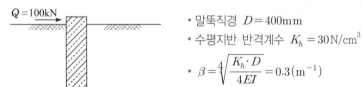

- 말뚝직경 $D = 400$mm
- 수평지반 반격계수 $K_h = 30\text{N/cm}^3$
- $\beta = \sqrt[4]{\dfrac{K_h \cdot D}{4EI}} = 0.3(\text{m}^{-1})$

계산 과정)   답 : _____

───

해답 ■ 수평변위 $\delta = \dfrac{2\beta H}{K_h \cdot D}$

- $\beta = 0.3(\text{m}^{-1}) = 0.003 \text{cm}^{-1}$, $K_h = 30\text{N/cm}^3$
- $D = 400$mm $= 40$cm

∴ 수평변위 $\delta = \dfrac{2 \times 0.003 \times 100 \times 1,000}{30 \times 40} = 0.5\text{cm}$

(∵ $Q = 100$kN은 수평력 H이다.)

□□□ 00③, 08①, 14①

17 다음 그림과 같은 항타기록을 보고 Hiley식을 이용하여 허용지지력을 산정하시오.

(단, 안전율은 3, 타격에너지 6,000kN·cm, 해머중량 20kN, 반발계수 0.5, 말뚝무게 40kN, 해머효율은 50%, $C_1 + C_2 + C_3$ = 리바운드량으로 가정한다.)

$$\text{Hiley식} = \frac{W_L \cdot h_e}{S + \frac{1}{2}(C_1 + C_2 + C_3)} \cdot \left(\frac{W_h + n^2 W_p}{W_h + W_p}\right) \quad \text{계산 과정})$$

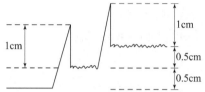

답 : _____

[해답] $Q_u = \dfrac{W_h h_e}{S + \frac{1}{2}(C_1 + C_2 + C_3)} \cdot \left(\dfrac{W_h + n^2 W_p}{W_h + W_p}\right)$

$= \dfrac{6,000 \times 0.5}{0.5 + \frac{1}{2} \times 1} \times \dfrac{20 + 0.5^2 \times 40}{20 + 40} = 1,500\,\text{kN}$

∴ $Q_a = \dfrac{Q_u}{F_s} = \dfrac{1,500}{3} = 500\,\text{kN}$

⚠ 주의점
$60\text{kN} \cdot \text{m}$
$= 60 \times 10^2 \text{kN} \cdot \text{cm}$

□□□ 13④

18 3.5m×3.5m인 정사각형 기초의 저면에 1.0m 간격으로 말뚝직경(D)=30cm, 말뚝의 관입길이(L)=12m인 말뚝을 9개 배치하였다. 외말뚝(Single Pile)과 무리말뚝(Group Pile) 여부를 판단하고, 무리말뚝인 경우 말뚝기초 전체의 허용지지력을 구하시오.

(단, 군항의 효율은 0.7이고 외말뚝 본당 허용지지력은 300kN임.)

가. 외말뚝 또는 무리말뚝 여부

계산 과정)   답 : _____

나. 말뚝기초 전체 허용지지력

계산 과정)   답 : _____

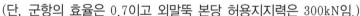

[해답] 가. $D_o > S$: 군항, $D_o < S$: 단항

　　　• 최대간격 $D_o = 1.5\sqrt{r \cdot L} = 1.5\sqrt{0.15 \times 12} = 2.01\,\text{m}$

　　　• $D_o > S : 2.01 > 1.0$ ∴ 군항

　　나. $Q_{ag} = E \cdot N \cdot R_a$

　　　　　$= 0.7 \times 9 \times 300 = 1,890\,\text{kN}$

□□□ 06②, 11②, 21②

19 말뚝의 부마찰력(負摩擦力)에 대하여 다음 물음에 답하시오.

득점	배점
	6

가. 부마찰력의 정의를 쓰시오.

    ○

나. 부마찰력이 일어나는 원인을 3가지만 쓰시오.

  ① _____ ② _____ ③ _____

다. 연약지반을 관통하여 철근콘크리트 말뚝을 박았을 때 부마찰력(R_{nf})을 계산하시오.
    (단, 지반의 일축압축강도 $q_u = 20\text{kN/m}^2$, 말뚝의 직경 $d = 50\text{cm}$, 말뚝의 관입깊이 $l = 10\text{m}$이다.)

계산 과정)   답 : _____

해답 가. 하향의 마찰력에 의해 말뚝을 아래쪽으로 끌어 내리는 힘

   나. ① 말뚝의 타입지반이 압밀진행 중인 경우
      ② 상재하중이 말뚝과 지표에 작용하는 경우
      ③ 지하수위의 저하로 체적이 감소하는 경우
      ④ 점착력 있는 압축성 지반일 경우(팽창성 점토지반일 경우)

   다. $R_{nf} = U \cdot l_c \cdot f_c = \pi d \cdot l_c \cdot \dfrac{q_u}{2}$
         $= \pi \times 0.5 \times 10 \times \dfrac{20}{2} = 157.08\text{kN}$

□□□ 92②, 02②, 07②, 09④, 13①, 20①

20 부마찰력이란 하향의 마찰력에 의해 말뚝을 아래쪽으로 끌어 내리는 힘을 말한다. 이 같은 부마찰력의 발생원인을 4가지만 쓰시오.

득점	배점
	3

① _____   ② _____

③ _____   ④ _____

해답 ① 말뚝의 타입지반이 압밀진행 중인 경우   ② 상재하중이 말뚝과 지표에 작용하는 경우
   ③ 지하수위의 저하로 체적이 감소하는 경우   ④ 점착력 있는 압축성 지반일 경우

□□□ 85②③, 98⑤, 99③, 01④, 13②, 17①

21 지반의 일축압축 강도가 18kN/m^2인 연약 점성토층을 직경 40cm의 철근콘크리트 파일로 관입깊이 12m를 관통하도록 박았을 때 부마찰력(negative friction)을 구하시오.

득점	배점
	3

계산 과정)   답 : _____

해답 $R_{nf} = U \cdot l_c \cdot f_c = \pi d \cdot l_c \cdot \dfrac{q_u}{2}$
       $= \pi \times 0.40 \times 12 \times \dfrac{18}{2} = 135.72\text{kN}$

□□□ 96⑤, 99③, 03③, 05④

22 말뚝기초 시공에서 부마찰력을 줄이는 방법을 3가지만 쓰시오.

① _____ ② _____

③ _____

해답 ① 표면적이 작은 말뚝을 사용하는 방법
② 말뚝직경보다 약간 큰 케이싱(casing)을 박는 방법
③ 말뚝표면에 역청재료를 피복하는 방법
④ 말뚝지름보다 크게 preboring을 하는 방법
⑤ 지하수위를 미리 저하시키는 방법

□□□ 95⑤, 99②, 00④, 02①

23 그림과 같이 말뚝을 설치하였을 때, 군항 또는 단항인지 여부를 판정하시오.
(단, 말뚝의 길이는 15m이다.)

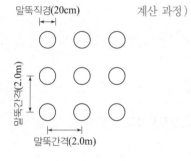

계산 과정)

답 : _____

해답 $D_o > S$: 군항, $D_o < S$: 단항
• 최대중심간격 $D_o = 1.5\sqrt{r \cdot L} = 1.5\sqrt{0.10 \times 15} = 1.84\,\mathrm{m}$
• $D_o > S = 1.84 < 2.0$ ∴ 단항

□□□ 87③, 03④, 09④, 14④, 23③

24 지름 30cm인 나무말뚝 36본이 기초슬래브를 지지하고 있다. 이 말뚝의 배치는 6열 각열 6본
이다. 말뚝의 중심간격은 1.3m이고, 말뚝 1본의 허용지지력이 150kN일 때, converse-Labarre
공식을 사용하여 말뚝기초의 허용지지력을 구하시오.

계산 과정) 답 : _____

해답 $Q_{ag} = E \cdot N \cdot R_a$
• $\phi = \tan^{-1}\left(\dfrac{d}{S}\right) = \tan^{-1}\left(\dfrac{30}{130}\right) = 13°$
• $E = 1 - \phi\left\{\dfrac{(n-1)m + (m-1)n}{90 \cdot m \cdot n}\right\} = 1 - 13°\left\{\dfrac{(6-1)\times 6 + (6-1)\times 6}{90 \times 6 \times 6}\right\} = 0.759$
∴ $Q_{ag} = 0.759 \times 36 \times 150 = 4,098.6\,\mathrm{kN}$

□□□ 06④

25 아래 그림에서와 같이 15개의 말뚝으로 구성된 군항이 있다. 말뚝 1개의 허용지지력이 100kN 일 때, 말뚝기초의 허용지지력을 구하시오.

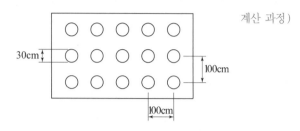

계산 과정)

답 : _____

해답 군항의 허용지지력 $R_{ag} = E \cdot N \cdot R_a$

· 각 $\phi = \tan^{-1}\left(\dfrac{D}{S}\right) = \tan^{-1}\left(\dfrac{30}{100}\right) = 16.70°$

· $n = 5$본, $m = 3$본

· 효율 $E = 1 - \phi\left\{\dfrac{(n-1)m + (m-1)n}{90 \cdot m \cdot n}\right\}$

$= 1 - 16.70°\left\{\dfrac{(5-1)\times 3 + (3-1)5}{90 \times 3 \times 5}\right\} = 0.728$

∴ 군항의 허용지지력 $R_{ag} = 0.728 \times 15 \times 100 = 1,092$kN

□□□ 95⑤, 99②, 00④

26 아래 그림에서와 같이 20개의 말뚝으로 구성된 군항이 있다. 말뚝 1개의 허용지지력이 200kN 일 때, 말뚝기초의 허용지지력을 구하시오.

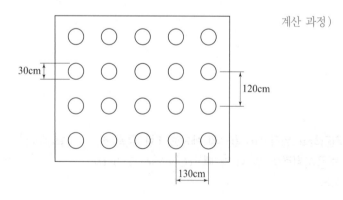

계산 과정)

답 : _____

해답 군항의 허용지지력 $Q_{ag} = E \cdot N \cdot R_a$

· 각 $\phi = \tan^{-1}\left(\dfrac{d}{S}\right) = \tan^{-1}\left(\dfrac{30}{120}\right) = 14.04°$ (∵ S는 말뚝의 중심간격으로 좁은 간격값 사용)

· 효율 $E = 1 - \phi\left\{\dfrac{(n-1)m + (m-1)n}{90 \cdot m \cdot n}\right\}$

$= 1 - 14.04°\left\{\dfrac{(5-1)\times 4 + (4-1)\times 5}{90 \times 4 \times 5}\right\} = 0.758$

∴ $Q_{ag} = 0.758 \times 20 \times 200 = 3,032$kN

□□□ 87②, 04④

27 다음 그림에서와 같이 9개의 말뚝으로 구성된 군항에서 A점에 450kN의 힘이 가해지고 있다. 1번 말뚝에 가해지는 하중은?

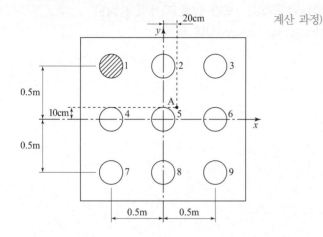

계산 과정)

답 : _____

해답 $P_m = \dfrac{Q}{n} \pm \dfrac{M_y \cdot x}{\sum x^2} \pm \dfrac{M_x \cdot y}{\sum y^2}$

$\therefore P_1 = \dfrac{450}{9} + \dfrac{(450 \times 0.2) \times (-0.5)}{0.5^2 \times 6} + \dfrac{(450 \times 0.1) \times (+0.5)}{0.5^2 \times 6} = 35\text{kN}$

□□□ 04④, 08②

28 다음 그림과 같은 9개의 말뚝이 군항을 이루고 있다. A점에 600kN의 하중이 가해질 때 1번 말뚝에 가해지는 하중은?

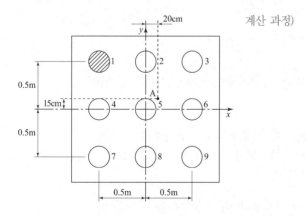

계산 과정)

답 : _____

해답 $P_m = \dfrac{Q}{n} \pm \dfrac{M_y \cdot x}{\sum x^2} \pm \dfrac{M_x \cdot y}{\sum y^2}$

$\therefore P_1 = \dfrac{600}{9} + \dfrac{(600 \times 0.2) \times (-0.5)}{0.5^2 \times 6} + \dfrac{(600 \times 0.15) \times (+0.5)}{0.5^2 \times 6} = 56.67\text{kN}$

□□□ 87③, 94①, 96④, 99①, 00⑤, 02①, 03④, 04①, 09④, 12①, 14②

29 직경 300mm RC 말뚝을 평균 비배수 일축압축강도가 20kN/m²인 포화점토지반에 1m 간격으로 가로방향 3개, 세로방향 4개씩 15m 깊이까지 타입하였다. 아래의 물음에 답하시오.
(단, 점토지반의 지지력계수 $N_C' = 9$이며, 점착계수 $\alpha = 1.25$이다. 또한 말뚝 자체의 중량은 무시하고 안전율은 3으로 하며, 무리말뚝의 효율은 Converse-Labarre식에 의한다.)

가. 말뚝 한 개의 극한지지력을 구하시오.

　계산 과정)　　　　　　　　　　　　　　　　　　　답 : _____

나. 무리말뚝의 효율을 구하시오.

　계산 과정)　　　　　　　　　　　　　　　　　　　답 : _____

다. 무리말뚝의 허용지지력을 구하시오.

　계산 과정)　　　　　　　　　　　　　　　　　　　답 : _____

해답 가. 극한지지력 $Q_u = Q_P + Q_s$

- $Q_P = N' \cdot c_u \cdot A_P = 9 \times \left(\dfrac{1}{2} \times 20\right) \times \dfrac{\pi \times 0.3^2}{4} = 6.36 \text{kN}$ $\left(\because 점착력\ c_u = \dfrac{q_u}{2}\right)$

- $Q_s = \pi \cdot D \cdot L \cdot \alpha \cdot c_u = \pi \times 0.3 \times 15 \times 1.25 \times \dfrac{1}{2} \times 20 = 176.71 \text{kN}$

　∴ $Q_u = 6.36 + 176.71 = 183.07 \text{kN}$

나. $E = 1 - \tan^{-1}\left(\dfrac{D}{S}\right)\left\{\dfrac{(n-1)m + (m-1)n}{90 \cdot m \cdot n}\right\}$

　$= 1 - \tan^{-1}\left(\dfrac{0.3}{1}\right)\left\{\dfrac{(4-1)3 + (3-1)4}{90 \times 3 \times 4}\right\} = 0.737$

다. $Q_{ag} = ENR_a = 0.737 \times 3 \times 4 \times \dfrac{183.07}{3} = 539.69 \text{kN}$ $\left(\because R_a = \dfrac{Q_u}{F_s}\right)$

□□□ 01①, 17②

30 주택단지를 조성하려고 현장조사를 하였더니 평균 비배수 전단강도가 50kN/m²인 두꺼운 점토일 때 아래 물음에 답하시오.

가. 직경 0.5m 말뚝을 점토지반 내 깊이 20m까지 박을 때 시공직후의 극한하중의 크기는?
　　(단, 주면부착요소 $\alpha = 0.82$, 말뚝과 지반 사이의 밀도차는 무시하고 $N_c = 9.0$으로 한다.)

　계산 과정)　　　　　　　　　　　　　　　　　　　답 : _____

나. 말뚝 간 중심간격을 2.5m로 유지하고 12×10개의 직사각형 형태로 군말뚝을 설치할 때, 허용하중의 크기는?
　　(단, 안전율=3이고, 말뚝효율은 Converse-Labarre식을 사용할 것)

　계산 과정)　　　　　　　　　　　　　　　　　　　답 : _____

해답 가. $Q_u = Q_p + Q_s$

• $Q_p = N_c \cdot c_u \cdot A_p = 9.0 \times 50 \times \dfrac{\pi \times 0.5^2}{4} = 88.36\text{kN}$

• $Q_s = \pi \cdot D \cdot L \cdot \alpha \cdot c_u = \pi \times 0.5 \times 20 \times 0.82 \times 50 = 1,288.05\text{kN}$

∴ $Q_u = 88.36 + 1,288.05 = 1,376.41\text{kN}$

나. $E = 1 - \tan^{-1}\left(\dfrac{D}{S}\right)\left\{\dfrac{(n-1)m + (m-1)n}{90\,m\,n}\right\}$

$= 1 - \tan^{-1}\left(\dfrac{0.5}{2.5}\right)\left\{\dfrac{(10-1)\times 12 + (12-1)\times 10}{90 \times 12 \times 10}\right\} = 0.772$

• 최대하중 $Q_a = \dfrac{Q_u}{F_s} = \dfrac{1,376.41}{3} = 458.80\text{kN}$

∴ $Q_{ag} = ENQ_a = 0.772 \times 12 \times 10 \times 458.80 = 42,503.23\text{kN}$

□□□ 87②, 04③

31 다음 그림에서와 같이 9개의 말뚝으로 구성된 군항에서 A점에 450kN의 힘이 가해지고 있다. 1, 6, 8번 말뚝에 가해지는 하중은?

득점	배점
	3

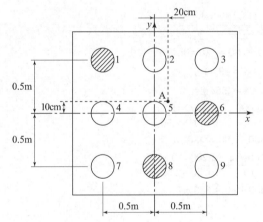

계산 과정)

답 :

해답 $P_m = \dfrac{Q}{n} \pm \dfrac{M_y \cdot x}{\sum x^2} \pm \dfrac{M_x \cdot y}{\sum y^2}$ ($\because M_y = P \cdot e_x = 450 \times 0.2$, $M_x = P \cdot e_y = 450 \times 0.1$)

• $P_1 = \dfrac{450}{9} + \dfrac{(450 \times 0.2) \times (-0.5)}{0.5^2 \times 6} + \dfrac{(450 \times 0.1) \times (+0.5)}{0.5^2 \times 6} = 35\text{kN}$

• $P_6 = \dfrac{450}{9} + \dfrac{(450 \times 0.2) \times (+0.5)}{0.5^2 \times 6} + \dfrac{(450 \times 0.1) \times 0}{0.5^2 \times 6} = 80\text{kN}$

• $P_8 = \dfrac{450}{9} + \dfrac{(450 \times 0.2) \times 0}{0.5^2 \times 6} + \dfrac{(450 \times 0.1) \times (-0.5)}{0.5^2 \times 6} = 35\text{kN}$

$\sum x^2 = 0.5^2 \times 6$ $\sum y^2 = 0.5^2 \times 6$

말뚝	x	x^2
2, 5, 8	0	0
3, 6, 9	0.5	0.5^2
1, 4, 7	-0.5	$(-0.5)^2$

말뚝	y	y^2
4, 5, 6	0	0
1, 2, 3	0.5	0.5^2
7, 8, 9	-0.5	$(-0.5)^2$

주의점
0보다 작은 소수점 이하(0.772)에서는 소수점 넷째자리에서 반올림(0.772)하는 것이 더 정확한 값을 얻을 수 있다.

□□□ 95④, 97④, 99②, 00③, 06①, 10④, 13①, 18②

32 다음과 같이 배치된 말뚝 A, 말뚝 B에 작용하는 하중을 검토(계산)하시오.

(단, 말뚝의 부마찰력, 군항의 효과, 기초와 흙과의 사이에 작용하는 토압은 무시한다.)

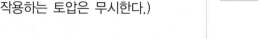

득점	배점
	3

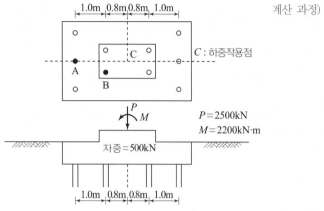

계산 과정)

답 : _____

해답 ■ 방법 1

$$P_m = \frac{Q}{n} \pm \frac{M_y \cdot x}{\sum x^2} \pm \frac{M_x \cdot y}{\sum y^2}$$

· $Q = 2,500 + 500 = 3,000$ kN

$$\therefore P_A = \frac{3,000}{10} - \frac{2,200 \times (-1.8)}{1.8^2 \times 6 + 0.8^2 \times 4} + 0$$
$$= 300 + 180 = 480\text{kN}$$

$$\therefore P_B = \frac{3,000}{10} - \frac{2,200 \times (-0.8)}{1.8^2 \times 6 + 0.8^2 \times 4} + 0$$
$$= 300 + 80 = 380\text{kN}$$

■ 방법 2

$$P_m = \frac{Q}{n} + \frac{M_y \cdot x}{\sum x^2} + \frac{M_x \cdot y}{\sum y^2}$$

· $Q = 2,500 + 500 = 3,000$ kN, $n = 10$
· $x^2 = 1.8^2 \times 6 = 19.44$ m²
· $x^2 = 0.8^2 \times 4 = 2.56$ m²

$$\therefore P_A = \frac{3,000}{10} + \frac{2,200 \times 1.8}{19.44 + 2.56} + 0$$
$$= 300 + 180 = 480\text{kN}$$

$$\therefore P_B = \frac{3,000}{10} + \frac{2,200 \times 0.8}{19.44 + 2.56} + 0$$
$$= 300 + 80 = 380\text{kN}$$

$$\sum x^2 = (-1.8)^2 \times 6 + (-0.8)^2 \times 4$$

말뚝	x	x^2
1, 5, 9	-1.8	$(-1.8)^2$
3, 7	-0.8	$(-0.8)^2$
4, 8	+0.8	0.8^2
2, 6, 10	+1.8	1.8^2

과년도 예상문제

말뚝기초

□□□ 94②, 97②

01 원심력 철근콘크리트 말뚝은 내구성이 크고 구하기가 비교적 쉽고 재질도 균일하고 신뢰성이 있다. 이 말뚝을 가장 경제적으로 생산할 수 있는 최대길이는 얼마인가?

○ _____

해답 15m

□□□ 85①

02 강관파일(steel pipe pile)의 장점 4가지만 쓰시오.

① _____
② _____
③ _____
④ _____

해답 ① 전방에 대하여 등강성이다.
② 단면두께가 변해도 비교적 이음이 용이하다.
③ 차수효과가 좋고 지수성이다.
④ 이음의 신뢰성이 높다.

□□□ 95①, 96⑤

03 강말뚝(steel pile)의 부식방지 대책을 3가지만 쓰시오.

① _____ ② _____
③ _____

해답 ① 두께를 증가시키는 방법
② 콘크리트로 피복하는 방법
③ 도장에 의한 방법
④ 전기방식법

□□□ 94①

04 프리스트레스트 콘크리트 말뚝(prestressed concrete pile)의 장점을 5가지만 쓰시오.

① _____
② _____
③ _____
④ _____
⑤ _____

해답 ① 중량이 가벼워 운반이 쉽다.
② 길이의 조절이 비교적 쉽다.
③ 휨력을 받았을 때의 휨량이 적다.
④ 시공 시 이음이 쉽고 이음의 신뢰성이 크다.
⑤ 타입 시 인장응력을 받을 경우, 인장파괴가 일어나지 않는다.

□□□ 94②, 99③

05 단순한 현장 concrete 말뚝만으로는 소요의 지지력을 지탱하지 못할 때 사용되는 말뚝형태로 아랫부분은 강제로, 윗부분은 현장콘크리트로 구성되는 말뚝은?

○ _____

해답 합성말뚝(composite pile)

□□□ 93②, 96①

06 프리스트레스 콘크리트 말뚝(PSC 말뚝)의 시공방법을 3가지만 쓰시오.

① _____ ② _____
③ _____

해답 ① 타격방식
② pre − boring 방식
③ 중공굴착방식
④ 제트(jet) 방식

□□□ 86①

07 오거 스크류(auger screw), 회전식 버킷(buckert), 회전식 피트(pit) 등을 써서 벤토나이트(bentonite) 용액으로 공벽(孔壁)을 보호하면서 말뚝구멍에 말뚝을 압입하는 공법은?

○

해답 프리보링(pre-boring) 공법

□□□ 88③, 93④

08 RC 파일을 항타할 때 파일 두부(頭部)에 파손이 있다. 이에 대한 원인 3가지만 쓰시오.

① _____ ② _____

③ _____

해답 ① 편심항타
② Cushion 두께의 부족
③ 말뚝강도의 부족
④ 대형 해머(hammer)의 사용

□□□ 91③

09 무공해 말뚝 시공기계로서 유일하게 15℃ 정도의 경사말뚝의 시공이 가능한 공법은?

○

해답 베노토(benoto) 공법(=all casing 공법)

□□□ 92②

10 말뚝 타입 장비 중 최근 도심구간에서는 진동해머의 사용이 빈번하다. 기존 디젤해머에 비하여 장점을 3가지만 쓰시오.

① _____ ② _____

③ _____

해답 ① 타격음이 적다.
② 정확한 위치에 타격한다.
③ 항두의 손상이 적다.

□□□ 89②, 92③

11 구조물 기초용 말뚝의 배열에 있어 말뚝 사이의 최소간격 및 기초측벽과 말뚝 중심과의 최소간격은 얼마로 하는가?
(단, d는 말뚝직경)

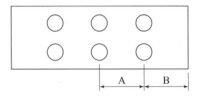

계산 과정)

답 : _____

해답 A = 2.5d 이상, B= 1.5d 이상

□□□ 85②

12 말뚝 타입 장비 중 디젤해머(diesel hammer)와 진동해머(vibro hammer)의 장점을 각 2가지씩 쓰시오.

가. 디젤해머 :

나. 진동해머 :

해답 가. ① 기동성이 풍부하다.
② 큰 타격력을 얻을 수 있다.
③ 연료비가 적다.
나. ① 타격음이 적다.
② 정확한 위치에 타격한다.
③ 항두의 손상이 적다.

□□□ 94②

13 구조물 설치를 위한 말뚝박기 작업을 할 경우 말뚝박기 순서에 대하여 아래의 경우에 대한 각각 설명하시오.

가. 한 구조물의 말뚝기초 작업 시 :

나. 해안선에서 작업 시 :

다. 기존 건물 가까운 지점 작업 시 :

해답 가. 중앙에서 외측으로 타입한다.
나. 육지에서 해안쪽으로 타입한다.
다. 구조물 측면부터 타입한다.

14 말뚝체에 손상을 주지 않고 무진동, 무소음으로 말뚝을 지반에 타입하는 공법으로 말뚝 주변이나 선단부를 교란시키지 않는 말뚝타입 공법을 무엇이라 하는가?

○ _____

[해답] 압입공법

15 점성토 중에서 지름 40cm의 PC 말뚝을 타입할 때 점성토의 교란에 의하여 압축이 생기는 범위는 말뚝 중심에서 얼마나 떨어져 발생하는가?

계산 과정)

답 : _____

[해답] 점성토의 교란에 의하여 현저한 압축이 생기는 범위 $1.5d$
  $\therefore\ 1.5d + 0.5d = 2.0d$
  $= 2.0 \times 40 = 80\,\mathrm{cm}$

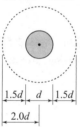

현장타설 피어공법

16 어스 오거(earth auger) 굴착기로 말뚝구멍을 굴착하려고 중벽을 벤토나이트로 채운 후, 그 속에 철근망을 넣어서 타설하는 현장 말뚝공법을 무엇이라고 하는가?

○ _____

[해답] 어스 드릴(earth drill) 공법(=Calweld earth drill 공법)

---

17 다음은 피어 시공방법 중 무슨 공법에 관한 설명인가?

> 절삭날(cutting edge)이나 절삭톱니(cutting teeth)가 부착된 오거를 회전하여 구멍을 굴착하는 공법이다. 켈리(kelly)라고 불리는 정사각형 축에 부착된 오거를 흙 속에 관입하고 회전하며, 날개(flight)에 흙이 채워지면 오거를 지표면 위로 끌어 올린다.

○ _____

[해답] 어스 드릴(earth drill) 공법(=Calweld earth drill 공법)

18 다음은 어스드릴(earth drill) 공법의 시공방법을 나열한 것이다. 시공순서를 쓰시오.

> 가. 벤토나이트 주입 나. 굴착작업
> 다. 케이싱 뽑기 라. 철근망태 삽입
> 마. 슬라임(Slime) 처리 바. 케이싱의 삽입
> 사. 콘크리트 타설

○ _____

[해답] 바 – 가 – 나 – 마 – 라 – 사 – 다

19 수직공을 굴착하는 데 있어서 베노토(benoto) 공법에 비하여 Calweld(또는 Calweld earth drill) 공법의 유리한 점을 3가지만 쓰시오.

① _____
② _____
③ _____

[해답] ① 시공속도가 빠르므로 기계 손료가 적다.
  ② 흙의 교란이 적어 근접시공에 유리하다.
  ③ 작업성이 좋다.
  ④ 장비가 간단하고 기계이동이 간편하다.

□□□ 94①
20 초고층(30층)빌딩을 신축하려고 한다. 현장 주위에 건축공사가 진행하고 있는 좁은 면적에 가장 알맞은 기초공법은?

【조 건】
· 지하 1 ∼ 5m까지 모래 섞인 풍화도, N치 30/30 ∼ 50/28
· 지하 6 ∼ 12m까지 풍화대로서 치밀함, N치 50/14 ∼ 50/3
· 지하 12m 이하 연암, 균열이 심함, N치 ─ sample core 채취(단, 지하수위 7.5m, PC pile은 l=14m까지 생산함.)

○

해답 SIP(Soil cement Injection precast Pile) 기초공법

□□□ 92③, 95③
21 다음은 베노토(Benoto)공법에 의한 제자리 말뚝기초의 시공방법을 나열한 것이다. 시공순서를 쓰시오.

【조 건】
가. 양수   나. 트레미관의 삽입
다. 말뚝머리처리   라. 케이싱의 압입 및 굴착
마. 조립철근의 내림
바. 콘크리트의 타설 및 케이싱의 인발

○

해답 라→가→마→나→바→다

□□□ 03①, 04④, 06④, 11①
22 현장타설 말뚝은 일반적으로 지지말뚝으로 사용되기 때문에 콘크리트를 타설할 때 공저에 슬라임(Slime)이 퇴적되어 있으면 침하원인이 되고 말뚝으로서 기능이 현저하게 저하한다. 이같은 슬라임을 제거하기 위한 방법을 3가지만 쓰시오.

①   ②
③

해답 ① 샌드펌프 방법
② 에어리프트 방법
③ 석션펌프 방법
④ 수중펌프 방법

□□□ 95③
23 독일에서 개발된 공법으로 특수비트의 회전으로 굴착한 토사는 저수탱크에 배출되며 물은 다시 구멍 속으로 돌아가며 연속굴착이 가능하여 시공능률이 좋은 기초공법은?

○

해답 RCD 공법(Reverse circulation drill : 역순환공법)

□□□ 96②
24 피어기초 방법 중 Benoto 공법의 단점 3가지만 쓰시오.

①   ②
③

해답 ① 넓은 작업장이 필요하다.
② 기계가 고가이다.
③ 케이싱 인발 시 공상현상의 염려가 있다.
④ 지하수의 처리가 어렵다.

□□□ 97③
25 최근 국내에서 많이 이용되고 있는 말뚝 시공공법인 SIP(Soil cement Injection precast Pile)의 장점 2가지를 쓰시오.

①
②

해답 ① 소음, 진동이 적어 도심지 공사에 적합하다.
② 말뚝선단부의 지지력 및 말뚝주면의 마찰력이 증대된다.
③ 말뚝에 가해지는 충격응력이 작아 품질이 우수하다.

□□□ 93④, 95⑤
26 정수압으로 구멍의 붕괴를 막으면서 로터리식 특수비트를 사용하여 구멍을 굴착하고 굴착된 토사를 물로 배출시키는 제자리 말뚝기초 공법은?

○

해답 RCD 공법(Reverse circulation drill : 역순환공법)

케이슨 기초

□□□ 94③

27 우물통 기초공법의 특징 중 장점을 4가지만 쓰시오.

① _____

② _____

③ _____

④ _____

해답 ① 침하깊이에 제한이 없다.
② 기계설비가 비교적 간단하다.
③ 공사비가 일반적으로 싸다.
④ 무진동으로 시공할 수 있어서 시가지 공사에 적합하다.

□□□ 96①, 98④

28 우물통 기초는 오픈케이슨 또는 웰 공법이라고 부르며 교각, 옹벽 등의 기초에 많이 사용되는 공법이다. 이 우물통 기초의 장점에 대하여 4가지만 쓰시오.

①_____ ②_____

③_____ ④_____

해답 ① 침하깊이에 제한이 없다.
② 기계설비가 비교적 간단하다.
③ 공사비가 일반적으로 저렴하다.
④ 무진동으로 시공할 수 있어서 시가지 공사에 적합하다.

□□□ 89②

29 오픈케이슨 공법이 공기케이슨 공법에 비하여 시공상 단점이라고 생각되는 점을 구체적으로 4가지만 쓰시오.

① _____

② _____

③ _____

④ _____

해답 ① 선단의 연약토 제거 및 토질상태 파악이 어렵다.
② 큰 전석이나 장애물이 있는 경우 침하작업이 지연된다.
③ 굴착 시 히빙이나 보일링 현상의 우려가 있다.
④ 경사가 있을 경우는 케이슨이 경사질 염려가 있다.
⑤ 저부 콘크리트가 수중시공이 되어 불충분하게 되기 쉽다.

□□□ 86③

30 수심에 따라 흙가마니, 나무널말뚝 등으로 물을 막고 내부를 토사로 채워 육상거치와 같게 하는 시공법은?

○ _____

해답 축도법(築島法)

□□□ 95①, 03③, 06①, 07①, 09④, 10②

31 케이슨 기초의 시공방법에 따른 종류를 3가지만 쓰시오.

① _____ ② _____

③ _____

해답 ① 오픈케이슨(open caisson)
② 공기케이슨(pneumatic caisson)
③ 박스케이슨(box caisson)

□□□ 84①

32 수심 5m 정도의 수중에 정통(well)을 거치하려고 할 때 거치방법을 쓰고 간단히 설명하시오.

○ 거치방법 :

○ 설명 :

해답 • 축도법
• 수심에 따라 흙가마니, 나무널말뚝, 강널말뚝 등에 의하여 물을 막고 그 내부를 토사로 채운다.

□□□ 88②

33 정통(well)의 침하조건식을 쓰고 그 부호에 대하여 설명하시오.

가. 침하조건 :

나. 부호 :

해답 가. $W > F + Q + B$
나. W : 우물통의 수직하중(자중 + 재하중)
F : 총주면마찰력($F = f_s \cdot U \cdot h$)
Q : 우물통의 선단부의 지지력($Q = q_d \cdot A$)
B : 부력

□□□ 92③

34 정통공법에서 정통의 제자리 거치 중 제1로드는 직접 지반을 파고 들어가는 부분이므로 특별히 견고하게 한 구조인 철제 커브 슈(curve shoe)를 붙인다. 이 커브 슈는 토질의 종류에 따라 각도를 다르게 한다. 다음의 토질에서 커브 슈의 날카로운 것부터 순서를 쓰시오.

> ① 단단한 지반   ② 연역지반   ③ 중간 정도의 지반

○ _____

해답 ① → ③ → ②

□□□ 93①, 97④

35 케이슨 침하 시 케이슨의 주면마찰력을 감소시키기 위해 날끝 부근에서 공기, 물, 또는 그 외 혼합물을 분사시켜 침하를 촉진시키는 공법은?

○ _____

해답 분사식(분기식) 침하공법

□□□ 99④

36 우물통 기초에서 우물통의 수직하중을 W, 단위면적당 주면마찰력을 f_s, 우물통의 주변장을 U, 우물통의 관입깊이를 h, 지반의 극한지지력을 q_u, 날끝의 면적을 A, 부력을 B라 할 때, 다음 물음에 답하시오.

가. 우물통 기초의 침하조건식을 쓰시오.

○

나. $W = 200\text{kN}$, $f_s = 2\text{kN/m}^2$, $U = 10\text{m}$, $h = 3\text{m}$, $q_u = 150\text{kN/m}^2$, $A = 0.5\text{m}^2$, $B = 3\text{kN}$이라 할 때 침하조건을 계산하시오.

계산 과정)

답 : _____

해답 가. $W > F + Q + B = f_s \cdot U \cdot h + q_u \cdot A + B$

나. $200 > 2 \times 10 \times 3 + 150 \times 0.5 + 3 = 138\text{kN}$

□□□ 84③

37 케이슨 침하에 사용되는 굴착방법을 2가지만 쓰시오.

① _____   ② _____

해답 ① 인력굴착   ② 기계굴착   ③ 수중굴착

□□□ 05①

38 우물통 기초의 수중 거치방법을 3가지만 쓰시오.

① _____   ② _____

③ _____

해답 ① 축도법   ② 비계식(발판식)   ③ 부동식(예항식)

□□□ 92④

39 우물통 기초 콘크리트 타설 1rod의 높이는?

○ _____

해답 $2 \sim 3\text{m}$

□□□ 92①

40 오픈케이슨의 침하공법을 4가지만 쓰시오.

① _____   ② _____

③ _____   ④ _____

해답 ① 재하중에 의한 방법   ② 분사식 침하공법
③ 물중식 침하공법   ④ 발파에 의한 침하공법
⑤ 내수위 저하공법

□□□ 94①

41 공기케이슨(pneumatic caisson) 공법을 적용할 수 있는 작업 한계깊이 및 압력한도(기압)는?

가. 작업 한계깊이 :

나. 압력한도 :

해답 가. $35 \sim 40\text{m}$ 나. 3.5kg/cm^2 (0.35MPa)

□□□ 84②

42 공기케이슨(pneumatic caisson) 공법을 적용하는 깊이는 몇 m 이내인가?

o _____

_____

해답 35 ~ 40m

□□□ 92④, 95①

43 공기케이슨 작업 시 고기압 상태에서 작업을 하다가 나올 때 사람의 건강체질, 기압체류시간, 감압온도 등에 따라 케이슨병에 걸린다. 이의 치료법으로 환자를 원래의 고기압 상태에서 서서히 기압을 낮추는 시설이 필요한데 이것을 무엇이라 하는가?

o _____

_____

해답 요양갑(hospital lock)

□□□ 96⑤

44 다음은 오픈케이슨(open caisson)의 시공방법이다. 시공 순서대로 번호를 쓰시오.

① 케이슨 하부에 수중 콘크리트를 타설하여 바닥을 막는다.
② 모래, 자갈이나 콘크리트 등으로 속채움을 한다.
③ 케이슨 제 1로드를 소정의 위치에 놓고 그래브 버킷(grab bucket)으로 케이슨 내의 흙을 굴착하여 침하시킨다.
④ 케이슨 상부는 완전히 육상시공에 의하여 콘크리트를 쳐서 상부 슬래브를 만든다.
⑤ 저면 콘크리트(concrete seal)가 양생이 되면 케이슨 내의 물을 펌프로 퍼낸다.
⑥ 다음 로드를 연결하고 작업을 진행하여 지지층까지 침하시킨다.

o _____

_____

해답 ③ → ⑥ → ① → ⑤ → ② → ④

□□□ 86①

45 뉴매틱케이슨(Pneumatic caisson) 기초의 한계작업 깊이는?

o _____

_____

해답 35 ~ 40m

말뚝의 지지력

□□□ 85①, 16②, 18②, 19③, 22②

46 말뚝의 지지력을 구하는 방법 3가지를 쓰시오.

① _____ ② _____

③ _____

해답 ① 정역학적 공식에 의한 방법
② 동역학적 공식에 의한 방법
③ 정재하 시험에 의한 방법

□□□ 86②

47 말뚝기초의 허용지지력을 측정하는 방법 3가지를 쓰시오.

① _____ ② _____

③ _____

해답 ① 정역학적 공식에 의한 방법
② 동역학적 공식에 의한 방법
③ 정재하시험에 의한 방법

□□□ 99①

48 일반적으로 말뚝기초의 지지력을 산정하는 방법에는 정역학적 지지력공식, 항타공식, 정재하시험, 그리고 항타분석기(PDA)를 이용한 방법 등이 있다. 이 중 항타분석기는 다른 방법에 비해 지지력의 산정 이외에도 시공관리의 장점이 있는데, 이를 3가지만 쓰시오.

① _____ ② _____

③ _____ .

해답 ① 말뚝이 손상되지 않는다.
② 항타 즉시 말뚝의 지지력을 얻을 수 있다.
③ 말뚝과 해머의 성능을 동시에 측정할 수 있다.
④ 말뚝에 작용하는 압축력 및 인장력을 얻을 수 있다.

말뚝의 정적 지지력

49 임의의 조건하에 지표면 근처의 흙을 적당히 다지기 위하여 모래와 같은 입상토에 짧은 말뚝을 박아 말뚝박기의 효과를 얻도록 하고 있다. 이러한 말뚝을 무슨 말뚝이라고 하는가?

○

해답 다짐말뚝

□□□ 87③
50 말뚝의 허용지지력을 검토하기 위한 말뚝의 축방향 허용압입지지력을 구하려 할 때, 말뚝의 종류를 어떻게 구분하는가?

○

해답 말뚝의 극한지지력(Q_u)=선단지지력(Q_p)+마찰지지력(Q_f)
∴ 선단지지말뚝과 마찰말뚝으로 구분

Meyerhof의 공식

□□□ 97①, 99④
51 pile 이론에서 λ, α, β 방법을 이용하는 것은 어느 지반의 pile의 무엇을 구하는 방법들인가?

○

해답 점토지반 말뚝의 단위마찰부착저항력

□□□ 96④
52 점토지반 말뚝의 단위마찰(표면) 부착저항력을 구하는 λ, α, β 방법 중 발생된 과잉간극수압이 소산된 후, 즉 교란상태의 유효응력 정수에 근거한 방법은?

○

해답 β방법

□□□ 98⑤
53 점토지반 말뚝의 단위마찰(표면) 부착저항력을 구하는 λ, α, β 방법 중 말뚝타입에 의한 흙의 변형으로 인한 수동토압 개념으로 구하는 방법은?

○

해답 λ방법

□□□ 96④
54 말뚝의 마찰저항력 $Q_s = \sum P\Delta Lf$에서 단위마찰저항력 $f = k\sigma_v' \tan\delta$인데, 유효수직응력 σ_v'는 일반적으로 말뚝직경의 몇 배 깊이까지 증가하다가 거의 일정한 것으로 보는가?

○

해답 15 ~ 20배

말뚝의 동적 지지력 공식

□□□ 85③
55 추의 중량이 6kN, 추의 낙하높이 5m, 1회 타격으로 인한 말뚝의 침하량이 5cm일 때, 이 말뚝의 허용지지력을 Sander 공식을 이용하여 구하시오.

계산 과정)

답 : _____

해답 $Q_a = \dfrac{W_h H}{8S} = \dfrac{6\times5}{8\times0.05} = 75\text{kN}$

□□□ 99④
56 기초말뚝의 설계에 있어서 말뚝이 지지하는 안전하중을 100kN으로 하고 추의 무게 4,000N, 낙하고 3.0m로 하면 말뚝의 침하량이 몇 cm에 달하면 하중을 안전하게 지지할 수 있는지 샌더(sander) 공식에 의하여 구하시오.

계산 과정)

답 : _____

해답 $Q_a = \dfrac{W_h H}{8S}$에서 ∴ $S = \dfrac{W_h H}{8Q_a} = \dfrac{4,000\times300}{8\times100\times10^3} = 1.5\text{cm}$

57 직경 30cm, 길이 10m의 RC 말뚝을 20kN의 증기해머로 1.5m를 낙하시켜 박는 말뚝타입시험에서 최종관입량이 1.5cm이었다. 이때 말뚝의 탄성변형량은 1.0cm이었으며 말뚝재료의 탄성계수는 $5 \times 10^7 \text{kN/m}^2$이었다. 말뚝의 허용지지력을 Hiley와 Weisback의 공식에 의하여 산출하고 그 지지력을 결정하시오.
(단, Hiley의 공식에서 $C_1 = 1.0$, $C_2 = 0.13$, $C_3 = 0.06$, $e_f = 0.65$로 가정한다.)

계산 과정)

답 : _____

해답 ① Hiley의 공식

$$Q_u = \frac{e_f F}{S + \frac{1}{2}(C_1 + C_2 + C_3)}$$

• $F = W_h H = 20 \times 150 = 3,000 \text{kN} \cdot \text{cm}$

• $Q_u = \dfrac{0.65 \times 3,000}{1.5 + \dfrac{1.0 + 0.13 + 0.06}{2}} = 930.79 \text{kN}$

$\therefore Q_a = \dfrac{Q_u}{F_s} = \dfrac{930.79}{3} = 310.26 \text{kN}$

② Weisbash의 공식

$$Q_u = \frac{A \cdot E}{L}\left(-S + \sqrt{S^2 + W_h \cdot H \frac{2L}{A \cdot E}}\right)$$

• $A = \dfrac{\pi d^2}{4} = \dfrac{\pi \times 0.3^2}{4} = 0.071 \text{m}^2$

• $Q_u = \dfrac{0.071 \times 5 \times 10^7}{10} \times$

$\left(-0.015 + \sqrt{0.015^2 + 20 \times 1.5 \times \dfrac{2 \times 10}{0.071 \times 5 \times 10^7}}\right)$

$= 1,721.67 \text{kN}$

$\therefore Q_a = 0.15 Q_u = 0.15 \times 1,721.67 = 258.25 \text{kN}$

$\therefore 310.3 \text{kN} > 258.3 \text{kN}$: 허용지지력 $Q_a = 258.25 \text{kN}$
(∵ 작은값)

58 Engineering News 공식을 사용하여 허용지지력을 구하시오. (단, $W_h = 30 \text{kN}$, $h = 50 \text{cm}$, $S = 1 \text{cm}$(5회 타격의 평균치), 안전율=6, 드롭해머 사용)
계산 과정)

답 : _____

해답 $Q_a = \dfrac{W_h h}{6(S + 2.54)} = \dfrac{30 \times 50}{6(1 + 2.54)} = 70.62 \text{kN}$(드롭해머 주의)

59 다음과 같은 조건으로 Engineering News 공식을 사용하여 말뚝의 허용지지력을 구하시오.
(단, 단동식 해머를 사용하여 소수 둘째자리에서 반올림하시오.)

【조 건】
Hammer의 중량 $W_h = 20 \text{kN}$, 낙하고 $H = 40 \text{cm}$, 타격당 말뚝의 평균 관입량 $S = 1.2 \text{cm}$(5회 타격의 평균치)

계산 과정)

답 : _____

해답 $Q_a = \dfrac{W_h H}{6(S + 0.254)} = \dfrac{20 \times 40}{6(1.2 + 0.254)} = 91.7 \text{kN}$

부마찰력

60 연약점토층을 관통하여 철근콘크리트 말뚝을 박았을 때, 부마찰력은 얼마인가?
(단, 지반의 일축압축강도 $q_u = 0.04 \text{MPa}$, 파일직경 $D = 50 \text{cm}$, 관입길이 $l_c = 10 \text{m}$이다. 소수 셋째자리에서 반올림하시오.)

계산 과정)

답 : _____

해답 $R_{nf} = U \cdot l_c \cdot f_c = \pi d \cdot l_c \cdot \dfrac{q_u}{2}$

$= \pi \times 0.50 \times 10 \times \dfrac{40}{2} = 314.16 \text{kN}$

$(\because q_u = 0.04 \text{MPa} = 40 \text{kN/m}^2)$

61 말뚝의 부마찰력이 발생하는 원인을 3가지만 쓰시오.

① _____

② _____

③ _____

해답 ① 말뚝의 타입지반이 압밀진행 중인 경우
② 상재하중이 말뚝과 지표에 작용하는 경우
③ 지하수위의 저하로 체적이 감소하는 경우
④ 점착력 있는 압축성 지반일 경우

□□□ 96⑤, 99③

62 말뚝이 통과하는 토층의 침하량이 말뚝선단의 침하량보다 큰 경우 부마찰력(negative skin friction)이 작용하게 된다. 이러한 부마찰력을 감소시키는 방법을 3가지만 쓰시오.

① _____

② _____

③ _____

해답 ① 표면적이 작은 말뚝을 사용하는 방법
② 말뚝직경보다 약간 큰 케이싱(casing)을 박는 방법
③ 말뚝표면에 역청재료를 피복하는 방법
④ 말뚝지름보다 크게 preboring을 하는 방법
⑤ 지하수위를 미리 저하시키는 방법

□□□ 84①

63 부마찰력(negative friction)에 대해서 설명하고 공식을 쓰시오. (단, R_{nf} : 부마찰력, l_c : 압밀층 중의 말뚝길이(m), f_s : 말뚝의 평균마찰력(kN/m^2), U : 말뚝의 둘레길이(m))

가. 설명 :

나. 공식 :

해답 가. 하향의 마찰력에 의해 말뚝을 아래쪽으로 끌어 내리는 힘
나. $R_{nf} = U \cdot l_c \cdot f_c$

□□□ 95⑤

64 다음과 같은 지반상에 점선과 같이 굴착공사를 실시한다. 이러한 공사로 말미암아 건물 주변이 침하하여 결국 구조물 기초의 파괴면까지 이르렀다면 말뚝 주위의 연약지반이 말뚝에 미치는 영향력은 무엇인가?

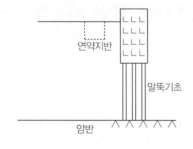

해답 부마찰력(Negative friction)

□□□ 91③

65 연약지반에서 말뚝기초를 시공했을 때, 연약지반은 상재하중 등에 의해 지반침하가 발생하고 이 지반침하에 따라 말뚝은 하향력을 받게 되어 말뚝의 지지력이 감소되는데, 이때의 하향력을 무엇이라 하는가?

계산 과정)

답 : _____

해답 부마찰력(negative skin friction)

군말뚝의 하중분포

□□□ 94①, 96③

66 중력식 옹벽의 기초보강용으로 그림과 같이 단위길이당 2본의 말뚝을 시공할 때 말뚝의 개당 허용 연직력이 150kN인 경우 말뚝의 안전성을 검토하시오.
(단, 옹벽 자중과 토압으로 인한 총연직력은 140kN이며, 작용모멘트는 100kN·m이다.)

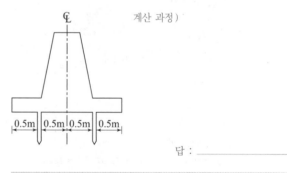

계산 과정)

답 : _____

해답

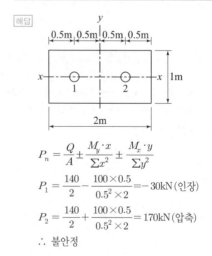

$$P_n = \frac{Q}{A} \pm \frac{M_y \cdot x}{\sum x^2} \pm \frac{M_x \cdot y}{\sum y^2}$$

$$P_1 = \frac{140}{2} - \frac{100 \times 0.5}{0.5^2 \times 2} = -30\text{kN (인장)}$$

$$P_2 = \frac{140}{2} + \frac{100 \times 0.5}{0.5^2 \times 2} = 170\text{kN (압축)}$$

∴ 불안정

6 chapter

흙막이공과 옹벽

√ 체크	출제경향	출제연도
☐☐☐	01 개수성 토류벽공법에서 H-pile 흙막이 공법의 부재명칭을 쓰시오.	07①, 11①
☐☐☐	02 흙막이공의 흙막이벽 근입깊이 계산 시 가장 중요한 것 3가지를 쓰시오.	93②, 94②, 02②, 06①, 07②
☐☐☐	03 '연약~중간점토' 지반에 굴착고 H 만큼 설치할 토압분포도(PECK)를 작도하시오.	01①, 02④, 05①, 20②
☐☐☐	04 버팀보(strut)에 작용하는 힘 P_A, P_B, P_C 를 간편법에 의하여 결정하시오.	96②, 00⑤
☐☐☐	05 Terzaghi 또는 Tschebotarioff의 경험적 방법을 이용하여 흙막이벽에 적용하는 토압분포를 작도하시오.	00①
☐☐☐	06 Terzaghi 또는 Tschebotarioff의 경험적 방법을 이용하여 각 버팀보에 작용하는 힘을 구하시오.	00①
☐☐☐	07 강널말뚝의 타입방법을 4가지 쓰시오.	13②
☐☐☐	08 구조물의 기초바닥에 작용하는 양압력 처리방법을 3가지 쓰시오.	09①, 11②
☐☐☐	09 히빙의 정의를 간단히 쓰고, 방지대책을 2가지 쓰시오.	04①, 13④, 21③, 23②
☐☐☐	10 Heaving이 발생할 우려가 있는 지반의 대책을 3가지 쓰시오.	92④, 96③, 97③, 02④, 08④
☐☐☐	11 말뚝 하단의 활동면에 대한 히빙현상에 대한 안전율을 산출하시오.	88①②, 98⑤, 99⑤, 00④, 04②, 09①, 11①, 14①, 18①, 23③
☐☐☐	12 A점에서 히빙(heaving) 현상이 일어나지 않은 최대깊이 H 를 산출하시오.	98③, 08①, 10②, 12④, 13① 20①, 23①
☐☐☐	13 점토층의 바닥이 솟음을 일으키지 않는 최대굴착깊이 계산을 하시오.	00②, 14④, 17①
☐☐☐	14 널말뚝을 모래지반에 타입하고 지하수위 이하를 굴착할 때의 Boiling 여부를 검토하시오.	04④, 13④, 23③
☐☐☐	15 보일링 현상을 방지하기 위한 대책을 3가지 쓰시오.	03②, 20①
☐☐☐	16 강널말뚝으로 지지된 모래지반의 굴착에서 지하수의 분출로 인한 파이핑에 대한 안전율을 계산하시오.	96⑤, 99③, 00⑤, 03②, 05②, 08②, 10①, 13②, 16④, 18③
☐☐☐	17 굴착에서 지하수의 유출로 인하여 예상되는 파이핑에 대한 안전율을 2.0으로 할 때, 근입심도를 결정하시오.	03④, 05②, 07④, 11①, 22②
☐☐☐	18 침윤세굴현상에 대한 대책을 3가지 쓰시오.	05①
☐☐☐	19 Earth Anchor의 주요 구성요소를 3가지 쓰시오.	98②, 99③, 01①, 05①, 06④ 21①③
☐☐☐	20 어스 앵커의 지지방법을 3가지 쓰시오.	92③, 93④, 94④, 95④, 00④
☐☐☐	21 널말뚝에 사용되는 일반적인 Anchor 종류를 3가지 쓰시오.	99④, 03①, 12②, 20①
☐☐☐	22 모래층에 설치한 earth anchor(=tie backs)의 극한저항을 계산하시오.	92④, 96③, 01②, 04①, 22③

√ 체크	출제경향	출제연도
☐☐☐	23 점토지반에서 설치한 earth anchor(=tie backs)의 극한저항을 계산하시오.	95③, 00③, 03④, 21③
☐☐☐	24 지반앵커(Ground Anchor)의 정착장(L)을 계산하시오.	05①, 06②, 09②, 14④, 18③ 21②
☐☐☐	25 Anchor식 널말뚝의 Anchor 효과가 캔틸레버식 널말뚝에 비해 널말뚝 자체에 경제적 효과를 2가지 쓰시오.	96③, 98③, 02④
☐☐☐	26 토압과 수압에 모두 견딜 수 있는 흙막이벽의 명칭을 쓰고, 흙막이벽의 장점을 3가지 쓰시오.	12④, 20①
☐☐☐	27 패널 간 이음부의 연속성 및 누수문제 등을 처리하기 위한 panel과 판넬 사이에 시공하는 파이프의 명칭을 쓰시오.	02④
☐☐☐	28 지표면과 지하수위가 같은 옹벽에 작용하는 전체 주동토압을 계산하시오.	10①
☐☐☐	29 뒤채움흙이 점성토인 경우, 옹벽에 작용하는 Rankine에 의한 전주동토압을 계산하시오.	00①, 21③
☐☐☐	30 옹벽에 작용하는 전주동토압을 계산하시오.	01②, 21①, 23①
☐☐☐	31 인장균열이 발생한 후의 옹벽에 작용하는 전체 주동토압을 계산하시오.	12②, 14①, 18③, 20③, 21②, 22②
☐☐☐	32 지반의 인장 균열깊이가 발생하기 전과 발생한 후의 옹벽에 작용하는 주동토압을 계산하시오.	05②
☐☐☐	33 Mononobe-Okabe 이론에 의해 전체 지진토압의 작용위치를 계산하시오.	96②, 07①, 11②, 14②, 19②
☐☐☐	34 인장균열을 고려한 경우 이론적으로 연직굴착이 가능한 깊이를 계산하시오.	03①
☐☐☐	35 주동토압을 최소화시키는 방법을 3가지 쓰시오.	03④, 22②
☐☐☐	36 옹벽면에 배수구가 없을 경우, 옹벽에 작용하는 전주동토압을 계산하시오.	07②, 10②, 13④, 19②, 22①, 23②
☐☐☐	37 파괴면 아래쪽에 배수구를 경사지게 설치했을 경우 옹벽에 작용하는 전주동토압을 계산하시오.	07②, 10②, 13④
☐☐☐	38 물의 침투를 막기 위해 옹벽에서 통상 사용되는 배수공의 종류를 3가지 쓰시오.	00①, 04④, 06②, 11②
☐☐☐	39 옹벽의 안정성 검토항목 중 3가지, 옹벽의 종류 3가지 쓰시오.	10①, 12④, 19①, 23①
☐☐☐	40 중력식 옹벽을 설치할 때 수평활동에 대한 안정도를 검토하시오.	95⑤, 97②, 00③, 06①, 12①
☐☐☐	41 옹벽의 전도, 활동, 지지력에 대한 안전율을 계산하시오.	11①, 17④, 19②, 21①②, 22③
☐☐☐	42 옹벽의 전도에 대한 안전율을 Rankine의 식을 이용하여 계산하시오.	02①, 08①, 09③, 11②, 19③
☐☐☐	43 중력식 옹벽의 전도에 대한 안전율 계산하시오.	96③, 01③, 06④, 08②, 10②, 14②, 16②, 20③, 23③
☐☐☐	44 보강토 옹벽의 기본요소를 3가지 쓰시오.	96①, 01④, 02②, 09④, 18②, 23③
☐☐☐	45 횡토압에 저항하는 타이의 설계방법을 3가지 쓰시오.	94②, 03①, 07④

06 흙막이공과 옹벽

토류판

핵심용어
띠장(wale)

01 흙막이공법

굴착공사에 있어서 굴착면이 무너지거나 또는 과대한 변형이 일어나지 않도록 굴착면을 흙막이벽으로 보호하는 것을 흙막이공법 또는 토류공(土留工)이라 한다.

1 흙막이공

(1) 흙막이공의 구성

① 토류판(lagging) : 굴착이 진행됨에 따라 설치하는 수평 흙막이판

② 널말뚝(sheet pile) : 토사의 붕괴와 지하수의 흐름을 막기 위하여 굴착면에 설치한 말뚝으로 재질에 따라서 강널말뚝과 콘크리트 말뚝 등이 있다. 목재, 콘크리트재, 강재 등이 있으며 연직으로 지반 속에 박혀진다.

③ 엄지말뚝(soldier pile) : 흙막이 시공에서 수평으로 나무나 콘크리트 판을 끼울 수 있도록 일정 간격으로 설치하여 벽체를 형성할 수 있게 사용한 H 모양의 강재

④ 띠장(wale) : 흙막이벽을 지지하는 지보재의 하나로, 벽면에 따라 적당한 깊이마다 수평으로 설치한 부재, 흙막이 벽체에 작용하는 토압을 버팀보나 흙막이 앵커 등에 전달하는 휨부재

⑤ 버팀보(strut) : 굴착면의 한쪽 띠장에서 다른 한쪽 띠장으로 반력을 전달하는 압축부재

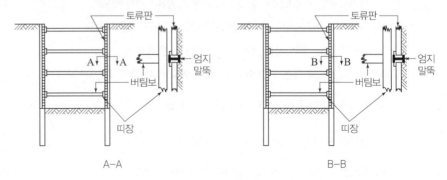

(2) 흙막이 지보공의 종류

① 강재지보공 : H-Pile 토류판벽이나 Sheet pile벽에 띠장과 버팀보를 설치한 것

② RC 지보공 : 강재지보공의 강재 대신에 RC 부재를 이용한 것

③ Tie rod에 의한 지보공 : 얕은 굴착공사에서 흙막이벽의 두부만을 인장시켜 흙막이벽을 안정시키는 공법

④ Tie back anchor에 지보공 : 흙막이벽의 배면이 붕괴될 위험이 없는 안정한 지반일 때 앵커의 인발력으로 흙막이벽을 지지시키는 방법

⑤ 역권공법에 의한 지보공 : 굴착공사와 병행하여 지하 영구구조물의 구체를 지표면에서 가까운 부분부터 역순으로 시공하는 공법

☞ 지보공(supporting) 띠장, 버팀보, 흙막이 앵커, 보강재 및 사보강재 등의 부재로된 흙막이벽을 지지하는 가설구조물

(3) 흙막이공의 안정성

흙막이공을 설계할 때는 흙막이에 작용하는 토압, 바닥에 생기는 히빙(heaving), 파이핑(piping)에 대한 안정성 검토가 있어야 한다.

① **토압에 대한 안정성 검토** : 버팀대로 지지되어 있는 흙막이벽에 관해서도 토사의 붕괴를 막을 수 있는 토압에 대해서 안정성을 검토

② **히빙에 대한 안정성 검토** : 점질토 지반의 굴착저면 밑의 흙이 연약하면 히빙(heaving)에 대해서 위험성을 검토

③ **파이핑에 대한 안정성 검토** : 사질토지반는 지하수위 아래 지반에 흙막이를 설치할 때 흙막이공 내외의 수위차에 대해 파이핑(piping)의 안정성을 검토

기억해요
흙막이벽 근입깊이 계산 시 가장 중요한 것 3가지 쓰시오.

2 흙막이벽의 지지방식에 의한 분류

(1) 자립식 흙막이공법

지반이 양호하고, 용수가 없어 붕괴의 염려가 없으며 부지의 여유가 없고, 굴착깊이가 비교적 얕은 경우와 수직굴착이 필요한 경우에 사용된다.

(2) 버팀대식 흙막이공법

굴착하고자 하는 부지의 외곽에 흙막이벽을 설치하고 이것을 버팀보, 띠장 등의 강재지보공으로 지지하며 굴착을 진행해 가는 방법이다.

(3) 앵커식 흙막이공법

앵커를 설치하고 앵커의 인발저항에 의하여 지지하는 공법으로 버팀보와 버팀지주가 필요하지 않은 넓은 장소가 확보될 수 있다.

구조형식	개요도	장점	단점
자립식 (self type)	널말뚝	• 작업공간을 넓게 할 수가 있다. • open cut 공법에 비하여 굴착토량이 적다.	• 깊은 굴착에는 적당하지 않다. • 흙막이벽의 변형이 크다.
버팀대식 (strut type)	버팀대 띠장	• 깊은 굴착과 용지가 좋은 곳에 적당하다. • 시공실적이 많아 신뢰성이 높다	• 내부의 작업공간은 자립식, 앵커식에 비하여 제한된다. • 부재의 이음이 많아 주의해야 한다.
앵커식 (anchor type)	앵커	• 깊은 굴착과 굴착면적이 넓은 경우에 적당하다. • 내부의 작업공간을 넓게 할 수 있다.	• 앵커가 부지경계에서 밖으로 나오는 경우가 있다. • 공정이 상대적으로 복잡하다.

3 흙막이벽의 구조에 의한 분류

(1) 강널말뚝(steel sheet pile)식 흙막이벽

강널말뚝(차수식)을 지중에 박아 토류구조물을 형성하는 것

흙막이벽

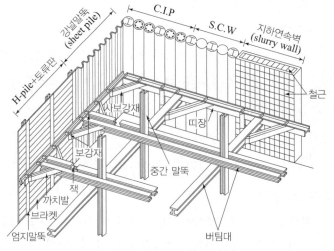

강널말뚝의 상세도

① 엄지말뚝(H-pile) : 작용토압에 저항하는 흙막이벽체의 주부새로서 H-pile + 토류판, C.I.P, S.C.W 공법에 적용

② 토류판(lagging) : 굴착을 진행하면서 설치하는 흙막이벽 재료 중의 하나로 토사유출을 방지하며, 작용토압을 엄지말뚝에 전달

③ 까치발(사보강재 : bracing) : 직선버팀대에 사용되는 부재로 띠장의 유효폭을 작게 하여 휨모멘트를 감소시키는 역할 수행

④ 잭(jack) : H형강을 사용하는 버팀보에 설치하여 흙막이벽을 밀착시키기 위한 것

⑤ 중간 말뚝(middle pile) : 굴착폭이 넓어 버팀보가 길어져 좌굴이 발생하는 경우에 벽과 벽 사이에 설치하여 버팀보의 좌굴을 방지하기 위하여 설치하는 말뚝

⑥ 띠장(wale) : 흙막이벽체에 작용하는 토압을 버팀대 또는 어스 앵커 등에 전달하는 휨부재로서 흙막이벽체에 접하며 횡방향으로 설치

⑦ 버팀대(strut) : 흙막이벽체에 작용되고 있는 토압 및 수압들의 작용외력에 대해 벽체가 무너지지 않도록 저항해 주는 수평버팀대로 H형강을 이용하여 흙막이벽체 전면에 설치

■ 강널말뚝의 타입방법

타입공법	특 징
① Auger 압입공법	특수 제작된 장비에 오거 케이싱, 유압실린더를 효율적으로 조합하여 기존의 진동식 해머로 타입이 곤란한 지층에 강널말뚝을 근입하는 공법
② 유압식 압입인발공법	유압장비의 유압 압입력과 강널말뚝의 자중으로 강널말뚝을 지중에 근입하는 공법
③ 바이브로 해머에 의한 항타공법	해머의 진동으로 지반의 마찰저항력을 줄여 가며 강널말뚝의 자중과 해머의 항타력으로 강널말뚝을 지중에 근입하는 공법
④ Water jet 병용공법	water jet pump에서 토출되는 고압수와 바이브로 해머의 진동타격에너지를 조합하여 암반 등의 경질지반을 급속히 침식시켜 반복항타에 의해 강널말뚝을 직접타입하는 공법

기억해요
강말뚝의 타입방법 4가지를 쓰시오.

(2) 지하연속벽식 : 현장타설말뚝을 연속적으로 설치하여 주열식 지하연속벽식과 안정액을 사용하여 벽면의 붕괴를 방지하는 벽식 지하연속벽식이 있다.

H말뚝 흙막이벽

(3) H 말뚝-흙막이판식 : H-pile을 박고, 그 사이에 나무널말뚝을 끼워 흙
막이벽을 형성하는 공법

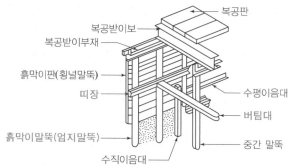

(4) 강관널말뚝식 : 강관의 양측에 이음고리가 용접되어 있어 단면계수가 크
므로 장척의 흙막이벽에 적합하다.

4 흙막이벽에 작용하는 토압

토압은 버팀보로 중간이 지지되어 있는 흙막이 뒷면에 작용하는 토압의
분포에 대하여 Terzaghi와 Tschebotarioff 등이 제안하였다.

(1) **모래질 지반의 토압분포**

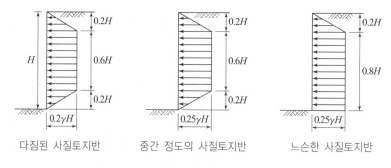

다짐된 사질토지반   중간 정도의 사질토지반   느슨한 사질토지반

(2) **점토질 지반의 토압분포**

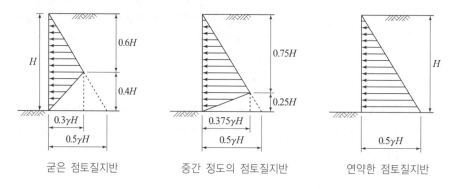

굳은 점토질지반   중간 정도의 점토질지반   연약한 점토질지반

5 양압력 Uplift Force

(1) 양압력의 정의

중력방향의 반대방향으로 작용하는 연직성분의 수압으로 구조물 전후의 수위차 또는 파랑에 의한 구조물 위치에서의 일시적인 수위상승에 의해 생기는 상향의 수압 및 댐의 저부에 작용하는 상향의 수압을 말한다.

(2) 양압력(부력) 대책공법

① **사하중에 의한 방법** : 지하구조물 자중과 지반 사이에 작용하는 마찰력이 지하수에 의한 양압력보다 크게 되도록 적용하는 방법

② **부력앵커시스템 방법** : 지하구조물에 의해 발생한 자중과 마찰력이 지하수에 의한 양압력보다 작을 때 그 부족분만큼 양압력을 기초슬래브 아래의 암반지반에 강제적으로 인장된 PC strand을 설치하여 저항시키는 방법

③ **영구배수 처리방법** : 외부배수방법과 영구배수방법, 내외부 영구배수방법이 있다.

6 흙막이벽의 계측

계측의 목적은 터널굴착에 따른 주변 원지반, 각 동바리부재의 변위 또는 응력의 변화를 파악하여 설계시공의 안전성과 경제성을 확인하는 데 있다.

(1) 계측의 목적

① 시공 중에 위험에 대한 정보를 주는 계측

② 임박한 위험의 징후를 발견하기 위한 계측

③ 시공방법을 개선하기 위한 계측

④ 지역의 특이한 경향을 파악하기 위한 계측

(2) 도심지 굴착공사 계측관리

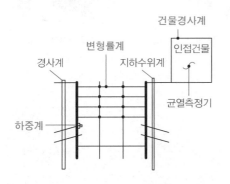

양압력

어떤 물체가 수중에 있을 때 그 물체에 수압이 작용하며, 이런 수압중 상향으로 작용하는 수압을 양압력이라 한다.

기억해요
양압력 처리방법을 3가지 쓰시오.

기억해요
도심지 굴착공사시 해당하는 계측기기를 쓰시오.

(2) 지반굴착 시 계측기의 종류

타입공법	특 징
① 하중계(load cell)	흙막이 구조물의 거동과 정착부의 이상유무 등을 파악하여 버팀보 및 앵커의 전반적인 안정문제를 검토하기 위해 설치한다.
② 건물경사계(tiltmeter)	측정지점의 기울기를 측정하여 각종 허용기준치와 비교 후 구조물의 안정에 대한 검토 및 조치를 취하기 위하여 설치한다.
③ 변형률계 (strain gauge)	부재의 응력이나 휨모멘트 상태를 파악하기 위해 설치한다.
④ 지하수위계 (water level meter)	수위변화에 따른 배면지반의 거동, 인접구조물의 관리 및 흙막이벽체에 미치는 영향 등을 파악하기 위하여 설치한다.
⑤ 균열측정기 (crack meter)	구조물의 균열상태의 변화량을 파악할 수 있고 파악된 균열유형을 통하여 발생원인 및 대책을 강구하기 위하여 설치한다.
⑥ 지중경사계 (inclinometer)	횡방향 변위를 계측하여 공사의 완급을 조절하고 배면의 지반침하 및 벽체에 일어나는 응력을 검토하여 안전을 도모하기 위해 설치한다.

하중계(load cell)

건물경사계(tiltmeter)

변형률계(strain gauge)

균열측정기(crack meter)

지중경사계(inclinometer)

| 흙막이공법 |

01 핵심 기출문제

□□□ 92④, 98③

01 수평판 또는 널말뚝에서 버팀(strut)에 반력을 전달하는 역할을 하는 수평보를 무엇이라고 하는가?

○

득점	배점
	2

[해답] 띠장(wale)

□□□ 87①

02 흙막이공에서 지반이 견고하고 용수의 우려가 없고 국부적인 붕괴가 없는 경우 널말뚝 대신 중고 레일, I형강 등을 땅속에 박는 말뚝을 무엇이라 하는가?

○

득점	배점
	2

[해답] 엄지말뚝(soldier beam)

□□□ 07①, 11①, 16②

03 토류벽공법은 지하수처리에 의해 개수성 토류벽공법과 차수성 토류벽공법으로 대별한다. 아래 그림과 같은 개수성 토류벽공법에서 H-pile 흙막이 공법의 부재명칭을 쓰시오.

득점	배점
	3

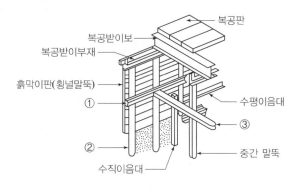

① _____ ② _____ ③ _____

[해답] ① 띠장(wale)
　　② 엄지말뚝(H-pile)
　　③ 버팀대(strut)

□□□ 93②, 94②, 02②, 06①, 07②, 20②

04 흙막이공의 흙막이벽 근입깊이 계산 시 가장 중요한 것 3가지만 쓰시오.

득점 배점
3

① _____ ② _____ ③ _____

해답 ① 토압에 대한 안정성 검토
② 히빙(heaving)에 대한 안정성 검토
③ 파이핑(piping)에 대한 안정성 검토

□□□ 96⑤, 99④

05 흙막이벽을 크게 4가지로 나눌 때 그 종류를 쓰시오.

득점 배점
3

① _____ ② _____

③ _____ ④ _____

해답 ① Sheet pile벽   ② 강관주열벽   ③ H - Pile 토류판벽
④ 주열식 지중연속벽   ⑤ 벽식 지중연속벽

□□□ 01①, 02④, 05①

06 그림과 같은 엄지말뚝식 흙막이공을 '연약 ~ 중간점토' 지반에 굴착고 H만큼 설치할 때 토압분포도(PECK)를 작도하시오.

득점 배점
3

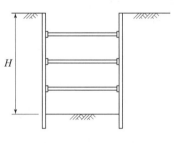

○

해답
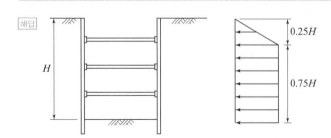

07 점토지반에 그림과 같이 흙막이공을 설치하였다. 버팀보(strut)에 작용하는 힘 P_A, P_B, P_C를 간편법에 의하여 결정하시오.

(단, 버팀보는 수평방향으로 2m 간격으로 설치하며, 토류벽에 작용하는 토압은 그림과 같이 Peck의 수평토압분포로 가정한다.)

96②, 00⑤

득점 배점
3

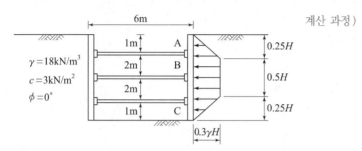

계산 과정)

답 :

해답

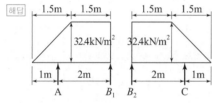

- $\sum M_0 = R_A \times 2 - \dfrac{1}{2} \times (1.5 \times 32.4) \times \left(1.5 + \dfrac{1.5}{3}\right) - 1.5 \times 32.4 \times \dfrac{1.5}{2} = 0$

  $\therefore R_A = 42.53 \text{kN/m} (\because f_a = 0.3\gamma H = 0.3 \times 18 \times 6 = 32.4 \text{kN/m}^2)$

- $\sum V = R_A + R_B - \dfrac{1.5 \times 32.4}{2} - 1.5 \times 32.4 = 0$

  $\therefore R_{B1} = 30.37 \text{kN/m}, \ R_{B1} = R_{B2}, \ R_A = R_C$

- $P_A = R_A \times (지주의 \ 수평간격) = 42.53 \times 2 = 85.06 \text{kN}$
- $P_B = (R_{B1} + R_{B2}) \times (지주의 \ 수평간격) = (30.37 + 30.37) \times 2 = 121.48 \text{kN}$
- $P_C = R_C \times (지주의 \ 수평간격) = 42.53 \times 2 = 85.06 \text{kN}$

13②

08 지하수위가 높은 지역에 강널말뚝(steel sheet pile)을 설치하여 토류벽을 설치하고자 한다. 강널말뚝의 타입방법을 4가지만 쓰시오.

득점 배점
3

① _____ ② _____

③ _____ ④ _____

해답 ① Auger 압입공법
    ② 유압식 압입인발공법
    ③ 바이브로 해머에 의한 항타공법
    ④ Water jet 병용공법

득점	배점
	6

□□□ 예상문제

09 느슨한 모래지반에 폭 3m, 깊이 4m를 굴착하고 흙막이공을 그림과 같이 설계하고자 한다. Terzaghi 또는 Tschebotarioff의 경험적 방법을 이용하여 다음 물음에 답하시오.
(단, 버팀보는 수평방향으로 1.5m 간격으로 설치하여, 흙의 단위체적중량 $\gamma = 16\text{kN/m}^3$ 이다.)

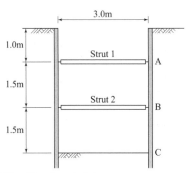

가. 흙막이벽에 적용하는 토압분포를 작도하시오.

나. 각 버팀보에 작용하는 힘을 구하시오.

계산 과정)   답 : _____

해답 가.

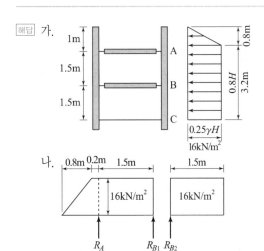

나.

- $f_a = 0.25\gamma H = 0.25 \times 16 \times 4 = 16\text{kN/m}^2$
- $\sum M_{B1} = 0$
  $R_A \times 1.5 - 1.7 \times 16 \times \dfrac{1.7}{2} - \left(0.8 \times 16 \times \dfrac{1}{2}\right) \times \left(1.7 + \dfrac{0.8}{3}\right) = 0$ $\therefore\ R_A = 23.8\text{kN/m}$
- $\sum M_A = 0$
  $R_{B1} \times 1.5 - 1.5 \times 16 \times \dfrac{1.5}{2} + 0.2 \times 16 \times \dfrac{0.2}{2} + \left(\dfrac{1}{2} \times 0.8 \times 16\right) \times \left(0.2 + \dfrac{0.8}{3}\right) = 0$
  $\therefore\ R_{B1} = 9.80\text{kN/m}$
- $R_{B2} = 1.5 \times 16 = 24\text{kN/m}$
- $R_B = R_{B1} + R_{B2} = 9.80 + 24 = 33.8\text{kN/m}$
  $\therefore\ P_A = R_A \times (지주의\ 수평간격) = 23.8 \times 1.5 = 35.7\text{kN}$
  $\therefore\ P_B = R_B \times (지주의\ 수평간격) = 33.8 \times 1.5 = 50.7\text{kN}$

□□□ 09①, 11②
10 지하수가 높은 경우 지하구조물 설계 시 양압력에 대해 검토하고 그에 따른 처리방안을
강구해야 한다. 양압력 처리방법을 3가지만 쓰시오.

득점	배점
	3

① _____ ② _____ ③ _____

해답 ① 사하중에 의한 방법 ② 부력앵커시스템 방법 ③ 영구배수 처리방법

□□□ 09①, 11②, 15④, 20②
11 구조물 공사는 지하수가 배제된 상태에서 시공하거나 또는 원지반에 구조물 축조 후 주변
을 성토하여 구조물을 완성하게 되면 지하수의 상승 등에 의해 양압력에 의한 피해가 발생한
다. 이러한 구조물의 기초 바닥에 작용하는 양압력에 저항하는 방법을 3가지 쓰시오.

득점	배점
	3

① _____ ② _____ ③ _____

해답 ① 사하중에 의한 방법 ② 부력앵커시스템 방법 ③ 영구배수 처리방법

□□□ 04①, 05④, 08①, 15④, 19①
12 도심지 굴착공사 중 계측관리 시 아래 그림에서 빈칸에 해당하는 계측기기를 쓰시오.

득점	배점
	3

① _____

② _____

③ _____

해답 ① 건물경사계 ② 변형률계 ③ 하중계

□□□ 98②, 03①, 20②
13 도심지에서 행해지는 지하굴착공사에서 안전을 목적으로 하는 계측기의 종류를 5가지만 쓰
시오.

득점	배점
	3

① _____ ② _____ ③ _____

④ _____ ⑤ _____

해답 ① 간극수압계 ② 토압계 ③ 지표침하계 ④ 건물경사계 ⑤ 변형률계

02 히빙과 보일링 현상

1 히빙 heaving 현상

(1) 히빙의 정의

연약한 점토질 지반을 굴착할 때 흙막이벽 전후의 흙의 중량차이 때문에 굴착저면이 부풀어 오르는 현상을 히빙현상이라 한다.

(2) 히빙의 방지대책

① 흙막이공의 계획을 변경한다.
② 굴착저면에 하중을 가한다.
③ 흙막이벽의 관입깊이를 깊게 한다.
④ 표토를 제거하여 하중을 적게 한다.
⑤ 양질의 재료로 지반을 개량한다.

2 히빙현상에 대한 안정성 검토

(1) 모멘트 균형에 의한 방법

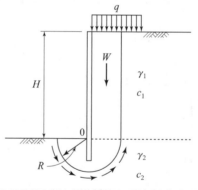

$$\text{안전율 } F_s = \frac{M_r}{M_d} = \frac{c_1 HR + c_2 \pi R^2}{\dfrac{R^2}{2}(\gamma_1 H + q)}$$

여기서, R : 임의의 원형활동면의 반경
  q : 재하하중
  γ : 흙의 단위중량
  H : 굴착높이
  c : 흙의 점착력

(2) Terzaghi 방법

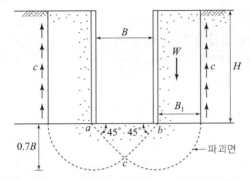

$$F_s = \frac{5.7c}{\gamma_t \cdot H - \dfrac{c \cdot H}{0.7B}}$$

(3) 최대굴착깊이

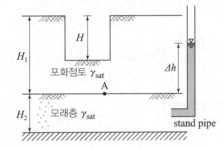

$\overline{\sigma_A} = 0$일 때 절취할 수 있는 최대깊이 H

- 유효응력 $\overline{\sigma_A} = \sigma_A - U_A = (H_1 - H)\gamma_{sat} - \Delta h \cdot \gamma_w = 0$

$$\therefore H = \frac{H_1 \gamma_{sat} - \Delta h \gamma_w}{\gamma_{sat}}$$

기억해요
히빙현상이 일어나지 않은 최대길이 H를 구하시오.

3 보일링 boiling 현상

(1) 보일링의 정의

모래지반에서 지하수위 이하를 굴착할 때 흙막이공의 기초깊이에 비해서 배면의 수위가 너무 높으면 굴착저면의 모래입자가 지하수와 더불어 분출하여 굴착저면이 마치 물이 끓는 상태와 같이 되는 현상을 보일링 또는 퀵샌드(quick sand)라 한다. 이러한 현상이 계속되면 물이 흐르는 통로가 생겨 파괴에 이르게 되는데, 이렇게 모래를 유출시키는 현상을 파이핑(piping)이라 한다.

(2) **보일링 현상의 방지대책**

① 지하수위를 저하시킨다.

② 흙막이의 근입깊이를 깊게 한다.

③ 차수성 높은 흙막이를 설치한다.

④ 굴착저면을 고결시킨다.

(3) **침윤세굴현상에 대한 대책**

① 배수공법으로 배면의 지하수위를 낮춘다.

② 흙막이벽의 근입을 깊게 해서 동수경사를 줄인다.

③ 흙막이벽을 차수성 있게 시공한다.

④ 상하류의 수위차를 낮춘다.

⑤ 그라우팅 등으로 바닥 저면의 투수성을 낮춘다.

4 보일링 또는 파이핑 현상에 대한 안정성 검토

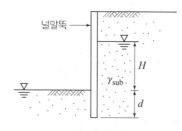

보일링 현상

(1) **보일링의 발생조건**

$$\frac{H}{H+2d} \geq \frac{G_s - 1}{1+e} = \frac{\gamma_{sub}}{\gamma_w}$$

(2) **보일링을 발생하지 않기 위한 조건**

$$\frac{H}{H+2d} < \frac{G_s - 1}{1+e} = \frac{\gamma_{sub}}{\gamma_w}$$

(3) **보일링의 안전율**

$$F_s = \frac{(H+2d)\gamma_{sub}}{H \cdot \gamma_w} \, (보통 \ 1.2 \sim 1.5)$$

여기서, H : 수위차

G_s : 흙의 비중

e : 흙의 공극비

γ_{sub} : 흙의 수중밀도

| 히빙과 보일링 현상 |

02 핵심 기출문제 □□□

01 히빙의 정의와 방지대책을 2가지만 쓰시오.

득점	배점
	4

가. 히빙의 정의를 간단하게 쓰시오.

   ○

나. 히빙의 방지대책을 2가지만 쓰시오.

① _____　　② _____

[해답] 가. 연약한 점토질 지반을 굴착할 때, 흙막이벽 전후의 흙의 중량차이 때문에 굴착저면이 부풀어 오르는 현상
　　　　나. ① 흙막이공의 계획을 변경한다.
　　　　　　② 굴착저면에 하중을 가한다.
　　　　　　③ 흙막이벽의 관입깊이를 깊게 한다.
　　　　　　④ 표토를 제거하여 하중을 적게 한다.
　　　　　　⑤ 양질의 재료로 지반을 개량한다.

02 Heaving이 발생할 우려가 있는 지반의 대책을 3가지만 쓰시오.

득점	배점
	3

① _____　　② _____　　③ _____

[해답] ① 흙막이공의 계획을 변경한다.
　　　　② 굴착저면에 하중을 가한다.
　　　　③ 흙막이벽의 관입깊이를 깊게 한다.
　　　　④ 표토를 제거하여 하중을 적게 한다.
　　　　⑤ 양질의 재료로 지반을 개량한다.

03 지하수위 아래의 지반을 흙막이공을 하여 굴착할 때, 흙막이공 내외의 수위차 때문에 침투수압이 생긴다. 더욱 침투수압이 커지면 지하수와 함께 토사가 분출하여 굴착저면이 마치 물이 끓는 상태가 되는데, 이 현상은 무엇인가?

득점	배점
	2

   ○

[해답] 보일링(boiling) 현상

□□ 98⑤, 04②, 11①, 14①, 18①

04 그림과 같은 말뚝 하단의 활동면에 대한 히빙(heaving) 현상에 대한 안전율을 구하시오.

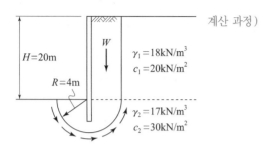

계산 과정)

답 : _____

득점 배점
3

$c_1 = 20\text{kN/m}^2$
$= 2\text{N/cm}^2$
$= 0.02\text{MPa}$

[해답] 안전율 $F_s = \dfrac{M_r}{M_d} = \dfrac{c_1 HR + c_2 \pi R^2}{\dfrac{R^2}{2}(\gamma_1 H + q)}$

• $M_d = \dfrac{4^2}{2}(18 \times 20 + 0) = 2,880\text{kN·m}$ (Heaving을 일으키려는 Moment)

• $M_r = 20 \times 20 \times 4 + 30 \times \pi \times 4^2 = 3,107.96\text{kN·m}$ (Heaving에 저항하는 Moment)

∴ $F_s = \dfrac{3,107.96}{2,880} = 1.08$

□□ 00④, 09①, 23③

05 다음 그림과 같은 말뚝의 하단을 통하는 활동면에 대한 히빙(heaving) 현상에 대한 안전율을 구하시오.

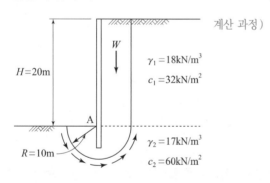

계산 과정)

답 : _____

득점 배점
3

[해답] 안전율 $F_s = \dfrac{M_r}{M_d} = \dfrac{c_1 \cdot H \cdot R + c_2 \cdot \pi \cdot R^2}{\dfrac{R^2}{2}(\gamma_1 \cdot H + q)}$

• $M_d = \dfrac{10^2}{2} \times (18 \times 20 + 0) = 18,000\text{kN·m}$ (Heaving을 일으키려는 모멘트)

• $M_r = 32 \times 20 \times 10 + 60 \times \pi \times 10^2 = 25,249.6\text{kN·m}$ (Heaving에 저항하는 Moment)

∴ $F_s = \dfrac{25,249.6}{18,000} = 1.40$

□□□ 98③, 08①, 12④, 13①, 14④, 17①, 20②

06 3m의 모래층 위에 10m 두께의 단단한 포화점토가 있고 모래는 피압상태에 있다. A점에서 히빙(heaving) 현상이 일어나지 않는 최대깊이 H를 구하시오.

득점	배점
	3

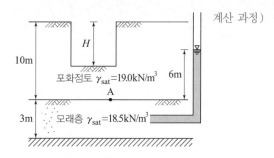

계산 과정)

답 : _____

 $H = \dfrac{H_1 \gamma_{sat} - \Delta h \gamma_w}{\gamma_{sat}}$

- $H_1 = 10\,\mathrm{m}$
- $\Delta h = 6\,\mathrm{m}$

$\therefore\ H = \dfrac{10 \times 19.0 - 6 \times 9.81}{19.0} = 6.90\,\mathrm{m}$

! 주의점
포화점토
$\gamma_{sat} = 19\mathrm{kN/m^3}$
이용

□□□ 00②, 10②, 12④, 16②, 22①, 23①

07 아래 그림과 같이 10m 두께의 비교적 단단한 포화점토층 밑에 모래층이 있다. 모래층은 피압상태(artesian pressure)에 있을 때, 점토층에서 바닥의 융기(heaving) 현상없이 굴착할 수 있는 최대깊이 H를 구하시오.

득점	배점
	3

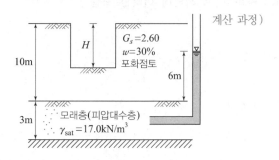

계산 과정)

답 : _____

 $H = \dfrac{H_1 \gamma_{sat} - \Delta h \gamma_w}{\gamma_{sat}}$

- $H_1 = 10\,\mathrm{m}$
- $e = \dfrac{G_s w}{S} = \dfrac{2.60 \times 30}{100} = 0.78$
- $\gamma_{sat} = \dfrac{G_s + e}{1 + e}\gamma_w = \dfrac{2.60 + 0.78}{1 + 0.78} \times 9.81 = 18.63\,\mathrm{kN/m^3}$
- $\Delta h = 6\,\mathrm{m}$

$\therefore\ H = \dfrac{10 \times 18.63 - 6 \times 9.81}{18.63} = 6.84\,\mathrm{m}$

□□□ 00②, 14④, 17①, 22①

08 그림과 같은 10m 두께의 포화된 점토층 밑에 모래층이 위치한다. 모래층이 수두 6m의 피압(artesian pressure)을 받고 있을 때 점토층의 바닥이 솟음(heave)을 일으키지 않는 최대 굴착깊이(H_{max})를 계산하시오.
(단, 점토층의 포화 단위 중량은 19.0kN/m³임)

득점	배점
	3

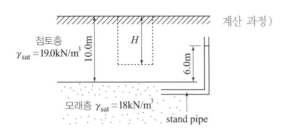

계산 과정)

답 : _____

해답 $H = \dfrac{H_1 \gamma_{sat} - \Delta h \gamma_w}{\gamma_{sat}}$

• $H_1 = 10\,\mathrm{m}$

• $\Delta h = 6\,\mathrm{m}$

∴ $H = \dfrac{10 \times 19.0 - 6 \times 9.81}{19.0} = 6.90\,\mathrm{m}$

□□□ 03②, 18③

09 모래지반에서 지하수위 이하를 굴착할 때 흙막이공의 기초깊이에 비해서 배면의 수위가 너무 높으면 굴착저면의 모래입자가 지하수와 더불어 분출하여 굴착저면이 마치 물이 끓는 상태와 같이 되는 현상을 보일링(boiling) 또는 퀵 샌드(quick sand)라고 하는데 이러한 보일링 현상을 방지하기 위한 대책 3가지를 쓰시오.

득점	배점
	3

① _____ ② _____ ③ _____

해답 ① 지하수위를 저하시킨다.   ② 흙막이의 근입깊이를 깊게 한다.
③ 차수성 높은 흙막이를 설치한다.   ④ 굴착 저면을 고결시킨다.

□□□ 95①, 96④

10 quick sand(분사현상)가 점토지반에서는 일어나지 않는다. 그 원인은 무엇인가?

득점	배점
	3

○

해답 점토지반에서는 점착력(c)이 있어 투수계수가 작기 때문에 분사현상이 일어나지 않는다.
(∵ $c = 0$인 사질토지반에서 분사현상이 발생한다.)

□□□ 04④, 13④, 23③

11 그림과 같은 널말뚝을 모래지반에 타입하고 지하수위 이하를 굴착할 때의 Boiling 여부를 검토하시오.

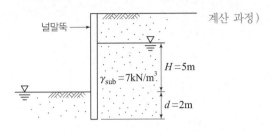

계산 과정)

답 : _____

해답 Boiling이 발생하는 조건

동수경사 $i = \dfrac{H}{H+2d} \geq$ 한계동수경사 $i_{cr} = \dfrac{\gamma_{sub}}{\gamma_w}$

$i = \dfrac{5}{5+2 \times 2} = 0.56 < i_{cr} = \dfrac{7}{9.81} = 0.71$

∴ Boiling 현상이 발생하지 않음.

□□□ 92②, 95①, 97③

12 분사현상에 대한 한계동수구배(critical hydraulic gradient)를 보통 1.0으로 보는 경우가 있다. 이것은 대략 모래의 공극률(간극률)을 얼마 정도로 간주하는 것인가?

○ _____

해답 한계동수구배 $i_c = \dfrac{G_s - 1}{1 + e} = 1$에서(흙의 비중 $G_s = 2.65$로 가정)

$\dfrac{G_s - 1}{1+e} = 1$에서, $\dfrac{2.65 - 1}{1+e} = 1$ 참고 SOLVE 사용 ∴ $e = 0.65$

∴ 공극률 $n = \dfrac{e}{1+e} \times 100 = \dfrac{0.65}{1+0.65} \times 100 = 39.39\%$

□□□ 05①

13 분사현상의 진전으로 물막이나 흙댐의 하부에 침윤세굴(piping) 현상이 일어나서 구조물의 안전에 영향을 줄 수 있다. 침윤세굴현상에 대한 대책을 3가지만 쓰시오.

① _____   ② _____   ③ _____

해답 ① 배면의 지하수위를 저하시킨다.   ② 벽체의 근입깊이를 불투수층까지 근입한다.
③ 흙막이벽을 차수성 있게 시공한다.   ④ 상하류의 수위차를 낮춘다.

□□□ 96⑤, 99③, 00⑤, 03②, 05②, 08②, 10①, 13②, 16④, 18③

14 그림에서와 같이 강널말뚝(steel sheet pile)으로 지지된 모래지반의 굴착에서 지하수의 분
출로 인하여 예상되는 파이핑(piping)에 대한 안전율을 계산하시오.

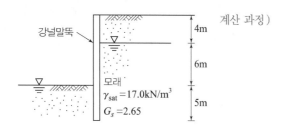

계산 과정)

답 : _____

■ 방법 1

$$F_s = \frac{(H+2d)\gamma_{sub}}{H\gamma_w}$$
$$= \frac{(6+2\times5)(17.0-9.81)}{6\times9.81} = 1.95$$

■ 방법 2

$$F_s = \frac{i_c}{i} = \frac{\dfrac{G_s-1}{1+e}}{\dfrac{h}{L}}$$
$$= \frac{\gamma_{sub}}{\left(\dfrac{H}{H+2d}\right)\gamma_w} = \frac{17.0-9.81}{\dfrac{6}{6+2\times5}\times9.81} = 1.95$$

□□□ 03④, 05②, 07④, 11①, 22②

15 그림에서와 같이 강널말뚝(steel sheet pile)으로 지지된 모래지반의 굴착에서 지하수의 유
출로 인하여 예상되는 파이핑(Piping)에 대한 안전율을 2.0으로 할 때, 근입심도(d)를 결정
하시오. (단, 모래층의 포화단위중량은 17.0kN/m³이고, 입자의 비중은 2.65이다.)

계산 과정)

답 : _____

해답 $$F_s = \frac{(H+2d)\gamma_{sub}}{H\cdot\gamma_w} = \frac{(6+2d)(17.0-9.81)}{6\times9.81} = 2$$

∴ $d = 5.19$m

참고 SOLVE 사용

03 어스 앵커 공법

1 널말뚝 sheet pile

(1) 널말뚝의 기본형태

① 캔틸레버식 널말뚝 : 높이 10m 널말뚝에 사용된다.

② 앵커된 널말뚝(anchored sheet-pile wall) : 캔틸레버식 널말뚝 뒤에 뒤채움 재료의 높이가 약 6m를 초과할 때, 널말뚝 상단 근처에 앵커판, 앵커벽, 앵커말뚝이 설치된 말뚝을 말한다.

(2) 앵커된 널말뚝의 설계개념

① 자유단 지지법(Free Earth Support method) : 최소 깊이방법으로 널말뚝의 박힌 깊이가 얕을 때에는 비지지 부분이 압력을 받아 바깥쪽으로 휘어지면서 지지 부분이 회전한다.

② 고정단 지지법(Fixed-Earth Support method) : 말뚝의 하단이 고정되어 회전할 수 없다고 가정된 것으로 널말뚝이 단단한 흙 속에 깊이 박히면 지지부분은 회전할 수 없도록 한다.

(3) 앵커의 역할

① 널말뚝의 소요 근입깊이를 최소화한다.

② 널말뚝의 단면적과 중량을 감소시킨다.

2 앵커

(1) 앵커의 정의

정착대상 지반에 착공한 구멍에 PC 강재(PC 강봉, PC 강선)를 삽입하고 그 주위를 cement mortar로 다지고 긴 인장력을 주어 흙막이 구조물을 정착시키는 공법을 어스 앵커(earth anthor)공법이라 한다.

기억해요
앵커식 널말뚝의 앵커효과 2가지를 쓰시오.

(2) 어스 앵커의 구성요소

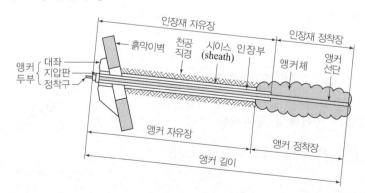

어스 앵커

① 앵커두부(anchor head) : 구조물로부터의 힘을 무리 없이 인장부에 전달하기 위하여 설치되는 부분으로 정착구, 지압판, 대좌의 3부분으로 구성되어 있다.

② 인장부(tendon) : 구조물로부터 앵커두부를 사이에 두고 지중의 앵커체에 인장력을 전달하기 위한 부분이다.

③ 앵커체(anchor body) : 표면으로부터의 인장력을 지반에 전달시키기 위한 저항부분으로 지압방식 앵커, 마찰방식 앵커, 복합방식 앵커로 구분한다.

(3) 어스 앵커의 지지방식

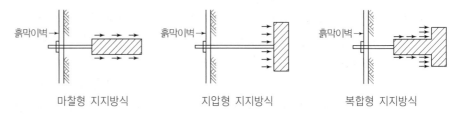

마찰형 지지방식   지압형 지지방식   복합형 지지방식

① 마찰형 지지방식 : 앵커체 주면과 흙과의 마찰저항에 의해 인장력에 저항하는 방식

② 지압형 지지방식 : 앵커체의 일부 또는 대부분을 국부적으로 광공형으로 하여 앞면의 수동토압저항에 의해 인장력에 저항하는 방식

③ 복합형 지지방식 : 앵커체 앞면의 수동토압저항과 주면마찰저항의 복합에 의해 저항하는 방식

(4) 널말뚝에 사용되는 일반적인 앵커

① 앵커판(anchor plate)과 앵커보(deadman)

② 타이백(tie back)

③ 수직앵커말뚝

④ 경사말뚝으로 지지되는 앵커보

(5) 어스 앵커의 극한저항

① 모래층에서 타이백의 극한저항

$$P_u = \pi \, dl \, \overline{\sigma_v} K \tan \phi$$

② 점토에서 타이백의 극한저항

$$P_u = \pi \, dl c_a$$

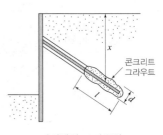

콘크리트
그라우트

타이백의 그라우팅

여기서, P_u : 극한저항

d : 콘크리트 그라우팅의 직경

l : 콘크리트 그라우팅의 길이

$\overline{\sigma_v}$: 평균유효연직응력(건조모래 γ_t)

K : 토압계수

ϕ : 흙의 마찰각

c_a : 부착력$\left($점토의 비배수 점착력 $\dfrac{2}{3}c_u\right)$

(6) Anchor의 정착장 L

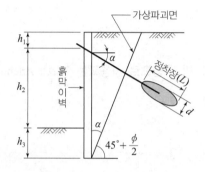

$$정착장 \ L = \frac{T \cdot F_s}{\pi D \tau}$$

여기서, T : 앵커축력$\left(T = \dfrac{P \cdot a}{\cos\alpha}\right)$

P : 앵커반력

F_s : 안전율

D : 천공직경

τ : 정착부의 주면마찰저항

a : 앵커설치간격

기억해요
• 모래층에 설치한 earth anchor의 극한저항을 구하시오.
• 점토지반에 설치한 earth anchor의 극한저항을 구하시오.
• 지반앵커의 정착장을 구하시오.

| 어스 앵커 공법 |

03 핵심 기출문제 □□□

□□□ 91③, 95③

01 정착대상 지반을 PC 강재(PC 강봉, PC 강선)를 사용하여 긴 장력을 주어 흙막이 구조물을 정착시키는 공법을 무엇이라고 하는가?

득점	배점
	2

○

해답 어스 앵커 공법(earth anchor method)

□□□ 99③, 01①, 06④, 21①③

02 가설 흙막이의 지지, 옹벽의 전도 방지, 산사태 방지 등으로 사용되는 Earth Anchor의 주요 구성요소를 3가지 쓰시오.

득점	배점
	3

① _____ ② _____ ③ _____

해답 ① 앵커두부 ② 인장부 ③ 앵커체

□□□ 94④, 00④

03 어스 앵커(earth anchor)의 지지방법 중에서 지지방법에 따른 종류 3가지를 쓰시오.

득점	배점
	3

① _____ ② _____ ③ _____

해답 ① 마찰형 지지방법
② 지압형 지지방법
③ 혼합형(복합형) 지지방법

□□□ 99④, 03①, 12②, 20①

04 널말뚝에 사용되는 일반적인 Anchor 종류를 3가지만 쓰시오.

득점	배점
	3

① _____ ② _____ ③ _____

해답 ① 앵커판(anchor plate)과 앵커보(deadman)
② 타이백(tie back)
③ 수직앵커말뚝
④ 경사말뚝으로 지지되는 앵커 보

□□□ 92④, 96③, 01②, 04①, 21③, 22②

05 다음의 그림에서 모래층에 설치한 earth anchor(=tie backs)의 극한저항은?

(단, 콘크리트 그라우팅은 일정한 압력하에서 시공되었으므로 정지토압계수 상태 K_o로 본다.

(단, $K_o = 1 - \sin\phi$ 이용한다.)

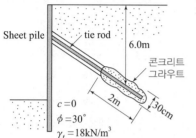

계산 과정)

Sheet pile tie rod 6.0m

콘크리트 그라우트

2m 30cm

$c = 0$
$\phi = 30°$
$\gamma_t = 18\,\text{kN/m}^3$

답 : _____

得点 배점
3

해답 $P_u = \pi\,d\,l\,\overline{\sigma_v}\,K_o\tan\phi = \pi\,d\,l\,\overline{\sigma_v}\,(1-\sin\phi)\tan\phi$

$\qquad = \pi \times 0.30 \times 2 \times (18 \times 6)(1-\sin 30°)\tan 30° = 58.77\,\text{kN}$

□□□ 05①, 06②, 09②, 14④, 18③

06 다음 지반조건으로 지반굴착을 할 경우, 이에 설치한 지반앵커(ground anchor)의 정착장 (L)을 구하시오. (단, 안전율은 1.5를 적용한다.)

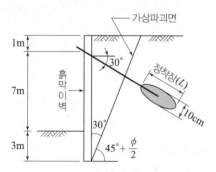

가상파괴면

1m

흙막이벽

7m

30°

정착장(L)

10cm

30°

3m

$45° + \dfrac{\phi}{2}$

【조 건】
• 앵커반력 : 250kN
• 정착부의 주면마찰저항 : 0.20MPa
• 천공직경 : 10cm
• 설치각도 : 수평과 30°
• H-Pile 설치간격(앵커설치간격) : 1.5m

得点 배점
3

계산 과정) 답 : _____

해답 정착장 $L = \dfrac{T \cdot F_s}{\pi D \tau}$

• 앵커축력 $T = \dfrac{P \cdot a}{\cos\alpha} = \dfrac{250 \times 1.5}{\cos 30°} = 433.01\,\text{kN}$

• 천공직경 $D = 10\text{cm} = 0.1\text{m}$

• 주면마찰저항 $\tau = 0.2\text{MPa} = 0.2\text{N/mm}^2 = 200\text{kN/m}^2$

$\quad \therefore\ L = \dfrac{433.01 \times 1.5}{\pi \times 0.1 \times 200} = 10.34\,\text{m}$

□□□ 95③, 00③, 03④

07 다음의 그림에서 점토지반에서 설치한 earth anchor(=tie backs)의 극한저항을 구하시오. (단, 점착전단저항은 c의 $\frac{2}{3}$를 취한다.)

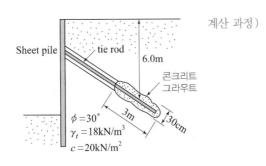

계산 과정)

답 : _____

해답 $P_u = \pi\,d\,l\,C_a = \pi \times 0.30 \times 3 \times \left(\frac{2}{3} \times 20\right) = 37.70\text{kN}$

□□□ 96③, 98③, 02④

08 Anchor식 널말뚝의 Anchor 효과가 캔틸레버식 널말뚝에 비해 널말뚝 자체에 어떠한 경제적 효과가 있는지 2가지를 쓰시오.

① _____ ② _____

해답 ① 널말뚝의 소요 근입깊이를 최소화한다.
② 널말뚝의 중량과 단면적을 감소시킨다.

□□□ 예상문제

09 최근 좁은 공간에 깊은 굴착을 하여 빌딩을 신축하는 경우 지반붕괴 사고가 많이 발생한다. 특히 강말뚝을 박고 어스 앵커(earth anchor) 작업과 strut를 대고 공사를 할 경우, 붕괴사고의 중요원인을 4가지만 쓰시오.

① _____ ② _____

③ _____ ④ _____

해답 ① strut의 지지력이 부족할 때
② 강널말뚝의 근입장이 부족할 때
③ 흙막이의 토압에 대한 저항력이 부족할 때
④ 강말뚝이 배면토압에 대한 저항력이 부족할 때
⑤ 어스앵커가 배면 지반에 정착하지 못하여 인장력을 발휘하지 못할 때
⑥ 흙막이 배면의 지하수위 상승으로 토압이 증가할 때

04 지하연속벽 공법

1 지하연속벽 공법 slurry wall method, diaphragm wall method

(1) 지하연속벽 공법의 정의

벤토나이트 안정액을 사용하여 벽면을 보호하면서 지반을 굴착하고 공내에 철근 콘크리트 벽을 구축하여 토압과 수압에 모두 견딜 수 있는 흙막이 벽을 지하연속벽 공법이라 한다.

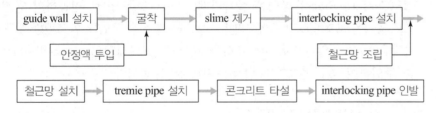

(2) 지하연속벽 공법의 장단점

장 점	단 점
• 암반을 포함한 대부분의 지반에서 시공가능하다.	• 공사비가 고가이다.
• 벽체의 강성이 높고, 지수성이 좋다.	• Bentonite 이수처리가 곤란하다.
• 영구구조물로 이용된다.	• 굴착 중 공벽의 붕괴 우려가 있다.
• 소음진동이 적어 도심지 공사에 적합하다.	• 연속시공이 필요하다.
• 토지경계선까지 시공이 가능하다.	• 고도의 기술과 경험이 필요하다.
	• 슬라임 처리가 미숙할 경우 누수현상이 발생한다.

(3) 시공순서

guide wall 설치 → 굴착 → slime 제거 → interlocking pipe 설치 →

안정액 투입 → (굴착)

(interlocking pipe 설치) ← 철근망 조립

철근망 설치 → tremie pipe 설치 → 콘크리트 타설 → interlocking pipe 인발

(4) 지하연속벽 공법의 분류

주열식 벽체 (Continuous Pile Wall)	Soil Cement Wall	• SCW(soil cement wall) • JSP(jumbo special pile)
	Concrete Wall	• CIP(cast in place pile) • PIP(packed in place pile) • MIP(mixed in place pile)
	Steel Pipe Wall	
연속벽체(Slurry Wall or Diaphragrm wall)	철근 Concrete Wall	• ICOS 공법 • ELSE 공법 • Earth wall 공법
	Prefabricated Wall	Precast 철근콘크리트 패널

지하연속벽 공법 지중연속벽 공법, diaphragm wall 공법, slurry wall 공법이라고 불리는 경우도 있다.

기억해요
지하연속벽 공법의 장점 3가지를 쓰시오.

길잡이벽(guide wall) 설치 굴착기로 굴착 시 흙이 무너지지 않게 보호할 목적으로 설치

물림관(interlocking pipe) 설치 양쪽 panel의 일체화로 지수 효과 증대

(5) **물림관** interlocking pipe

벽식 지중연속벽 시공 시에 각각의 패널을 일체화시키고 패널 간 이음부의 연속성 및 누수문제 등을 처리하기 위하여 패널(panel)과 패널 사이에 시공하는 파이프

2 주열식 지하연속벽 공법 continuous pile wall method

(1) SCW 공법 soil cement wall method

오거(augar) rod에 케이싱을 설치하여 굴착하고 물시멘트비가 100%가 넘는 시멘트 용액을 주입하여 현장토사와 교반혼합하여 지수벽을 만들어 주면침하를 막는 공법으로 최근 도심지 굴착 시 인접거물의 피해(침하)를 막기 위하여 사용하는 공법이다.

(2) JSP 공법 Jump special pile method

JSP(Jump Special Pile) 공법은 지반 내에 cement paste를 고압으로 분사시켜 시멘트 고결체를 형성하여 지반보강 및 차수공법으로 지하 토류구조물 공사에 이용되는 공법이다.

(3) CIP 공법 Cast In Place method

CIP(Cast In Place) 공법은 굴착기계(rotary boring)로 천공하여 안정액으로 공벽을 보호하고 그 속에 시멘트 모르타르를 상승 주입한 후 조립한 철근 및 자갈을 넣고 주입관으로부터 프리플레이스트 모르타르(preplaced mortar)를 주입하여 철근콘크리트 말뚝을 만드는 공법이다.

(4) PIP 공법 Packed In Place method

PIP(Packed In Place) 공법은 연속날개를 붙인 earth auger기로 지중에 구멍을 뚫고 그 구멍에 auger shaft의 선단으로부터 주입 모르타르(preplaced mortar)를 $3 \sim 7 kg/cm^2$ $(0.3 \sim 0.7 MPa)$로 압축하면서 auger를 뽑고 철근을 삽입하여 현장말뚝을 시공하는 공법으로, PIP 공법의 장점은 다음과 같다.

① 오거만으로 굴착하므로 소음, 진동이 없다.
② 연속적으로 시공하여 흙막이 지수벽으로 이용한다.
③ 장치가 간단하여 취급이 용이하다.
④ R.G.A제를 사용하면 부착을 확실하게 한다.
⑤ 수중시공에도 모르타르의 분리가 없다.

주열식 지하연속벽 공법
• 도시 내 공사에서 주로 사용하는 공법으로서 주위의 지반에 진동이나 소음을 주지 않고 시공하는 흙막이공법이다.
• 원리는 벤토나이트 현탁액을 이용하여 지반에 구멍을 뚫고 콘크리트를 연속적으로 시행하여 일련의 벽체로 만드는 공법이다.

핵심용어
• JSP 공법
• PIP 공법

기억해요
주열식 지하연속벽 공법인 PIP 공법의 장점 3가지를 쓰시오.

3 벽식 지하연속벽 공법

(1) 이코스 공법 ICOS method

이탈리아 ICOS사에서 개발한 공법으로 케이싱과 흙막이가 필요치 않으며 굴착 벽면의 붕괴를 벤토나이트 용액을 사용하여 방지하면서 굴착한 공내에 철근망을 넣고 트레미를 사용해 타설하여 원형이나 평형의 말뚝, 지하연속벽을 축조하는 공법이다.

(2) 엘스 공법 ELSE method

이탈리아 ELSE사에서 개발한 공법으로 버킷에 의해 굴착을 하여 지하연속벽을 축조하는 것이며, 굴착할 때는 지주를 기준으로 유도벽을 따라 굴착하기 때문에 안정도가 높고 5° 전후까지의 경사구를 굴착할 수 있다.

| 지하연속벽 공법 |

04 핵심 기출문제

□□□

□□□ 88③, 92③, 12④,

01 벤토나이트 안정액을 사용하여 벽면을 보호하면서 지반을 굴착하고 공내에 철근콘크리트 벽을 구축하여 토압과 수압에 모두 견딜 수 있는 흙막이벽의 명칭을 쓰고, 이 흙막이벽의 장점을 3가지만 쓰시오.

가. 이 흙막이벽의 명칭을 쓰시오.

○

나. 이 흙막이벽의 장점 3가지를 쓰시오.

① _____ ② _____ ③ _____

해답 가. 지하연속벽(Slurry wall)

나. ① 암반을 포함한 대부분의 지반에서 시공 가능하다.
② 벽체의 강성이 높고, 지수성이 좋다.
③ 영구구조물로 이용된다.
④ 소음·진동이 적어 도심지 공사에 적합하다.
⑤ 토지경계선까지 시공이 가능하다.
⑥ 최대 100m 이상 깊이까지 시공 가능하다.

□□□ 02④

02 벽식 지중연속벽 시공 시에 각각의 패널을 일체화시키고 패널 간 이음부의 연속성 및 누수문제 등을 처리하기 위하여 패널(panel)과 패널 사이에 시공하는 파이프의 명칭을 쓰시오.

○

해답 물림관(interlocking pipe, 경계관)

05 옹벽(retaining wall)

1 Rankine의 토압론

Rankine(1856년)은 벽 마찰각을 무시하고 소성론에 입각하여 중력만이 작용하는 넓게 펼쳐진 지반이 소성 평형상태로 있을 때 지중응력을 구하였다.

📌 옹벽의 구조형식에 의한 분류
• 중력식 옹벽
• 반중력식 옹벽
• 부벽식 옹벽
• 캔틸레버식 옹벽
• 역T형식 옹벽

(1) 토압이론

① Rankine 토압 : 벽 마찰각 무시(소성이론)

② Coulomb 토압 : 벽 마찰각 고려(흙쐐기이론)

(2) Rankine 토압론의 기본가정

① 흙은 균일한 입자이고 비압축성이다.

② 지반은 소성 평형상태이며, 중력만이 작용한다.

③ 토압은 지표면에 작용하며 벽 마찰각은 무시한다.

④ 흙 입자는 입자 간의 마찰력에 의해서만 평형을 유지하며 점착력은 없다.

⑤ 지표면은 무한히 넓게 존재하며 지표에 하중이 작용하면 등분포 하중이다.

(3) 토압계수

① 주동토압계수 $K_A = \dfrac{1-\sin\phi}{1+\sin\phi} = \tan^2\left(45° - \dfrac{\phi}{2}\right)$

② 수동토압계수 $K_P = \dfrac{1+\sin\phi}{1-\sin\phi} = \tan^2\left(45 + \dfrac{\phi}{2}\right)$

(4) 토압의 일반식($i = 0,\ c = 0$)

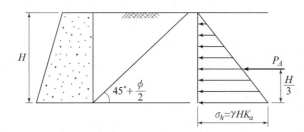

① 주동토압 $P_A = \dfrac{1}{2}\gamma H^2 \tan^2\left(45° - \dfrac{\phi}{2}\right)$

② 수동토압 $P_A = \dfrac{1}{2}\gamma H^2 \tan^2\left(45° - \dfrac{\phi}{2}\right)$

③ 합력의 작용점 $y = \dfrac{H}{3}$

(5) **지하수위가 있는 경우 토압**($i = 0$, $c = 0$)

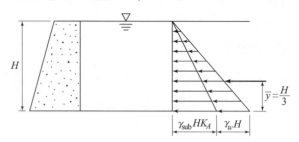

① 전주동토압 $P_A = P_a + P_w = \dfrac{1}{2}\gamma_{\text{sub}}H^2K_A + \dfrac{1}{2}\gamma_w H^2$

② 수동토압 $P_P = \dfrac{1}{2}\gamma_{\text{sub}}H^2K_P + \dfrac{1}{2}\gamma_w H^2$

③ 작용점 $\bar{y} = \dfrac{H}{3}$

(6) **상재하중이 있을 때의 토압**

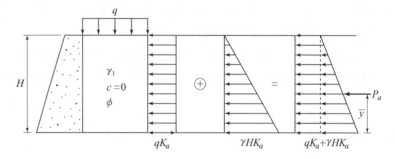

① 주동토압 $P_A = P_{a1} + P_{a2}$

$\qquad = \dfrac{1}{2}\gamma H^2 \tan^2\!\left(45° - \dfrac{\phi}{2}\right) + qH\tan^2\!\left(45° - \dfrac{\phi}{2}\right)$

② 수동토압 $P_P = \dfrac{1}{2}\gamma H^2 K_P + qHK_P$

$\qquad = \dfrac{1}{2}\gamma H^2 \tan^2\!\left(45 + \dfrac{\phi}{2}\right) + qH\tan^2\!\left(45° + \dfrac{\phi}{2}\right)$

③ 작용점 $\bar{y} = \dfrac{H}{3}\dfrac{3q + \gamma H}{2q + \gamma H}$

(7) **지진에 의한 토압**

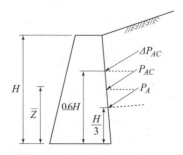

① 지진 주동토압

$$P_{AC} = \frac{1}{2}\gamma H^2 (1 - K_v) K_{AC}$$

② 지진토압의 작용위치

$$\overline{Z} = \frac{0.6H\Delta P_{AC} + \frac{1}{3}HP_A}{P_{AC}}$$

여기서, P_{AC} : 지진 주동토압 K_{AC} : 지진 주동토압계수

$\overline{Z}$: 합력의 위치 P_A : 주동토압(Coulomb의 토압)

$\Delta P_{AC} = P_{AC} - P_A$

2 점성토의 토압

(1) 인장균열 발생 전 점성토의 토압($i = 0,\ c \neq 0$)

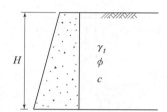

주동토압 $P_A = \frac{1}{2}\gamma_t H^2 K_A - 2cH\sqrt{K_A}$ (인장균열 발생 전)

(2) 인장균열 발생 후 점성토의 토압($i = 0,\ c \neq 0$)

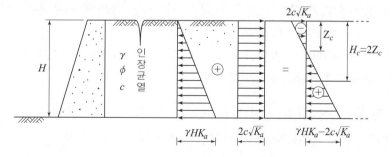

① 인장균열 깊이(z_c) : 인장균열이 발생할 수 있는 깊이로서 점착고라고 한다.

$$z_c = \frac{2c}{\gamma_t}\tan\left(45° + \frac{\phi}{2}\right) = \frac{2c}{\gamma}\sqrt{K_P}$$

기억해요

뒤채움 흙이 점성토인 경우, 옹벽에 작용하는 Rankine에 의한 전주동토압을 구하시오.

기억해요

점성토를 지지할 때 지반의 인장균열 길이가 발생하기 전과 발생 후의 옹벽에 작용하는 주동토압을 구하시오.

② 한계고(H_c) : 지표면에서 어느 깊이까지는 점착력에 의하여 토압이 작용하지 않는 깊이로 흙막이 없이 굴착할 수 있는 깊이이다.

③ 주동토압 : 인장균열 위의 토압과 상재하중을 무시한 경우의 주동토압

$$P_A = \frac{1}{2}\gamma H^2 K_A - 2cH\sqrt{K_A} + \frac{2c^2}{\gamma_t}$$

④ 인장균열 위의 토압은 무시하고 상재하중을 고려하는 경우의 주동토압

$$P_A = \frac{1}{2}\gamma(H-z_o)^2 K_A + \gamma z_o(H-z_o)K_A$$

$$\text{또는 } P_A = \frac{1}{2}\gamma H^2 K_A - 2cH\sqrt{K_A} + \frac{2c^2}{\gamma_t} + q_s K_a(H-z_c)$$

3 옹벽에 대한 안정

(1) 옹벽의 안정조건

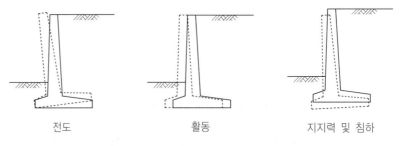

| 전도 | 활동 | 지지력 및 침하 |

① **전도에 대한 안정** : 전도에 대한 저항모멘트는 횡토압에 의한 전도모멘트의 2.0배 이상이어야 한다.

② **활동에 대한 안정** : 활동에 대한 저항력은 옹벽에 작용하는 수평력의 1.5배 이상이어야 한다.

③ **지반지지력에 대한 안정** : 지반에 유발되는 최대지반반력은 지반의 허용지지력을 초과할 수 없다.

(2) 중력식 옹벽(Ⅰ)에 대한 안정

콘크리트의 단위중량 γ_c이고 지반의 허용지지력 q_a일 때

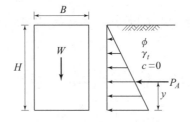

기억해요
• 전도에 대한 안전율을 구하시오.
• 활동에 대한 안전율을 구하시오.
• 지지력에 대한 안전율을 구하시오.
• 옹벽의 안정성 검토 항목 3가지를 쓰시오.

- 주동토압 $P_A = \dfrac{1}{2}\gamma H^2 K_A = \dfrac{1}{2}\gamma H^2 \tan^2\left(45° - \dfrac{\phi}{2}\right)$

- 작용위치 $y = \dfrac{H}{3}$

- 콘크리트 중량 $W = \gamma_t BH$

① 활동에 대한 안정 : $F_s = \dfrac{W\tan\phi}{P_A} \geq 1.5$

② 전도에 대한 안정 : $F_s = \dfrac{M_r}{M_d} = \dfrac{W\cdot\dfrac{B}{2}}{P_A\cdot\dfrac{H}{3}} \geq 2.0$

③ 지지력에 대한 안정 : $F_s = \dfrac{q_a}{\sigma_{\max}}$

■ 편심거리 범위에 따른 지지력

- 편심거리 $e = \dfrac{B}{2} - \dfrac{W\cdot\dfrac{B}{2} - P_A\cdot\dfrac{H}{3}}{W}$

- $e < \dfrac{B}{6}$: $\sigma = \dfrac{W}{B}\left(1 \pm \dfrac{6e}{B}\right)$

- $e = \dfrac{B}{6}$: $\sigma_{\max} = \dfrac{2W}{BL}$

- $e > \dfrac{B}{6}$: $\sigma_{\max} = \dfrac{3W}{3\left(\dfrac{B}{2} - e\right)} < q_a$

⑶ **중력식 옹벽(Ⅱ)에 대한 안정**

① 중력식 옹벽의 전도에 대한 안정

기억해요
중력식 옹벽의 전도에 대한 안정도를 검토하시오.

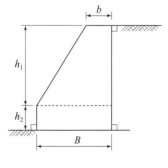
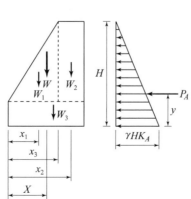

$$\bullet\ x = \frac{W_1 \cdot x_1 + W_2 \cdot x_2 + W_3 \cdot x_3}{W}$$

$$\bullet\ P_A = \frac{1}{2} \gamma_t H^2 \tan^2\left(45 - \frac{\phi}{2}\right)$$

$$\bullet\ M_o = P_A \cdot y$$

$$F_s = \frac{M_r}{M_o} = \frac{W \cdot X + P_v \cdot B}{P_A \cdot \text{y}} = \frac{W \cdot x + 0}{P_A \cdot \text{y}} = \frac{W \cdot x}{P_A \cdot y}$$

② 중력식 옹벽의 수평활동에 대한 안정

내부마찰각 ϕ, 콘크리트 저면과 흙과의 마찰각 δ, 콘크리트의 단위중량 γ_c일 때

$$\bullet\ P_A = \frac{1}{2} \gamma_t H^2 \tan^2\left(45 - \frac{\phi}{2}\right)$$

$$\bullet\ P_P = \frac{1}{2} \gamma_t H^2 \tan^2\left(45 + \frac{\phi}{2}\right)$$

$$\bullet\ W = W_1 + W_2 + W_3$$

$$F_s = \frac{W \tan\delta + P_P}{P_A}$$

4 연직옹벽의 전주동토압

(1) 옹벽배면에 배수구가 없는 경우

전주동토압 $P_A = \frac{1}{2} \gamma_{\text{sub}} H^2 C_a + \frac{1}{2} \gamma_\omega H^2$

여기서, C_a : Coulomb의 주동토압계수

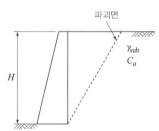

(2) 옹벽배면에 경사지게 배수구 설치 시

전주동토압 $P_A = \frac{1}{2} \gamma_{\text{sat}} H^2 C_a$

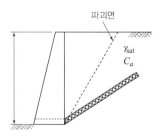

5 옹벽의 배수

(1) 배수공의 종류

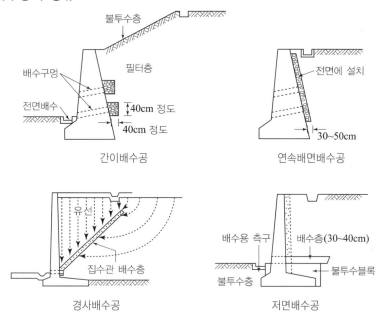

기억해요
옹벽에 시공되는 배수공의 종류 4가지를 쓰시오.

① **간이배수공** : 연직벽 앞면에 물구멍을 설치하여 배면에는 그 주변에 자갈, 깬돌 등으로 필터를 만들어 배수하는 방법이다.

② **연속배면배수공** : 연직면의 전 배면에 두께 30~40cm의 잡석을 만들어 집수시켜 물구멍으로 배수하는 방법이다.

③ **경사배수공** : 경사된 배수층(여과층)을 설치하여 경사배수면에 의해 침투수가 빨리 집수하여 배수하는 방법이다.

④ **저면배수공** : 사질토인 경우, 옹벽의 하단에 수평방향으로 배수층(여과층)을 설치하여 배수하는 방법이다.

(2) 주동토압경감을 위한 대책

① 내부마찰각(ϕ)이 큰 재료를 사용

② 지하수위를 저하시키는 공법 선정

③ 배수대책을 철저히 세움.

- 배수파이프 설치
- 투수성이 큰 재료로 뒤채움 및 다짐
- 횡방향으로 유공관이나 맹암거를 설치

④ EPS(발포성 경량 성토재료) 사용

기억해요
주동토압을 최소화시키는 방법을 3가지 쓰시오.

(3) 수발공

지표면에 불투수층을 설치하거나 물이 옹벽 뒷면 또는 기초지반으로 침투하는 것을 방지하는 것이 좋으나 뒤채움 흙으로 물이 침투할 경우, 옹벽 표면에 배면적 $2 \sim 3m^2$ 마다 1개 정도로 직경 $5 \sim 10cm$의 수발공(水拔孔)을 설치하는 것이 좋다.

(4) 옹벽의 붕괴원인

① 기초지반 지지력 부족
② 배수공의 부족 및 막힘
③ 뒤채움 부분에서의 상하수도관의 파열로 인한 누수
④ 뒤채움 재료의 불량 및 성토다짐 불량
⑤ 시공불량에 따른 강도 부족

6 옹벽의 줄눈

옹벽은 다음과 같은 연결부를 가진다.

(1) 시공줄눈 construction joint

① 두 개의 콘크리트 연결부 사이에 사용되는 수평, 수직 줄눈을 시공줄눈이라 한다.
② 줄눈부의 전단력을 증가시키기 위하여 돌기(key)를 사용한다.
③ 돌기를 사용하지 않을 때는 콘크리트의 표면을 깨끗이 한 후 다시 거칠게 만든 다음 콘크리트를 타설한다.

(2) 수축줄눈 contraction joint

수축줄눈은 옹벽시공 시 수축으로 인한 피해를 막기 위해 기초저면 위에서 벽체의 꼭대기까지, 벽의 표면에서 꼭대기까지 설치하는 것으로 폭이 $6 \sim 8mm$, 길이 $12 \sim 16mm$ 정도인 수직줄눈을 말한다.

(3) 팽창줄눈 expansion joint

온도의 변화로 인한 콘크리트의 팽창에 대비해서 옹벽의 저면에서 꼭대기까지 연직 팽창이음을 사용하는데, 이를 팽창줄눈(=신축줄눈)이라 한다. 이런 연결부는 유연성이 있는 연결 충진재로 채워진다.

7 보강토 공법 reinforced earth method

흙은 입자 상호간에 강하게 부착되어 있지 않아 다른 재료와는 달리 외력과 자중에 의하여 쉽게 파괴되는 약점을 보완하기 위하여 흙과 성질이 다른 재료를 매입하여 흙의 성질을 개량하는 공법이 보강토 공법이며, 보강토 공법을 이용한 옹벽이 보강토 옹벽이다.

⑴ 보강토 옹벽의 기본 3요소

① 전면판(skin plate) : 뒤채움 흙의 유실을 방지하고 보강재에 연결시키며 구조물의 미화시키는 역할을 한다.

② 보강재(strip bar) : 뒤채움 흙의 토압에 의한 인장력을 부담하므로 마찰저항이 커야 한다.

③ 뒤채움흙(back fill) : 흙과 보강재의 마찰을 크게 하며 배수성이 좋고 입도분포가 양호한 사질토가 유리하다.

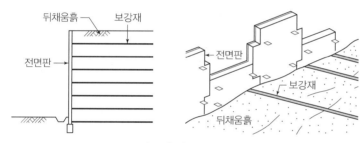

보강토 옹벽의 구조

⑵ 설계 3가지 기본방법

보강토 옹벽은 옹벽, 교대, 방수벽에 사용되는 공법으로 횡토압에 저항하는 타이의 설계방법으로 3가지 기본방법이 있다.

① Rankine의 법

② Coulomb 응력법

③ Coulomb 모멘트법

⑶ 경제적인 높이

보강토벽은 옹벽, 교대, 방수벽 등에 사용되는 최신 공법으로 높이가 높을수록 경제적인데, 보통 몇 10~20m 이상이면 경제적이다.

⑷ 보강토 옹벽의 장점

① 가설구조물로서의 이용이 가능하다.

② 충격과 진동에 강한 구조를 갖고 있다.

③ 편심하중이 적어 기초처리를 단단하게 할 수 있다.

④ 옹벽의 높이에 제한이 없어 고성토 부분에 사용이 가능하다.

⑤ 전면판과 보강재가 제품화되어 공급하므로 공기가 단축된다.

⑸ **보강토 옹벽의 단점**

① 뒤채움재의 선택이 쉽지 않다.

② 흙 속에 보강재가 부식되기 쉽다.

③ 소규모 공사에는 시공장비의 효율성이 낮다.

④ 지하수나 용출수에 뒤채움재가 느슨해질 수 있다.

| 옹벽(retaining wall) |

05

□□□ 10①, 15①

01 그림과 같이 지표면과 지하수위가 같은 옹벽에 작용하는 전체 주동토압을 구하시오.

(단, 흙의 내부마찰각 $\phi=30°$, 점착력 $c=0$, 흙의 단위중량 $\gamma_{sat}=18\text{kN/m}^3$, 마찰각은 무시함.)

득점	배점
	3

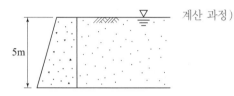 계산 과정)

답 : _____

해답 전주동토압 $P_A=P_a+P_w=\dfrac{1}{2}\gamma_{sub}H^2K_A+\dfrac{1}{2}\gamma_w H^2$

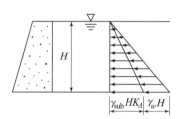

- $K_A=\tan^2\left(45-\dfrac{\phi}{2}\right)=\tan^2\left(45°-\dfrac{30°}{2}\right)=\dfrac{1}{3}$

- $\gamma_{sub}=\gamma_{sat}-\gamma_w=18-9.81=8.19\text{kN/m}^3$

- $P_a=\dfrac{1}{2}\times 8.19\times 5^2\times\dfrac{1}{3}=34.13\text{kN/m}^2$

- $P_w=\dfrac{1}{2}\gamma_w H^2=\dfrac{1}{2}\times 9.81\times 5^2=122.63\text{kN/m}$

 $\therefore P_A=P_a+P_w=34.13+122.63=156.76\text{kN/m}$

□□□ 00①

02 뒤채움흙이 점성토인 경우, 옹벽에 작용하는 Rankine에 의한 전주동토압을 구하시오.

득점	배점
	3

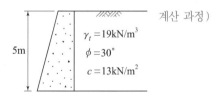 계산 과정)

답 : _____

해답 $P_A=\dfrac{1}{2}\gamma_t H^2K_A-2cH\sqrt{K_A}$

- $K_A=\tan^2\left(45°-\dfrac{\phi}{2}\right)=\tan^2\left(45°-\dfrac{30°}{2}\right)=\dfrac{1}{3}$

 $\therefore P_A=\dfrac{1}{2}\times 19\times 5^2\times\dfrac{1}{3}-2\times 13\times 5\times\sqrt{\dfrac{1}{3}}$

 $=79.17-75.06=4.11\text{kN/m}$

□□□ 01②, 21③

03 그림과 같은 옹벽에 작용하는 전주동토압은 얼마인가?
(Rankine의 토압이론을 사용하시오.)

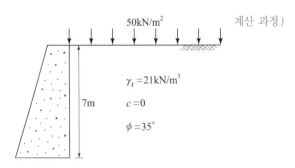

계산 과정)

답 : _____

[해답] 전주동토압 $P_A = P_{a1} + P_{a2} = \dfrac{1}{2}\gamma H^2 K_A + qHK_A$

• $K_A = \tan^2\left(45° - \dfrac{\phi}{2}\right) = \tan^2\left(45° - \dfrac{35°}{2}\right) = 0.271$

• $P_{a1} = \dfrac{1}{2} \times 21 \times 7^2 \times 0.271 = 139.43\,\text{kN/m}$

• $P_{a2} = 50 \times 7 \times 0.271 = 94.85\,\text{kN/m}$

∴ $P_A = 139.43 + 94.85 = 234.28\,\text{kN/m}$

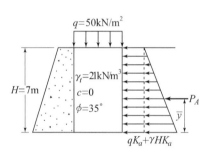

□□□ 96②, 07①, 11②, 14②, 19②

04 뒤채움 지표면에 재하중이 없는 높이 6m의 옹벽에 작용하는 전체 지진토압이 Mononobe
-Okabe 이론에 의해 $P_{AC} = 160\,\text{kN/m}$, 정적인 상태의 전토압이 $P_A = 100\,\text{kN/m}$일 때, 이 전
체 지진토압의 작용위치는 옹벽 저면으로부터 몇 m로 보는가?

계산과정)

답 : _____

[해답] 합력위치 $\bar{Z} = \dfrac{(0.6H)(\triangle P_{AC}) + \dfrac{H}{3}(P_A)}{P_{AC}}$

• 지진토압 $P_{AC} = 160\,\text{kN/m}$

• 전토압 $P_A = 100\,\text{kN/m}$

• 토압증가량 $\triangle P_{AC} = 160 - 100 = 60\,\text{kN/m}$

∴ $\bar{Z} = \dfrac{(0.6 \times 6) \times 60 + \dfrac{6}{3} \times 100}{160} = 2.6\,\text{m}$

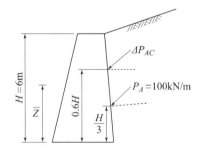

□□□ 12②, 14①, 15④

05 아래 그림과 같은 옹벽에서 물음에 답하시오.

득점 배점
6

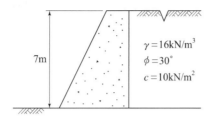

$\gamma = 16\text{kN/m}^3$
$\phi = 30°$
$c = 10\text{kN/m}^2$

7m

가. 인장균열의 깊이를 구하시오.

답 : _____

나. 인장균열이 발생하기 전의 전체 주동토압(P_a)을 구하시오.

답 : _____

다. 인장균열이 발생한 후의 전체 주동토압(P_a)을 구하시오.

답 : _____

해답 가. $z_o = \dfrac{2c}{\gamma_t}\tan\left(45° + \dfrac{\phi}{2}\right) = \dfrac{2\times 10}{16}\times\tan\left(45° + \dfrac{30°}{2}\right) = 2.165\,\text{m}$

나. $P_A = \dfrac{1}{2}\gamma H^2 K_A - 2cH\sqrt{K_A}$

• $K_A = \tan^2\left(45° - \dfrac{\phi}{2}\right) = \tan^2\left(45° - \dfrac{30°}{2}\right) = \dfrac{1}{3}$

∴ $P_A = \dfrac{1}{2}\times 16\times 7^2\times\dfrac{1}{3} - 2\times 10\times 7\sqrt{\dfrac{1}{3}}$
$= 130.67 - 80.83 = 49.84\,\text{kN/m}$

다. $P_A = \dfrac{1}{2}\gamma H^2 K_A - 2cH\sqrt{K_A} + \dfrac{2c^2}{\gamma_t}$
$= \dfrac{1}{2}\times 16\times 7^2\times\dfrac{1}{3} - 2\times 10\times 7\times\sqrt{\dfrac{1}{3}} + \dfrac{2\times 10^2}{16}$
$= 130.67 - 80.83 + 12.5$
$= 62.34\,\text{kN/m}$

□□□ 03①

06 흙의 단위중량이 18kN/m³, 내부마찰각이 10°, 점착력이 0.045MPa인 지반의 인장균열을 고려한 경우 이론적으로 연직굴착이 가능한 깊이는?

득점 배점
3

계산과정)

답 : _____

해답 한계고 H_c

• $c = 0.045\text{MPa} = 0.045\text{N/mm}^2 = 45\text{kN/m}^2$

• $H_c = \dfrac{4c}{\gamma}\tan\left(45° + \dfrac{\phi}{2}\right) = \dfrac{4\times 45}{18}\tan\left(45° + \dfrac{10°}{2}\right) = 11.92\,\text{m}$

∴ $H'_c = \dfrac{2}{3}H_c = \dfrac{2}{3}\times 11.92 = 7.95\,\text{m}$(∵ 인장균열을 고려한 한계고)

□□□ 12②, 14①, 18③, 21②, 22②

07 아래 그림과 같은 옹벽에서 인장균열이 발생한 후의 옹벽에 작용하는 전체 주동토압을 구하시오. (단, 인장균열 위의 토압은 무시하고 상재하중으로 고려하여 계산하시오.)

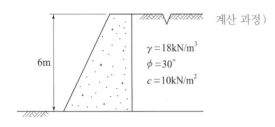

계산 과정)

$\gamma = 18\text{kN/m}^3$
$\phi = 30°$
$c = 10\text{kN/m}^2$

답 : _____

해답 ■ [방법 1] $P_A = \dfrac{1}{2}\gamma(H-z_o)^2 K_A + \gamma z_o(H-z_o)K_A$

■ [방법 2] $P_A = \dfrac{1}{2}\gamma H^2 K_A - 2cH\sqrt{K_A} + \dfrac{2c^2}{\gamma_t} + q_s K_a(H-z_c)$

• 인장균열 깊이

$z_o = \dfrac{2c}{\gamma_t}\tan\left(45° + \dfrac{\phi}{2}\right) = \dfrac{2\times10}{18}\times\tan\left(45° + \dfrac{30°}{2}\right) = 1.925\,\text{m}$

• $K_A = \tan^2\left(45° - \dfrac{\phi}{2}\right) = \tan^2\left(45° - \dfrac{30°}{2}\right) = \dfrac{1}{3}$

■ [방법 1] $P_A = \dfrac{1}{2}\times18\times(6-1.925)^2\times\dfrac{1}{3} + 18\times1.925\times(6-1.925)\times\dfrac{1}{3}$

$= 49.82 + 47.07 = 96.89\,\text{kN/m}$

■ [방법 2] $P_A = \dfrac{1}{2}\times18\times6^2\times\dfrac{1}{3} - 2\times10\times6\sqrt{\dfrac{1}{3}} + \dfrac{2\times10^2}{18}$

$+ (18\times1.925)\times\dfrac{1}{3}\times(6-1.925)$

$= 108 - 69.28 + 11.11 + 47.07 = 96.9\,\text{kN/m}$

□□□ 00①

08 물의 침투에 의해 옹벽배면의 흙의 함수량이 증가하면 전단저항각 및 점착력의 감소, 점성토의 함수팽창 등 흙 성질의 변화가 일어나고 토압이 증가한다. 따라서 옹벽배면 및 기초지반에 물이 침투하는 것을 방지하는 것이 중요하다. 물의 침투를 막기 위해 옹벽에서 통상 사용되는 배수공의 종류를 3가지만 쓰시오.

① _____   ② _____   ③ _____

해답 ① 간이배수공   ② 연속배면배수공   ③ 경사배수공   ④ 저면배수공

□□□ 12②, 14①, 18③, 21①

09 그림과 같은 옹벽이 점성토를 지지하고 있다. 인장균열이 발생한 후의 옹벽에 작용하는 전체 주동토압을 구하시오. (단, Rankine의 토압이론을 사용하며, 인장균열 위의 토압은 무시하고 상재하중으로 고려하여 구하시오.)

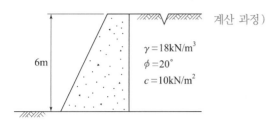

계산 과정)

$\gamma = 18kN/m^3$
$\phi = 20°$
$c = 10kN/m^2$

6m

답 : _____

해답 $P_A = \dfrac{1}{2}\gamma(H-z_o)^2 K_A + \gamma z_o (H-z_o) K_A$

• 인장균열 깊이

$z_o = \dfrac{2c}{\gamma_t}\tan\left(45° + \dfrac{\phi}{2}\right) = \dfrac{2 \times 10}{18}\times \tan\left(45° + \dfrac{20°}{2}\right) = 1.587m$

• $K_A = \tan^2\left(45° - \dfrac{\phi}{2}\right) = \tan^2\left(45° - \dfrac{20°}{2}\right) = 0.490$

$\therefore\ P_A = \dfrac{1}{2}\times 18 \times (6-1.587)^2 \times 0.490 + 18 \times 1.587 \times (6-1.587) \times 0.490$

$= 85.88 + 61.77 = 147.65kN/m$

□□□ 05②

10 높이 6m의 옹벽이 흙의 단위중량이 $18kN/m^3$, 내부마찰각이 $30°$, 점착력이 $10kN/m^2$인 점성토를 지지할 때 지반의 인장균열이 발생하기 전과 발생한 후의 옹벽에 작용하는 주동토압을 구하시오.

계산과정)

답 : _____

해답 • $K_A = \tan^2\left(45° - \dfrac{\phi}{2}\right) = \tan^2\left(45° - \dfrac{30°}{2}\right) = \dfrac{1}{3}$

• 인장균열이 발생하기 전

$P_A = \dfrac{1}{2}\gamma H^2 K_A - 2cH\sqrt{K_A}$

$= \dfrac{1}{2}\times 18 \times 6^2 \times \dfrac{1}{3} - 2\times 10 \times 6 \times \sqrt{\dfrac{1}{3}} = 108 - 69.28 = 38.72kN/m$

• 인장균열이 발생한 후

$P_A = \dfrac{1}{2}\gamma H^2 K_A - 2cH\sqrt{K_A} + \dfrac{2c^2}{\gamma_t}$

$= \dfrac{1}{2}\times 18 \times 6^2 \times \dfrac{1}{3} - 2\times 10 \times 6 \times \sqrt{\dfrac{1}{3}} + \dfrac{2\times 10^2}{18} = 108 - 69.28 + 11.11 = 49.83kN/m$

□□□ 91③

11 흙은 입자 상호간에 강하게 부착되어 있지 않아 다른 재료와는 달리 외력과 자중에 의하여 쉽게 파괴되는 약점을 보완하기 위하여 흙과 성질이 다른 재료를 매입하여 흙의 성질을 개량하고 토류옹벽에 주로 사용되는 최신공법은?

○ _____

─────────────

해답 보강토공법(reinforced earth method)

□□□ 95③, 96①, 01④, 02②, 09④, 18②

12 보강토 옹벽의 기본요소 3가지를 쓰시오.

① _____ ② _____ ③ _____

─────────────

해답 ① 전면판(skin plate) ② 보강재(strip bar) ③ 뒤채움흙(back fill)

□□□ 94②, 03①, 07④

13 보강토벽은 옹벽, 교대, 방수벽 등에 사용되는 공법으로 횡토압에 저항하는 타이의 설계방법으로 3가지 기본방법이 있는데, 그 3가지 방법은 무엇인가?

① _____ ② _____ ③ _____

─────────────

해답 ① Rankine의 법
② Coulomb 응력법
③ Coulomb 모멘트법

□□□ 03④, 22②

14 옹벽(Retaining Wall)은 배면으로부터 작용하는 주동토압을 최소화시켜 활동, 전도 등의 안정성을 증대시키는 것이 설계·시공의 주안점이다. 주동토압을 최소화시키는 방법을 3가지만 기술하시오.

① _____ ② _____ ③ _____

─────────────

해답 ① 내부마찰각이 큰 재료를 사용
② 배수대책을 철저히 세움.
③ 뒤채움재는 EPS 경량재료를 이용
④ 지하수위를 저하시키는 공법을 적용

□□□ 95⑤, 97②, 00③, 06①, 12①

15 그림과 같이 중력식 옹벽을 설치할 때 수평활동에 대한 안정도를 검토하시오.
(단, Rankine식 사용)

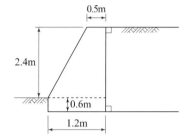

- 흙의 단위중량 : 18kN/m³
- 흙의 내부마찰각 : 30°
- 점착력 : 0
- concrete 저면과 흙과의 마찰 : 20°
- concrete 단위중량 : 23kN/m³

계산 과정)　　　　　　　　　　　　　　　　답 : _____

해답 $F_s = \dfrac{R_V \cdot \tan\delta + P_P}{P_A} \geq 1.5$

- $R_V = $ 옹벽의 자중(W) $= \dfrac{0.5+1.2}{2} \times 2.4 \times 23 + 0.6 \times 1.2 \times 23 = 63.48\,\text{kN/m}$

- $P_A = \dfrac{1}{2}\gamma H^2 \tan^2\left(45° - \dfrac{\phi}{2}\right)$

  $= \dfrac{1}{2} \times 18 \times 3^2 \tan^2\left(45° - \dfrac{30°}{2}\right) = 27\,\text{kN/m}$

- $P_P = \dfrac{1}{2}\gamma H^2 \tan^2\left(45° + \dfrac{\phi}{2}\right)$

  $= \dfrac{1}{2} \times 18 \times 0.6^2 \tan^2\left(45° + \dfrac{30°}{2}\right) = 9.72\,\text{kN/m}$

- $F_s = \dfrac{63.48\tan20° + 9.72}{27} = 1.22 < 1.5$　　∴ 불안정

□□□ 11①, 15②, 17④, 21①

16 아래 그림과 같은 옹벽의 안전율을 구하시오.
(단, 지반의 허용지지력은 200kN/m², 뒤채움흙과 저판 아래의 흙의 단위중량은 18kN/m³, 내부마찰각은 37°, 점착력은 0이고, 콘크리트의 단위중량은 24kN/m³이다.)

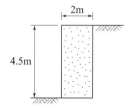

가. 전도에 대한 안전율을 구하시오.

계산 과정)　　　　　　　　　　　　　　　　답 : _____

나. 활동에 대한 안전율 구하시오.

　계산 과정)　　　　　　　　　　　　　　　　　　　　답 : _____

다. 지지력에 대한 안전율을 구하시오.

　계산 과정)　　　　　　　　　　　　　　　　　　　　답 : _____

해답 ■ 방법 1

가. • 주동토압 $P_A = \dfrac{1}{2} K_A z^2 \gamma_t$

$\qquad = \dfrac{1}{2} \times \tan^2\left(45° - \dfrac{37°}{2}\right) \times 4.5^2 \times 18$

$\qquad = 45.30 \text{kN/m}$

• 콘크리트의 총중량 : $W = BH\gamma_c$

$\qquad = 2 \times 4.5 \times 24 = 216 \text{kN/m}$

• $y = \dfrac{1}{3} \times 4.5 = 1.5 \text{m}$

$F_s = \dfrac{M_r}{M_d} = \dfrac{W \cdot \dfrac{B}{2}}{P_A \cdot \dfrac{H}{3}} = \dfrac{216 \times \dfrac{2}{2}}{45.3 \times \dfrac{4.5}{3}}$

$\qquad = 3.18$

나. $F_s = \dfrac{W\tan\phi}{P_A} = \dfrac{216\tan 37°}{45.3} = 3.59$

다. $e = \dfrac{B}{2} - \dfrac{W \cdot \dfrac{B}{2} - P_A \cdot \dfrac{H}{3}}{W}$

$\qquad = \dfrac{2}{2} - \dfrac{216 \times \dfrac{2}{2} - 45.3 \times \dfrac{4.5}{3}}{216}$

$\qquad = 0.315 \text{m}$

• $e = 0.315 < \dfrac{B}{6} = \dfrac{2}{6} = 0.333$

$\sigma_{\max} = \dfrac{W}{B}\left(1 + \dfrac{6e}{B}\right)$

$\qquad = \dfrac{216}{2}\left(1 + \dfrac{6 \times 0.315}{2}\right)$

$\qquad = 210.06 \text{kN/m}^2$

$F_s = \dfrac{\sigma_a}{\sigma_{\max}} = \dfrac{200}{210.06} = 0.95$

■ 방법 2

가. $F_s = \dfrac{W \cdot a}{P_H \cdot y}$

• 주동토압 : $P_A = \dfrac{1}{2} K_A z^2 \gamma_t$

$\qquad = \dfrac{1}{2} \times \tan^2\left(45° - \dfrac{37°}{2}\right) \times 4.5^2 \times 18$

$\qquad = 45.3 \text{kN/m}$

• 콘크리트의 총중량 :

$\qquad W = 2 \times 4.5 \times 24 = 216 \text{kN/m}$

• $a = 1 \text{m}, \ y = \dfrac{1}{3} \times 4.5 = 1.5 \text{m}$

$\qquad \therefore \ F_s = \dfrac{216 \times 1}{45.3 \times 1.5} = 3.18$

나. $F_s = \dfrac{W\tan\phi}{P_H} = \dfrac{216\tan 37°}{45.3} = 3.59$

다. $F_s = \dfrac{\sigma_a}{\sigma_{\max}}$

• 편심거리 $e = \dfrac{B}{2} - \dfrac{W \cdot a - P_H \cdot y}{W}$

$\qquad = \dfrac{2}{2} - \dfrac{216 \times 1 - 45.3 \times 1.5}{216}$

$\qquad = 0.315 \text{m}$

• 편심거리 $e = 0.315 \leq \dfrac{B}{6} = \dfrac{2}{6} = 0.33$ 이므로

• 최대 지지력 $\sigma_{\max} = \dfrac{\sum V}{B}\left(1 + \dfrac{6e}{B}\right)$

$\qquad = \dfrac{216}{2}\left(1 + \dfrac{6 \times 0.315}{2}\right)$

$\qquad = 210.06 \text{kN/m}^2$

$\qquad \therefore \ F_s = \dfrac{200}{210.06} = 0.95$

□□ 04④, 06②, 11②

17 옹벽에 시공되는 배수공의 종류 4가지를 쓰시오.

①_____ ②_____

③_____ ④_____

해답 ① 간이배수공 ② 연속배면배수공 ③ 경사배수공 ④ 저면배수공

□□ 96③, 01③, 06④, 08②, 10②, 14②, 19③

18 그림과 같은 중력식 옹벽의 전도(overturning)에 대한 안전율을 계산하시오.
(단, 콘크리트의 단위중량은 23kN/m³이고, 옹벽전면에 작용하는 수동토압은 무시한다.)

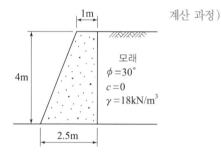

계산 과정)

답 : _____

해답 $F_s = \dfrac{W \cdot b + P_v \cdot B}{P_A \cdot y} = \dfrac{W \cdot b}{P_A \cdot y}$ (∵ 수동토압 P_v는 무시)

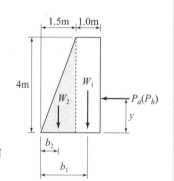

- $P_A = \dfrac{1}{2}\gamma H^2 \tan^2\left(45° - \dfrac{\phi}{2}\right) = \dfrac{1}{2} \times 18 \times 4^2 \tan^2\left(45° - \dfrac{30°}{2}\right)$
  $= 48\,\text{kN/m}$

- $W = W_1 + W_2$
  $W_1 = 1 \times 4 \times 23 = 92\,\text{kN/m}$
  $W_2 = \dfrac{1}{2} \times (2.5 - 1) \times 4 \times 23 = 69\,\text{kN/m}$

- $W \cdot b = W_1 b_1 + W_2 b_2 = 92 \times (1.5 + 0.5) + 69 \times \left(1.5 \times \dfrac{2}{3}\right) = 253\,\text{kN}$

- $y = 4 \times \dfrac{1}{3} = \dfrac{4}{3}\,\text{m}$

  ∴ $F_s = \dfrac{253}{48 \times \dfrac{4}{3}} = 3.95$

□□ 10①, 12④, 19①

19 옹벽이라 함은 흙의 붕괴를 방지하기 위하여 흙을 지지할 목적으로 절취, 성토 비탈면에 축조하는 구조물이다. 이때의 옹벽의 안정성 검토항목 중 3가지만 쓰시오.

①_____ ②_____ ③_____

해답 ① 전도에 대한 안정 ② 활동에 대한 안정 ③ 지반지지력에 대한 안정

20 아래 그림과 같이 6.0m의 연직옹벽에 연속적인 강우로 뒤채움흙이 완전 포화되어 있다. 뒤채움흙은 포화밀도 $\gamma_{sat} = 19.8\text{kN/m}^3$, 내부마찰각 $\phi = 38°$ 인 사질토이며, 벽면마찰각 $\delta = 15°$ 이다. 이때 Coulomb의 주동토압계수는 0.219이고 파괴면이 수평면과 55° 라고 가정할 경우, 아래의 물음에 답하시오. (단, 물의 단위중량 $\gamma_w = 9.81\text{kN/m}^3$)

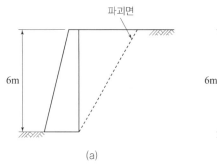
(a)

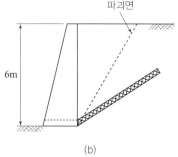
(b)

가. 그림 (a)와 같이 옹벽면에 배수구가 없을 경우 옹벽에 작용하는 전주동토압을 구하시오.

계산 과정) 　　　　　　　　　　　　　　　　　답 : _____

나. 그림 (b)와 같이 파괴면 아래쪽에 배수구를 경사지게 설치했을 경우, 옹벽에 작용하는 전주동토압을 구하시오.

계산 과정) 　　　　　　　　　　　　　　　　　답 : _____

해답 가. $P_A = \dfrac{1}{2}\gamma_{sub}H^2 C_a + \dfrac{1}{2}\gamma_w H^2$

$\qquad = \dfrac{1}{2} \times (19.8 - 9.81) \times 6^2 \times 0.219 + \dfrac{1}{2} \times 9.81 \times 6^2$

$\qquad = 39.38 + 176.58 = 215.96\text{kN/m}$

나. $P_A = \dfrac{1}{2}\gamma_{sat}H^2 C_a$

$\qquad = \dfrac{1}{2} \times 19.8 \times 6^2 \times 0.219 = 78.05\text{kN/m}$

21 보강토 옹벽의 구성은 크게 3요소로 이루어진다. 그 3가지가 무엇인지 쓰시오.

① _____　　　　② _____　　　　③ _____

해답 ① 전면판(skin plate)
　　② 보강재(strip bar)
　　③ 뒤채움흙(back fill)

□□□ 02①, 08①, 09④, 11②, 16②, 20③, 23③

22 다음과 같은 모양의 중력식 옹벽을 설치하려고 한다. 흙의 단위중량 $\gamma_t = 17.5\text{kN/m}^3$, 내부 마찰각 $\phi = 30°$, 점착력 $c = 0$, 콘크리트의 단위중량 $\gamma_c = 24\text{kN/m}^3$일 때, 옹벽의 전도(over turning)에 대한 안전율을 Rankine의 식을 이용하여 계산하시오.
(단, 옹벽전면에 작용하는 수동토압은 무시한다.)

득점	배점
	3

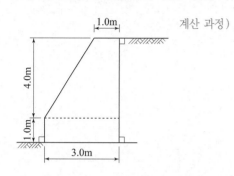

계산 과정)

답 : _____

해답 $F_s = \dfrac{M_r}{M_o} = \dfrac{W \cdot b + P_v \cdot B}{P_A \cdot y} = \dfrac{W \cdot b + 0}{P_A \cdot y}$ (∵ 수동토압 P_v은 무시)

- $P_A = \dfrac{1}{2}\gamma_t H^2 \tan^2\left(45° - \dfrac{\phi}{2}\right)$

  $= \dfrac{1}{2} \times 17.5 \times 5^2 \tan^2\left(45° - \dfrac{30°}{2}\right) = 72.92\text{kN/m}$

  ∴ $M_o = P_A \cdot y = (72.92 \times 1) \times \dfrac{5}{3} = 121.53\text{kN} \cdot \text{m}$

- $M_r = W \times b = W_1 \cdot y_1 + W_2 \cdot y_2 + W_3 \cdot y_3$

  $W_1 = \left(\dfrac{1}{2} \times 2 \times 4\right) \times 24 = 96\text{kN/m}$

  $W_2 = 1 \times 4 \times 24 = 96\text{kN/m}$

  $W_3 = (3 \times 1) \times 24 = 72\text{kN/m}$

  ∴ $M_r = \left[96 \times 2 \times \dfrac{2}{3} + 96 \times (2 + 0.5) + 72 \times 1.5\right] \times 1$

  $= 476\text{kN} \cdot \text{m}$

∴ 안전율 $F_s = \dfrac{M_r}{M_o} = \dfrac{476}{121.53} = 3.92$

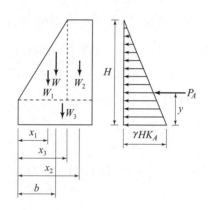

□□□ 08①, 09③, 11②, 16②

23 다음과 같은 모양의 중력식 옹벽을 설치하려고 한다. 흙의 단위중량 $\gamma_t = 17.5\text{kN/m}^3$, 내부 마찰각 $\phi = 31°$, 점착력 $c = 0$, 콘크리트의 단위중량 $\gamma_c = 24\text{kN/m}^3$일 때, 옹벽의 전도 (over turning)에 대한 안전율을 Rankine의 식을 이용하여 계산하시오.
(단, 옹벽전면에 작용하는 수동토압은 무시한다.)

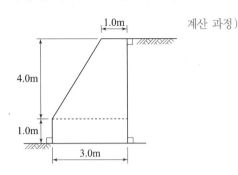

계산 과정)

답 : _____

해답 $F_s = \dfrac{M_r}{M_o} = \dfrac{W \cdot b + P_v \cdot B}{P_A \cdot y} = \dfrac{W \cdot b + 0}{P_A \cdot y}$ (∵ 수동토압 P_v은 무시)

• $P_A = \dfrac{1}{2}\gamma_t H^2 \tan^2\left(45 - \dfrac{\phi}{2}\right)$

$= \dfrac{1}{2} \times 17.5 \times 5^2 \tan^2\left(45° - \dfrac{31°}{2}\right) = 70.02\text{kN/m}$

∴ $M_o = P_A \cdot y = (70.02 \times 1) \times \dfrac{5}{3} = 116.7\text{kN} \cdot \text{m}$

• $M_r = W \times b = W_1 \cdot y_1 + W_2 \cdot y_2 + W_3 \cdot y_3$

$W_1 = \left(\dfrac{1}{2} \times 2 \times 4\right) \times 24 = 96\text{kN/m}$

$W_2 = 1 \times 4 \times 24 = 96\text{kN/m}$

$W_3 = (3 \times 1) \times 24 = 72\text{kN/m}$

∴ $M_r = \left[96 \times 2 \times \dfrac{2}{3} + 96 \times (2 + 0.5) + 72 \times 1.5\right] \times 1$

$= 476\text{kN} \cdot \text{m}$

∴ 안전율 $F_s = \dfrac{M_r}{M_o} = \dfrac{476}{116.7} = 4.08$

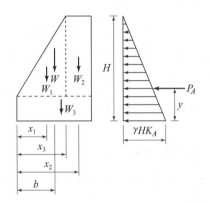

□□□ 94③

24 옹벽시공 시 수축으로 인한 피해를 막기 위해 기초저면 위에서 벽체의 꼭대기까지, 벽의 표면에서 꼭대기까지 설치하는 것으로 폭이 6~8mm, 깊이 12~16mm 정도인 수직줄눈은?

○

해답 수축줄눈(contraction joint)

과년도 예상문제

흙막이공법

□□□ 92④
01 흙막이공의 타이백(앵커) 또는 내부 브레이스에 의한 버팀시스템이 사용될 때 연속수평부재로 쓰이는 버팀형식은?

　ㅇ

────────────────────

해답 띠장(wale)

□□□ 87①
02 중고 H형강을 이용해서 흙막이 등을 할 목적으로 사용하는 말뚝을 무엇이라 하는가?

　ㅇ

────────────────────

해답 엄지말뚝(soldier beam)

□□□ 95①, 98⑤
03 지하굴토공사 시에 토류벽체의 지지방법을 3가지만 쓰시오.

① _____　　② _____

③ _____

해답 ① 자립식(Self type)　② 버팀보(strut)식
　　③ 앵커(anchor)식

□□□ 93③
04 비교적 깊은 기초의 굴착 및 흙막이 공법에서 주로 사용되고 있는 토류벽체의 대표적인 지지방법 2가지를 쓰시오.

① _____　　② _____

해답 ① 버팀보(strut)에 의한 방법
　　② 앵커(anchor)에 의한 방법

□□□ 97④
05 흙막이 공법에는 흙막이벽과 흙막이 지보공이 있다. 그 중 흙막이벽의 종류를 5가지만 쓰시오.

① _____　　② _____

③ _____　　④ _____

⑤ _____

해답 ① Sheet pile벽　② 강관주열벽
　　③ H-pile 토류판벽　④ 주열식 지중연속벽
　　⑤ 벽식 지중연속벽

□□□ 98⑤
06 다음은 널말뚝의 시공방법이다. 시공순서대로 번호를 쓰시오.

① 안내보 설치	② 타입법선의 설정
③ 타입	④ 타입장비의 선정
⑤ 세워 내리기	

　ㅇ

────────────────────

해답 ② → ④ → ① → ⑤ → ③

□□□ 85⑤
07 엄지말뚝 횡널말뚝(soldier beam) 흙막이공과 강관말뚝(steel sheet pile) 흙막이공의 특징을 비교 설명하시오.

가. 엄지말뚝 횡널말뚝 흙막이공의 특징
　① _____　② _____

나. 강관말뚝 흙막이공의 특징
　① _____　② _____

해답 가. ① 공사비가 적게 든다.
　　　② 천공 후에 진동과 소음이 적고 굳은 지반에 설치가 용이하다.
　　나. ① 지수성이 좋다.
　　　② 단면강도가 커서 수평저항력이 크다.

히빙과 보일링 현상

□□□ 85③

08 연약한 점토질 지반을 굴착할 때 토류공 배면에 흙의 중량이 굴착면 이하 지반의 극한지지력보다 크게 되면 배면 토사가 토류공의 내측을 향해서 유동하기 시작하여 이것 때문에 굴착지면이 팽창하는 현상을 무엇이라 하는가?

○ _____

해답 히빙(heaving) 현상

□□□ 93③

09 흙막이공의 파괴원인 중에는 연약점토지반에서 굴착면의 팽출로 인한 (①) 현상과 연약 사질토지반에서 굴착면에 침투수류가 용출하여 급격히 지반파괴가 생기는 (②) 현상이 있다.

① _____   ② _____

해답 ① 히빙(heaving)
　　② 파이핑(piping)

□□□ 96③

10 그림과 같은 널말뚝을 모래지반에 타입하고 지하수위 이하를 굴착할 때의 Boiling을 검토하시오.

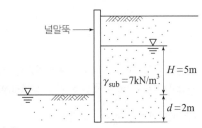

계산 과정)

답 : _____

해답 Boiling이 발생하는 조건

동수경사 $i = \dfrac{H}{H+2d} \geq$ 한계동수경사 $i_{cr} = \dfrac{\gamma_{sub}}{\gamma_w}$

$i = \dfrac{5}{5+2\times 2} = 0.56 < i_{cr} = \dfrac{7}{9.81} = 0.71$

∴ Boiling 현상이 발생하지 않음.

□□□ 88①②, 99⑤

11 아래 그림과 같은 말뚝의 하단을 통하는 활동면에 대한 히빙(Heaving)의 안정율을 구하시오.

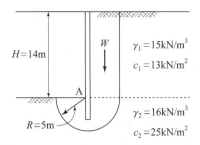

계산 과정)

답 : _____

해답 안정율 $F_s = \dfrac{M_r}{M_d} = \dfrac{c_1 \cdot H \cdot R + c_2 \cdot \pi \cdot R^2}{\dfrac{R^2}{2}(\gamma_1 \cdot H + q)}$

• $M_d = \dfrac{5^2}{2}(15 \times 14 + 0) = 2,625 \,\text{kN} \cdot \text{m}$

　(Heaving을 일으키려는 Moment)

• $M_r = 13 \times 14 \times 5 + 25 \times \pi \times 5^2 = 2,873.5 \,\text{kN} \cdot \text{m}$

　(Heaving에 저항하는 Moment)

　∴ $F_s = \dfrac{2,873.5}{2,625} = 1.09$

□□□ 96⑤

12 다음 그림에서 piping 대책으로 가장 적당한 것은?

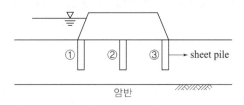

○ _____

해답 ①

□□□ 98③, 08①, 10②

13 다음과 같은 지반에서 점토층의 바닥이 히빙을 일으키지 않는 최대굴착깊이(H)는 얼마인가?

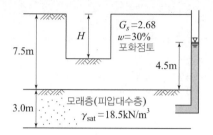

계산 과정)

답 : _____

해답 $H = \dfrac{H_1 \gamma_{\text{sat}} - \Delta h \gamma_w}{\gamma_{\text{sat}}}$

• $H_1 = 7.5\text{m}$

• $e = \dfrac{G_s w}{S} = \dfrac{2.68 \times 30}{100} = 0.804$

• $\gamma_{\text{sat}} = \dfrac{G_s + e}{1 + e}\gamma_w = \dfrac{2.68 + 0.804}{1 + 0.804} \times 9.81 = 18.95\text{kN/m}^3$

• $\Delta h = 4.5\text{m}$

$\therefore \ H = \dfrac{7.5 \times 18.95 - 4.5 \times 9.81}{18.95} = 5.17\text{m}$

□□□ 06①, 08①④

14 그림과 같은 10m 두께의 포화된 점토층 밑에 모래층이 위치한다. 모래층이 수두 6m의 피압을 받고 있을 때 점토층의 바닥이 솟음(heave ing)을 일으키지 않는 최대굴착깊이($H_{\max}$)를 계산하시오.

(단, 점토층의 포화단위중량은 19kN/m³임.)

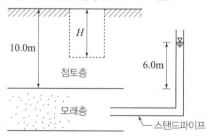

계산 과정)

답 : _____

해답 $H = \dfrac{H_1 \gamma_{\text{sat}} - \Delta h \gamma_w}{\gamma_{\text{sat}}}$

• $H_1 = 10\text{m}$ • $\Delta h = 6\text{m}$

$\therefore \ H = \dfrac{10 \times 19.0 - 6 \times 9.81}{19.0} = 6.90\text{m}$

□□□ 86②

15 지하철 공사를 위하여 지반을 수직으로 굴착하면서 흙막이 벽을 설치하고자 한다. 토질은 견고한 사질토이며, 이러한 지반에 설치한 흙막이벽에 작용하는 토압은 $0.2\gamma H$(γ : 흙의 단위중량, H : 굴착깊이)로 본다고 한다. 다음 시공자료에 따라 흙막이판의 두께를 결정하시오.

(단, 소수 셋째자리에서 반올림하시오.)

┌─── 【시 공 자 료】 ───┐
• 굴착깊이 : 12m
• 엄지말뚝 순간격 : 1.8m
• 흙의 단위중량 : 18kN/m³
• 흙막이 재료 : 미송(허용휨응력 : 10MPa)
└────────────────┘

계산 과정)

답 : _____

해답 • 주동토압 $P_a = 0.2\gamma H = 0.2 \times 18 \times 12 = 43.2\text{kN/m}^2$

• $M_{\max} = \dfrac{P_a l^2}{8} = \dfrac{43.2 \times 1.8^2}{8} = 17.5\text{kN} \cdot \text{m}$

• 허용휨응력 $\sigma_a = 10\text{MPa} = 10{,}000\text{kN/m}^2$

• $\sigma = \dfrac{M}{Z} = \dfrac{6M}{bh^2}$ 에서

$\therefore \ h = \sqrt{\dfrac{6M}{\sigma_a \cdot b}} = \sqrt{\dfrac{6 \times 17.5}{10{,}000 \times 1}} = 0.1025\text{m} = 10.25\text{cm}$

□□□ 94③, 97③

16 그림과 같이 시공되어 있는 널말뚝에서 히빙에 대한 안전을 검토하시오.

(단, 안전율 $F = 1.2$이다.)

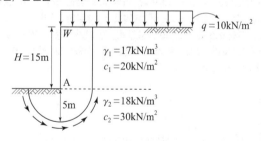

계산 과정)

답 : _____

해답 안전율 $F_s = \dfrac{M_r}{M_d} = \dfrac{c_1 \cdot H \cdot R + c_2 \cdot \pi \cdot R^2}{\dfrac{R^2}{2}(\gamma_1 \cdot H + q)}$

• $M_d = \dfrac{5^2}{2}(17 \times 15 + 10) = 3{,}312.5\text{kN} \cdot \text{m}$

(Heaving을 일으키려는 Moment)

• $M_r = 20 \times 15 \times 5 + 30 \times \pi \times 5^2 = 3{,}856.19\text{kN} \cdot \text{m}$

(Heaving에 저항하는 Moment)

• $F_s = \dfrac{3{,}856.19}{3{,}312.5} = 1.16 < 1.2$ $\therefore$ 히빙의 우려가 있다.

어스 앵커 공법

□□□ 98②, 05①

17 구조물과 지반을 결합시키기 위해 설치되는 앵커(anchor)는 힘의 전달경로를 기준으로 3가지 구성요소를 나누어서 생각할 수 있다. 3가지 구성요소를 쓰시오.

① _____ ② _____

③ _____

해답 ① 앵커체 ② 인장부 ③ 앵커두부

□□□ 92①②

18 널말뚝에 사용되는 앵커(anchor)는 여러 형식이 있다. 3가지만 쓰시오.

① _____ ② _____

③ _____

해답 ① 앵커판(anchor plate)과 앵커보(deadman)
② 타이백(tie back)
③ 수직앵커말뚝
④ 경사말뚝으로 지지되는 앵커보

□□□ 92③

19 널말뚝은 접안구조물이나 버팀대로 받친 토류벽에 많이 이용되는 구조물이다. 이 널말뚝은 재질에 따라 나무널말뚝, 프리캐스트 콘크리트 널말뚝, 강널말뚝 등이 있고 토질조건에 따라 크게 두 가지 타입으로 시공되고 있다. 이 두 가지를 쓰시오.

① _____ ② _____

해답 ① 캔틸레버식 널말뚝(Cantilerver sheet pile)
② 앵커된 널말뚝(Anchored sheet pile)

□□□ 93①, 95①

20 Anchor된 널말뚝의 설계에서 Free–Earth Support와 Fixed Earth Support 두 가지 방법으로 구분하는데, 이 둘은 근본적으로 무엇에 의해 구분하는가?

○ _____

해답 근입깊이

□□□ 92③, 93④, 95④

21 Earth anchor의 지지방식 3가지를 쓰시오.

① _____ ② _____

③ _____

해답 ① 마찰형 지지방법
② 지압형 지지방법
③ 혼합형(복합형) 지지방법

□□□ 99⑤

22 다음 그림과 같은 사질토에 설치된 앵커의 극한저항력을 구하시오.

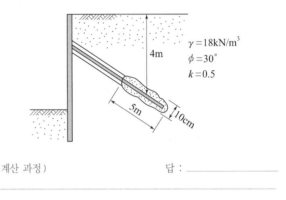

$\gamma = 18\text{kN/m}^3$
$\phi = 30°$
$k = 0.5$

계산 과정) 답 : _____

해답 $P_u = \pi \, dl \, \overline{\sigma_v} \, K_o \tan\phi$
$= \pi \times 0.10 \times 5 \times (18 \times 4) \times 0.5 \times \tan 30° = 32.65\text{kN}$

지하연속벽 공법

□□□ 85③

23 도시 내 공사에서 주로 사용하는 공법으로서 주위의 지반에 진동이나 소음을 주지 않고 시공하는 흙막이공법이다. 이 원리는 벤토나이트(bentonite) 현탁액을 이용하여 지반에 구멍을 뚫고 콘크리트를 연속적으로 시행하여 일련의 백체로 만드는 이 공법은?

○ _____

해답 주열식 지하연속벽공법

□□□ 88③, 92③, 96①

24 지중연속벽 공법의 장점을 4가지만 쓰시오.

① _____ ② _____

③ _____ ④ _____

해답 ① 암반을 포함한 대부분의 지반에서 시공 가능하다.
② 벽체의 강성이 높고, 지수성이 좋다.
③ 영구구조물로 이용된다.
④ 소음진동이 적어 도심지 공사에 적합하다.
⑤ 토지경계선까지 시공이 가능하다.

□□□ 97④

25 Slurry wall 공법의 가장 큰 단점을 3가지 쓰시오.

① _____ ② _____

③ _____

해답 ① 공사비가 고가이다.
② Bentonite 이수처리가 곤란하다.
③ 굴착 중 공벽의 붕괴우려가 있다.
④ 고도의 기술과 경험이 필요하다.

□□□ 88②

26 진동과 소음이 적어서 시가지 공사에 적합하고 벤토나이트 용액을 사용한 흙막이공법은?

○ _____

해답 지중연속벽(Slurry Wall) 공법

□□□ 92④

27 지하연속벽(slurry wall) 공법이 재래식 토류벽공법에 비해 시공상 우수한 점을 3가지만 쓰시오.

① _____ ② _____

③ _____

해답 ① 굴착깊이를 깊게 할 수 있다.
② 영구구조물을 가설구조물로 이용할 수 있다.
③ 도심지나 주변지반의 침하가 예상될 때 유효하다.

□□□ 96①

28 다음은 지하연속벽의 시공공법이다. 시공순서대로 번호를 쓰시오.

① 연결부분의 거푸집 역할 및 차수효과를 위하여 물림관(interlocking pipe, stop end tube)을 설치한다.
② 벤토나이트 안정액 속에 혼합된 부유물과 토사가 바닥에 가라앉아 퇴적된 슬라임(slime)을 제거한다.
③ 전 굴착길이를 5 ~ 6m 정도의 구간(panel)으로 나누어, 벤토나이트 안정액을 주입하면서 굴착한다.
④ 콘크리트 초기경화가 이루어지면(4 ~ 5시간 후) 물림관을 인발한다.
⑤ 트레미관을 이용하여 콘크리트를 타설하고, 떠올라 오는 벤토나이트 용액을 회수한다.
⑥ 클램쉘(clam shell) 굴착기로 굴착할 때 흙이 무너지지 않도록 보호하는 안내벽(guide wall)을 설치한다.
⑦ 철근망을 조립하여 삽입·설치한다.

○ 시공순서 :

_____

해답 ⑥ → ③ → ② → ① → ⑦ → ⑤ → ④

□□□ 92③

29 연속지하벽(slurry wall) 공법의 굴착 시 벽면의 안정을 유지하기 위해 트렌치(trench)에 일정 수위 이상 주입되는 안정액의 주성분은?

○ _____

해답 벤토나이트 용액(Clay Mineral Montmorillonite)

□□□ 92③

30 연속지하벽(Slurry wall) 공법에서 벤토나이트로 채워진 트렌치(Trench)에 콘크리트를 타설할 때 콘크리트와 벤토나이트 안정액이 혼합되지 않도록 어떻게 하는가?

○ _____

해답 트레미관(tremie pipe) 사용

□□□ 93①, 98①

31 오거 로드(auger rod)에 케이싱을 설치하여 굴착하고 물 시멘트비가 100%가 넘는 시멘트 용액을 주입하여 현장토사와 교반혼합하여 지수벽을 만들어 주변침하를 막는 공법으로 최근 도심지 굴착 시 인접건물의 피해(침하)를 막기 위하여 사용하는 공법은?

○

[해답] SCW 공법(soil cement wall method)

□□□ 93④

32 최근 지하철이나 지하상가 굴착 시 고압으로 가압되어진 경화제를 Air jet와 함께 특수 노즐로부터 분산시켜 지반의 토립자를 교반하여 경화제와 혼합시켜 지반 보강과 차수벽 공사에 이용하는 무진동 무소음 공법은?

○

[해답] JSP 공법(jumbo special pile method)

□□□ 94④, 98④

33 지반내에 cement paste를 고압으로 분사시켜 시멘트 고결체를 형성하여 지반보강 및 차수공법으로 지하 토류구조물 공사에 이용되는 공법은?

○

[해답] JSP 공법(Jumbo Special Pile method)

□□□ 93①, 97②

34 연속날개를 붙인 earth auger기로 지중에 구멍을 뚫고 그 구멍에 auger shaft의 선단으로부터 주입 모르타르(preplaced mortar)를 $3 \sim 7 kg/cm^2$ $(0.3 \sim 0.7 MPa)$로 압출하면서 auger를 뽑고 철근을 삽입하여 현장말뚝을 시공하는 방법은?

○

[해답] PIP 공법(packed in place method)

□□□ 94③, 98③

35 연속날개를 붙인 오거로 소정의 깊이까지 굴착을 하고 속이 비어 있는 오거 샤프트 선단에서 프리플레이스트 모르타르를 사출하면서 오거를 끌어 올려 모르타르 말뚝을 만드는 주열식 지하연속벽 공법인 PIP(Packed In Place) 공법의 장점 4가지만 쓰시오.

①　_____　② _____
③　_____　④ _____

[해답] ① 장치가 간단하여 취급이 용이하다.
② 수중시공에도 모르타르의 분리가 없다.
③ 오거(auger)만으로 굴착하므로 소음·진동이 없다.
④ RGA제를 사용하면 부착을 확실하게 한다.
⑤ 연속적으로 시공하여 주열식 흙막이가 지수벽으로 이용한다.

옹벽(retaining wall)

□□□ 94②

36 Rankine 토압과 Coulomb 토압의 가장 큰 차이점을 한 가지씩 쓰시오.

가. Rankine 토압 :

나. Coulomb 토압 :

[해답] 가. 벽 마찰각 무시(소성이론)
나. 벽 마찰각 고려(흙쐐기이론)

□□□ 97③

37 옹벽의 뒤채움(Back fill) 시공 시 토압을 감소시키기 위한 대책을 구체적으로 3가지만 쓰시오.

①　_____　② _____
③　_____

[해답] ① 내부마찰각(ϕ)이 큰 재료를 사용
② 지하수위를 저하시키는 공법 선정
③ 배수대책을 철저히 세움.
④ EPS(발포성 경량 성토재료) 같은 경량재료를 이용

□□□ 91③, 93①, 95①

38 다음 그림과 같은 옹벽에서 사질토가 연직배면에 작용하는 경우 랭킨(Rankine) 토압론에 의해서 주동토압을 구하시오. (단, $\phi=30°$, $\gamma=16kN/m^3$ 포함.)

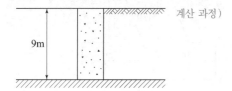

계산 과정)

답 : _____

해답 $P_a = \dfrac{1}{2}\gamma H^2 \tan^2\left(45° - \dfrac{\phi}{2}\right)$

$= \dfrac{1}{2}\times 16\times 9^2 \tan^2\left(45° - \dfrac{30°}{2}\right) = 216kN/m$

□□□ 96②, 98②

39 캔틸레버식 옹벽구조물 설계 시에 고려되어야 할 외력을 3가지 쓰시오.

① _____ ② _____

③ _____

해답 ① 정하중(옹벽의 자중)
     ② 재하중(과재중량)
     ③ 토압

□□□ 97①

40 콘크리트의 옹벽 뒤채움에서의 배수를 위하여 물구멍이나 구멍 뚫린 수발공을 사용하여 적절히 배수시켜야 한다. 일반적으로 사용되는 수발공의 지름과 수발공 1개소가 설치되는 적당한 벽면적을 기록하시오.

가. 지름 :

나. 벽면적 :

해답 가. 지름 : 5~10cm
     나. 벽면적 : 2~3m²

□□□ 98③

41 옹벽은 중력식, 반중력식, 역T형, 부벽식 등의 종류가 있고 건설공사에 많이 시공되어 있다. 그중 부벽식 옹벽에서 부벽을 설치하는 2가지 큰 이유를 쓰시오.

① _____ ② _____

해답 ① 전단력 감소   ② 휨모멘트 감소

□□□ 94③, 96①, 19②, 22③

42 다음 옹벽에서 전도 및 활동에 대한 안정을 검토하시오. (단, 안전율은 모두 2.0 이상이어야 한다.)

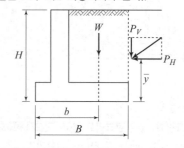

- $c=0$
- W(옹벽자중＋저판위의 흙의 무게)$=240kN/m$
- $P_H = 200kN/m$, $P_V = 100kN/m$
- $B=4m$, $b=2.5m$
- $H=6m$, $\bar{y}=2.0m$
- μ(옹벽저판과 기초와의 마찰계수)$=0.5$

가. 전도에 대한 안정을 검토하시오.

계산 과정)

답 : _____

나. 활동에 대한 안정을 검토하시오.

계산 과정)

답 : _____

해답 가. $F_s = \dfrac{W\cdot b + P_V\cdot B}{P_H\cdot \bar{y}}$

$= \dfrac{240\times 2.5 + 100\times 4}{200\times 2.0} = 2.5 > 2.0$ ∴ 안정

나. $F_s = \dfrac{(W+P_V)\mu + c\cdot B}{P_H}$

$= \dfrac{(240+100)\times 0.5 + 0\times 4}{200} = 0.85 < 2.0$ ∴ 불안정

□□□ 93②, 95①, 97③

43 다음 그림과 같은 역T형 옹벽구조물에서의 주철근 배치를 바르게 나타내시오.

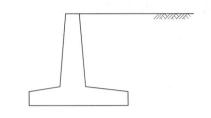

해답

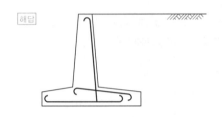

□□□ 95④, 97②

44 다음 그림과 같은 콘크리트 벽이 전도(轉倒)되지 않으려면 폭 B를 얼마 이상으로 하여야 하는가?
(단, 벽의 단위중량은 $23kN/m^3$이다.)

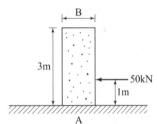

계산 과정)

답 : _____

해답 $M_r \geq M_o$ 조건

- $M_r = (3 \times B \times 1) \times 23 \times \dfrac{B}{2} = 34.5 B^2$
- $M_o = 50 \times 1 = 50 kN \cdot m$
- $34.5 B^2 \geq 50$ 에서 $B = 1.20m$
  ∴ $B \geq 1.20m$

□□□ 92④

45 다음과 같은 하중이 작용하는 옹벽에서 물음에 답하시오.
(단, 옹벽자중은 무시한다.)

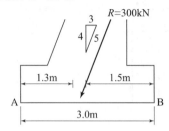

가. 옹벽저면(AB)에 발생한 수직방향의 지반반력의 최대값(σ_1)과 최소값(σ_2)은 각각 몇 kN/m^2인가?

계산 과정)

답 : _____

나. 지반의 허용지지력이 $150kN/m^2$이라면 지지력에 대한 안정여부를 판단하시오.

계산 과정)

답 : _____

해답 가. $\sigma = \dfrac{R_V}{B}\left(1 \pm \dfrac{6e}{B}\right)$

- $R_V = R\cos\phi = 300 \times \dfrac{4}{5} = 240kN$

∴ $\sigma_1 = \dfrac{R_V}{B}\left(1 + \dfrac{6e}{B}\right) = \dfrac{240}{3.0}\left(1 + \dfrac{6 \times 0.2}{3.0}\right) = 112kN/m^2$

∴ $\sigma_2 = \dfrac{R_V}{B}\left(1 - \dfrac{6e}{B}\right) = \dfrac{240}{3.0}\left(1 - \dfrac{6 \times 0.2}{3.0}\right) = 48kN/m^2$

나. $\sigma_a > \sigma_1$: $150kN/m^2 > 112kN/m^2$ ∴ 안정

□□□ 97④

46 보강토 옹벽의 특징 중 장점을 3가지만 쓰시오.

① _____ ② _____

③ _____

해답 ① 전면판과 보강재가 제품화되어 공급하므로 공기가 단축된다.
② 편심하중이 적어 기초처리를 단단하게 할 수 있다.
③ 옹벽의 높이에 제한이 없어 고성토 부분에 사용이 가능하다.
④ 충격과 진동에 강한 구조를 갖는다.
⑤ 가설구조물로서의 이용이 가능하다.

□□□ 89②

47 옹벽의 신축이음의 설치간격은 얼마로 하는가?

○

해답 20m

□□□ 97②, 19①

48 강봉이나 강봉띠 또는 토목섬유 등으로 옹벽에서 흙의 마찰저항을 증가시킬 목적으로 사용되는 공법은?

○

해답 보강토 공법

□□□ 92②, 19①

49 흙의 성질을 보완하기 위하여 흙 속에 흙과는 성질이 다른 아연 도금강, 강섬유(steel filber) 등의 재료를 매립하여 성토자중이나 외력에 대한 안정성을 갖도록 하는 흙막이공법은?

○

해답 보강토 공법

□□□ 90③

50 흙은 다른 토목재료와 달리 외력과 자중에 의해 쉽게 파괴되는 약점이 있는데, 이것을 보강키 위해 흙과 성질이 다른 재료를 넣어 흙의 성질을 새롭게 개량하여 순수한 흙보다 강도가 훨씬 뛰어난 토체가 이루어지게 하는 공법은?

○

해답 보강토 공법(reinforced earth method)

□□□ 93④, 98②

51 보강토 벽은 옹벽, 교대, 방수벽 등에 사용되는 최신 공법으로 높이가 높을수록 경제적인데, 보통 몇 m 이상이면 경제적인가?

○

해답 10 ～ 20m

□□□ 95③

52 보강토 옹벽의 기본요소 3가지를 쓰시오.

① _____ ② _____

③ _____

해답 ① 전면판(skin plate)
② 보강재(strip bar)
③ 뒤채움흙(back fill)

□□□ 21①

53 토압은 일반적으로 구조물의 접촉면에 작용하는 흙의 압력으로 주동토압, 수동토압, 정지토압으로 구분된다. 이 중 정지토압을 받는 구조물의 종류 3가지를 쓰시오.

① _____ ② _____

③ _____

해답 ① 지하구조물
② 교대구조물
③ 박스암거

7 chapter

터널공

☑ 체크	출제경향	출제연도
☐☐☐	01 단면형상에 따른 터널의 종류를 3가지를 쓰시오.	14④
☐☐☐	02 터널 단면에서 최대폭을 형성하는 점중 최상부의 점을 종방향으로 연결하는 선을 무엇이라 하는가?	14②
☐☐☐	03 터널굴착과정에서 발생하는 암석덩어리, 암석조각, 토사 등을 총칭해서 무엇이라 하는가?	14②
☐☐☐	05 Tunnel이 편압으로 이상지압을 받는 경우, 그 대책공법을 3가지 쓰시오.	96②, 98④, 99③
☐☐☐	06 터널을 수치해석으로 설계할 때 3차원적 거동을 2차원으로 해석하기 위하여 사용하는 방법 2가지를 쓰시오.	00⑤, 22①
☐☐☐	07 터널의 막장파괴를 유발할 수 있는 암반의 불연속면 종류 3가지를 쓰시오.	11②
☐☐☐	08 터널 굴착시 여굴(over break)량을 감소시키는 방안 3가지를 쓰시오.	11④, 20①
☐☐☐	09 터널 보강재의 하나인 강지보재의 종류를 3가지 쓰시오.	10②, 14①
☐☐☐	10 터널의 보강공법 중 숏크리트의 기능을 4가지 쓰시오.	00①, 21①
☐☐☐	12 Shotcrete의 Rebound량을 감소시키는 방법을 3가지 쓰시오.	88②, 92③④, 03②, 09④
☐☐☐	13 shotcrete시공시 가장 유의해야할 점 3가지를 쓰시오.	97③
☐☐☐	14 숏크리트의 shotting 방법 중 건식 방법의 단점을 3가지 쓰시오.	98①, 94③, 04①, 07①, 09②, 18②
☐☐☐	15 숏크리트(shotcrete)에서 건식법의 특징을 3가지 쓰시오.	09②
☐☐☐	17 숏크리트 타설시 뿜어붙일 면에 대한 사전처리 작업을 3가지 쓰시오.	96③, 02①
☐☐☐	18 숏크리트 타설시 암석의 이완을 신속히 차단시킬 조강제의 종류를 3가지 쓰시오.	96①, 99①, 01④
☐☐☐	19 숏크리트 공법의 장점을 4가지 쓰시오.	11②
☐☐☐	20 숏크리트 작업에서 뿜어붙일 면에서 용수 대책을 3가지 쓰시오.	13②
☐☐☐	21 터널공사에서는 터널측면에 본바닥의 아치를 형성시켜 주는 공법은?	87③, 93③, 95⑤, 21①
☐☐☐	23 Rock bolt의 기능을 3가지 쓰시오.	04②, 16①
☐☐☐	24 터널 보강재인 록볼트의 정착형식을 3가지 쓰시오.	00⑤, 08②, 10①, 21③
☐☐☐	25 막장에서 보조재를 삽입하여 막장 천단의 지지와 원지반의 이완방지를 위하여 설치하는 것은?	12①
☐☐☐	26 숏크리트와 록볼트 공법을 제외한 보조공법의 종류를 4가지 쓰시오.	05④

✔ 체크	출제경향	출제연도
☐☐☐	27 용수대책으로 차수공법 또는 배수공법을 쓰게 되는데 차수공법의 종류 3가지	02③, 05④
☐☐☐	28 막장면의 용수에 의해 대규모 붕괴사고를 유발하게 되는 용수대책공법 4가지	03④, 07④
☐☐☐	29 터널의 막장 안정을 위한 보조 공법을 4가지 쓰시오.	98③, 00③, 01①, 20③
☐☐☐	30 터널의 천단 안정공법을 3가지 쓰시오.	12②
☐☐☐	31 배수 터널의 장점과 단점 각각 2가지씩 쓰시오.	98②, 00③
☐☐☐	32 비배수형 터널의 단점을 3가지 쓰시오.	12①
☐☐☐	33 파일럿 터널을 시공하는 주목적을 3가지 쓰시오.	93③, 97②
☐☐☐	37 터널 및 지하 구조물 굴착의 보조공법으로 Roof로 하고 지보 역할도 할 수 있도록 하는 굴착 공법은?	95③, 97②
☐☐☐	38 pipe messer 공법의 장점을 4가지 쓰시오.	98①
☐☐☐	39 TBM공법의 단점을 3가지 쓰시오.	13②
☐☐☐	40 TBM공법의 장점을 3가지 쓰시오.	86①, 13④
☐☐☐	44 연약지반이나 대수층 지반에 있어서의 터널공법으로 개발된 것으로 최근 도시 터널시공 등에 이용되는 공법은?	89①, 93②, 96②, 97④
☐☐☐	45 NATM 터널에서 1차 지보재의 종류를 3가지 쓰시오.	95⑤, 98④, 99①, 04①, 09④, 12④
☐☐☐	46 막장면 안정공법 3가지와 지하수처리대책공법 3가지를 쓰시오.	15②
☐☐☐	47 터널굴착식 여굴이 발생하는 원인을 3가지 쓰시오.	17①, 18②
☐☐☐	48 터널 공사 시 일상적인 계측(A계측) 항목 3가지를 쓰시오.	94②, 00④, 07①, 09①, 10④
☐☐☐	49 NATM의 계측항목 중 주변 지반의 안정, 설계 형태의 적정 등의 판단 자료로 할 수 있는 것은?	02①
☐☐☐	50 Tunnel의 환기 방식 3가지를 쓰시오.	00②
☐☐☐	51 록볼트 인발시험의 목적 2가지를 쓰시오.	18①, 22①

07 터널공

경춘선 터널

기억해요
단면형상에 따른 터널의 종류를
3가지 쓰시오.

01 터널

터널(tunnel)이란 지표 하에 통로나 공간으로 이용할 수 있도록 지하 또는 산을 뚫어 축조한 구조물

1 터널의 종류

터널의 단면은 시공목적과 지질조건을 고려하여 외압에 경제적으로 대응할 수 있는 형상을 선택해야 한다.

(1) 단면형상(평면) 및 선형(종단)에 따른 터널의 종류

① 원형터널 : 수압이나 토압을 많이 받는 압력터널로 원형인 터널
② 구형터널 : 도로, 수로 등의 개착식 터널로 구형(사각형)인 터널
③ 마제형터널 : 철도 및 도로터널에 주로 사용되는 사다리꼴형인 터널
④ 직선터널 : 터널의 전 구간이 직선인 터널
⑤ 곡선터널 : 도로, 철도, 수로 등의 곡선 내에 설치된 터널

(2) 사용목적에 따른 터널의 종류

① 철도터널 : 철도 및 지하철
② 도로터널 : 도로(고속도로)
③ 수로터널 : 배수로, 용수로, 수력발전
④ 광산터널 : 광석채취
⑤ 지하저장터널 : 공장, 격납고, 상가, 원유저장

(3) 위치에 따른 터널의 종류

① 산악터널 : 산악지역을 통과하는 터널
② 하저터널 : 하천 하부를 통과하는 터널
③ 도시터널 : 시가지 내 지하를 통과하는 터널
④ 해저터널 : 섬과 육지, 섬과 섬사이를 해저로 통과하는 터널

(4) 갱문형에 따른 터널의 종류

① 문형갱문형터널
② 원통절개형터널
③ 벨 마우스(bell mouth)형 터널

2 지질구조

(1) 습곡 Fold

지각에 작용하는 횡압력으로 생긴 세로방향의 지층주름으로 이 부분의 지질은 복잡하고 불안정하다.

(2) 단층 Fault

지각변동으로 지층이 끊어져 어긋난 것으로 대부분 파쇄대로 되어 있어 지하수 누출이나 낙반사고가 발생한다.

(3) 애추 Talus cone

풍화작용으로 경사진 산기슭에 바위 부스러기가 쌓여 퇴적한 곳으로 몹시 불안정한 지층이다.

(4) 단층지대 fault zone

지각변동의 한 현상으로 지구 내부에서 움직이는 힘의 영향을 받을 때에 양쪽 토지가 한쪽은 가라앉고, 한쪽은 솟아서 생기는 지층이다.

(5) 암반의 불연속면

모든 암반 내에 존재하는 절리(joint), 퇴적암에 존재하는 층리(bedding), 변성암에 존재하는 편리(schistosity), 대규모 지질구조와 관련된 단층과 파쇄대 등 암반 내에 있는 연속성이 없는 면을 암반의 불연속면(discontinuities in rock mass)이라 한다.

기억해요
암반의 불연속면 종류를 3가지 쓰시오.

3 이상지압 異常地壓

이상지압이 발생하게 되면 동바리공이나 콘크리트 복공이 변형될 경우에 파괴되기도 한다. 이상지압의 원인으로는 편압(偏壓), 본바닥의 팽창, 잠재응력(潛在應力)의 해방 등이 있다.

(1) 편압 偏壓

터널의 토피가 얕고 지형이 급경사인 경우에 생기기 쉬우며 대책공법으로 다음과 같다.
① 압성토
② 보호 절취
③ 갱구 부근에서 복공콘크리트의 시공

(2) 본바닥의 팽창

지질이 벤토나이트, 연암, 사문암 등일 때, 이들이 급속하게 풍화되어 생긴다.

(3) 잠재응력의 해방

지압이 과대하고 터널 내부 저항응력이 적으면 발생하는데, 터널 내의 경암이 돌연 빠져나오는 붕괴현상이다.

기억해요
편압이 발생해서 동바리공이나 콘크리트 복공이 변형 또는 파괴될 수 있는데 이에 대한 대책을 2가지만 쓰시오.

압성토   보호절취   복공 콘크리트(갱구부)

편압에 대한 대책공법

4 터널의 수치해석 설계

(1) 개요

터널의 수치해석으로 설계할 때 수치해석에 필요한 단순화하는 대부분 3차원 모형을 2차원 모형으로 축소시키는 일이다. 지반강성과 지반응력을 2차원 모형 안에서 3차원의 효과를 만들어 내는 매개변수로 사용한다.

(2) 3차원적 거동을 2차원적으로 해석하는 방법

① 응력분배법(stress distribution method)

막장으로부터 종축방향으로 떨어진 위치에 따라 종방향 아치효과가 변화하는 경향을 반영하기 위하여 2차원 해석의 각 해석단계를 3차원 터널 축상의 각 위치와 대응시켜 해석단계별로 굴착에 의하여 발생하는 응력을 분해하여 적용하는 방법

기억해요
터널을 수치해석할 때 3차원적 거동을 2차원으로 해석하기 위해 사용하는 방법을 2가지 쓰시오.

② 강성변화법(stiffness variation method)

터널굴착 시 주변응력의 3차원 배열은 강성과 직접관계 된다고 보고 굴착단계별로 강성을 변화시키면서 응력분배와 같은 효과를 내는 방법

③ 점탄성 해석법(visco-elastic analysis method)

지반재료 모델에 따른 시간의존적 변형특성을 고려하여 해석하는 방법

| 터널 |

01 핵심 기출문제

□□□

□□□ 14④

01 단면형상에 따른 터널의 종류를 3가지만 쓰시오.

득점	배점
	3

①_____ ②_____ ③_____

해답 ① 원형터널
② 구형터널
③ 마제형터널
④ 직선터널
⑤ 곡선터널

□□□ 14②

02 터널에 대한 아래 표의 내용에서 ( ) 안에 적합한 용어를 쓰시오.

득점	배점
	3

> 터널단면에서 최대폭을 형성하는 점 중 최상부의 점을 종방향으로 연결하는 선을 (①)(이)라고 하며 터널굴착과정에서 발생하는 암석덩어리, 암석조각, 토사 등을 총칭해서 (②)(이)라고 한다.

①_____ ②_____

해답 ① Spring line
② 버력(muck)

□□□ 96②, 99③

03 Tunnel이 편압(偏壓)으로 이상지압(異常地壓)을 받는 경우, 그 대책공법 3가지를 설명하시오.

득점	배점
	3

①_____ ②_____ ③_____

해답 ① 압성토
② 보호 절취
③ 갱구 부근의 복공콘크리트 시공

□□□ 00⑤, 22①

04 터널을 수치해석으로 설계할 때 3차원적 거동을 2차원으로 해석하기 위하여 사용하는 방법을 2가지만 쓰시오.

득점	배점
	3

① _____ ② _____

해답 ① 응력 분배법
② 강성 변화법
③ 점탄성 해석법

□□□ 11②

05 터널의 막장파괴를 유발할 수 있는 암반의 불연속면 종류를 3가지만 쓰시오.

득점	배점
	3

① _____ ② _____ ③ _____

해답 ① 절리
② 층리
③ 편리
④ 단층

02 숏크리트 및 록볼트

1 숏크리트 shotcrete

뿜어붙이기 콘크리트(shotcrete) 공법은 콘크리트나 모르타르가 호스를 통하여 분사되면서 시공면에 압축공기에 의하여 고속으로 타설되는 것을 말한다.

(1) 숏크리트 공법의 특징

① 광범위한 지질에 적용한다.
② 시공기계는 소형이고 이동성이 풍부하다.
③ 본바닥이 불안하고 용수가 많은 경우에는 부적당하다.
④ 콘크리트 두께는 자유롭게 조절되므로 그대로 2차 복공이 가능하다.
⑤ 터널굴착 후 3~4시간 안에 매끈한 내벽을 완성하고 벽면 전체를 지지시킬 수 있다.

(2) 숏크리트 공법의 장단점

기억해요
숏크리트 공법의 장점을 4가지 쓰시오.

장점	단점
• 거푸집이 필요 없다. • 급속시공이 가능하다. • 급결제의 첨가로 조기강도의 발현이 가능하다. • 임의 방향에서 시공이 가능하다. • 협소한 장소나 급경사면 장소에서 시공이 가능하다. • 비교적 소형기계로 시공할 수 있어 이동이 간단하다.	• 숙련된 노즐(nozzle)공이 필요하다. • 수밀성이 결여된다. • 수축균열이 생기기 쉽다. • 표면이 거칠다. • 건식의 경우, 시공 중 분진이 발생한다. • 반발 등에 의한 재료손실이 크다. • 뿜어붙인 면에 용수가 있을 때는 부착이 곤란하다.

(3) 숏크리트 공법의 종류

① 습식공법 : 전부의 재료를 압착공기와 스크류에 의하여 토출시키는 방법
② 건식공법 : 물 이외의 재료에 압착공기를 보내어 노즐(nozzle)로 물과 합류시켜 뿜어붙이기를 하는 방법

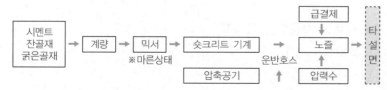

기억해요
숏크리트의 건식방법의 단점을
3가지 쓰시오.

■ **숏크리트의 특징(장단점)**

구분	숏크리트 습식법	숏크리트 건식법
장점	• 반발량이 적다 • 분진발생이 적다. • 품질관리가 양호하다.	• 장거리 수송이 가능하다. • 장비가 소형으로 작업공간이 작다. • 재료공급에 제한을 덜 받는다.
단점	• 장거리 압송에 부적합하다. • 재료의 공급에 제한을 받는다. • 장비가 대형으로 작업공간이 크다.	• 반발량이 많다. • 분진발생이 많다. • 작업원의 숙련도에 품질이 좌우 된다.

⑷ **숏크리트의 기능**

① 원지반의 이완방지

② 요철부를 채워 응력집중을 방지

③ 콘크리트 arch로서 하중분담

④ 암괴의 붕락방지

⑤ 굴착면의 풍화방지

기억해요
터널보강재인 숏크리트가 갖추어야
할 요건 4가지를 쓰시오.

⑸ **숏크리트가 갖추어야 할 요건**

① 조기에 필요한 강도 발휘

② 높은 수밀성을 가질 것

③ 반발(rebound)률 및 분진발생량 최소화

④ 지반과의 충분한 부착성과 내구성 확보

⑤ 평활한 굴착면을 확보하여 방수 및 배수시공의 용이성 확보

■ **숏콘크리트의 일반 사항**

기억해요
rebound량을 감소시키는 방법을
3가지 쓰시오.

rebound율을 감소시키는 방법	숏콘크리트의 배합결정 시 검토사항
• 벽면과 직각으로 분사시킨다. • 압력을 일정하게 한다. • 조골재를 13mm 이하로 한다. • 시멘트량을 증가시킨다. • 분사부착면을 거칠게 한다.	• 소요의 강도를 가질 것 • rebound량을 최소로 할 것 • 부착성이 좋을 것 • 호스(hose)의 막힘이 없을 것 • 용수의 상황에 적합할 것

⑹ **숏크리트에 사용되는 조강제**

① 염화칼슘($CaCl_2$)

② 탄산소다(Na_2CO_3)

③ 수산화알루미늄($Al(OH)_3$)

④ AE제, AE감수제, 급결제

(7) 뿜어붙일 면에 대한 사전처리 작업

① 적당한 습윤상태로 유지한다.

② 벽면은 될수록 평면이 되도록 마무리한다.

③ 뿜어붙이기 전에 흙, 부석 등 청소를 한다.

④ 뿜기면의 용수는 배수처리한다.

기억해요
숏크리트 타설 시 뿜어붙일 면에 대한 사전처리작업을 3가지 쓰시오.

(8) 숏크리트 굴착면의 용수처리방법

① 배수파이프나 배수필터를 설치하여 배수처리 : 용수되는 장소에 PVC 배수파이프를 설치한 후 숏크리트를 타설하고 용수는 배수파이프를 통하여 배수처리함.

② 시멘트량이나 급결제 사용량의 증대로 배합 변경 : 부배합 및 급결제 사용 등 배합의 변경으로 콘크리트 강도를 증가시키고 콘크리트를 급결시킴.

③ 건식 숏크리트공법으로 용수지반에 뿜질하여 용수를 흡수 : 먼저 건식 숏크리트를 용수지반에 뿜칠하여 용수를 흡수시킴.

④ 부분적으로 용수가 있을 때는 염화비닐파이프, 비닐호스 등으로 용수처리 하면서 뿜어붙임 : 일정한 위치에 따라 염화비닐파이프, 비닐호스 등을 설치한 후 숏크리트를 타설하고 용수는 이 파이프 등을 통하여 유도배수함.

기억해요
숏크리트 작업에서 뿜어붙일 면에 용수(지하수)가 있을 경우 대책을 3가지 쓰시오.

2 록볼트 rock bolt

암반의 이완부분부터 경암까지 볼트를 고정시켜 암반의 탈락을 방지하고 터널공사에서는 터널측면에 본바닥의 아치를 형성시켜 주는 공법을 록볼트라 한다.

(1) 록볼트의 기능과 효과

기억해요
터널 보강공사에 많이 쓰이는 록볼트의 기능을 3가지 쓰시오.

기 능	효 과
① 봉합작용	굴착으로 인한 이완암괴를 원지반에 봉합시켜 주는 작용
② 내압작용	굴착으로 인해 2축 응력상태를 록볼트 인장력으로 3축 응력상태로 구속시켜 주는 작용
③ 아치형성작용	록볼트 개개의 내압작용과 시스템록볼트 간 일체화로 굴착면 주변지반에 내하력이 큰 아치를 형성하는 작용
④ 보형성작용	터널 주변에 층을 이루고 있는 지반의 절리면을 록볼트로 조여 주므로 절리면의 전단력 전달이 가능하게 합성보로 거동하게 하는 작용
⑤ 지반보강작용	록볼트에 의해 지반의 전단저항 능력이 증대, 지반의 내하력이 증대되는 작용

기억해요
록볼트의 정착형식을 크게 3가지로
분류하시오.

(2) 록볼트의 정착형식

종 류	방 법	적용범위
① 선단정착형	• 쐐기(wedge)형 • 신축형 • 접착형	절리 또는 균열발달이 비교적 적은 경암 또는 보통암 층에서 일부 사용
② 전면접착형	• 레진형 • 충전형 • 주입형	경암, 보통, 연암, 토사 원지반에서 팽창성 원지반까지 적용
③ 혼합형	• 확장형+시멘트 밀크형 • 수지형+시멘트 밀크형	팽창성 원지반 또는 프리스트레스를 도입하는 경우 유효
④ 마찰형	swellex형, split set형	swellex형 볼트는 천공한 구멍에 삽입하고 높은 압력의 볼트를 팽창시키면 천공경과 같은 크기로 탄성팽창을 하여 주변지반이 수축한다.

(3) 록볼트의 인발시험

록볼트를 시공 후, 시공한 록볼트가 지반과 일체로 되어 있는 것을 확인하기 위해서, 또 그 내하력이나 변위량을 조사하기 위하여 행하는 시험으로 록볼트 인발시험의 목적은 다음과 같다.

① 지반과 록볼트의 정착력을 알기 위해서
② 록볼트의 파단강도를 알기 위해서
③ 록볼트와 충전재의 부착강도를 알기 위해서

| 숏크리트 및 록볼트 |

02 핵심 기출문제

☐☐☐ 예상문제

01 터널을 굴착하면 주변의 원지반은 이완되고 시간의 경과에 따라 이완의 범위가 넓어지고 경우에 따라 붕괴도 된다. 따라서 터널을 굴착하면 원지반의 이완을 막기 위해 동바리공이나 콘크리트 복공을 한다. 이때 원지반이 이완되기 전에 원지반에 시공하는 동바리공 역할을 하는 것은 무엇인지 2가지만 쓰시오.

득점	배점
	3

① _____ ② _____

해답 ① 록볼트 ② 숏크리트

☐☐☐ 00①, 21①

02 터널의 보강공법 중 숏크리트의 기능을 4가지만 쓰시오.

득점	배점
	3

① _____ ② _____

③ _____ ④ _____

해답 ① 원지반의 이완방지 ② 요철부를 채워 응력집중을 방지
③ 콘크리트 arch로서 하중분담 ④ 암괴의 붕락방지
⑤ 굴착면의 풍화방지

☐☐☐ 09②

03 터널보강을 위한 숏크리트(shotcrete)에서 건식법의 특징을 3가지만 쓰시오.

득점	배점
	3

① _____ ② _____ ③ _____

해답 ① 분진발생이 많다.
② 반발(rebound)량이 많다.
③ 작업원의 숙련도에 품질이 좌우된다.

☐☐☐ 00⑤, 08②, 10①, 15②, 21③

04 록볼트의 정착형식은 크게 3가지로 구분할 수 있는데, 이 3가지를 쓰시오.

득점	배점
	3

① _____ ② _____ ③ _____

해답 ① 선단정착형 ② 전면접착형 ③ 혼합형

□□□ 00④

05 터널보강재인 숏크리트(shotcrete)가 갖추어야 할 요건 4가지를 쓰시오.

득점	배점
	3

① _____ ② _____

③ _____ ④ _____

해답 ① 조기에 필요한 강도 발휘
② 높은 수밀성을 가질 것
③ 반발(rebound)률 및 분진발생량 최소화
④ 지반과의 충분한 부착성과 내구성 확보
⑤ 평활한 굴착면을 확보하여 방수 및 배수시공의 용이성 확보

□□□ 88②, 92③④, 03②, 09④

06 NATM 공법에 있어서 Shotcrete의 Rebound량을 감소시키는 방법 3가지만 쓰시오.

득점	배점
	3

① _____ ② _____ ③ _____

해답 ① 벽면과 직각으로 분사시킨다. ② 분사압력을 일정하게 한다.
③ 조골재를 13mm 이하로 한다. ④ 단위시멘트량을 증가시킨다.
⑤ 분사부착면을 거칠게 처리한다.

□□□ 94③, 98①, 04①, 07①, 09②, 18②

07 숏크리트의 shotting 방법은 건식방법과 습식방법이 있다. 그중 건식방법의 단점을 3가지만 쓰시오.

득점	배점
	3

① _____ ② _____ ③ _____

해답 ① 분진발생이 많다. ② 반발(rebound)량이 많다. ③ 작업원의 숙련도에 품질이 좌우된다.

□□□ 96③, 02①, 20④

08 숏크리트 타설 시 뿜어붙일 면에 대한 사전처리작업을 3가지만 쓰시오.

득점	배점
	3

① _____ ② _____ ③ _____

해답 ① 적당한 습윤상태를 유지한다.
② 벽면은 될수록 평면이 되도록 마무리한다.
③ 뿜어붙이기 전에 흙, 부석 등 청소를 한다.
④ 뿜기면의 용수는 배수처리한다.

□□□ 96①, 99①, 01④

09 숏크리트(shotcrete) 타설은 암석의 이완을 신속히 차단시켜야 되므로 조기강도가 중요하다. 이때 사용되는 조강제의 종류를 3가지만 쓰시오.

득점 | 배점
3

① _____ ② _____ ③ _____

[해답] ① 염화칼슘($CaCl_2$)
② 탄산소다(Na_2CO_3) : sodium carbonite
③ 수산화알루미늄($Al(OH)_3$) : sodium alluminate
④ AE제, AE감수제, 급결제

□□□ 11②

10 터널(경사갱, 수직갱 포함)이나 큰 공동구조물의 라이닝, 비탈면, 법면 또는 벽면의 풍화나 박리·박락의 방지 등에 사용하고 있는 숏크리트 공법의 장점에 대하여 4가지를 쓰시오.

득점 | 배점
3

① _____ ② _____
③ _____ ④ _____

[해답] ① 거푸집이 필요 없다.
② 급속시공이 가능하다.
③ 광범위한 지질에 적용된다.
④ 협소한 장소 및 급경사면의 시공이 가능하다.
⑤ 급결제의 첨가에 의하여 조기에 강도를 발휘시킬 수 있다.

□□□ 04②, 20②

11 터널 보강공사에 많이 쓰이는 rock bolt의 기능을 3가지만 쓰시오.

득점 | 배점
3

① _____ ② _____ ③ _____

[해답] ① 봉합효과　② 보형성효과　③ 내압효과　④ 아치형성효과　⑤ 지반보강효과

□□□ 13②

12 숏크리트 작업에서 뿜어붙일 면에 용수가 있을 경우에 대한 대책을 3가지만 쓰시오.

득점 | 배점
3

① _____ ② _____ ③ _____

[해답] ① 배수파이프나 배수필터를 설치하여 배수처리
② 시멘트량이나 급결제 사용량의 증대로 배합 변경
③ 건식 숏크리트공법으로 용수지반에 뿜질하여 용수를 흡수
④ 부분적으로 용수가 있을 때는 염화비닐파이프, 비닐호스 등으로 용수를 처리하면서 뿜어붙인다.

03 터널 굴착방법 ☐☐☐

1 터널 굴착공법

(1) 전 단면 굴착공법

도갱을 하지 않고 점보 드릴을 사용하여 전단면을 한꺼번에 굴착하는 공법으로 지질이 안정되어 있는 지반에 이용된다.

(2) 상부반단면 선진공법

상부반단면의 굴착을 먼저 하고 하부반단면은 벤치컷(bench cut)으로 굴착하는 방식으로 지질이 비교적 양호하고 용수량이 적으며 짧은 터널에 적합하다.

(3) 저설도갱 선진링 굴착공법

터널공법 중 도갱을 선진(先進)시켜 용수의 확인을 한 다음 Ring상으로 굴착, 동바리공, 복공을 행하는 공법

(4) 측벽도갱 선진링 공법 Side pilot tunneling method

작업능률은 낮으나 지질이 불량하여 큰 지압이나 대용수가 예상될 때 적합한 공법으로 양측벽에 따라 도갱굴착, 측벽 콘크리트 치기, 나머지 구간 굴착 순으로 시공하는 공법

(5) 링컷 공법 Ring Cut Method

상부반단면을 일시에 굴착하면 막장이 붕괴할 우려가 있을 때 우선 링상으로 부분 굴착을 하여 여기에 강아치 동바리공을 세워 지지시키고 그 후에 굴진하는 굴착공법

(6) 선진도갱 공법 pilot method

본터널을 시공하기 전에 본터널에서 약간 떨어진 곳에 선진시키는 도갱을 먼저 굴착해 놓고 여기서부터 연락도갱을 굴착하여 본터널을 완성시키는 방법이다.

■ 파일럿 공법의 역할
① 지질 조사
② 본터널의 부분 굴착
③ 재료 운반
④ 환기, 배수 등 본터널의 굴진을 촉진시키는 데 큰 보조적 역할을 한다.

(7) 벤치 컷 공법 Bench cut method

상부와 하부를 동시에 굴진시키는 벤치컷 공법은 먼저 상부반단면을 굴착하면서 곧 하부반단면을 굴착하는 공법

■ 벤치컷 공법의 종류

종별	벤치 길이	적용
① 롱벤치컷 (long bench cut)	50m 이상	원지반이 안정되고 초기에 인버트 폐합이 불필요한 경우
② 숏벤치컷 (short bench cut)	10m ~ 35m	발파방식이나 기계방식 어느 경우에도 적용가능
③ 미니벤치컷 (mini bench cut)	2m ~ 터널지름	인버트 조기폐합 천단침하 방지가 필요한 토사터널을 억제할 경우
④ 다단벤치컷 (multi bench cut)		보통의 벤치컷 공법으로 막장이 자립되지 않는 경우

2 특수터널 공법

(1) 침매공법 immersed tunnel method

수저(水底) 또는 지하수면 하에 터널을 굴착하기 위하여 시행하는 공법이다. 즉, 터널의 일부를 케이슨형으로 육상에서 제작하여 이것을 물에 띄워 부설현장까지 예항(曳航)하고, 소정의 위치에 침하시켜서 기설부분과 연결한 후 되메우기한 다음 속의 물을 빼서 수중터널을 구축하는 공법이다.

장점	단점
• 수심이 매우 깊은 곳에도 시공이 가능하다. • 단면형상이 비교적 자유롭고 큰 단면으로 할 수 있다. • 육상에서 제작하므로 신뢰성이 높은 터널 본체를 만들 수 있다. • 수중에 설치하므로 자중이 적고 연약지반 위에서도 쉽게 시공할 수 있다.	• 유속이 빠른 곳에는 강력한 작업기계가 필요하다. • 협소한 장소의 수로나 항행선박이 많은 곳은 장해가 생긴다. • 수저에 암초가 있을 경우는 터널을 놓기 위한 트렌치 굴착이 곤란하다. • 침매할 예인을 위하여 최소수심을 확보해야 한다.

(2) 메서공법 messer method

터널 형상에 따라 조합한 특수강판(messer : 흙 물막이판)을 특수잭으로 1매씩 본바닥에 매입시켜서 특수강판으로 둘러싼 공간을 안전하게 굴착 및 동바리공을 조립하여 작업을 할 수 있는 공법이다.

(3) 파이프 루프 공법 Pipe Roof method

터널 및 지하구조물을 만들 때의 보조공법으로서 굴착단면 외주를 따라 파이프(주로 강관)를 압입하여 단면형상에 맞춘 루프(Roof)를 형성하여 굴착으로 인한 지반의 느슨함과 지표면의 변형을 억제시키면서 내부단면을 안전하게 굴착한 후 콘크리트를 타설하여 구조물을 축조하는 무공해 공법으로 이 공법의 장점은 다음과 같다.

① 지표면 침하를 억제한다.
② 무소음 무진동 공법이다.
③ 모든 지반에 적용 가능하다.
④ 강관은 수평, 경사, 연직 방향으로 설치할 수 있다.

(4) 파이프 메서 공법 Pipe Messer method

터널 단면에 따라 설치한 강재지보공에 Messer를 병렬배열하고 유압Jack으로 1매씩 압입시키면서 굴착하고 후미에서는 흙막이판을 설치하면서 굴진하는 공법이다.

① 장비가 소형이다.
② 시공속도가 빠르다.
③ 굴착면의 침하를 최소화한다.
④ 무소음, 무진동, 무공해 공법이다.
⑤ 작업원이 안전하게 작업할 수 있다.

3 기계 굴착공법

(1) TBM 공법 tunnel boring machine method

핵심용어
TBM 공법

화약을 사용하여 암석을 발파해 터널을 굴착하는 방법이 아니고, 커터(cutter)에 의하여 암석을 압쇄(壓碎) 또는 절삭하여 터널을 굴착하는 방법이다.

① 로빈스형(Robins type) T.B.M : 디스크 커터(disk cutter)라 부르는 주판알과 같은 독자적인 커터를 다수 붙인 1장의 대원반을 막장면에 눌러 회전하면서 커터 쐐기력으로 압면을 갈면서 전단파괴하는 것으로 압축강도 $1,000 \sim 1,500 kg/cm^2$ 점의 암석에 적합한 기계

② 월마이형(Wohl meyer type) TBM : 막장면에 있는 암석을 커터로 눌러 암석을 절삭하는 것으로 압축강도 $700 \sim 800 kg/cm^2$ 정도까지의 연암에 적합한 기계

■ TBM 공법의 장단점

장점	단점
• 갱내작업이 안전하다. • 노무비가 절약된다. • 버력반출이 용이하다. • 여굴이 적다 • 진동이나 소음이 적다. • 동바리공, 복공, 환기의 처치가 경감된다.	• 본바닥 변화에 대하여 적응이 곤란하다. • 굴착단면의 형상에 제한을 받는다. • 기계조작에 전문인력이 필요하다. • 기계를 현장에 반입·반출이 어렵다. • 설비투자액이 고가이므로 초기투자비가 많이 든다. • 1km 이하의 굴착에는 비경제적이다.

(2) 로드 헤더 공법 Load header method

① 연약암반층의 굴진향상을 위한 기계로 telescopic boom은 유압실린더에 의해 상하좌우로 Boom대를 자유로이 이동시켜 굴착하는 공법

② TBM 공법에 비해 소형, 경량이며, 기동성이 뛰어나고 여러 형태의 단면적에도 시공이 가능하며, 비교적 저렴하다.

(3) 빅 존 공법 big zone method

마사토에서 중경암에 이르기까지 굴착이 가능한 강력한 백호식 굴삭기가 전방에 있고 버력 적재설비가 후방에 부착되어 있는 실드의 일종이다.

(4) TBE 공법 tunnel boring enlarging machine method

① TBE 공법이란 최신의 굴착장비인 TBM으로 대단면의 터널을 굴진할 때 소단면의 pilot갱을 선진도갱하여 굴착한 후 확대굴착기(TBE)로 필요 단면을 굴착해 나가는 공법이다.

② 국내 공사 적용은 남산 1호 쌍굴 건설공사에서 터널 굴착단면의 11.3m의 대단면 굴착공사로 $\phi 4.5m$ pilot 터널 굴착 후 $\phi 11.3m$ 확대 굴착하였다.

(5) 실드공법 shield method

① 강제의 원통을 땅속으로 압입하여 막장의 토사를 밀면서 앞부분을 전진시키고, 후방에서 조립된 아치를 1차 라이닝으로 하는 터널 굴진공법이다.

② 용수를 동반하는 연약지반에 터널을 만들기 위한 공법으로 본래는 하천, 바다 밑 등의 연약지반이나 대수층지반에 있어서의 터널공법으로 개발된 것으로 최근 도시터널시공 등에 이용되는 공법이다.

핵심용어
로드 헤더 공법

4 NATM New Austrian Tunneling Method

NATM은 터널을 뚫기 위하여 발파 직후 뿜어붙이기 콘크리트와 록볼트와 가축성 동바리공을 병용하여 암반의 응력을 측정하면서 터널을 굴진해 가는 터널 굴착공법이다.

(1) 시공순서

천공 – 발파 – 환기 – 버력처리 – 숏크리트(shotcrete) – 록볼트 – 계기측정

(2) NATM 공법의 이점

① 암반의 이완을 최소로 억제한다.
② 복공과 원지반 사이에 공극이 없으므로 복공강도가 증대된다.
③ 지표면의 침하가 억제된다.
④ rock bolt와 shotcrete를 사용하므로 거의 영구구조물을 축조할 수 있다.
⑤ 지질에 관계없이 사용이 가능하다.
⑥ 1차 lining으로 어느 정도 방수할 수 있다.
⑦ 거푸집 없이 시공이 가능하다.

(3) NATM 공법 시공이 부적합 지반

① 용수량이 많은 지반
② 막장이 자립되지 않는 원지반
③ 용수에 의해 유사현상(流砂現象)을 발생시키는 원지반
④ 원지반이 파괴되어 있고 rock bolt의 천공타입이 곤란한 곳

5 터널의 지보재

NATM 터널의 설계는 지반조건에 상관없이 대부분 1차 지보재를 영구구조물로 인정하고 있다. 따라서 터널은 어떤 형태로든지 1차 지보재(primary support)에 의해 안정되고 내부라이닝은 구조적 기능보다는 부수적 기능 유지를 목적으로 한다.

🔧 **지보공**(tunnel support) 막장에서 전방 원지반 내에 볼트, 단관 파이프 등의 보조재를 삽입하여 막장 천단의 지지와 원지반의 이완방지를 위하여 설치하는 것

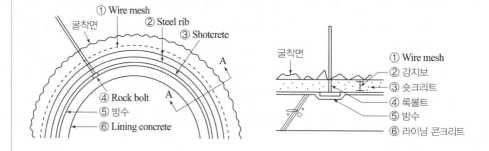

(1) 1차 지보재의 종류

① 철망(Wire Mesh) : Shotcrete 전단보강, Shotcrete 부착력 증진
② 강지보공(Steel rib) : 지반이완 방지, 본바닥 지지, Shotcrete 경화전 지보
③ 숏크리트(Shotcrete) : 지반이완 방지, 암반의 탈락 방지, 크랙 발달 방지, 암반표면의 풍화방지
④ 록볼트(Rock bolt) : 봉합효과, 보의 형성효과, 보강효과

기억해요
1차 지보재의 종류를 3가지 쓰시오.

(2) 보조 지보재

① 파이프루프
② 훠폴링
③ 막장면 록볼트

🔧 지보재 터널의 굴착으로 인하여 발생하는 새로운 응력상태에 대하여 터널 주변지반과 일체가 되어 안정된 상태에 도달하도록 하는 역할을 수행한다.

(3) 강지보재

① 강지보재는 숏크리트가 경화할 때까지 즉시 지보효과를 발휘하며 경화 후에는 숏크리트와 연합하여 지지효과를 증진시킨다.
② 강재보재의 종류와 형상

기억해요
강지보재의 종류를 3가지 쓰시오.

H형강 지보재

격자 지보재

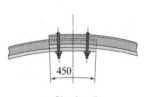
U형 지보재

6 여굴 over break

터널에서 숏크리트 설계선의 외측부분보다 크게 굴착된 것을 여굴이라 한다. 터널굴착 시 여굴은 재료 낭비, 굴착의 증가와 불균형으로 토압에 불리, 공기지연, 공사비 증가의 원인이되므로 최소화해야 한다.

(1) 여굴의 원인

① 천공 및 발파의 잘못
② 착암기 사용 잘못
③ 전단력이 약한 토질 굴착 시 발생

기억해요
여굴이 발생하는 원인을 3가지 쓰시오.

(2) 여굴의 방지대책

① 천공의 위치, 각도를 정확하게 해 준다.
② 지발뇌관을 사용해서 원지반에 과도한 발파에너지가 걸리지 않게 한다.

③ 외곽공에 정밀폭약의 사용 및 적정량의 폭약을 사용하는 조절폭파공법을 적용한다.

④ 발파 후에 조속한 초기 보강(숏크리트 타설)을 실시한다.

⑤ 연약지반이 예상되는 경우에는 선진그라우팅을 실시한다.

⑥ 장약길이를 길게하고 폭발의 지름을 작게 하여 폭발력을 저하시킨다.

(3) 버력처리 Mucking

터널 굴착과정에서 발생하는 암석덩어리, 암석조각, 토사 등을 버력이라 한다.

① 터널은 천공, 발파, 버력처리, 보강을 반복하면서 굴착하고 버력 크기가 버력처리능력과 굴착비용의 결정에 중요하다.

② 버력반출이 터널 공기의 약 30%를 차지하므로 효율적인 버력처리 장비를 조합하여 공기 단축과 굴착비용을 절감하는 것이 필요하다.

| 터널 굴착방법 |

03 핵심 기출문제 □□□

□□□ 11①

01 교통량이 많은 기존 도로 또는 철도 등의 하부를 통과하는 터널공사가 일반화되고 있다. 이 같은 경우 적용되는 터널공법 3가지만 쓰시오.

① _____ ② _____ ③ _____

득점	배점
	3

해답 ① 프런트 재킹 공법(front jacking method)
② 프런트 실드 공법(front shield method)
③ 프런트 세미실드 공법(front semi shield method)
④ 관추진공법(pipe pushing method)

□□□ 96②

02 수저(水底) 또는 지하수면 이하에 터널을 굴착하기 위한 공법이다. 즉, 터널 일부를 케이슨형으로 지상에서 제작하여 이것을 물에 띄워 부설현장까지 예항(曳航)하여 소정의 위치에 침하시켜서 기설부분과 연결한 후 되메우기한 다음 속의 물을 빼서 터널을 구축하는 공법은?

○

득점	배점
	2

해답 침매공법

□□□ 94③

03 터널 및 지하구조물을 만들 때의 보조공법으로서 굴착단면 외주를 따라 파이프(강관)를 압입하여 단면형상에 맞출 루프(Roof)를 형성하여 굴착으로 인한 지반의 느슨함과 지표면의 변형을 억제시키면서 내부단면을 굴착한 후 콘크리트를 타설하여 구조물을 축조하는 이 공법은?

○

득점	배점
	2

해답 Pipe Roof 공법

□□□ 17①, 18②, 23③

04 터널굴착시 여굴(over break)이 발생하는 원인을 3가지만 쓰시오.

① _____ ② _____ ③ _____

득점	배점
	3

해답 ① 천공 및 발파의 잘못 ② 착암기 사용 잘못 ③ 전단력이 약한 토질 굴착시 발생

□□□ 11④, 20①

05 터널굴착 시 여굴(over break)량을 감소시키는 방안을 3가지만 쓰시오.

① _____ ② _____ ③ _____

_____

해답 ① 천공의 위치, 각도를 정확하게 해 준다.
② 지발뇌관을 사용
③ 조절폭파공법을 적용
④ 발파 후에 조속한 초기보강을 실시
⑤ 연약지반이 예상되는 경우에는 선진그라우팅을 실시
⑥ 장약길이를 길게 하고 폭발의 지름을 작게 하여 폭발력을 저하시킨다.

□□□ 13②

06 TBM 공법의 단점을 아래의 보기와 같이 3가지만 쓰시오.

설비투자액이 고가이므로 초기투자비가 많이 든다.

① _____ ② _____

③ _____

_____

해답 ① 본바닥 변화에 대하여 적용이 곤란하다.
② 굴착단면의 형상에 제약을 받는다.
③ 기계조작에 전문인력이 필요하다.
④ 기계중량이 크므로 현장에서 반입반출이 어렵다.

□□□ 13④

07 암반굴착에 이용되는 TBM 공법의 장점을 3가지만 쓰시오.

① _____ ② _____

③ _____

_____

해답 ① 갱내 작업이 안전하다.
② 노무비가 절약된다.
③ 버력 반출이 용이하다.
④ 여굴이 적다
⑤ 진동이나 소음이 적다.
⑥ 동바리공, 복공, 환기의 처치가 경감된다.

☐☐☐ 93②, 97④

08 용수를 동반하는 연약지반에 터널을 만들기 위한 공법으로 본래는 하천, 바다 밑 등의 연약지반이나 대수층 지반에 있어서의 터널공법으로 개발된 것으로 최근 도시터널시공 등에 이용되는 공법은?

득점	배점
	2

○ _____

⎯⎯⎯⎯⎯⎯⎯⎯⎯⎯⎯⎯⎯⎯⎯⎯⎯⎯⎯⎯⎯⎯⎯⎯⎯⎯⎯⎯⎯⎯⎯

해답 쉴드(Shield) 공법

☐☐☐ 99①, 04①, 09④, 12④

09 NATM 터널의 설계는 지반조건에 상관없이 대부분 1차 지보재를 영구구조물로 인정하고 있다. 따라서 터널은 어떤 형태로든지 1차 지보재에 의해 안정되고 내부 라이닝은 구조적 기능보다는 부수적 기능 유지를 목적으로 하기 때문에 1차 지보재가 지반에 밀착 시공되어 지반이 주지보재가 되도록 합리적으로 보조해 주는 역할을 담당한다. 여기에서 1차 지보재의 종류를 3가지만 쓰시오.

득점	배점
	3

① _____ ② _____ ③ _____

⎯⎯⎯⎯⎯⎯⎯⎯⎯⎯⎯⎯⎯⎯⎯⎯⎯⎯⎯⎯⎯⎯⎯⎯⎯⎯⎯⎯⎯⎯⎯

해답 ① 철망(Wire Mesh)   ② 강지보재(Steel rib)
　　③ 숏크리트(Shotcrete)   ④ 록볼트(Rock bolt)

☐☐☐ 10②, 14①

10 터널보강재의 하나인 강지보재의 종류를 3가지만 쓰시오.

득점	배점
	3

① _____ ② _____ ③ _____

⎯⎯⎯⎯⎯⎯⎯⎯⎯⎯⎯⎯⎯⎯⎯⎯⎯⎯⎯⎯⎯⎯⎯⎯⎯⎯⎯⎯⎯⎯⎯

해답 ① H형강 지보재　　② 격자 지보재　　③ U형 지보재

☐☐☐ 예상문제

11 NATM에서 용수는 막장의 자립성, Shotcrete의 Rebound율 등 시공에 큰 영향을 미친다. 대책으로서의 지수, 배수 공법 3가지를 쓰시오.

득점	배점
	6

가. 지수공법 : ① _____ ② _____ ③ _____

나. 배수공법 : ① _____ ② _____ ③ _____

⎯⎯⎯⎯⎯⎯⎯⎯⎯⎯⎯⎯⎯⎯⎯⎯⎯⎯⎯⎯⎯⎯⎯⎯⎯⎯⎯⎯⎯⎯⎯

해답 가. ① 약액주입공법　　② 동결공법　　③ 압기공법
　　나. ① Deep well 공법　　② well point 공법　　③ 물빼기 갱도

☑ 보조공법 터널을 굴착하기 전에 굴착면 주변의 지반을 미리 보강하는 것

기억해요
• 보조공법의 종류를 4가지 쓰시오.
• 막장면 안정을 위한 터널 보조공법을 4가지 쓰시오.

기억해요
• 터널의 천단안정공법을 3가지 쓰시오.

04 터널 보조공법

1 터널 보조공법

(1) 천단부 보강공법

① **훠폴링(forepoling)** : 일시적 지보재로 막장에서 전방 원지반 내에 볼트, 단관파이프 등의 보조재를 삽입하여 막장 천단의 지지와 원지반의 이완방지를 위하여 설치한다.

• 일시적 지보재로서 굴착된 터널 천단부에 종방향으로 설치하여 굴착 천단부의 안정을 도모하여 막장 전반의 지반보호 및 느슨함을 방지한다.

• 막장 위쪽의 암반을 안정시켜 막장근방 천단의 느슨함을 억제하기 위해서 시공한다.

• 암반이 매우 나쁘고 막장 자립이 불가능한 경우에 타설되는 것이며, 터널굴착 방향에 구속력을 주어 막장을 안정시키는 효과가 있다.

② **파이프루프(mini pipe roof)** : 터널굴착에 따른 변위를 최대한 억제하고 상부시설물 보호 및 터널의 안정성 확보를 위해 적용하는 공법이다.

③ **강관다단그라우팅** : 터널 주변 사력층 및 파쇄된 연암층과 암반절리면을 통하여 유출되는 지하수를 차단하고 활동 가능면의 봉합을 위하여 적용하는 공법이다.

(2) **막장면 보강공법**

① 막장면 숏크리트(face shotcrete)

② 막장 볼트(face rock bolt)

③ 약액주입공법

(3) **차수 및 지수 보조공법**

① **약액주입공법** : 터널굴착 시 용수가 많게 되며 아스팔트 Bentonite, Cement, 고분자계 등을 지반에 주입하여 용수를 차단한다.

② **동결공법** : 지반에 인위적으로 동결관을 삽입하여 지반을 동결시켜 버리는 공법

③ **압기공법** : 굴착 갱내를 폐쇄시켜 고압공기를 갱내로 보내어 용수를 차단시키는 공법

(4) **용수처리** 배수처리 **보조공법**

① **물빼기 갱도** : 터널굴진 시 고압의 용수가 분출할 때 본갱을 우회하는 우회갱을 굴진한다.

② **물빼기공(수발공)** : 갱내에서 깊은 속에 위치한 대수층에 물빼기공을 천공하여 지하수위를 낮춘다.

③ **웰 포인트 공법(well point method)** : 선단부에 웰 포인트를 부착한 Riser Pipe를 지중에 설치하여 진공펌프로 지하수를 배수하는 것이다.

④ **심정 공법(deep well method)** : 터널굴진에 앞서 지하수위가 높은 위치에 깊은 우물을 설치하여 갱 내 수위를 저하시킨다.

■ 터널 보조공법의 종류 및 특징

대책	목적	공법	내용
막장안정 대책	천단 안정	휘폴링	천단부 여굴, 낙반방지, 천단변위 억제는 제한적
		강관주입공	천단변위 억제 필요 시 그라우팅 시공병행
		지반 그라우팅	차수(풍화암 이상은 효과가 적음.)
	막장면 안정	믹장 숏크리트	막장부 낙석 및 풍화방지
		막장 록볼트	막장부 낙석 방지, 막장 숏크리트와 병행하여 효과향상
용출수대책	배수 및 차수	지반 그라우팅	차수목적
		수발공	터널 주변의 지하수위 저감과 선진 보링공으로 이용
		압기공	사질토에 적용하여 적용에 제한적
침하대책	변위억제	지반 그라우팅	토사층의 지반보강과 차수
		차단벽	기존 구조물의 변위 감소

2 배수시설

(1) 배수형 터널

① 완전배수형 : 터널부의 전 주면으로 배수를 허용하는 형식

② 부분배수형 : 터널 천장과 측벽에만 방수막을 설치하여 유입수를 한곳으로 유도하여 배수하는 형식

③ 외부배수형 : 터널 내부시설물이나 콘크리트 라이닝을 보호하기 위하여 콘크리트라이닝 외부 전체를 방수막으로 둘러싸고 터널 외부에 별도의 배수로를 설치하여 터널로 흘러 들어오는 지하수를 차집하여 외부로 배수하는 형식

(2) 비배수형 터널

터널굴착 후에 라이닝 주변을 완전하게 방수처리하여 라이닝 내부로 지하수가 침투하지 못하게 하고 인위적인 배수를 하지 않는 형식

(3) 배수형식에 따른 터널의 특징

구분	배수형 터널	비배수형 터널
장점	• 구조적으로 얇은 무근콘크리트 라이닝도 가능 • 대단면의 시공이 가능 • 누수 시 보수가 용이 • 초기공사비가 적어 경제성 양호 • 인버트부의 평면굴착이 가능하다.	• 지하수 처리비용 감소로 유지비가 적음. • 터널 내부가 청결하며 관리가 용이 • 지하수위의 변화가 없으므로 주변환경에 영향을 미치지 않음. • 터널구조체 및 내부시설물의 내구연한을 증가
단점	• 자연배수가 불가능한 경우에 배수비용 증가로 유지비가 많이 소요 • 자연수위의 저하로 인해 주변지반 침하와 지하수 이용에 문제 발생	• 초기시공비가 고가이고 완전방수 시공이 어려움. • 대단면에서는 적용이 곤란 • 누수발생 시 보수비가 많이 들고 완전보수가 어려움. • 막대한 콘크리트라이닝이 필요
적용	• 지하수위 저하 영향이 없는 지반 • 지하수두가 높은 조건 • 유입수량이 적은 암반조건	• 지하수위 저하 영향이 큰 지반 • 지하수두가 낮은 조건 • 지하수의 공급이 많을 경우

| 터널 보조공법 |

04 핵심 기출문제 □□□

01 막장에서 전방 원지반 내에 볼트, 단관파이프 등의 보조재를 삽입하여 막장 천단의 지지와 원지반의 이완방지를 위하여 설치하는 것을 무엇이라 하는가?

○

해답 훠폴링(fore poling)

02 점착력이 적거나 파쇄 혹은 팽창성 등이 심하여 터널굴착면의 자립시간이 짧은 지반에서는 막장의 안정을 위해 막장면 숏크리트 타설 및 막장면 록볼트 시공 등의 보조공법을 적용하여야 한다. 숏크리트와 록볼트 공법을 제외한 보조공법의 종류를 4가지만 쓰시오.

① _____ ② _____

③ _____ ④ _____

해답 ① 주입공법　　　　　　② 훠폴링(fore poling) 공법
　　③ 미니 파이프 루프(mini pipe roof) 공법　④ 강관다단그라우팅 공법
　　⑤ 지하수위 저하공법　　⑥ 동결공법

03 터널공사에서 용수에 의해 시공이 곤란하게 되는 경우나 지보효과가 저하하는 경우에 용수대책으로 차수공법 또는 배수공법을 쓰게 되는데, 차수공법의 종류 3가지를 쓰시오.

① _____ ② _____ ③ _____

해답 ① 약액주입공법　　② 동결공법　　③ 압기공법

04 터널을 굴착함에 있어 막장면의 용수에 의해 대규모 붕괴사고를 유발하게 된다. 용수대책 공법을 4가지만 기술하시오.

① _____ ② _____ ③ _____ ④ _____

해답 ① 물빼기 갱도　　② 물빼기공　　③ Well point 공법　　④ Deep well 공법

□□□ 98③, 00③, 01①, 20②

05 터널시공 시 굴착면의 자립시간이 짧은 지반에서는 터널 막장의 안정을 위해 터널 보조 공법을 적용하는데, 터널 보조공법 4종류를 쓰시오.

① _____   ② _____

③ _____   ④ _____

해답 ① 막장면 숏크리트(shotcrete) 공법
　　② 막장면 록 볼트(rock bolt) 공법
　　③ 약액주입공법
　　④ 휘폴링(forepoling) 공법
　　⑤ 미니 파이프 루프(Mini Pipe Roof) 공법

得点 / 配点 3

□□□ 12②

06 토사지반에 터널굴착 시 터널 천단의 침하로 지표면의 침하 및 붕괴와 같은 대규모 사고 가 발생할 수 있다. 이러한 토사지반에서 터널의 천단 안정공법을 3가지만 쓰시오.

① _____   ② _____   ③ _____

해답 ① 휘폴링(forepoling) 공법
　　② 미니 파이프 루프(mini pipe roof) 공법
　　③ 스틸 시트파일(steel sheet pile) 공법
　　④ 강관다단그라우팅 공법

得点 / 配点 3

□□□ 98②, 00③

07 일반적으로 터널은 지하수위 처리방법에 따라 배수, 방수, 방배수 터널로 구분되어진다. 이 중 배수터널의 장점과 단점을 각각 2가지만 쓰시오.

가. 장점 : ① _____   ② _____

나. 단점 : ① _____   ② _____

해답 가. ① 대단면의 시공이 가능하다.
　　　　② 누수 시 보수가 용이하다.
　　　　③ 초기시공비가 적어 경제성이 양호하다.

　　　나. ① 유지비가 많이 소요된다.
　　　　② 주변지반 침하 문제가 발생 가능하다.
　　　　③ 지하수 이용문제가 발생 가능하다.

得点 / 配点 3

□□□ 12①

08 지하수 대책에 따른 터널의 형식에는 배수형 터널과 비배수형 터널이 있다. 비배수형 터널의 단점을 3가지만 쓰시오.

득점 | 배점
3

① _____ ② _____ ③ _____

해답 ① 초기공사비가 고가이다.
② 완전방수 시공이 어렵다.
③ 대단면에서 적용이 곤란하다.
④ 누수발생 시 보수비가 많이 들고 완전보수가 어렵다.
⑤ 막대한 콘크리트라이닝 보강이 필요하다.

□□□ 98③, 00③, 01①, 15②, 20③

09 NATM 공법을 이용한 터널시공시에 보조공법의 채택이 필수적이다. 다음 물음에 답하시오.

득점 | 배점
6

가. 터널의 막장 안정을 위한 공법을 3가지만 쓰시오.

① _____ ② _____ ③ _____

나. 지하수 처리를 위한 대책공법 3가지만 쓰시오.

① _____ ② _____ ③ _____

해답 가. ① 막장면 숏크리트(shotcrete) 공법
② 막장면 롤 볼트(rock bolt) 공법
③ 약액주입공법
④ 휘폴링(fore poling) 공법
⑤ 미니 파이프 루프(mini pipe roof) 공법

나. ① 물빼기공
② Well point 공법
③ 약액주입공법
④ 압기공법

05 계측관리 및 환기

1 계측관리

계측의 목적은 터널굴착에 따른 주변 원지반, 각 동바리부재의 변위 또는 응력의 변화를 파악하여 설계시공의 안전성과 경제성을 확인하는 데 있다.

(1) **계측 A** 일상의 시공관리를 위하여 반드시 실시해야 할 항목

① 갱내 관찰조사 : 굴착면의 안정성

② 내공 변위측정 : 이완영역 변위, 균열대, 변질 정도

③ 천단 침하측정 : 단면 변형상태를 파악하여 터널 천단의 안정성을 판단

④ 지표면 침하측정 : 지상에서의 굴착 영향범위를 파악

⑤ Rock bolt 인발시험 : 록볼트 인발력을 측정하여 적절한 록볼트 선택

(2) **계측 B** 원지반 조건에 따라 계측 A에 추가해서 선정하는 계측항목

① 지중 침하측정 : 지상에서의 굴착 영향범위를 파악

② 지중 변위측정 : 주변지반의 이완영역을 판단하여 설계, 시공의 타당성을 검증

③ 록볼트 축력측정 : 록볼트의 보강효과 확인 및 시공의 타당성 평가

④ 라이닝 응력측정 : 라이닝의 내부 응력상태를 측정하여 터널의 안정성 평가

⑤ Shotcrete 응력측정 : 콘크리트 내에 계기를 매설하여 측정하는 것이 일반적

⑥ 원지반 시료시험

⑦ 갱내 탄성파 속도측정

■ 계측기의 종류

계측기기	적용	계측기기	적용
Inclinometer	경사계	Load cell	하중측정계
water level meter	지하수위계	Tilt meter	인접구조물 기울기 측정기
Piezometer	공극수압계	crack meter	균열측정기
extensometer	지하침하측정계	earth pressure cell	토압계
strain gauge	변형률계	vibration monitor	진동 및 소음 측정기

2 터널의 붕괴형태

NATM 터널시공 시 터널붕괴는 부적절한 지보의 형식이나 지보재 설치 등으로 기인해 발생한다.

(1) 굴착 직후 무지보 상태의 붕괴

① 벤치부 파괴(bench failure) : 벤치부분에서 굴착 후 절리 등 불연속면의 발달에 의하여 미끄러짐 현상의 파괴형태

② 천장부 파괴(crown failure) : 터널 천장부에 형성된 절리군이 블록을 형성하여 쐐기형의 파괴를 일으키는 파괴형태

③ 막장부 파괴(face failure) : 천장부 파괴와 마찬가지로 발파 후 불연속면에 의한 막장부의 국부적인 암반블록이 붕락되는 경우의 파괴형태

④ 전막장 파괴(full face failure)

(2) 1차 지보재 타설 후 붕괴

① 상반굴착 직후 지지력 부족에 의한 인버트에서의 침하 및 전단파괴

② 터널 주변지반의 측압으로 인한 바닥부의 부풀림 현상

③ 터널 측벽부 콘크리트 라이닝에서의 측압에 의한 파괴

(3) 콘크리트 라이닝 타설 후 붕괴

① 전단파괴(shear failure)

② 압축파괴(compression failure)

③ 휨과 단층의 조합파괴

④ 국부파괴(punching failure)

■ 터널의 붕괴형태

굴착 직후 무지보 상태의 붕괴	콘크리트 라이닝 타설 후 붕괴
• 벤치부 파괴(bench failure)	• 전단파괴(shear failure)
• 천장부 파괴(crown failure)	• 압축파괴(compression failure)
• 막장부 파괴(face failure)	• 휨과 단층의 조합파괴
• 전막장 파괴(full face failure)	• 국부파괴(punching failure)

기억해요
기계적 환기의 3가지 방식을 쓰시오.

3 환기방식

터널(tunnel)의 환기방식은 자연대류에 의한 자연환기와 송풍기에 의한 기계적 강제환기가 있다.

(1) 공사 중 터널의 환기 임시적 환기

① 송기식

② 배기식

③ 흡인식(연속식)

(2) 완성된 터널의 환기

① 종류식(longitudinal system) 환기방식 : 자연환기를 조장하기 위하여 송풍기 또는 배풍기를 입갱에 설치하는 것

② 횡류식(transverse system) 환기방식 : 터널 횡단면에 따라 흐르는 방식

③ 반횡류식(semi transverse system) 환기방식 : 양방식의 좋은 점으로 이루어진 것이 반횡류식 환기방식

| 계측관리 및 환기 |

05 핵심 기출문제 □□□

□□□ 94②, 00④, 07①, 10④

01 NATM 터널공사 시 일상적인 시공관리를 위해 반드시 실시하는 계측항목 3가지를 쓰시오.

득점	배점
	3

① _____ ② _____ ③ _____

해답 ① 갱내 관찰조사 ② 내공 변위측정
③ 천단 침하측정 ④ 록볼트 인발시험

□□□ 09①

02 터널공사 시 일상적인 계측(계측 A) 항목을 3가지만 쓰시오.

득점	배점
	3

① _____ ② _____ ③ _____

해답 ① 갱내 관찰조사 ② 내공 변위측정
③ 천단 침하측정 ④ 록볼트 인발시험

□□□ 02①

03 NATM의 계측항목 중 터널벽면 간 거리변위, 변위의 최대치 변위속도 등을 측정할 수 있어 주변지반의 안정, 설계형태(pattern)의 적정 등의 판단자료로 할 수 있는 것은?

득점	배점
	2

○

해답 내공 변위계

□□□ 00②

04 Tunnel의 환기방식 3가지만 기술하시오.

득점	배점
	3

① _____ ② _____ ③ _____

해답 ① 배기식 ② 송기식 ③ 흡인식

과년도 예상문제

터널

□□□ 87②

01 터널, dam 등의 암반, 기초 굴착시 문제가 되는 fault zone 이란 무엇인지 간단히 설명하시오.

○ _____

_____

해답 단층지대(fault zone)로 지각변동의 현상으로 양쪽 토지가 한쪽은 가라앉고, 한쪽은 솟아서 생기는 지층을 말한다.

□□□ 98④

02 터널시공 시 터널의 토피가 얕거나 지형이 급경사인 경우 편압이 발생해서 동바리공이나 콘크리트 복공이 변형 또는 파괴될 수 있다. 이에 대한 대책을 2가지만 쓰시오.

① _____ ② _____

_____

해답 ① 압성토
② 보호 절취
③ 갱구 부근의 복공 콘크리트 시공

숏크리트 및 록볼트

□□□ 87②

03 정착대상 지반을 암반으로 하여, PC강선 등을 비교적 길게 하여 1개소당의 내력을 크게 하며, 긴장력을 가하여 구조물을 정착시키는 공법은?

○ _____

해답 록 앵커(rock anchor)공법

□□□ 88②, 92③④, 03②, 09④

04 숏크리트(shotcrete)의 rebound(리바운드)량을 감소시키는 방법 3가지만 쓰시오.

① _____ ② _____

③ _____

해답 ① 벽면과 직각으로 분사시킨다.
② 분사 압력을 일정하게 한다.
③ 조골재를 13mm 이하로 한다.
④ 단위 시멘트량을 증가시킨다.
⑤ 분사 부착면을 거칠게 처리한다.

□□□ 97③

05 숏크리트(shotcrete)는 rock bolt 및 강지보공과 함께 NATM공법에서는 중요한 지보공의 하나이다. 이 shotcrete 시공시 가장 유의해야할 점 3가지만 쓰시오.

① _____

② _____

③ _____

해답 ① 굴착 즉시 시공해야 한다.
② 리바운드(rebound)량이 최소가 되도록 한다.
③ 뿜어붙이기 작업은 적절한 두께로서 여러층으로 나누어 실시한다.
④ 강지보공과 뿜어붙일면 사이에 공극이 생기지 않도록 뿜어붙인다.

□□□ 95③

06 터널에 사용하고 있는 록 볼트(rock bolt)의 작용효과에 대하여 4가지만 쓰시오.

① _____ ② _____

③ _____ ④ _____

해답 ① 봉합효과 ② 보형성 효과 ③ 내압효과
④ 아치형성 효과 ⑤ 지반보강 효과

07 뿜어붙이기 콘크리트(shotcrete)의 배합결정 시에 고려할 사항 4가지만 쓰시오.

① _____

② _____

③ _____

④ _____

해답 ① 소요의 강도가 얻어질 것
② rebound률이 적을 것
③ 부착성이 좋을 것
④ 호스(hose)의 막힘이 없을 것
⑤ 용수의 상황에 적합할 것

□□□ 87②, 16①
08 록볼트(rock bolt)의 역할을 3가지만 쓰시오.

① _____ ② _____

③ _____

해답 ① 봉합효과 ② 보형성효과 ③ 내압효과
④ 아치형성효과 ⑤ 지반보강효과

□□□ 93③
09 이완된 암반표면을 깊은 곳에 있는 경암까지 볼트를 고정시켜 암반의 탈락을 방지하고 터널 주변에 본바닥의 아치를 형성시켜 안정을 기하는 공법은?

○ _____

해답 록볼트 공법(rock bolt method)

□□□ 95⑤, 21①
10 암반의 이완 부분부터 경암까지 볼트를 고정시켜 암반의 탈락을 방지하고 터널공사에서는 터널측면에 본바닥의 아치를 형성시켜 주는 공법은?

○ _____

해답 록볼트 공법(rock bolt method)

□□□ 87③
11 정착대상 지반을 암반으로 하여, 이완부분 깊은 곳에 있는 경암까지 볼트로 고정시켜 암반의 탈락을 방지하고, 앵커 재료는 철근이나 볼트 등이 사용되고, 길이가 짧고 내력이 적은 앵커 공법을 무엇이라 하는가?

○ _____

해답 록볼트 공법(rock bolt method)

□□□ 00⑤, 08②
12 터널보강재인 록볼트(Rock Bolt)의 정착형식 3가지를 쓰시오.

① _____ ② _____

③ _____

해답 ① 선단정착형 ② 전면정착형 ③ 혼합형

터널 보조공법

□□□ 98③, 00③, 01①
13 터널의 막장 안정을 위한 보조공법을 4가지만 쓰시오.

① _____

② _____

③ _____

④ _____

해답 ① 막장면 숏크리트(shotcrete) 공법
② 막장면 록볼트(rock bolt) 공법
③ 약액주입공법
④ 훠폴링(fore poling) 공법
⑤ 미니 파이프 루프(Mini Pipe Roof) 공법

터널 굴착방법

□□□ 94②

14 지하철 공사 시 한강과 같은 큰 강을 지하로 통과할 때는 개착식과 터널식의 두 가지가 있다. 그중 개착식 공법에서 수심이 낮은 곳에 채택되는 공법으로 현재 서울 지하철 5호선에서 시공되고 있는 공법명을 쓰시오.

○

해답 Double Sheet Pile 공법(2중 널말뚝 공법)

□□□ 96③

15 작업능률은 낮으나 지질이 불량하여 큰 지압이나 대용수가 예상될 때 적합한 공법으로 양측벽에 따라 도갱굴착, 측벽 콘크리트 치기, 나머지 구간 굴착 순으로 시공하는 공법은?

○

해답 측벽도갱 선진링 공법(side pilot tunneling method)

□□□ 96④

16 상부반단면을 일시에 굴착하면 막장이 붕괴할 우려가 있을 때 우선 링상으로 부분 굴착을 하여 여기에 강아치 동바리공을 세워 지지시키고 그 후에 굴진하는 굴착공법은?

○

해답 링컷 공법(ring cut method)

□□□ 94②

17 지하철 공사 시 한강과 같은 큰 강을 지하로 통과할 때는 개착식 공법과 터널식 공법의 2가지가 있다. 그중 터널식 공법의 종류 3가지를 쓰시오.

① _____ ② _____
③ _____

해답 ① 실드공법(shield method)
② NATM 공법
③ 침매공법
④ 잠함(공기케이슨) 공법

□□□ 93③, 97②

18 본터널을 시공하기 전에 본 터널에서 약간 떨어진 곳에 파일럿 터널을 시공하는 주목적을 3가지만 쓰시오.

① _____ ② _____
③ _____

해답 ① 지질조사 ② 버력반출 ③ 재료운반
④ 배수 ⑤ 환기 ⑥ 본터널의 부분 굴착

□□□ 89①

19 터널의 복공에서, 지질이 불량한 곳에 arch lining을 먼저 한 후 경화를 기다려 측벽 lining을 시공하는 공법을 무슨 공법이라고 하는가?

○

해답 역권공법(Invert arch) 또는 역라이닝 공법

□□□ 86①

20 터널공법 중 도갱을 선진(先進)시켜 용수의 확인을 한 다음 Ring상으로 굴착, 동바리공, 복공을 행하는 공법은?

○

해답 저설도갱 선진링 굴착공법(신오스트리아식 반단면공법)

□□□ 97③

21 침매공법은 하저 횡단 터널공법인데, 이 공법이 다른 공법보다 우수한 점을 3가지만 구체적으로 쓰시오.

① _____ ② _____
③ _____

해답 ① 단면형상이 비교적 자유롭고 큰 단면으로 할 수가 있다.
② 수심이 매우 깊은 곳에도 시공이 가능하다.
③ 육상에서 제작하므로 신뢰성이 높은 터널 본체를 만들 수 있다.
④ 수중에 설치하므로 자중이 적고 연약지반 위에서도 쉽게 시공할 수 있다.

□□□ 95①

22 수저터널 구축의 전부 또는 일부를 드라이 도크 또는 슬립 웨이로 구축하고 이의 양쪽 끝에 가벽을 설치하여 물에 띄워 운반한 후 미리 굴착된 도랑 속에 매설, 수중접합을 하고 되메워서 수저터널을 구축하는 공법은?

○

[해답] 침매공법

□□□ 95③, 97②

23 터널 및 지하구조물 굴착의 보조공법으로 굴착에 앞서 강판을 수평으로 터널 주위에 미리 삽입하여 이것을 Roof로 하고 지보역할도 할 수 있도록 하는 굴착공법은?

○

[해답] Pipe Roof 공법

□□□ 98①

24 pipe messer 공법의 장점 4가지만 쓰시오.

① _____ ② _____

③ _____ ④ _____

[해답] ① 무소음, 무진동, 무공해 공법이다.
② 굴착면의 침하를 최소화한다.
③ 시공속도가 빠르다.
④ 작업원이 안전하게 작업할 수 있다.
⑤ 장비가 소형이다.

□□□ 93③, 19③

25 터널 보링기 중에는 암석 굴착공법 중 디스크 커터(disk cutter)라고 부르는 주판알과 같은 커터를 다수 부착한 대원반을 막장면에 눌러 회전하면서 커터의 쐐기력으로 암면을 갈아서 전단파괴하는 것이 있다. 압축강도가 1,000~1,500kg/cm² 정도까지의 암석에 적합한 이 기계는?

○

[해답] 로빈스형(robins type) 터널 보링기

□□□ 86②

26 터널굴착의 신공법인 TBM(Tunnel Boring Machine)에 의한 터널굴착의 장점을 4가지만 쓰시오.

① _____ ② _____

③ _____ ④ _____

[해답] ① 갱내작업이 안전하다.
② 노무비가 절약된다.
③ 버력반출이 용이하다.
④ 여굴이 적다.
⑤ 진동이나 소음이 적다.
⑥ 동바리공, 복공, 환기의 처치가 경감된다.

□□□ 86①

27 TBM(Tunnel Boring Machine) 공법의 장점을 4가지만 쓰시오.

① _____ ② _____

③ _____ ④ _____

[해답] ① 갱내작업이 안전하다. ② 노무비가 절약된다.
③ 버력반출이 용이하다. ④ 여굴이 적다.
⑤ 진동이나 소음이 적다.

□□□ 87③

28 NATM(New Australian Tunneling Method) 공법의 이점(利點)을 구체적으로 5가지 쓰시오.

① _____

② _____

③ _____

④ _____

⑤ _____

[해답] ① 암반의 이완을 최소로 억제한다.
② 복공과 원지반 사이에 공극이 없으므로 복공강도가 증대된다.
③ 지표면의 침하가 억제된다.
④ rock bolt와 shotcrete를 사용하므로 거의 영구구조물을 축조할 수 있다.
⑤ 지질에 관계없이 사용이 가능하다.
⑥ 1차 lining으로 어느 정도 방수할 수 있다.
⑦ 거푸집 없이 시공이 가능하다.

□□□ 94①

29 다음 (   ) 안에 알맞은 말을 넣으시오.

터널굴착에 있어서 극경암의 경우는 폭약을 사용하여 발파굴착을 하나, 연약한 지질의 경우는 기계굴착을 하는 것이 유리한 경우가 많다. 이 전형적인 기계굴착 공법은 (①)이며, 암질이 좋고 균질한 암의 터널 등은 최근 (②)이 가장 많이 사용되고 있다.

① _____ ② _____

해답 ① 실드(Shield) 공법   ② TBM 공법

□□□ 93②

30 터널공 착공법 중 TBM 공법은 수평으로만 이동굴진이 가능하다. 상하좌우 Boom대를 이동시켜 굴착하는 공법은?

○ _____

해답 로드 헤더(Load header) 공법

□□□ 96④

31 비발파로 터널을 굴착하는 것으로 굴착기를 이용하며 암석을 파쇄하면서 굴진하는 공법을 TBM 공법이라고 부른다. 남산 1호 터널공사에서 1차선 진도갱(직경 4.5m) 굴진을 TBM으로 완료한 후 2차로 장비를 투입 굴착(직경 11.3m)을 하여 공사를 완료하였다. 2차에 투입한 굴착장비의 이름을 무엇이라고 부르는가?

○ _____

해답 로드 헤더(Load header)

□□□ 99②

32 발파공법에 비하여 효과적이며 여굴이 없고, 지산(地山)을 손상하지 않으므로 지보공을 절약할 수 있으며, 전단면 굴착과 급속시공이 가능한 굴진기를 사용하는 이 공법은?

○ _____

해답 TBM 공법

□□□ 96②

33 강제의 원통을 땅속으로 압입하여 막장의 토사를 밀면서 앞부분을 전진시키고, 후방에서 조립된 아치를 1차 라이닝으로 하는 터널 굴진공법은?

○ _____

해답 실드(Shield) 공법

□□□ 88②

34 다음은 어느 굴진공사의 시공순서 일부이다. 이 공법의 이름을 무엇이라고 하는가?

천공 – 발파 – 환기 – 버력처리 – 숏크리트(shotcrete) – 록볼트 – 계기측정

○ _____

해답 NATM 공법

□□□ 95⑤, 98④

35 NATM 기법을 이용한 터널 굴착공법에서는 지반 자체를 주지보재로 생각하고 1차 지보재(primary support)로 보강하여 내공변위를 억제하게 한다. 이때 사용되는 1차 지보재의 종류를 4가지만 쓰시오.

① _____ ② _____
③ _____ ④ _____

해답 ① 철망(Wire Mesh)   ② 강지보재(Steel Rib)
③ 숏크리트(Shotcrete)   ④ 록볼트(Rock Bolt)

□□□ 85②

36 터널 굴착공사 시 사용되는 보강방법을 3가지만 쓰시오.

① _____ ② _____
③ _____

해답 ① 철망(Wire Mesh)   ② 강지보재(Steel Rib)
③ 숏크리트(Shotcrete)   ④ 록볼트(Rock Bolt)

□□□ 89①

37 터널의 외형 단면 크기와 강제통이나 틀을 굴착 진행방향에 따라 설치한 후 jack에 의하여 압입하여 연약지반의 터널굴착공법은?

○ _____

해답 실드(Shield) 공법

계측관리 및 환기

□□□ 94①

38 NATM 공법에서 시공 중의 각종 계측치는 굴착 중의 안정성을 판단하는 데 있어서 가장 중요한 역할을 한다. 굴착 직후부터 설치하는 계측장치를 4가지만 쓰시오.

① _____ ② _____

③ _____ ④ _____

해답 ① 지중변위계
② 내공변위계
③ 천단침하계
④ 숏크리트 응력측정
⑤ 록볼트 축력측정

□□□ 94③

39 tunnel의 환기방식은 자연대류에 의한 자연환기와 송풍기에 의한 기계적 강제환기가 있다. 특히, 자연환기는 기상조건이나 tunnel 형식에 영향을 받으므로 기계적 강제환기를 해야 하는데 기계적 환기의 3가지 방식을 쓰시오.

① _____ ② _____

③ _____

해답 ① 배기식   ② 송기식   ③ 흡인식

□□□ 18①, 22①

40 터널에 사용하고 있는 록볼트(rock bolt)의 인발시험 목적 2가지를 쓰시오.

① _____ ② _____

③ _____

해답 ① 지반과 록볼트의 정착력을 알기 위해서
② 볼트의 파단강도를 알기 위해서
③ 볼트와 충전재의 부착강도를 알기 위해서

□□□ 17②

41 터널의 방재설비 종류를 3가지만 쓰시오.

① _____ ② _____

③ _____

해답 ① 소화설비
② 경보설비
③ 피난설비
④ 소화활동설비

8 chapter

암석발파공

√ 체크	출제경향	출제연도
□□□	01 폭약의 중심에서 자유면까지의 최단거리를 무엇이라 하는가?	92②, 99④
□□□	02 Hauser의 기본식에서 장약량을 계산하시오.	96②, 02④
□□□	03 누두지수함수를 사용하여 표준장약량을 산출하시오.	92②, 97②, 00③
□□□	04 $C = d \cdot e\,g \cdot f(w)$식에서 e는 폭약효력계수인데, 어느 폭약을 $e = 1.0$으로 기준하는가?	93①, 99①
□□□	05 Dambrun식에서 필요한 폭약량을 산출하시오.	98③, 99②
□□□	06 직교하는 2자유면에서 최소저항선(W), 천공길이(D), 발파량을 산출하시오.	99④
□□□	07 팽창압을 이용하여 암석이나 콘크리트를 파쇄하는 완화파쇄제로서 무소음, 무진동이 요구되는 공사에 적합한 폭약은?	94①, 97②
□□□	08 한 대의 착암기로 암반을 천공할 경우 소요되는 총시간을 구하시오.	89②, 92②, 93③, 94③, 95①, 02①, 04②, 06②, 08②, 19①
□□□	09 천공속도(V_T), 소요되는 시간(t), 천공공수(n)를 구하시오.	99⑤, 19②
□□□	10 심발공(심빼기 발파공)의 종류를 4가지 쓰시오.	04③, 06①, 10④, 14①, 21③
□□□	11 2차 폭파 또는 조각발파의 폭파방법을 3가지 쓰시오.	96②, 12④
□□□	12 복토법(mud caping)을 이용하여 조각발파하려고 할 때, 장약량을 구하시오.	93④, 98①, 05④
□□□	13 천공시간이 충분하지 못할 경우나, 바윗덩어리 등이 대부분 지하에 묻혀 있을 때, 2차 발파방법 중 어떤 방법인가?	00⑤, 04①
□□□	14 조절발파 공법(controlled blasting)의 종류를 4가지 쓰시오.	89②, 08④, 12①, 13④, 21②, 23①②
□□□	15 굴착계획선에 따라 일렬로 천공하여 분산장약하고 주 굴착이 완료된 후에 폭파하는 조절폭파공법은?	07②
□□□	16 굴착선에 따라 폭파로 예비파괴 단면을 만들어 놓고 주 폭파에 의한 진동, 파괴 영향을 적게 하여 여굴을 방지하는 조절폭파공법은?	07②
□□□	17 목적하는 파단선을 따라 조밀한 간격으로 천공하고 무장약공으로 발파하는 제어발파공법은?	92①, 06④
□□□	18 후면에 약발파로 균열을 이루어 놓고 전면의 주발파로 암발파하는 방법은?	00②
□□□	19 인적, 물적인 피해방지를 위해 진동치를 기준치 이하로 제어하는 방법 3가지를 쓰시오.	98③, 02②
□□□	20 진동속도의 크기에 영향을 미치는 인자 3가지를 쓰시오.	96①, 99①, 06②

✓ 체크	출제경향	출제연도
☐☐☐	21 벤치컷(bench cut) 공법을 이용해 장약량을 산출하시오.	94①, 96①
☐☐☐	22 벤치컷 공법의 종류를 3가지 쓰시오.	10①
☐☐☐	23 비산이 발생되는 원인을 3가지 쓰시오.	08①, 13④
☐☐☐	24 발파에 의해서 파괴되는 물체가 외계(공기, 물)와 접하고 있는 면을 무엇이라 하는가?	93①
☐☐☐	25 폭약으로 자유면까지의 깊이를 무엇이라 하는가?	86①
☐☐☐	26 암석발파에서 임계심도(N)를 구하시오.	93①, 94②
☐☐☐	27 발파에서 누두지수를 간단히 설명하시오.	92①, 22②
☐☐☐	28 과장약, 약장약, 표준장약 중 어느 상태에 속하는지를 판단하시오.	98④
☐☐☐	29 $n = R/W \geqq$ 1일 때, 다음 ( ) 내의 A, B, C에 맞는 말을 써넣으시오.	93②
☐☐☐	30 여러 가지로 변화시키면서 암석과 폭약에 대한 계수를 결정하기 위한 발파방법을 무엇이라 하는가?	92③, 96③
✓☐☐	31 암석에 시험발파를 하는 주목적은 무엇을 구하기 위해서인가?	84①
☐☐☐	32 Hauser식 $L = CW^3$에서 1자유면인 경우, C(폭파영향계수)에 영향을 미치는 요소 4가지를 쓰시오.	93④
☐☐☐	33 리레의 수정식에서 발파계수와 장약량을 산출하시오.	94④, 97①
☐☐☐	34 폭발위력이 흑색화약의 4배 정도 커서 대폭파에 좋은 폭약은?	87③
☐☐☐	35 질산암모늄과 연료유의 단순한 혼합물로 값이 싸고 안전하며 취급이 간단한 폭약은?	85①, 86②
☐☐☐	36 초안, TNT, 물로 미음과 같이 혼합한 것이고 용수가 있는 곳에도 사용이 가능한 폭약은?	92③
☐☐☐	37 지발(遲發) 간격에 따라 MS와 DS 뇌관의 기폭간격은?	92④
☐☐☐	38 'decisecond detonator(DS뇌관)'과 'millisecond detonator(MS뇌관)'에서 효율면에서 유리한 것과 그 이유는?	98⑤
☐☐☐	39 수중에서 기계에 의하여 다량의 암석을 제거하는 방법을 3가지 쓰시오.	85②
☐☐☐	39 Drilling Pattern의 터널굴착에서 ( ) 내의 A, B, C에 알맞은 명칭을 쓰시오.	94①, 97④

08 암석발파공

01 발파 및 화약

1 발파공

(1) 발파공의 용어

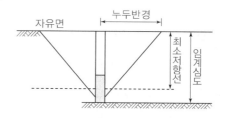

① **자유면**(free surface) : 발파하고 싶은 암석, 암반이 공기나 물에 접하고 있는 표면, 즉 외계(공기 또는 물)에 접하는 면
② **임계심도** : 자유면에 균열이 생길 때의 폭약에서 자유면까지의 깊이
③ **최소저항선** : 폭약의 중심으로부터 자유면까지의 최단거리
④ **누두공** : 한 자유면의 암반에 폭약을 장진하여 폭파하는 경우에는 암석에 원추상의 파쇄공이 생기는데, 이를 누두공(crater index)라 한다.
⑤ **누두반경** : 폭약에 의해서 만들어진 누두공의 반경을 누두반경이라 한다.

(2) 시험발파

① 시험발파의 정의 : 발파작업에서 채석방법, 암석의 비산상태, 장약량, 안전성을 고려해서 발파방법, 사용약량 등을 여러 가지로 변화시키면서 암석과 폭약에 대한 계수를 결정하기 위한 발파방법을 시험발파라 한다.
② 시험발파의 목적 : 폭파계수, 최소저항선, 천공경 등을 결정하여 표준장약량을 결정하기 위한 것이다.

(3) 표준장약 standard charging

누두지수 $n=1$의 경우는 폭약이 이론적으로 가장 유효하게 사용되었음을 나타내므로 이를 표준장약이라 한다.

① 임계심도 $N = E \cdot L^{\frac{1}{3}}$

여기서, N : 임계심도(m) E : 변형에너지(암석의 경우 $4.0 \sim 5.0$) L : 장약량(kg)

② 누두지수 $n = \dfrac{R}{W}$

여기서, R : 누두반경

W : 최소저항선

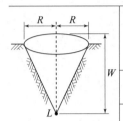	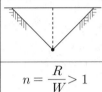		
	$n = \dfrac{R}{W} = 1$	$n = \dfrac{R}{W} > 1$	$n = \dfrac{R}{W} < 1$
	표준장약	과장약	약장약

2 Hauser의 기본식

(1) 장약량

$$L = CW^3 \cdots\cdots \text{Hauser의 기본식}$$

여기서, L : 장약량

C : 발파계수

W : 최소저항선

> 장약량은 폭파되는 용적의 폭약량에 비례하며, 폭약량은 최소저항선의 3승에 비례함을 나타낸다.

> 기억해요
> Hauser의 기본식에 의한 장약량을 구하시오.

(2) 발파계수

$$C = e \cdot d \cdot g \cdot f(n) = e \cdot d \cdot g \cdot f(w) \,(\text{1자유면의 경우})$$

여기서, C : 발파계수

e : 폭약효력계수(다이너마이트 No.1의 e =1로 했을 때를 기준)

d : 전색계수

g : 암석항력계수(표준암인 화강암의 g =1로 했을 때를 기준)

$f(n)$, $f(w)$: 약량수정계수, 발파규모계수

> 발파계수 C는 비례상수로서 파괴물의 성질, 폭약의 성능 등에 의해서 정해진다.

(3) 약량수정계수

① 최소저항선이 일정하고 과장약 또는 약장약의 경우, 약량 수정

• Dambrown 식 : $f(n) = \left(\sqrt{1 + n^2} - 0.41\right)^3$

• Belidor 식 : $f(n) = \dfrac{(1 + n^2)^{\frac{3}{2}}}{2\sqrt{2}}$

> 기억해요
> Belidor식에 의한 표준장약량을 구하시오.

② 누두반경은 일정하고 최소저항선이 변하였을 때의 약량 수정

• Lares식 : $f(w) = \left(\sqrt{1 + \dfrac{1}{W}} - 0.41 \right)^3$

(4) 표준장약량

$$L = f(w)CW^3 = f(w) \cdot e \cdot d \cdot g \cdot W^3 = f(n) \cdot e \cdot d \cdot g \cdot W^3$$

$$L = \frac{f(n)}{f(n_o)} L_o$$

여기서, $f(n)$: 표준발파의 누두공의 수정치

$f(n_o)$: 시험발파에서의 누두공의 수정치

L_o : 시험발파의 장약량

3 화약 및 폭약

(1) 흑색화약 black powder

① 주성분 : '초석+목탄+유황'의 혼합물로 배합비율은 75 : 15 : 10이다.

② 화염, 충격이나 마찰에 예민하고, 흡수성이 강하므로 고온다습한 곳이나 여름에는 부적합하다.

③ 폭발할 때 탄산가스, 일산화탄소 및 유산질소 등이 발생하여 터널공사에 사용할 수 없다.

④ 발화점이 높아 취급에 위험성이 적고, 수중에서는 폭발하지 않는다.

(2) 칼릿 Carlit

① 주성분 : 과염소산암모니아(NH_4ClO_4)이며, 여기에 규산철(Fe_2SiO_4), 목분(木紛), 중유(重油) 등을 조합한 분말이다.

② 다이너마이트(dynamite)보다 발화점이 높고, 충격에 둔(鈍)하여 취급상에 위험이 적다.

③ 폭발위력은 흑색화약의 4배 정도 커서 대폭파에 좋다.

(3) ANFO 폭약 초유폭약

① 주성분 : '질산암모늄(NH_4NO_3)+연료유'의 혼합물로 배합비율은 94 : 6이다.

② 질산암모늄과 연료유의 단순한 혼합물로 다습(多濕)한 곳에서는 사용할 수 없는 단점이 있으나, 값이 싸고 안전하며 취급이 간단하다.

▶ 화약류의 분류
① 보통 화약
② 폭약
③ 뇌관
④ 도화선

▶ 화약
폭속 340m/sec 이하로 연소하는 것

▶ 폭약
2,000～7,000m/sec로 폭발하여
충격파를 일으키는 것

⑷ Slurry 폭약 함수폭약

① 주성분 : 초안, TNT, 물로 미음과 같이 혼합한 것이다.

② ANFO 폭약에 비하여 강력하고, 내수성이 강하고 용수가 있는 곳에도 사용이 가능하다.

⑸ 캄마이트 Calmmite

① 주성분 : 규산염화물을 주성분으로 하여 특수 튜브(capsule)에 장전되어 있다.

② 한국화약 제품으로 발파에 의하지 않고 물과의 수화작용에 의하여 발생하는 팽창압을 이용하는 폭약이다.

③ 암석이나 콘크리트를 파쇄하는 완화파쇄제로서 무소음, 무진동이 요구되는 공사에 적합한 폭약이며 수중에서 사용이 용이하다.

⑹ 다이너마이트 Dynamite

① 주성분 : 'nitroglycerline : 규조토＝75：25'의 비율로 니트로글리세린(N.G.)을 규조토에 흡수시킨 것

② 홍갈색으로 N.G.보다 충격에 둔하여 안전하며, 내습성도 양호하다.

③ 교질 다이너마이트와 분상 다이너마이트로 분류한다.

④ 순폭도는 4배 이상이다.

⑺ 정밀폭약 Finex

① 주성분 : 니트로글리세린, TNT 등을 특수 제어제와 활성제를 사용하여 합성수지 파이프에 충전 포장하였다.

② 폭력은 다이너마이트에 비하여 약간 적으나, 적당한 폭속으로 제어된 폭력을 이용할 수 있다.

③ 고성능 폭약이 발파할 때 주변암반의 균열의 자극화, 여굴의 예방, 발파 마무리면의 정밀을 위하여 사용한다.

4 뇌관 detonator

흑색화약은 직접점화로 폭발하지만 다이너마이트는 기폭을 위하여 특히 충격과 고열을 주어야 폭발하는데, 이때는 뇌관(detonator)을 사용한다.

$$
\text{뇌관} \begin{cases} \text{공업뇌관} \\ \text{전기뇌관} \begin{cases} \text{순발 전기뇌관} \\ \text{지발 전기뇌관} \begin{cases} \text{DS(decisecond)} : \dfrac{1}{10}\,\text{sec} \\ \text{MS(millisecond)} : \dfrac{1}{100}\,\text{sec} \end{cases} \end{cases} \end{cases}
$$

(1) 공업용 뇌관

① 도화선으로 점화되며, 도화선의 불꽃은 뇌관의 기폭약을 점폭시키고, 그 폭력으로 계속해서 밑에 있는 전폭약을 폭발시킴으로써 최종적으로 폭약을 폭발시킨다.

② 장약량에 의하여 No.3 뇌관, No. 6 뇌관 및 No. 8 뇌관으로 나눈다.

(2) 전기뇌관 electric detonator

공업뇌관에 전기 점화장치를 조합시킨 것이다.

① 순발 전기뇌관 : 점화와 동시에 기폭약이 폭발

② 지발 전기뇌관 : 점화선관 기폭약 사이에 연시(延時)장치가 있어서 점화 후 일정한 시간이 지난 후에 기폭약이 폭발하게 된다.

(3) 도화선 Fuse

① 흑색화약 주위를 마사, 면사, 테이프 등으로 피복하고 다시 아스팔트류, 특종의 도료로 방수 피복하여 방수조치한 후에 직경 약 5mm 정도의 선으로 흑색화약이나 뇌관에 점화하기 위한 것이다.

② 연소속도 : 1m당 120~140sec

|발파 및 화약|

핵심 기출문제

01 핵심 기출문제 □□□

01 발파에 있어서 장전되는 폭약의 형상에 관계없이 폭약의 중심에서 자유면까지의 최단거리를 무엇이라 하는가?

○

─────────────

해답 최소저항선(line of the least resistance)

02 그림은 폭파에서 1자유면($\overline{AB}$)을 가진 상태로 $R=2$m, $W=3$m로 장약을 폭약중심에 하였다. 다음에 답하시오.

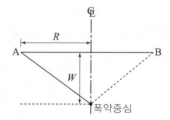

가. R은 무엇이라 하는가?

○

나. W는 무엇이라 하는가?

○

다. 누두지수 n은?

○

라. 이 현장의 장약상태는 어떤지 설명하시오.

○

─────────────

해답 가. 누두반경

나. 최소저항선

다. $n = \dfrac{R}{W} = \dfrac{2}{3} = 0.67$

라. $n = 0.67 < 1$

∴ 약장약 상태

□□□ 96②, 02④

03 저항선이 1.0m일 때 4.0kg의 폭약을 사용하였다면 저항선을 1.5m로 하였을 경우는 얼마의 폭약이 필요한가?

득점	배점
	3

계산 과정)　　　　　　　　　　　　　　　　　　답 : _____

해답 ■ 방법 1

장약량 $L = CW^3$

· $L = CW^3$에서 $C = \dfrac{L}{W^3} = \dfrac{4}{1^3} = 4$

∴ $L = CW^3 = 4 \times 1.5^3 = 13.50 \, \text{kg}$

■ 방법 2

$L : L_1 = W^3 : W_1^3$에서 $\dfrac{L}{L_1} = \dfrac{W^3}{W_1^3}$

∴ $L = \left(\dfrac{W}{W_1}\right)^3 L_1 = \left(\dfrac{1.5}{1.0}\right)^3 \times 4 = 13.50 \, \text{kg}$

□□□ 92②, 97②, 00③

04 1자유면을 가지는 최소저항선 3.0m 길이에 8.5kg의 폭약량을 사용하여 내부장약량으로 시험발파를 해 본 결과 누두반지름 $R = 3.6$m이었다. 다음 누두지수함수를 사용하여 표준장약량을 구하시오.

득점	배점
	3

$$\text{누두지수함수 } f(n) = \frac{(1+n^2)^{\frac{3}{2}}}{2\sqrt{2}}$$

계산 과정)　　　　　　　　　　　　　　　　　　답 : _____

해답 표준장약량 $L = \dfrac{f(n)}{f(n_o)} L_o$

· 누두지수 $n = \dfrac{R}{W} = \dfrac{3.6}{3.0} = 1.2$

· 약량수정계수 $f(n) = \dfrac{(1+n^2)^{\frac{3}{2}}}{2\sqrt{2}}$

· $f(n_0) = f(1.2) = \dfrac{(1+1.2^2)^{\frac{3}{2}}}{2\sqrt{2}} = 1.35$

· $f(n) = f(1) = \dfrac{(1+1^2)^{\frac{3}{2}}}{2\sqrt{2}} = 1.0$

· $\dfrac{L}{L_0} = \dfrac{f(n)}{f(n_o)}$에서

∴ 표준장약량 $L = \dfrac{f(n)}{f(n_o)} L_o = \dfrac{1.0}{1.35} \times 8.5 = 6.30 \, \text{kg}$

□□□ 93①, 99①

05 내부장약법에서 1자유면인 경우 폭파영향계수 $C = d \cdot e \cdot g \cdot f(w)$ 식에서 e는 폭약효력계수인데 어느 폭약을 $e = 1.0$으로 기준하는가?

○

해답 다이너마이트 No.1 또는 젤라틴 다이너마이트(Gelatin dynamite)

□□□ 98③, 99②

06 경질 화강암으로 된 1자유면의 암반에 4m 깊이에 내부장약하여 폭발굴착을 하려 한다. 필요한 폭약량을 구하면 얼마인가?

(단, 폭약효력계수 $e = 0.85$, 암반의 항력계수 $g = 0.65$, 장약 후 완전히 구멍을 진쇄하였으며,

Dambrown식 $f(n) = \left(\sqrt{1 + \dfrac{1}{W}} - 0.41\right)^3$ 적용)

계산 과정)   답 : _____

해답 폭약량 $L = CW^3$

- $f(n) = \left(\sqrt{1 + \dfrac{1}{W}} - 0.41\right)^3$

  $f(4) = \left(\sqrt{1 + \dfrac{1}{4}} - 0.41\right)^3 = 0.35$

- $C = g \cdot e \cdot d \cdot f(n)$

  $= 0.65 \times 0.85 \times 1 \times 0.35 = 0.19 (\because$ 장약 후 완전히 진쇄하면 $d = 1)$

  $\therefore$ 폭약량 $L = 0.19 \times 4^3 = 12.16 \text{kg}$

□□□ 예상문제

07 초안, TNT, 물을 죽과 같이 반죽 혼합한 것으로 용수 개소 폭파와 미진동을 요구하는 곳에 사용하는 폭약은?

○

해답 Slurry 폭약(함수폭약)

□□□ 94①, 97②

08 물과의 수화작용에 의하여 발생하는 팽창압을 이용하여 암석이나 콘크리트를 파쇄하는 완화파쇄제로서 무소음, 무진동이 요구되는 공사에 적합한 폭약은?

○

해답 캄마이트(Calmmite)

□□□ 99④

09 직교하는 2자유면의 암석을 발파하려고 한다. 공정(d)을 45mm, 장약길이를 12d로 하여 발파하고자 할 때, 최소저항선(W), 천공길이(D), 발파량을 구하시오.
(단, 암석계수(C_a)＝0.015, 암석비중＝2.65이다.)

가. 최소저항선(W)

계산 과정)   답 : _____

나. 천공길이(D)

계산 과정)   답 : _____

다. 발파량

계산 과정)   답 : _____

해답 가. $W = \dfrac{0.46\,d}{C_a} = \dfrac{0.46 \times 4.5}{0.015} = 138\text{cm}$

나. $D = W + \dfrac{m}{2} = 138 + \dfrac{12 \times 4.5}{2} = 165\text{cm}$

다. 발파량(채석량)＝채석용적(V)×암석비중
$= (W^2 \cdot D) \times$암석비중
$= 1.38^2 \times 1.65 \times 2.65 = 8.33\text{t}$

□□□ 19②, 22②

10 다음 용어에 관한 정의를 간단히 설명하시오.

가. 최적심도(最適深度)

○

나. 누두지수(漏頭指數)

○

해답 가. 분화구가 최대 체적을 가질 때의 장약깊이
나. 누두공의 형상을 나타내는 지수
$n = \dfrac{R}{W}$
여기서, W : 최소저항선(장약깊이)
R : 누두 반경(누두공 반지름)

02 착암기와 발파공법 □□□

1 착암기 : 운동방향에 의한 분류

(1) 충격식 착암기

비트(bit)를 로드(rod) 끝에 붙여서 피스톤의 왕복운동에 의하여 비트에 타격을 주어 천공할 수 있도록 한 장치이다.

① 브레이커(breaker) : 도로공사 등에서 콘크리트 포장을 파괴하는 데 사용

② 픽 해머(pick hammer) : 천공용이 아니고 연암과 같은 암석을 깎아 무너뜨리는 착암기

③ 픽 스틸(pick steel) : 7~9kg 정도의 경량이므로 수동으로 사용하기에 편리하다.

> ☞ 천공(drilling) 암석에 구멍을 뚫는 것

(2) 회전식 착암기

로드 끝에 비트를 달아 타격력과 회전력을 주어 천공하는 기계이다.

① 왜건드릴(wagon drill) 및 크롤러드릴(crawler drill) : 이동식 삼각대 위에 드리프터(drifter)를 장치한 것을 왜건드릴, 트랙터 위에 드리프터를 장치한 것을 크롤러드릴이라 한다.

② 점보드릴(jumbo drill) : 여러 개의 착암기를 동시에 사용할 수 있도록 필요한 일체의 장비가 갖추어져, 자유로이 상하좌우로 이동시켜 임의의 위치에서 고정시키면서 굴착작업을 편리하고 능률적으로 할 수 있는 착암기이다.

③ 레그드릴(leg drill) : 강한 타격력과 회전력으로 어떤 조건의 암반도 신속하게 천공할 수 있는 우수한 천공능력을 가지고 있다.

2 착암기 : 천공방향에 따른 분류

(1) 드리프터 drifter

일반적으로 수평 또는 수평에 가까운 횡방향의 천공을 하는 데 사용되며, 중량이 무겁다.

(2) 스토퍼 stopper

주로 상향 천공용으로, 수직갱의 깎아올리기 또는 록볼트용의 천공 등에 사용된다.

(3) 싱커 sinker

주로 하향 천공용으로 15~30kg 정도의 중량으로서 작업원이 수동으로 취급할 수 있도록 만들어진 공기작동 충격형 착암기이다. 핸드래머(hand rammer) 또는 잭해머(jack hammer)라고도 한다.

■ 천공방향에 따른 착암기

천공방향	착암기
횡방향 착암기	드리프터(drifter)
상방향 착암기	스토퍼(stopper)
하방향 착암기	싱커(sinker)

3 천공시간

(1) 천공속도

$$V_T = \alpha(C_1 \cdot C_2) \times V$$

여기서, V_T : 천공속도(cm/min)
α : 전천공시간에 대한 순천공시간의 비율(보통 0.65)
C_1 : 표준암(화강암)에 대한 대상암의 저항력 계수
C_2 : 암석의 상태에 대한 작업조건계수
V : 표준암을 천공하는 순천공속도(cm/min)

(2) 천공시간

기억해요
착암기로 암반을 천공할 경우 소요되는 총시간을 구하시오.

$$t = \frac{L}{V_T}$$

여기서, t : 천공시간
L : 천공길이
V_T : 천공속도(cm/min)

4 심빼기 발파공 cut out blasting, 심발공

핵심용어
심빼기 발파공

일반적으로 터널이나 갱도 공사에 사용되는 방법으로 폭파중심부에 다시 하나의 인위적인 새로운 자유면을 만들어서 2자유면으로 발파하는 방법을 심빼기 발파공(心拔方法) 또는 심발공(cut hole)이라 한다.

(1) V컷 wedge cut

가장 오래되었으며 현재까지도 사용되고 있는 방법으로 천공저가 일직선이 되도록 하며, 그 단면이 V자형으로 천공하는 방법이다.

(2) 스윙컷 swing cut

버력을 너무 비산시키지 않은 심빼기와 수직갱도 밑에 물이 많이 고였을 때 유효하며, 우선 밑면의 반만큼 먼저 발파시켜 놓고 물을 거기에 집중시켜 놓은 다음에 물이 없는 부분을 발파하는 방법이다.

핵심용어
스윙컷

(3) 피라미드컷 pyramid cut

굴착면의 중앙을 중심으로 향하여 3방향에서 피라미드형으로 천공하여 굴착면을 각추형으로 뽑아내는 방법이다. 이는 강인한 암석의 심발파에 적당하며 우리나라에서는 남산 3호 터널 굴착에 사용된다.

(4) 번컷 burn cut

공공(空孔)과 장약공을 번갈아 만들어 굴착면과 수직하게 천공하여 공공을 자유면으로 하고 평행폭파를 시켜 약량을 절약하는 방법으로, 버력의 비산거리가 짧고 좁은 도갱에서의 긴 구멍 발파에 편리하다.

(5) 노컷 no cut

심빼기 부분에 수직한 평행공을 다수 천공하여 장약량을 집중시키고, 순발뇌관으로 폭파시켜서 그 발파쇼크에 의해서 심빼기하는 방법이다.

5 조각발파 2차 발파, secondary blasting

1차 폭파에서 생긴 바윗덩어리가 삽이나 곡괭이로 처리할 수 없게 크면 이를 다시 조각내어야 한다. 이와 같이 조각을 내기 위한 폭파를 2차 폭파, 조각발파 또는 소할발파라 한다.

기억해요
조각발파방법을 3가지 쓰시오.

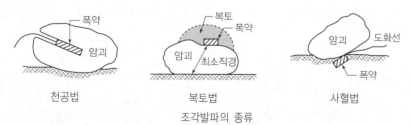

천공법　　　　복토법　　　　사혈법

조각발파의 종류

(1) 천공법 block boring

보통 많이 사용되는 것으로 암석덩어리의 중심부로 향하여 수직천공하고 장약 후에 흙으로 진쇄(tamping)하는 방법이다.

핵심용어
사혈법

(2) 사혈법 snake boring

천공시간이 충분하지 못할 경우나, 바윗덩어리 등이 대부분 지하에 묻혀 있고, 바윗덩어리 아래측에 따라 장약을 설치한다.

기억해요
복토법을 이용하여 조각발파하려고
할 때 장약량을 구하시오.

(3) 복토법 mud caping

암석덩어리의 직경이 작은 곳에 폭약을 장전하고 그 위에 굳은 점토로 덮어 놓고 발파하는 방법이다.

$$L = C \cdot D^2$$

여기서, L : 장약량(g)
　　　　C : 발파계수(0.15 ~ 0.20)
　　　　D : 암석의 최소지름(cm)

최소지름 (D)

기억해요
조절발파공법의 종류 4가지를 쓰시오.

6 조절폭파공법 controlled blasting

보통 발파공에서 여굴이나 혹이 생기는 결점을 보완하기 위한 공법을 조절폭파공법 또는 제어발파공법이라 한다.

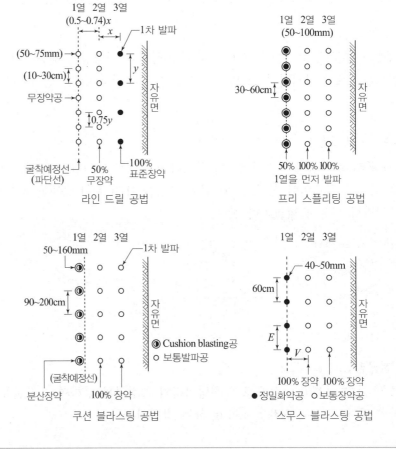

(1) 라인 드릴링 공법 Line drilling method

① 목적하는 파단선을 따라 조밀한 간격으로 천공하고 이 공(孔)은 장전하지 않은 채 무장약공으로 발파하여, 인접공에 대한 발파에너지의 영향으로 공열에 의해 형성된 마감면까지 파괴시키는 제어발파(Control Blasting) 공법

② 조밀한 간격(공경의 2~4배)으로 천공(공경 50~75mm)한다.

(2) 프리 스플리팅 공법 pre-spliting method

① 목적하는 파단선에 따라 폭파로 예비파괴 단면을 만들어 놓고 주 폭파에 의한 진동, 파괴 등의 영향을 적게 하고 여굴(餘掘)을 방지하려는 공법이다.

② 공경은 5~10cm, 천공간격은 30~60cm 정도로 한다.

핵심용어
• 프리 스프리팅 공법
• 라인 드릴링 공법

(3) 쿠션 블라스팅 공법 cushion blasting method

① 캐나다에서 처음 소개된 것으로 굴착예정선을 따라 1개열 발파공들을 천공한다. 쿠션 발파공들은 소량 장약하고 완전하게 진쇄하면서 잘 분해하여 장약하며 주발파가 이루어진 다음에 점화한다.

② 폭약과 폭약의 사이 또는 공벽과 폭약과의 사이에 공극을 설치하여 공기에 의해 폭력을 완충하면서 발파를 행한다. 발파공의 공경은 50~164mm로 다양하다.

(4) 스무스 블라스팅 공법 smooth blasting method

① 터널의 여굴(over break)과 복공(lining)의 콘크리트량을 줄이기 위한 발파공법으로 주발파와 동시에 점화하고 그 최종단에서 발파시키는 것이 특징인 발파공법이다.

② 공경은 40~50mm, 천공간격은 60~75cm로 한다.

③ 스무스 블라스팅 공법의 특징
- 여굴(餘掘)을 감소한다.
- 복공(lining) 콘크리트량이 절약된다.
- 낙석의 위험성이 적다.

핵심용어
스무스 블라스팅 공법

기억해요
암반 굴착 시 제어발파를 실시하는
목적을 3가지만 쓰시오.

7 벤치컷 bench cut 발파

2자유면 발파로 암반굴착 시 계단모양으로 굴착하며, 계단식으로 점차 아래쪽으로 옮겨 가면서 발파작업을 계속하여 암석 굴착하는 방법이다.

(1) 벤치컷의 발파식

$$L = C \cdot W \cdot S \cdot H$$
$$= C \cdot H \cdot W^2 \, (S = W \text{일 때})$$

여기서, L : 1공당 장약량(kg)

        C : 발파계수

        W : 최소저항선(m)

        S : 공의 간격

        H : bench의 높이(m)

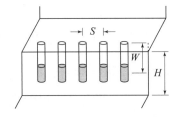

(2) 천공방법

① 서브드릴링(sub drilling)　　② 토우홀(toe hole)

(3) 장약법

① 연속장약　　② 분산장약　　③ 혼합장약

8 발파진동

(1) 비산

암석발파 시 암석이 불규칙하게 튀어 나가는 것을 비산이라고 하며, 주변 구조물 및 인명살상을 초래할 수 있는 위험한 발파공해이다. 이와 같은 비산이 발생되는 원인은 다음과 같다.

① 과대한 장약량
② 지발시간의 지연
③ 전색의 부족

(2) 발파진동 저감대책

발파진동의 크기를 감소하는 방안으로는 크게 발파원에서 진동발생을 억제하는 방법과 전파하는 진동을 차단하는 방법으로 구분할 수 있다.

① 화약류 선택에 의한 경감방법 : 허용진동치에 따른 지발당 최대장약량을 현장여건에 맞추어 폭약을 선정한다.
② 장약량의 조정 및 분할발파 : 지발당 화약량을 최소화하기 위하여 전단면을 1회에 발파하지 않고 여러 단계로 분할하여 실시함으로써 진동의 크기를 감소시킬 수 있다.
③ MSD에 의한 감소효과 : 시간차가 극히 짧기 때문에 이들의 상호 간섭에 의해 감쇄할 수 있다.

④ 인공자유면을 이용한 심빼기 발파 : 인공자유면을 형성시켜 다음 단계
　에서는 2자유면 발파로 저감할 수 있다.
⑤ 방진공 천공으로 인한 감쇄방법 : 방진차단벽 설치나 오픈트렌치 방법
　등으로 저감시킬 수 있다.

⑶ 폭음의 감소대책

① 지발당 장약량을 감소시킨다.
② 1회 총화약량을 감소시킨다.
③ 차음벽을 설치한다.

⑷ 진동속도 particle velocity

발파진동에 의한 주변건물에 미치는 피해 정도를 분석하는 데 지반입자의
진동속도가 많이 이용된다. 이때 진동속도의 크기에 영향을 미치는 인자는
장약량(L), 진원에서부터의 거리(r), 파쇄할 암질계수(C) 등이 있다.

$$진동속도\ \ V = C \cdot \frac{L^n}{r^m}$$

여기서, V : 진동속도(cm/sec)　　　L : 장약량(kg)
　　　　r : 진원에서부터의 거리(m)　C : 파쇄할 암질계수

기억해요
진동속도의 크기에 영향을 미치는
인자 3가지를 쓰시오.

9 드릴링 패턴 drilling pattern

드릴링 패턴은 터널 단면적, 형상, 커트의 종류, 발파공의 지름, 화약의
사용량에 따라 달라진다. 일반적으로 터널굴착에 활용되는 드릴링 패턴은
3개 부분으로 구분할 수 있다.

⑴ 심발공 center cut

처음 폭발로 만들어지는 공동부를 커트(cut)한다.

⑵ 주변공 trim hole

커트부와 굴착선에 따라 천공한 트림 홀(trim hole)

⑶ 조공 Breast hole

중간부에 배열하는 흉부공(breast hole)

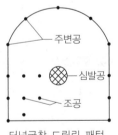

터널굴착 드릴링 패턴

| 착암기와 발파공법 |

02 핵심 기출문제

□□□ 89②, 92②, 94③, 02①

01 착암기로 표준암을 천공하니 60cm/min의 천공속도를 얻었다. 천공깊이 3.0m, 천공계수 15 공을 한 대의 착암기로 암반을 천공할 경우, 소요되는 총시간을 구하시오.
(단, 표준암에 대한 천공 대상 암의 암석항력계수는 1.35, 암석의 상태에 의한 작업조건계수는 0.60, 순천공시간이 천공시간에 점유하는 비율 0.65)

득점	배점
	3

계산 과정) 답 : _____

해답 총천공시간 $t = \dfrac{천공장\ L}{천공속도\ V_T}$

- $V_T = \alpha(C_1 \times C_2) \times V = 0.65 \times (1.35 \times 0.60) \times 60 = 31.59\,\text{cm/min}$

    ∴ 총천공시간 $t = \dfrac{300 \times 15}{31.59} = 142.45분 = 2.37시간$

□□□ 08②, 19①

02 풍화 파쇄작용을 받는 상태의 사암을 천공할 목적으로 굴착기로 표준암을 천공하니 55cm/min의 천공속도를 얻었다. 이 파쇄대의 사암을 같은 경으로 천공장 3.0m, 천공본수 15본을 1대의 착암기로 암반을 천공하는 데 소요되는 총천공시간을 구하시오.
(단, $\alpha = 0.65$, 저항력계수 $C_1 = 1.35$, 작업조건계수 $C_2 = 0.6$으로 함.)

득점	배점
	3

계산 과정) 답 : _____

해답 총천공시간 $t = \dfrac{천공장\ L}{천공속도\ V_T}$

- $V_T = \alpha(C_1 \times C_2) \times V = 0.65 \times (1.35 \times 0.60) \times 55 = 28.96\,\text{cm/min}$

    ∴ 총천공시간 $t = \dfrac{300 \times 15}{28.96} = 155.39분 = 2.59시간$

□□□ 04③, 06①, 10④, 14①, 17①, 21③

03 심발공(심빼기 발파공)의 종류 중 4가지만 쓰시오.

득점	배점
	3

① _____ ② _____ ③ _____ ④ _____

해답 ① V컷 ② 번컷 ③ 노컷 ④ 스윙컷 ⑤ 피라미드컷

☐☐☐ 93③, 95①, 04②

04 사암을 발파하기 위해 천공장 3m짜리 30공을 착암기 1대로 천공하고자 한다. 소요시간은 얼마인가?

(단, 표준암 천공속도 $V = 35\text{cm/min}$, $\alpha = 0.65$, 저항력계수 $C_1 = 1.35$, 작업조건계수 $C_2 = 0.5$)

계산 과정)   답 : _____

[해답] 총천공시간 $t = \dfrac{\text{천공장 } L}{\text{천공속도 } V_T}$

• $V_T = \alpha(C_1 \times C_2) \times V = 0.65 \times (1.35 \times 0.50) \times 35 = 15.36\,\text{cm/min}$

∴ 총천공시간 $t = \dfrac{300 \times 30}{15.36} = 585.94$분 $= 9.77$시간

☐☐☐ 06②

05 착암기로 표준암을 천공한 결과 55cm/min이었다. 안산암으로 이루어진 막장에서 암석저항계수 $C_1 = 1.15$, 작업조건계수 $C_2 = 0.85$, 작업시간율 $\alpha = 0.65$이고, 천공장을 3.0m라 할 때, 천공시간은 몇 분인가?

계산 과정)   답 : _____

[해답] 총천공시간 $t = \dfrac{\text{천공장 } L}{\text{천공속도 } V_T}$

• $V_T = \alpha(C_1 \times C_2) \times V$
$= 0.65 \times (1.15 \times 0.85) \times 55 = 34.95\,\text{cm/min}$

∴ $t = \dfrac{300}{34.95} = 8.58$분

☐☐☐ 93④, 98①, 05④

06 다음 그림과 같은 암석덩어리를 복토법(mud caping)을 이용하여 조각발파하려고 할 때, 장약량을 구하시오. (단, 폭파계수 $C = 0.17$로 한다.)

계산 과정)

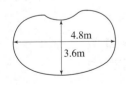

답 : _____

[해답] 장약량 $L = CD^2 = 0.17 \times 360^2 = 22,032\text{g} = 22.03\,\text{kg}$
(∵ 최소직경 3.6m = 360cm)

□□□ 99⑤

07 착암기로 표준암을 천공한 결과 55cm/min이었다. 안산암으로 이루어진 막장에서 암석저항계수 $C_1 = 1.15$, $C_2 = 0.85$, 작업시간율 $\alpha = 0.65$이고, 천공장을 3.5m라 할 때, 다음에 답하시오.

가. 안산암에서의 천공속도(V_T)는 몇 cm/min인가?

계산 과정)   답 : _____

나. 1공을 천공하는 데 소요되는 시간(t)은 몇 분인가?

계산 과정)   답 : _____

다. 착암기 1대가 1시간 동안 천공할 수 있는 천공공수(N)는?

계산 과정)   답 : _____

해답 가. 천공속도 $V_T = \alpha(C_1 \cdot C_2) \times V$
$$= 0.65 \times (1.15 \times 0.85) \times 55 = 34.95 \text{cm/min}$$

나. 천공시간 $t = \dfrac{\text{천공장 } L}{\text{천공 속도 } V_T} = \dfrac{350}{34.95} = 10.01 \text{min}$

다. 천공공수 $N = \dfrac{60}{10.01} = 5.99$ ∴ 6공

□□□ 14①, 17①

08 발파를 효과적으로 수행하자면 가능한 한 자유면이 많게 하여야 하며 이를 위하여 터널 또는 원지반의 굴착면에 심빼기 발파를 한다. 이러한 심빼기 발파공법의 종류를 4가지만 쓰시오.

① _____   ② _____   ③ _____   ④ _____

해답 ① V컷   ② 번컷   ③ 노컷   ④ 스윙컷   ⑤ 피라미드 컷

□□□ 96②, 12④, 16④

09 폭파에서 생긴 암석덩어리가 쇼벨 등으로 처리할 수 없을 정도로 크다면 이것을 조각낼 필요가 있다. 이와 같이 조각을 내기 위한 폭파를 2차 폭파 또는 조각발파라고 한다. 이러한 2차 폭파방법을 3가지만 쓰시오.

① _____   ② _____   ③ _____

해답 ① 천공법(block boring)   ② 사혈법(snake boring)   ③ 복토법(mud boring)

☐☐☐ 93④, 98①, 05④

10 폭파에서 생긴 바윗덩어리가 삽이나 곡괭이로 처리할 수 없게 크면 이를 다시 조각내어야 한다. 이와 같이 조각을 내기 위한 폭파를 2차 폭파 또는 조각발파라 한다. 다음 설명은 2차 발파방법 중 어떤 방법인가?

> 천공시간이 충분하지 못할 경우나 바윗덩어리 등이 대부분 지하에 묻혀 있고, 바윗덩어리 아래측에 따라 장약을 설치한다.

○ _____

─────────────────────────────

해답 사혈법(snake boring) 또는 스네이크 보링공법

☐☐☐ 89②, 08④, 12①, 13④, 17④, 23①

11 조절발파(controlled blasting) 공법의 종류를 4가지만 쓰시오.

① _____   ② _____

③ _____   ④ _____

─────────────────────────────

해답 ① 라인 드릴링(line drilling) 공법
② 쿠션 블라스팅(cushion blasting) 공법
③ 스무스 블라스팅(smooth blasting) 공법
④ 프리 스플리팅(pre-splitting) 공법

☐☐☐ 94①, 96①

12 자유면 높이 12m의 벤치 컷(bench cut) 공법의 암석굴착에서 천공간격 3.7m, 최소저항선 길이 7m일 때, 장약량을 구하시오.
(단, C=0.3이다.)

계산 과정)   답 : _____

─────────────────────────────

해답 $L = C \cdot W \cdot S \cdot H$
$= 0.3 \times 7 \times 3.7 \times 12 = 93.24 \text{kg}$

☐☐☐ 00②

13 후면에 약발파로 암반의 균열을 이루어 놓고 전면의 주발파로 면이 깨끗이 이루어지도록 하는 암석발파 방법을 무엇이라 하는가?

○ _____

─────────────────────────────

해답 프리 스플리팅(pre-splitting) 공법

□□□ 89②, 08④, 12①, 13④, 21②

14 여굴을 적게 하고 파단선을 매끈하게 하기 위한 조절폭파공법의 종류를 3가지만 쓰시오.

득점	배점
	3

① _____   ② _____

③ _____

해답 ① 라인 드릴링(line drilling) 공법   ② 쿠션 블라스팅(cushion blasting) 공법
③ 스무스 블라스팅(smooth blasting) 공법   ④ 프리 스플리팅(pre-splitting) 공법

□□□ 07②

15 아래 조절폭파공법들의 설명과 일치되는 공법명을 각각 기입하시오.

득점	배점
	3

> A : 굴착계획선에 따라 일렬로 천공하여 분산장약하고 주 굴착이 완료된 후에 폭파한다.
> B : 굴착선에 따라 폭파로 예비파괴단면을 만들어 놓고 주 폭파에 의한 진동, 파괴 영향을 적게
> 하여 여굴을 방지한다.

A : _____   B : _____

해답 A : 쿠션 블라스팅 공법(cushion blasting method)
B : 프리 스플리팅 공법(pre-splitting method)

□□□ 92①, 06④

16 목적하는 파단선을 따라 조밀한 간격으로 천공하고 이 공(孔)은 장전하지 않은 채 무장약
공으로 발파하여, 인접공에 대한 발파에너지의 영향으로 공열에 의해 형성된 마감면까지 파
괴시키는 제어발파(Control Blasting) 공법은?

득점	배점
	2

○ _____

해답 라인 드릴링(line drilling) 공법

□□□ 08①, 13④

17 암석발파 시 암석이 불규칙하게 튀어 나가는 것을 비산이라고 하며, 주변구조물 및 인명살
상을 초래할 수 있는 위험한 발파공해이다. 이와 같은 비산이 발생되는 원인을 3가지만 쓰시오.

득점	배점
	3

① _____   ② _____   ③ _____

해답 ① 과대한 장약량   ② 지발시간의 지연   ③ 전색의 부족

□□□ 98③, 02②

18 발파에 의한 공사수행 시 발생하는 지반진동의 크기가 기준치 이상 되면 인적, 물적인 피해가 발생될 수 있다. 이의 방지를 위해 진동치를 기준치 이하로 제어하는 방법을 3가지만 기술하시오.

① _____ ② _____

③ _____

득점 배점
3

해답 ① 화약류 선택에 의한 경감방법
② 장약량의 조정 및 분할발파
③ MSD에 의한 감소효과
④ 인공자유면을 이용한 심빼기 발파
⑤ 방진공 천공으로 인한 감쇄방법

□□□ 96①, 99①, 06②

19 발파진동에 의한 주변건물에 미치는 피해정도를 분석하는 데 지반입자의 진동속도(particle velocity)가 많이 이용된다. 이때 진동속도의 크기에 영향을 미치는 인자 중 3가지를 쓰시오.

① _____ ② _____ ③ _____

득점 배점
3

해답 ① 장약량(L)
② 진원에서부터의 거리(r)
③ 파쇄할 암질계수(C)

□□□ 10①

20 벤치컷 공법의 종류를 3가지만 쓰시오.

① _____ ② _____ ③ _____

득점 배점
3

해답 ① 롱벤치컷(long bench cut)
② 쇼트벤치컷(short bench cut)
③ 미니벤치컷(mini bench cut)
④ 다단벤치컷(multi bench cut)

과년도 예상문제

발파 및 화약

☐☐☐ 93①
01 발파에 의해서 파괴되는 물체가 외계(공기, 물)와 접하고 있는 면을 무엇이라 하는가?

○ _____

_____

해답 자유면(free surface)

☐☐☐ 86①
02 폭약으로 자유면까지의 깊이를 무엇이라 하는가?

○ _____

_____

해답 임계심도

☐☐☐ 98④
03 다음 그림과 같이 자유면(aa')을 가지는 폭파현장에서 $R=3$m, $W=4$m로 폭약중심에 장약하였다. 이때 누두지수 n을 구하고, 이 현장이 과장약, 약장약, 표준장약 중 어느 상태에 속하는지를 판단하시오.

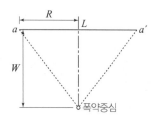

계산 과정)

답 : _____

해답 • $n=\dfrac{R}{W}=\dfrac{3}{4}=0.75$

• $n=0.75<1$

∴ 약장약 상태

☐☐☐ 93③
04 다음 ( ) 안에 알맞는 말을 넣으시오.

폭파에 있어서 미파괴 물체의 표면을 (①)이라 하며, 장약중심부터 자유면까지의 최단거리를 (②)이라 부르고, 자유면에 향해 생긴 원추공을 (③)이라 한다.

① _____ ②

③ _____

해답 ① 자유면 ② 최소저항선 ③ 누두공

☐☐☐ 93①, 94②
05 암석발파에서 화약량이 8kg이고 변형에너지 계수 $E=0.4$일 때, 임계심도 N을 구하시오.

계산 과정)

답 : _____

해답 임계심도 $N=EL^{\frac{1}{3}}=0.4\times 8^{\frac{1}{3}}=0.8m$ (∵ 임계심도 m)

☐☐☐ 92①
06 다음 용어를 간단히 설명하시오.

○발파에서 누두지수 :

_____

해답 누두지수 $n=\dfrac{누두반경(R)}{최소저항선(W)}$

☐☐☐ 84①
07 암석에 시험발파를 하는 주목적은 무엇을 구하기 위해 하는가?

○ _____

_____

해답 발파계수(C) 또는 적정장약량(L)

□□□ 93②

08 그림과 같이 누두공의 반경 R과 저항선 W의 비를 누두지수 n이라 하며 $n = \dfrac{R}{W} \gtrless 1$일 때, 다음 ( ) 내에 A, B, C에 맞는 말을 써넣으시오.

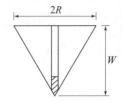

① $n = 1$이면 (Ⓐ)

② $n > 1$이면 (Ⓑ)

③ $n < 1$이면 (Ⓒ)

[해답] Ⓐ 표준장약　Ⓑ 과장약　Ⓒ 약장약

□□□ 92③, 96③

09 발파작업에서 채석방법, 암석의 비산상태, 장약량, 안전성을 고려해서 발파방법, 사용약량 등을 여러 가지로 변화시키면서 암석과 폭약에 대한 계수를 결정하기 위한 발파방법을 무엇이라 하는가?

○

[해답] 시험발파

□□□ 93①, 99②

10 다음 ( ) 안에 알맞은 말을 쓰시오.

> 폭파장약량은 암석의 압축강도가 클수록 더 (①) 필요하고, 내부 진충을 시킨 경우가 진충시키지 않은 경우보다 더 (②) 필요하며, 폭약종류에 따른 효력계수(e)가 작을수록 더 (③) 필요하다.

①

②

③

[해답] ① 많이　② 적게　③ 적게

□□□ 93④

11 내부장약법에서 장약량을 나타내는 식(Hauser식) $L = CW^3$에서 1자유면인 경우 C(폭파영향계수)에 영향을 미치는 요소 4가지를 쓰시오.

①　　　　　　　　②

③　　　　　　　　④

[해답] ① 암석항력계수(g)　② 폭파효력계수(e)
　　　③ 진쇄계수(d)　　　④ 약량수정계수($f(w)$)

□□□ 93②, 96④

12 터널굴착을 위하여 장약량 7kg으로 시험발파한 결과, 누두지수가 1.2이고, 폭파반경(R)이 3m였다. 최소저항선 길이를 2m로 할 때 필요한 장약량은 몇 kg인가?

계산 과정)

답 : _____

[해답] ■방법 1

장약량 $L = CW^3$

• 누두지수 $n = \dfrac{R}{W}$에서 $W = \dfrac{R}{n} = \dfrac{3}{1.2} = 2.5\,\text{m}$

• $L = CW^3$에서 $C = \dfrac{L}{W^3} = \dfrac{7}{2.5^3} = 0.448$

∴ $L = CW^3 = 0.448 \times 2^3 = 3.58\,\text{kg}$

■방법 2

$\dfrac{L}{L_1} = \dfrac{W_3{}^3}{W_1{}^3}$에서

∴ 장약량 $L = \left(\dfrac{W}{W_1}\right)^3 \times L_1 = \left(\dfrac{2}{2.5}\right)^3 \times 7 = 3.58\,\text{kg}$

□□□ 88③

13 발파에 의하지 않고 무진동, 무소음으로 팽창에 의하여 기존 건물이나 암반을 폭파하는 폭약은?

○

[해답] 캄마이트(Calmmite)

□□□ 94④

14 한국화약 제품으로 무성, 무진동의 폭약이다. 발파에 의하지 않고 팽창에 의하여 기존 건물이나 암반들을 폭파하는 폭약은?

○

[해답] 캄마이트(Calmmite)

□□□ 98②

15 어떤 암석층에 대하여 장약량 800g으로 시험폭파를 했을 때, 누두공 $n=1.4$가 되었다고 한다. 동일한 조건하에 $n=1$인 폭파 누두공이 되기 위한 표준장약량을 구하시오.

(단, 약량수정계수 $f(n)=\left(\sqrt{1+n^2}-0.41\right)^3$를 Dambrown 공식을 이용하여 구하시오.)

계산 과정)

답 : _____

해답 장약량 $L=\dfrac{f(n)}{f(n_o)}\cdot L_o$

■ 약량수정계수 $f(n)=\left(\sqrt{1+n^2}-0.41\right)^3$

· $f(1.4)=\left(\sqrt{1+1.4^2}-0.41\right)^3=2.25$

· $f(1)=\left(\sqrt{1+1^2}-0.41\right)^3=1.01$

■ 표준장약량(L) : $\dfrac{L}{L_o}=\dfrac{f(n)}{f(n_o)}$ 에서

∴ 장약량 $L=\dfrac{f(n)}{f(n_o)}\cdot L_o=\dfrac{f(1)}{f(1.4)}\times L_o$

$=\dfrac{1.01}{2.25}\times 800=359.11\,\mathrm{g}$

□□□ 94④, 97①

16 시험발파에서 최소저항선(W)을 1m로 할 때의 표준장약량이 0.8kg이라고 하면 발파계수(C)는 얼마인가?
또 동일한 장소에서 최소저항선을 4m로 하여 발파하려면 표준장약량은 몇 kg이 되는가?
(단, Hauser의 식을 그대로 이용하면 장약량이 많아져서 비산의 문제가 발생하므로 리레의 수정식

$f(w)=\left(\sqrt{1+\dfrac{1}{W}}-0.41\right)^3$을 적용하여 계산하시오.

가. 발파계수(C)

계산 과정)　　　　　　　답 : _____

나. 표준장약량

계산 과정)　　　　　　　답 : _____

해답 가. $L=CW^3$ 에서

∴ 발파계수 $C=\dfrac{L}{W^3}=\dfrac{0.8}{1^3}=0.8$

나. $f(w)=\left(\sqrt{1+\dfrac{1}{W}}-0.41\right)^3$

$=\left(\sqrt{1+\dfrac{1}{4}}-0.41\right)^3=0.35$

∴ 장약량 $L=f(w)CW^3$

$=0.35\times 0.80\times 4^3$

$=17.92\,\mathrm{kg}$

□□□ 89①

17 벤치 컷(bench cut)의 높이 $H=5\mathrm{m}$, 천공간격 $B=5\mathrm{m}$, 최소저항선 $W=5\mathrm{m}$로 할 때 이 암석굴착에 필요한 장약량 $L(\mathrm{kg})$은 얼마인가?
(단, 암석저항계수(g)=0.5, 폭약계수(e)=0.8, 진쇄계수(채움 상태계수)(d)=1.0(완전진쇄), 약량수정계수 $f(n)=\left(\sqrt{1+\dfrac{1}{W}}-0.41\right)^3$, 천공깊이 $N=H$로 한다. 소수점 셋째자리에서 반올림하시오.)

계산 과정)

답 : _____

해답 장약량 $L=C\cdot W\cdot S\cdot H$

· $f(\mathrm{n})=\left(\sqrt{1+\dfrac{1}{W}}-0.41\right)^3$

$f(5)=\left(\sqrt{1+\dfrac{1}{5}}-0.41\right)^3=0.32$

· $C=g\cdot e\cdot d\cdot f(n)$

$=0.5\times 0.8\times 1.0\times 0.32=0.128$

∴ $L=0.128\times 5\times 5\times 5=16\,\mathrm{kg}$

□□□ 87③

18 주성분은 과염소산암모니아(NH_4ClO_4)이며, 여기에 규산철(Fe_2SiO_4), 목분(木紛), 중유(重油) 등을 조합한 분말로써, 다이너마이트(dynamite)보다 발화점이 높고, 충격에 둔(鈍)하여 취급상 위험이 적으며, 폭발위력은 흑색화약의 4배 정도 커 대폭파에 좋은 이 폭약은?

○

해답 칼릿(Carlit)

□□□ 85①, 86②

19 질산암모늄과 연료유의 단순한 혼합물로 다습(多濕)한 곳에서는 사용할 수 없는 단점이 있으나, 값이 싸고 안전하며 취급이 간단한 폭약은?

○

해답 ANFO 폭약(초유폭약)

□□□ 92③
20 초안, TNT, 물로 미음과 같이 혼합한 것이고 ANFO 폭약에 비하여 강력하고, 내수성이 강하고 용수가 있는 곳에도 사용이 가능한 폭약은?

○ _____

해답 Slurry 폭약(함수폭약)

뇌관(기폭제)

□□□ 92④
21 지발 전기뇌관(단발 전기뇌관)에는 데시세컨드 뇌관 (decisecond detonator, DS 뇌관)과 밀리세컨드 뇌관 (millisecond detonator, MS 뇌관)이 있다. 효율면에서 어느 것이 더 유리한지 쓰고, 그 이유를 쓰시오.

○ 유리한 면 :

○ 이유 :

해답 ① MS 뇌관
② 먼저 발파에서 생긴 신자유면을 다음 발파에서 이용할 수 있다.

□□□ 92④
22 폭약을 폭파시키는 기폭제로 공업용 뇌관, 전기뇌관, 도화선이 있는데, 전기뇌관에는 지연발파 뇌관(지발뇌관)이 있는데 지발(遲發) 간격에 따라 MS와 DS 뇌관으로 구분한다. 두 뇌관의 기폭간격은?

○ MS :

○ DS :

해답 • MS(millisecond) : $\dfrac{1}{100}$sec(0.01초)

• DS(decisecond) : $\dfrac{1}{10}$sec(0.1초)

착암기

□□□ 85①
23 발파용 천공에 사용되는 천공기는 회전식 착암기와 충격식 착암기로 크게 나누는데, 그중 충격식 착암기의 종류를 3가지만 쓰시오.

① _____   ② _____

③ _____

해답 ① 브레이커(breaker)   ② 픽 해머(pick hammer)
③ 픽 스틸(pick steel)

□□□ 88②
24 Jack hammer와 Leg drill은 어떤 차이가 있는지 사용용도별로 구분하여 설명하시오.

① Jack hammer :

② Leg drill :

해답 ① Jack hammer : 수직용이며 단단한 암굴착에 적합하고 충격식이다.
② Leg drill : 수평용이며 보통암에 적합하고 진동식이다.

□□□ 93④, 99②
25 착암기로 표준암을 시공하여 55cm/min의 천공속도를 얻었다. 지금 굳은 정도가 좋고 균열도 있는 견경한 안산암으로 이루어진 본바닥을 천공하고자 한다. 천공길이가 4m일 때, 1시간당 천공수는?
(단, $\alpha = 0.65$, $C_1 = 1.15$, $C_2 = 0.85$이고, 정수로 답하시오.)

계산 과정)   답 : _____

해답 • 천공속도 $V_T = \alpha(C_1 \cdot C_2) \times V$
$= 0.65 \times (1.15 \times 0.85) \times 55 = 34.95$cm/min

• 천공시간 $t = \dfrac{천공장(L)}{천공속도(V_T)} = \dfrac{400}{34.95} = 11.44$min

∴ 천공수 $N = \dfrac{60}{11.44} = 5.24$ ∴ 6공

□□□ 95④
26 착암기(鑿岩機)로 암석(岩石)을 착공(鑿孔)하는 속도를 0.3m/min이라 할 때, 2.0m 깊이의 구멍을 10개 착공하는 데 요하는 시간을 구하시오.

○

해답 $t = \dfrac{L(\text{천공장})}{V_T(\text{천공속도})} = \dfrac{2.0 \times 10}{0.3} = 66.67$분 $= 1.11$시간

□□□ 87③
27 착암기로 사암(砂岩)을 천공하는 데 천공속도는 35cm/min이다. 이때 표준암을 착공하는 순속도는 얼마인가?
(단, $C_1 = 1.35$, $C_2 = 0.50$이고, $\alpha = 0.65$이다.)

○

해답 천공속도 $V_T = \alpha(C_1 \cdot C_2) \times V$에서

$V = \dfrac{V_T}{\alpha(C_1 \cdot C_2)} = \dfrac{35}{0.65(1.35 \times 0.5)} = 79.77$cm/min

□□□ 87②, 19②
28 사암(砂岩)을 착공(着工)하는 데 착공속도 $V_T = 30$cm/min이다. 이때 표준암을 착공하는 순속도는 얼마인가?
(단, $C_1 = 1.35$, $C_2 = 0.60$이고, $\alpha = 0.65$이다.)

계산 과정)   답 : _____

해답 천공속도 $V_T = \alpha(C_1 \cdot C_2) \times V$에서

$V = \dfrac{V_T}{\alpha(C_1 \cdot C_2)} = \dfrac{30}{0.65(1.35 \times 0.6)} = 56.98$cm/min

심빼기 발파공

□□□ 92①
29 발파 시 첫 번의 발파에 의하여 자유면을 증대시켜 다음 발파를 용이하게 하기 위한 작업으로 발파 중 가장 중요한 발파는?

○

해답 심발공(center cut blasting, 심빼기 발파공)

□□□ 예상문제
30 수직갱에 있어서 물이 고였을 경우 발파공법은?

○

해답 스윙컷(swing cut)

조각 발파공

□□□ 96②
31 파쇄된 암석 또 큰 돌을 운반이 용이하도록 재차 폭파하는 것을 2차 또는 암질 발파라고 하는데, 이러한 발파방법 3가지를 쓰시오.

① _____   ② _____
③ _____

해답 ① 천공법(block boring)   ② 사혈법(snake boring)
③ 복토법(mud boring)

조절 폭파공법

□□□ 91③
32 일반적인 발파기법과 달리 마감면의 주변공을 최초에 발파하여 미리 파단선을 형성하고, 그 후에 잔여공을 발파하는 방법으로 암반의 파괴는 미리 균열되어진 파단선을 넘지 않아서 과발파에 따르는 문제점이 해결되는 제어발파(control blasting) 공법은?

○

해답 프리 스플리팅(pre-splitting) 공법

□□□ 88③
33 주 굴착의 폭발과 동시에 점화하고 그 최종단에서 폭파시키는 것이 특징인 발파공법은?

○

해답 스무스 블리스팅(smooth blasting) 공법

□□□ 93③, 97③

34 제어발파(control blasting) 공법의 명칭을 쓰시오.

> 파단선에 따라 폭파로 예비파괴 단면을 만들어 놓고 주 폭파에 의한 진동, 파괴 등의 영향을 적게 하고 여굴(餘掘)을 방지하려는 공법이다. 공경은 5～10cm, 천공간격은 30～60cm 정도로 한다.

　○

해답 프리 스플리팅 공법(pre-splitting method)

□□□ 88②

35 터널의 여굴(over break)과 복공(lining)의 콘크리트량을 줄이기 위한 발공법으로 주발파와 동시에 점화하고 그 최종단에서 발파시키는 것이 특징인 이 공법은?

　○

해답 스무스 블라스팅(smooth blasting) 공법

□□□ 85②

36 암반굴착 시 제어발파(smooth blasting)를 실시하는 목적을 3가지만 쓰시오.

① ＿＿＿＿＿＿＿　② ＿＿＿＿＿＿＿

③ ＿＿＿＿＿＿＿

해답 ① 여굴(餘掘)을 감소한다.
　② 복공콘크리트량이 절약된다.
　③ 낙석의 위험성이 적다.
　④ 암반의 손상이 적다.
　⑤ 뜬돌(부석) 제거작업이 감소한다.

벤치컷 공법

□□□ 89②

37 암반굴착 시 계단모양으로 굴착하며, 계단식으로 점차 아래쪽으로 옮겨 가면서 발파작업을 계속하여 암석 굴착하는 방법을 무엇이라 하는가?

　○

해답 벤치컷 공법(Bench Cut Method)

□□□ 89①

38 암반굴착 또는 채석을 위한 대량의 암석을 굴착하기 위해 굴착량당의 사용 폭약이 적어도 되는 경제적인 암발파 공법은?

　○

해답 벤치컷 공법(Bench Cut Method)

□□□ 88③

39 지상을 계단식인 수평으로 굴진하여 굴착 시에는 크롤러 드릴(crawler drill), 적재 시에는 파워쇼벨(power shovel), 운반에는 덤프트럭에 의하는 암석굴착에 적용되는 공법은?

　○

해답 벤치컷 공법(bench cut method)

□□□ 96⑤

40 높이 10m의 벤치컷(Bench cut) 공법의 암굴착에 있어서 자유면으로부터 최소저항선의 길이가 8m이고 공간격이 3m일 때, 장약량을 계산하시오.
(단, $C=0.35$임.)

계산 과정)　　　　　　　　답 :＿＿＿＿

해답 $L = C \cdot W \cdot S \cdot H$
　　$= 0.35 \times 8 \times 3 \times 10 = 84\,\mathrm{kg}$

□□□ 92①, 97④

41 두 자유면을 가진 벤치컷에 있어서 구멍과 구멍의 간격을 1.0m라고 하고 최소저항선을 1.5m, 그 장약량을 8.5kg이라 할 때, 천공깊이 N을 구하시오.
(단, $C=0.58$임.)

계산 과정)　　　　　　　　답 :＿＿＿＿

해답 • 장약량 $L = C \cdot W \cdot S \cdot H$ 에서
　• 벤치 높이 $H = \dfrac{L}{C \cdot W \cdot S} = \dfrac{8.5}{0.58 \times 1.5 \times 1.0} = 9.77\,\mathrm{m}$
　∴ 천공깊이 $N = H + 0.3W = 9.77 + 0.3 \times 1.5 = 10.22\,\mathrm{m}$

□□□ 85②

42 수중에서 기계에 의하여 다량의 암석을 제거하는 방법을 3가지만 쓰시오.

① _____ ② _____

③ _____

해답 ① 준설선에 의한 암석굴착
② 중추식 쇄암선에 의한 암반굴착
③ 맥키난테리 수중쇄암기

드릴링 패턴

□□□ 94①, 97④

43 그림과 같은 Drilling Pattern의 터널굴착에서 ( ) 내의 A, B, C에 알맞은 명칭을 쓰시오.

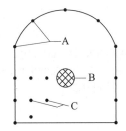

해답 A : 주변공(trim hole)
B : 심발공(cut)
C : 조공(breast hole)

□□□ 93③

44 다음 ( ) 속에 알맞은 말을 쓰시오.

> 터널굴착에서 처음 폭발에서 생긴 공동을 (①)이라 하는데
> 이것은 다음 발파공의 자유면으로 이용된다. 또한 (①)과
> 굴착선을 따라 천공하는(②)은 여굴(overexcavation)을
> 방지하고 평탄한 굴착면이 생기도록 smooth blasting 기술
> 을 활용한다. ①과 ②의 중간에 보통 bench blasting이
> 계획되는 (③)으로 구성되는 것이 터널의 drilling pattern
> 이다.

① _____ ② _____

③ _____

해답 ① 심발공(cut)
② 주변공(trim hole)
③ 조공(Breast hole)

9 chapter

교량공 및 암거

✓ 체크	출제경향	출제연도
☐☐☐	01 상판의 위치에 의하여 분류한 교량의 형식을 4가지 쓰시오.	01①, 07④, 09④, 21①, 23①
☐☐☐	02 트러스교의 골조형태를 3가지로 분류하시오.	08④, 22③
☐☐☐	03 사장교 케이블의 교축방향 배치방식에 따른 4가지로 분류하시오.	04④, 06②, 10①, 14④, 20①
☐☐☐	04 교량의 교대에 많이 사용되는 구조형식을 3가지 쓰시오.	11④, 20③, 23②
☐☐☐	05 교각의 세굴방지공법을 3가지 쓰시오.	12②
☐☐☐	06 교대의 단면도와 정면도의 각 부분 명칭을 쓰시오.	98③
☐☐☐	07 측방유동을 최소화시킬 수 있는 방안을 3가지 쓰시오.	03④
☐☐☐	08 교대설치 시 측방유동에 영향을 주는 요인 3가지를 쓰시오.	05①, 08④, 12②, 16①, 22①
☐☐☐	09 뒤채움 성토부의 편재하중을 경감하는 공법을 3가지 쓰시오.	13①
☐☐☐	10 교량등급에 따라 DB 하중을 3가지로 분류하시오.	10④
☐☐☐	11 단답형 : 가속도계수	98④, 02④
☐☐☐	12 교량의 내진설계 시 사용하는 내진해석방법 3가지를 쓰시오.	93③, 97③, 12①, 19①
☐☐☐	13 교대의 평면형상에 의한 종류명 4가지를 쓰시오.	95④, 99⑤
☐☐☐	14 장대교 시공방법 중 동바리를 사용하지 않는 공법 4가지를 쓰시오.	92②, 94③, 00②, 03④, 04④, 07②, 10④, 11①, 14②, 17①, 18③, 21①③, 22③, 23①②③
☐☐☐	15 단답형 : 라멘형식	94①, 02④
☐☐☐	16 단답형 : 연속보형식	96②, 97④
☐☐☐	17 단답형 : 압출공법(ILM)	89①, 96①, 93④, 19①, 21②
☐☐☐	18 단답형 : 이동식 지보공법(MSS 공법)	89①, 94④, 99①
☐☐☐	19 단답형 : 외팔보(캔틸레버 공법 : FCM)	93④, 99②, 06①
☐☐☐	20 단답형 : 프리캐스트 세그먼트 공법	92②, 93③
☐☐☐	21 단답형 : 디비닥공법	87②
☐☐☐	22 단답형 : 피로파괴	95①
☐☐☐	23 아치교의 콘크리트 타설순서를 쓰시오.	88③, 93①
☐☐☐	24 연속 슬래브교의 콘크리트 타설순서를 쓰시오.	87②, 95③

√ 체크	출제경향	출제연도
☐☐☐	25 교대시공 시 날개벽의 시공목적을 쓰시오.	94②
☐☐☐	26 PSC 교량에서 PS 정착방법 중 정착장치의 형식 3가지로 분류하시오.	04②, 09②, 13②, 18②
☐☐☐	27 프리스트레스 도입할 때 일어나는 손실의 원인을 3가지 쓰시오.	04②, 08②
☐☐☐	28 프리스트레스 도입 후에 일어나는 손실원인을 3가지 쓰시오.	05④, 08④
☐☐☐	29 교량가설공법 중 압출공법(ILM)의 단점 3가지를 쓰시오.	12④
☐☐☐	30 압출공법에 적용되는 압출방법을 3가지 쓰시오.	09①, 10②, 14②, 17②
☐☐☐	31 압출공법의 시공순서를 쓰시오.	23②
☐☐☐	32 강트러스교의 가설공법을 4가지 쓰시오.	00⑤
☐☐☐	33 단답형 : 연결재	03②, 07②, 22②
☐☐☐	34 강상자형교를 Box 단면의 구성형태에 따른 분류 3가지를 쓰시오.	03①, 07①, 17②, 21①
☐☐☐	35 고장력 볼트의 일반적인 파괴형태에 따른 분류 3가지를 쓰시오.	03①
☐☐☐	36 강교제작 시 용접이음 검사인 비파괴 검사방법을 3가지 쓰시오.	09②
☐☐☐	37 암거의 배열방식을 3가지만 쓰시오.	99⑤, 06②, 08④, 17④, 20②
☐☐☐	38 원활한 배수를 위한 암거낙차를 Giesler 공식을 이용하여 구하시오.	99①, 00④, 04②, 07②, 07④, 09②, 13①, 17①, 20②
☐☐☐	39 불투수층에 놓인 암거를 통한 단위길이당 배수량을 구하시오.	00①, 04③, 07④, 14④, 16④ 22②
☐☐☐	40 매설관에 작용하는 단위폭당의 하중은 몇 t/m인가?	00②, 02③, 07①, 22③
☐☐☐	41 암거매설공법에서 토사를 굴착하여 소정의 구조물을 설치함으로써 상부교통에 지장을 주지 않고 시공하는 공법은?	96③④, 98②, 03③
☐☐☐	42 기존 도로 또는 철도 등의 하부를 통과하는 터널공사에 적용되는 터널공법 3가지만 쓰시오.	11①
☐☐☐	43 단답형 : 교좌장치	15④, 22①
☐☐☐	44 단답형 : 프론트잭킹공법	93③④, 98②, 03③, 19②, 23①
☐☐☐	45 하천제방의 누수방지방법 3가지를 쓰시오.	13①, 23①
☐☐☐	46 암거의 정지토압분포도를 그리시오.	21①, 23①

09 교량공 및 암거

라멘교

01 교량 일반 □□□

1 교량의 분류

하천, 계곡, 해협 등에 가설하여 교통을 위한 통로를 지지하도록 한 구조물을 교량(bridge)이라 한다.

(1) 교량의 분류

교량의 형식	교량의 분류
노면의 위치	상로교, 중로교, 하로교, 2층교
상부구조형식	슬래브교, 라멘교, 거더교, 트러스교, 아치교, 사장교, 현수교
설계하중	1등교(차량하중 KL 510), 2등교(1등교 활하중 효과의 75%를 적용), 3등교(2등교 활하중 효과의 75%를 적용)
사용목적	도로교, 관로교, 철도교, 수로교, 군용교, 운하교, 보도교
평면형상	직교, 사교, 직선교

(2) 교량의 구성

상부구조		하부구조	
교량의 주체가 되는 부분으로서 교통의 하중을 직접 받쳐 주는 부분		상부구조로부터의 하중을 지반에 전달해 주는 부분	
바닥판	포장, 슬래브	교각, 교대	상부의 하중을 지반에 전달하는 역할
바닥틀	세로보, 가로보	기초	지반의 조건에 따라 말뚝 기초 또는 우물통 기초가 사용
주형, 주트러스	트러스, PSC 상자		

(3) 상부구조

① 바닥판 : 교통하중을 직접 받는 부분을 바닥판이라 하며 도로교에서는 교면과 그 밑에 있는 슬래브로 되어 있다.

② 바닥틀 : 바닥을 지지하여 바닥에 작용하는 하중을 거더 또는 트러스에 전달하는 역할을 한다.

③ 주형 : 바닥틀로부터의 하중이나 자중을 안전하게 받쳐서 하부구조에 전달하는 부분

④ 교좌(shoe) : 교량의 일단을 지지하는 곳

⑤ 구체(main body) : 상부구조에서 오는 전하중을 기초에 전달하고 배후 토압에 저항한다.

⑥ 브레이싱(bracing) : 교량에서 좌우의 주형을 연결하여 구조물의 횡방향 지지, 교량 단면형상의 유지, 강성의 확보, 횡하중의 받침부로의 원활한 전달 등을 위해서 설치된 구조

⑷ **하부구조**

① 종류 : 교각, 교대, 기초(교각, 교대를 지지해 줌.)

② 교대 : 후방에 오는 토압을 지지하고 연직 및 수평하중을 지반에 전달한다.

⑸ **상판의 위치에 의한 분류**

① **상로교(deck bridge)** : 교량의 상판이 거더나 트러스보다 위쪽에 위치해 있는 것

② **중로교(half trough bridge)** : 교량의 상판이 거더높이의 중간 정도에 위치하는 것으로 주로 아치교에서 가끔 볼 수 있는 형식

③ **하로교(trough bridge)** : 상판이 거더 또는 트러스보다 아래쪽에 위치해 있는 것으로 이 형식은 수면이나 지표면으로부터 공간의 높이가 충분하지 못할 때 주로 사용하는 형식

④ **2층교(double deck bridge)** : 한 교량에 상판이 2개 있는 것으로 교량 설계 때 예상교통량을 초과하거나 교량의 면적점유율을 줄여서 시공하고자 할 때, 혹은 도로와 철도를 하나의 교량에 건설하고자 할 때 사용하는 형식

기억해요
상판의 위치에 의하여 분류한 교량의 형식 4가지를 쓰시오.

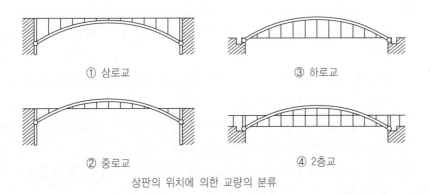

① 상로교   ③ 하로교

② 중로교   ④ 2층교

상판의 위치에 의한 교량의 분류

거더교

트러스교

기억해요
트러스교의 골조형태를 3가지로
분류하시오.

(6) 상부구조 형식에 의한 분류

① 거더교(girder bridge) : 거더를 주체로 하는 교량

② 트러스교(truss bridge) : 거더 대신 트러스를 사용한 교량

③ 아치교(arch bridge) : 교량의 구조를 곡선형으로 만들어 주위 경관과 조화를 이루게 한 교량

④ 현수교(suspension bridge) : 양단의 지주에 케이블을 걸고 여기에 인장력을 받는 특수케이블과 이것을 지지해 주는 앵커블록으로 보강형 또는 보강 트러스를 매어 단 교량

⑤ 사장교(cable stayed bridge) : 주탑, 케이블, 주형의 3요소로 구성되어 있고, 현수교와 다르게 케이블을 거더에 정착시킨 교량형식

⑥ 라멘교(rahmen bridge) : 교량의 상부구조와 하부구조가 일체로 된 교량의 형식

(7) 트러스교의 골조형태에 따른 분류

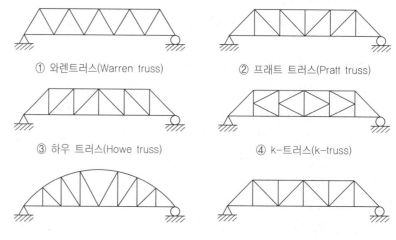

① 와렌트러스(Warren truss)　　② 프래트 트러스(Pratt truss)

③ 하우 트러스(Howe truss)　　④ k-트러스(k-truss)

⑤ 곡현 트러스(curved chord truss)　　⑥ 수직재가 있는 와렌트러스

① 와렌 트러스(warren truss) : 현재 트러스교로서 가장 널리 사용

② 프래트 트러스(pratt truss) : 사재의 방향이 하우 트러스와 반대로 된 트러스

③ 하우 트러스(howe truss) : 사재의 방향이 지간중심선에 대하여 위에서 아래로 향하여 바깥으로 나간 트러스

④ K 트러스(K-truss) : 외관이 좋지 않으므로 주 트러스에는 사용하지 않고 주로 수평 브레이싱에 사용되는 트러스

⑤ 곡현 트러스(curved chord truss) : 상현재의 각 점이 포물선상에 놓여진 트러스

(8) 아치교 Arch bridge

아치교는 부재 내에 압축력만 발생하게 하는 아치의 구조적 특성을 이용한 교량형식으로 수평반력에 의해 아치리브의 모멘트를 감소시켜 축방향 압축력이 단면을 지배하는 구조이다.

아치교

① 타이드 아치(tied arch) : 아치리브 강성이 보강형의 강성보다 커서 리브가 축력과 휨모멘트에 대해 주로 저항하며 보강형은 축력이 주로 발생하는 구조(한강대교)

② 랭거아치(langer arch) : 보강형의 강성이 아치리브의 강성보다 커서 보강형이 축력과 휨모멘트에 대해 저항하고 아치리브에는 축력이 주로 발생하는 구조(동작대교)

③ 로제아치(lohse arch) : 모멘트와 축력을 받는 아치리브와 보강형으로 구성되는 2개의 휨강성이 있는 부재를 그 양단에서 연결하고 양 현재의 중간을 양단 힌지의 수직재로 연결한 아치형식(초량대교)

④ 닐센아치(nielsen arch) : 종래의 아치교에서 휨강도를 갖는 수직재 대신에 미관을 증진시키기 위해 유연한 로드나 케이블을 사제로 이용한 아치형식(서강대교)

② 장대교

(1) 장대교인 현수교

가설순서	① 탑의 조립 → ② Guide rope 가설 → ③ cat walk 가설 → ④ 주 cable 가설 → ⑤ cable band 설치 → ⑥ Hanger rope 설치 → ⑦ 보강 Girder 설치
케이블의 요구조건	① 유효 단면적당의 인장강도를 가질 것 ② 피로강도가 크고 크리프가 작을 것 ③ 단면밀도가 클 것 ④ 구조신장이 작을 것 ⑤ 탄성계수가 클 것 ⑥ 취급이 쉽고 가설작업이 용이할 것

현수교

(2) 주형의 지지방식에 의한 사장교의 분류

① 자정식 사장교 : 케이블을 3경간 연속의 주형에 정착하는 방식으로 사장교는 거의 이 방식을 사용

② 부정식 사장교 : 축력을 전달하지 않는 신축이음을 측경간 또는 중앙경간에 삽입한 구조

③ 완정식 사장교 : 주형을 3개의 단순거더로서 구성한 구조

사장교

(3) **사장교의 주 부재인 케이블의 교축방향 배치방식에 따른 분류**

① 부채형(fan type)

② 하프형(harp type)

③ 스타형(star type)

④ 방사형(radiating type)

⑤ 번들형(bundle type)

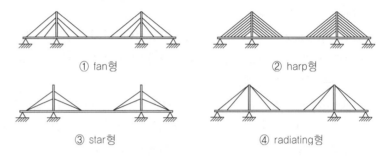

① fan형   ② harp형

③ star형   ④ radiating형

3 교좌장치 shoe

(1) **교좌장치의 정의**

교량의 상부구조와 하부구조의 접점에 위치하면서 상부구조에서 전달되는 하중을 하부구조에 전달하고, 상하부 간의 상대변위 및 상부구조의 회전변형을 흡수하는 장치

(2) **교좌장치의 기능**

① 받침기능(하중전달기능) : 상부구조에 작용하는 전하중을 하부구조에 전달하는 기능

② 회전기능 : 상부구조는 하중재하에 의해 처짐이 발생하고 지점부에서 회전변위를 흡수하는 기능

③ 신축기능(이동기능) : 상하부 구조 간의 온도변화, 건조수축 등에 의해서 발생하는 상대변위를 원활히 흡수하는 기능

(3) **교좌장치의 종류**

① 평면교좌 : 상하부 받침이 접촉한 2장의 강판재를 합하여 면접촉을 하게 한 교좌장치

② 선교좌 : 상하부로 접촉하는 2개의 강재 중 하나를 원통형으로 하여 원주면에서 선접촉을 하게 한 교좌장치

③ 핀교좌 : 상하부 받침이 접촉한 사이로 핀이 끼워져 일방향으로만 굴림이 가능한 교좌장치

교좌장치

4 교대 abutment

(1) 교대구조의 명칭

① **교좌**(橋座 : bridge seat) : 교량의 일단을 지지하는 것이다.(A)

② **배벽**(背壁 : parapet wall) : 축제의 상부를 지지하여 흙이 교좌에서 무너지는 것을 막으며, 흉벽(parapet wall)이라고도 한다.(B)

③ **주체**(main body) : 상부구조에서 오는 전하중을 기초에 전달하고 배후 구조에 저항한다.(C)

④ **교대기초**(footing) : 주체의 하부를 확대하여 하중을 기초지반에 넓게 분포시켜 교대의 안정을 도모한다.(D)

⑤ **날개벽**(wall) : 날개벽은 교대배면 성토의 보호와 세굴방지에 시공목적이 있다.(E)

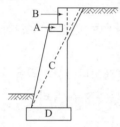 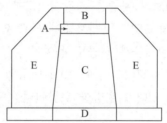

A : 교좌   B : 배벽(흉벽)
C : 주체(구체)   D : 교대기초
E : 날개벽

(2) 교대의 평면형상에 의한 분류

교대는 교량과 도로와의 지형적 조건, 기초토질 상태, 하천의 유수방향과 교량의 방향, 경제성 등에 따라서 각각 달라진다.

종류		형식 및 이용
직벽교대	형식	하천 양안에 따라 직면을 가진 간단한 구조
	이용	도로, 철도 등에 많이 사용되나 유수에 의한 하안이 세굴될 수 있으므로 유수가 없는 장소에 사용하면 경제적
U형 교대	형식	U자형으로 측벽이 직각으로 된 구조
	이용	철도교에 많이 사용
T형 교대	형식	T자형으로 양 측벽이 배후에서 축제와 합쳐진 구조
	이용	교대가 높아지고 측벽이 커질 때 유리
날개형 교대 (익벽교대)	형식	직벽교대의 양측에 날개모양의 벽을 설치한 구조
	이용	하천의 유수에 장해가 되지 않고 외관도 좋아서 시가지의 교대에 적당하다.

교대
상부구조를 지지하고 교량과 일반 도로를 연결하는 구조물이다.

교대의 단면도와 정면도 ◀

기억해요
교대의 평면형상에 의한 종류명을 4가지 쓰시오.

(3) 교대의 구조형식에 의한 분류

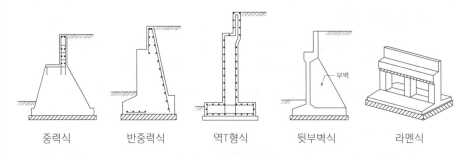

중력식   반중력식   역T형식   뒷부벽식   라멘식

① **중력식 교대** : 높이 4~6m까지, 자중이 크기 때문에 지지 지반이 양호한 곳에 사용
② **반중력식 교대** : 높이 4m 이하로 배면에 철근을 배치하여 단면을 보강해서 중력식보다 자중을 경감시키도록 한 형식
③ **역T형식 교대** : 구체자중이 작고 흙의 중량으로 안정을 유지하므로 경제적이며 뒤채움부 시공도 용이함.
④ **뒷부벽식 교대** : 높이 10m 이상일 때 역T형보다 많이 적용
⑤ **라멘식 교대** : 횡방향 토압이나 수평력이 큰 경우 유리

5 교각 pier

(1) 교각의 종류

교각이란 교량의 거더나 트러스를 지지할 목적으로 교대 사이에 1개 또는 여러 개의 기둥형의 벽체로 지주를 만든 구조물
① **중력식 교각** : 자중으로 안정을 유지하는 교각으로 돌 쌓기 및 콘크리트가 주로 사용된다.
② **말뚝식 교각** : 지반 속에 말뚝을 박아서 만든 것으로 물의 깊이가 깊거나 간단한 교각에 사용된다.
③ **T형 교각** : 도로의 고가교에 많이 사용된다.
④ **라멘 교각** : 철근 콘크리트의 보와 기둥을 일체로 만든 구조로 유수에 대한 장애가 적다.
⑤ **트러스 교각** : 교각의 높이가 높은 곳에 사용되며 강트러스 교각을 사용하는 것이 경제적이다.

(2) 교각 주위의 세굴 Scouring 방지공법

① 사석보호공   ② 돌망태보호공
③ 시트파일공   ④ 콘크리트 밑다짐공
⑤ 프리플레이스트 콘크리트공

6 교대의 측방유동

(1) 연약지반에 설치하는 교대기초는 대부분 말뚝기초로 계획하는데, 이 말뚝기초는 상부구조물의 하중과 토압뿐만 아니라 편재하중으로 인한 측방유동에 대하여도 안정하여야 한다.

(2) **측방유동의 발생원인과 영향을 주는 요인**

구분	원인 및 요인
측방유동의 발생원인	• 지지력 부족 • 과도한 침하 • 사면 불안정 • 과도한 지반의 경사
측방유동에 영향을 주는 요인	• 교대배면의 뒤채움 편재 하중 • 교대배면의 성토 높이 • 교대하부 연약층의 두께 • 교대하부 연약점토층의 전단강도

(3) **측방유동의 대책공법**

대상부분	개량원리	대책공법
뒤채움 성토부	편재하중 경감	• 연속 box culvert 공법 • EPS 공법 • pipe 및 box 매설공법 • 슬래그 성토공법
	배면토압 경감	• 소형교대공법, 압성토 공법 • Approach cushion 공법
연약지반	압밀촉진에 의한 지반강도 증대	• 프리로딩 공법 • 샌드 컴팩션 파일 공법
	화학반응에 의한 지반강도 증대	• 생석회말뚝 공법 • 약액주입공법
	치환 및 고결에 의한 지반개량	• 치환공법 • 고결공법
교대부	교대형식	• 벽식교대 지양 • 소형교대 • Approach cushion 공법
	교대치수	• 교축방향 길이 증대
기초부	기초형식	• 케이슨 기초 지양
	기초강성 증대	• 성토지지 말뚝공법 • 버팀 슬래브 공법

더 알아두기

🔋 **측방유동(lateral flow)** 포화 점토지반이 부분재하를 받았을 때 극한지지력에 가깝게 되면 지반의 소성변형 때문에 전단변형에 기인하는 즉시 침하가 급증하여 지반이 측방으로 변형하는 것

기억해요
교대설치 시 측방유동에 영향을 주는 요인 3가지를 쓰시오.

기억해요
측방유동을 최소화할 수 있는 방안을 3가지 쓰시오.

기억해요
측방유동을 줄이는 공법 중 뒤채움 성토부의 편재하중을 경감하는 공법을 3가지 쓰시오.

↩ **DB의 어원** D(Doro), B(Ban truck, Semi trailer)로서 D는 도로의 이니셜이고, B는 반트럭이라는 뜻이다.

기억해요
교량등급에 따라 DB 하중을 3가지로 분류하시오.

7 교량의 설계

(1) 교량의 등급 DB 하중

도로교 설계 시 활하중은 표준트럭하중(DB 하중)으로 많이 설계되는데 교량등급에 따라 DB 하중 등급으로 분류한다.

교량등급	하중등급	적용내용
1등교	차량하중 KL 510	고속국도, 자동차 전용도로, 특별시도, 광역시도, 일반국도 및 국방상 중요한 도로상의 교량, 교통량이 많고, 중차량의 통과가 불가피한 지방도, 장대교량
2등교	1등교 활하중 효과의 75%를 적용	일반국도, 특별시도와 지방도로상의 교통량이 적은 교량, 시도 및 군도 중에서 중요한 도로상에 가설하는 교량
3등교	2등교 활하중 효과의 75%를 적용	

(2) 교량의 설계하중

구 분	특 성	하중의 종류
주하중	• 교량에 항상 장기적으로 작용하는 하중 • 설계에 반드시 반영되는 하중	1. 고정하중 2. 활하중 3. 충격하중
부하중	• 때에 따라 작용하는 2차적인 하중으로서 하중의 조합에 반드시 고려되는 하중	1. 풍하중 2. 온도변화의 영향 3. 지진하중
특수하중	• 교량의 종류, 구조형식, 가설지점의 상황 등에 따라 특별히 고려되는 하중	1. 설하중 2. 원심하중 3. 제동하중 4. 지점이동의 영향 5. 가설하중 6. 충돌하중

기억해요
교량의 내진설계 시 사용하는 내진해석방법 3가지를 쓰시오.

(3) 교량의 내진설계 해석방법

교량의 내진설계는 지진에 의해 교량이 입는 피해 정도를 최소화시킬 수 있는 내진성을 확보하기 위해 실시한다.

① **등가정적 해석법**(equivalent load analysis) : 지진의 영향을 등가의 정적하중으로 환산하여 적용하는 방법으로서 구조물의 동적 특성을 고려하기가 곤란하므로 단순하고 정형화된 구조물에 적용한다.

② **스펙트럼 해석법**(spectrum analysis) : 구조물의 주기를 산정하고 지역 특성에 맞게 기 작성된 응답 스펙트럼을 이용하여 구조물의 탄성지지력을 예측하는 해석법이며, 하나의 진동모드만을 사용하는 단일모드 스펙트럼법과 여러 개의 진동모드를 사용하는 다중모드 스펙트럼 해석법이 있다.

③ **시간이력 해석법**(time history analysis) : 해석모델에 지역의 지반운동을 외력으로 직접 적용하는 해석법이고 구조물의 형상이 복잡하거나 높은 안정성이 요구되는 교량에 적용한다. 재료의 선형거동만을 고려하여 필요한 모드의 수만큼 응답지진력을 중첩하는 모드중첩법과 재료의 비선형 거동까지 고려하여 모드의 수만큼 응답지진력을 적분하는 직접적분법이 있다.

(4) 가속도계수 acceleration coefficient

① 교량의 내진설계 시 설계지진력을 산정하기 위하여 교량의 중량에 곱해 주는 계수로 지역에 따라 다르게 사용하는 계수를 가속도계수(acceleration coefficient)라 한다.

② 어떤 지역의 지진 빈도나 크기 등의 특성을 효과적으로 고려하기 위하여 지역에 따라 서로 다른 계수를 사용하는데, 지진구역계수에 위험도계수를 곱하여 결정한다.

(5) 응답수정계수 response modification factor

타성해석으로 구한 각 요소의 내력으로부터 설계지지력을 산정하기 위한 수정계수

단일모드 스펙트럼 해석법
하나의 진동모드만을 사용하는 스펙트럼 해석법
다중모드 스펙트럼 해석법
여러 개의 진동모드를 사용하는 스펙트럼 해석법

핵심용어
가속도계수

| 교량 일반 |

01 핵심 기출문제   □□□

□□□ 01①, 07④, 09④, 21①

01 교량은 상판의 위치, 구조형식, 사용재료 및 용도 등 여러 가지 관점에서 분류할 수 있다. 상판의 위치에 의하여 분류한 교량의 형식 4가지를 쓰시오.

득점 배점
3

① _____ ② _____

③ _____ ④ _____

해답 ① 상로교   ② 중로교   ③ 하로교   ④ 2층교

□□□ 09④, 23①

02 교량을 상판의 위치에 따라 분류할 때, 그 종류를 4가지만 쓰시오.

득점 배점
3

① _____ ② _____

③ _____ ④ _____

해답 ① 상로교(上路橋)   ② 중로교(中路橋)
③ 하로교(下路橋)   ④ 2층교(二層橋)

□□□ 08④, 22③

03 트러스교의 골조형태를 3가지로 분류하시오.

득점 배점
3

① _____ ② _____ ③ _____

해답 ① 와렌 트러스(warren truss)   ② 프래트 트러스(pratt truss)
③ 하우 트러스(howe truss)   ④ K 트러스(K - truss)
⑤ 곡현 트러스(curved chord truss)

□□□ 96④, 02④

04 교량의 내진설계 시 설계지진력을 산정하기 위하여 교량의 중량에 곱해 주는 계수로 지역에 따라 다르게 사용하는 계수를 무엇이라 하는가?

득점 배점
3

○ _____

해답 가속도계수(acceleration coefficient)

□□□ 04④, 06②, 10①, 14④, 20①

05 장대교량에 사용되는 사장교는 주 부재인 케이블의 교축방향 배치방식에 따라 크게 4가지
로 분류되는데, 이를 쓰시오.

득점	배점
	3

① _____ ② _____

③ _____ ④ _____

해답 ① 부채형(fan type)
② 하프형(harp type)
③ 스타형(star type)
④ 방사형(radiating type)

□□□ 16④, 20④

06 장대교량에 사용되는 사장교는 주부재인 케이블의 교축방향 배치방식에 따라 3가지를 쓰고
예와 같이 그림을 그리시오.

득점	배점
	6

[예] 방사형 :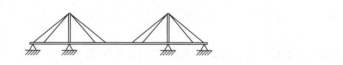

① _____ ② _____ ③ _____

해답 ① 부채형(fan type)

② 스타형(star type)

③ 하프형(harp type)

□□□ 11④, 20③

07 교량의 교대에 많이 사용되는 구조형식을 5가지만 쓰시오.

득점	배점
	3

① _____ ② _____ ③ _____

④ _____ ⑤ _____

해답 ① 중력식 ② 반중력식 ③ 역T형식 ④ 뒷부벽식 ⑤ 라멘식

□□□ 12②

08 교각(Pier)의 세굴(Scouring) 방지공법을 3가지만 쓰시오.

득점	배점
	3

① _____ ② _____ ③ _____

해답 ① 사석보호공 ② 돌망태보호공 ③ 시트파일공
④ 콘크리트 밑다짐공 ⑤ 수제공 ⑥ 프리플레이스트 콘크리트공

□□□ 03④

09 연약지반상에 교대를 설치하면 측방으로 이동하여 성토체가 침하함은 물론 수평변위가 생겨 포장파손 등 문제점을 유발한다. 이 같은 측방유동을 최소화시킬 수 있는 방안을 3가지만 기술하시오.

득점	배점
	3

① _____ ② _____ ③ _____

해답 ① 뒤채움재 편재하중 경감 ② 배면토압 경감
③ 압밀촉진에 의한 지반강도 증대 ④ 화학반응에 의한 지반강도 증대
⑤ 치환에 의한 지반 개량

□□□ 05①, 08④, 12②

10 교대설치 시 측방유동에 영향을 주는 요인 3가지를 쓰시오.

득점	배점
	3

① _____ ② _____ ③ _____

해답 ① 교대배면의 뒤채움 편재 하중
② 교대배면의 성토높이
③ 교대하부 연약층의 두께
④ 교대하부 연약층의 전단강도

□□□ 05①, 08④, 12②, 16①, 22①

11 연약지반에 설치한 교대에 발생하기 쉬운 측방유동에 영향을 미치는 주요 요인을 3가지만 쓰시오.

득점	배점
	3

① _____ ② _____ ③ _____

해답 ① 교대배면의 뒤채움 편재 하중
② 교대배면의 성토 높이
③ 교대하부 연약층의 두께
④ 교대하부 연약측의 전단강도

□□□ 13①

12 연약지반상에 교대가 위치하는 경우 측방유동으로 문제점이 발생한다. 측방유동을 줄이는 공법 중 뒤채움 성토부의 편재하중을 경감하는 공법을 3가지만 쓰시오.

득점	배점
	3

① _____ ② _____ ③ _____

해답 ① 연속 box culvert 공법   ② 파이프 매설공법
③ box 매설공법   ④ EPS 공법
⑤ 슬래그 성토공법

□□□ 15④, 22①

13 교량의 상부구조와 하부구조의 접점에 위치하여 교량 상부구조의 하중을 하부구조에 전달하고, 상하부 간의 상대변위 및 상부구조의 회전변형을 흡수하는 구조를 무엇이라 하는가?

득점	배점
	3

○

해답 교좌장치(교량받침, shoe)

□□□ 93③, 97③, 12①, 16②, 19①

14 교량의 내진설계 시 사용하는 내진해석방법을 3가지만 쓰시오.

득점	배점
	3

① _____ ② _____ ③ _____

해답 ① 등가정적 해석법(equivalent load analysis)
② 스펙트럼 해석법(spectrum analysis)
③ 시간이력 해석법(time history analysis)

02 교량의 가설공법

1 교량의 가설공법

(1) PSC 교량 가설공법의 분류

동바리를 사용하지 않는 방법		동바리를 사용한 공법
현장타설공법	프리캐스트(Precast) 공법	현장타설공법
① FCM(캔틸레버 공법) ② MSS(이동식 지보 공법) ③ ILM(압출공법)	① 프리캐스트 세그먼트 공법(PSM) ② 프리캐스트 거더 공법 (PGM)	① 전체 지주식 ② 지주 지지식 ③ 거더 지지식

(2) 장대교의 시공법의 분류

장대교의 시공법	특징
① FSM(동바리 공법)	동바리를 설치하고 콘크리트 타설 및 프리스트레스를 줌.
② MSS(이동식 지보 공법)	동바리 사용 없이 거푸집에 부착된 특수이동식 비계 사용
③ FCM(캔틸레버 공법)	교각을 중심으로 좌우평형을 맞추면서 세그먼트를 연결
④ ILM(압출공법)	PC 박스를 제작하여 압출하고 연속 스트랜드를 인장하여 서로 연결
⑤ PSM(프리캐스트 세그먼트 공법)	세그먼트를 제작하여 운반 및 거치하고 조인트
⑥ 사장교	주탑을 시공하고 짧은 간격으로 다수의 케이블을 교량에 연결

(3) PS 강재의 프리스트레스의 손실 원인

도입 시 손실 = 즉시 손실	도입 후 손실 = 시간적 손실
• 정착장치의 활동 • 콘크리트의 탄성수축 • PS 강재와 시스 사이의 마찰 (포스트텐션 방식에만 해당)	• 콘크리트의 크리프 • 콘크리트의 건조수축 • PC 강재(긴장재응력)의 릴랙세이션 (relaxation)

2 콘크리트교의 가설공법

(1) 동바리공법 FSM : Full Staging Method

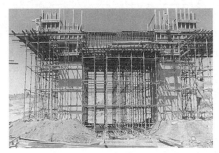

동바리공법에 의한 가설

① 현장타설된 콘크리트가 소정의 강도에 도달할 때까지 콘크리트 및 거푸집의 자중, 작업대 등의 중량을 동바리가 지지하는 방식으로 콘크리트 가설공법 중 가장 일반적인 공법이다.

② 최근에는 MSS, ILM, FCM, PSM 공법 등에 밀려 그 사용빈도가 줄었으나 사용장비의 비용이 저렴하고 비교적 간편한 장점이 있기 때문에 평탄한 지형에 높이가 낮은 짧은 교량을 가설하는 경우 많이 이용되고 있다.

(2) 이동식 비계공법 MSS : Movable Scaffolding System

거푸집이 부착된 이동식비계를 이용하여 상부구조를 1경간씩 시공한다.

MSS 가설공법

① 유압잭(hydraulic jack)을 이용하여 거푸집을 이동시키면서 진행방향으로 Slab를 타설하는 교량 가설공법으로 Main Girder의 상하좌우 조절이 가능한 공법

② 4차선, 지간(span) 50m의 P.C교를 형하공간(clearance)이 높고 유속이 빠른 장소에서 30지간을 가설하고자 할 때 적합한 최신 개발된 공법

■ 이동식 비계공법의 장단점

장 점	단 점
① 고교각, 다경간의 교량시공에 유리하다.	① 초기제작비가 고가이다.
② 동바리공이 없이 시공이 가능하다.	② 단면변화에 적응이 곤란하다.
③ 소수의 인원으로도 시공이 가능하다.	③ 교량길이가 짧은 경우에 비경제적이다.
④ 신속, 안전하게 시공할 수 있다.	④ 대형장비이므로 중량이 무겁다.

(3) **압출공법** ILM : Incremental Launching Method

① 교대 후방의 제작장에서 1매(segment)씩 제작된 교량의 상부구조물에 교량지간을 통과할 수 있도록 프리스트레스를 가한 후 특수장비를 이용하여 밀어내는 공법

② 길이 10~16m 정도의 프리캐스트 세그먼트를 연속적으로 제작하여 직선 또는 일정곡률반경의 교량에 시공할 수 있는 공법

ILM 가설공법

■ 압출공법의 장단점

장 점	단 점
① 동바리 없이 시공하므로 교량하부에 장애물이 있는 곳에 가능하다.	① 교량의 선형에 제한성이 있다.
② 제작장에서 세그먼트를 제작하므로 기상조건에 영향을 적게 받는다.	② 콘크리트 타설 시 엄격한 품질관리가 필요하다.
③ 거치장비가 필요 없고 추진트러스 등의 설치비가 절감된다.	③ 상부구조물의 횡단면이 일정해야 한다.
④ 캠버조정과 기타 기하학적 조정이 쉽다.	④ 교장이 짧은 경우는 비경제적이다.
	⑤ 넓은 제작장이 필요하다.

기억해요
압출공법(ILM)의 단점 3가지를 쓰시오.

기억해요
압출공법에 적용되는 압출방법을 3가지 쓰시오.

■ **압출공법에 적용되는 압출**방법

① Pulling 방법

② Pushing 방법

③ Lift & pushing 방법

■ **압출공법에 시공**방법

① 교대후방에서 제작장 설치   ② Launching nose 제작 설치

③ Segment 제작   ④ Segment 압출

⑤ PS강선 인장   ⑥ 교좌장치 시공

(4) 캔틸레버 공법 FCM : Free Cantilever Method

교량공사 시 동바리를 설치하지 않고 교각 위의 주두부(柱頭部)로부터 좌
우로 평형을 유지하면서 이동식 작업차(FORM TRAVELLER)를 이용하여
3~5m 길이의 segment를 순차적으로 시공한 후 경간 중앙부에서 캔틸레
버 구조물을 힌지나 강결로 연결하는 공법

① FCM 공법의 구조형식

구조	형식	특징
라멘 형식		라멘형식은 상하부가 일체여서 교각에 별 도의 교좌장치가 필요 없고 상부시공 중에 발생하는 불균형 모멘트에 대비한 별도의 가설물 공사가 필요 없는 형식
연속보 형식		연속보 형식은 교각과 상부 거더(Girder)가 분리되어 교좌장치(shoe)가 필요하고 중 앙부위가 강결(鋼結)되어 크리프(creep)에 의한 처짐이 적고 주행감이 양호한 형식

FCM 가설공법

② 디비닥(Dywidag) 공법 : 독일에서 개발된 PSC 공법의 일종으로 PS 강
봉을 사용하며, 강봉의 정착, 이음매기구의 용이성, 확실성에 특성이
있는 공법으로, 우리나라에서도 근래 시공경험이 있는 공법

핵심용어
캔틸레버(FCM) 공법

핵심용어
라멘형식

(5) 프리캐스트 세그먼트 공법 PSM : Precast Segment Method

교량공사에서 일정한 길이로 분할된 교량상부 부재를 공장에서 제작하여
가설현장에서 가설 트러스 및 크레인 등의 가설장비를 이용하여 상부구조
를 완성시키는 공법

① 공장 또는 현장 제작장에서 분할하여 제작한 세그먼트를 가설지점으로
운반하여 교각 위에 매달아서 설치하고 부재 축방향으로 프리스트레스
트를 가하여 일체로 만드는 가설방법이다.

② 세그먼트를 제작장에서 제작하여 품질관리가 양호하며 하부공사와 병
행하여 세그먼트를 제작하므로 공기단축이 가능하다.

PSM 가설공법

(6) 프리캐스트 거더 공법 PGM : Precast Girder Method

공장 또는 현장 근처의 작업공장에서 거더를 제작하여 가설지점으로 운반
하여 교량을 가설하는 공법으로 크게 3가지 가설방식이 있다.

① 크레인에 의한 가설방식
② 가설거더에 의한 가설방식
③ 문형크레인에 의한 가설방식

기억해요
PSC 교량에 사용되는 PS 강재의 정착장치의 형식 3가지를 쓰시오.

[U] 피로파괴 Fatique failure 교량, 포장구조, 항만 및 해양 구조물 크레인 거더 등과 같은 구조는 반복하중을 받게 되면 부재가 정적 압축강도보다 낮은 하중에서 파괴되는 현상

기억해요
강트러스교의 가설공법명을 4가지 쓰시오.

(7) PSC 교량에 사용되는 PS 강재의 정착방법

정착방식		특 징
쐐기식	방법	마찰저항을 이용한 쐐기로 정착하는 방법
	종류	Freyssinet 공법, VSL 공법, CCL 공법, Magnel 공법
지압식	방법	너트와 지압판에 의해 정착하는 방법
	종류	BBRV 공법, Dywidag 공법, Lee-McCall 공법
루프식	방법	루프형 강재의 부착이나 지압에 의해 정착하는 방법
	종류	Leoba 공법, Baur-Leonhardt 공법

3 강교의 가설공법

(1) 강트러스교의 가설공법

① 캔틸레버식 공법(cantilever method) : 가설이 끝난 거더나 트러스의 일부 또는 인접한 거더나 트러스를 앵커 또는 균형 유지용으로 하여 앞으로 가설할 부분을 안정된 구조가 되도록 하면서 캔틸레버로 이어 나가는 공법

② 케이블식 공법(cable erection method) : 가설지점이 깊은 계곡이거나 하천의 수심이 깊고 유속이 빠르거나, 가설공사 기간에 태풍이나 장마 등의 출수시기 등의 이유로 동바리 공법으로는 지탱하기 곤란할 때 채용되며, 교량의 빔을 케이블, 탑 등으로 구성한 지지설비로 지지하면서 가설하는 방법이다.

③ 이동 벤트식 공법(traveling bent method) : 일단에 트롤리를 설치하여 그 위에서 벤트로 트러스를 받들고 트롤리를 끌고 가는 방식으로 교통량이 많을 때 이용되며 긴 교량에 적합하다.

④ 부선식 공법(pontoon method) : 육상에서 조립한 트러스의 앞쪽 부재 끝을 부선 위의 재크로 올려 받치고 끝쪽은 트롤리로 받치면서 앞으로 전진시키며 가설하는 공법

⑤ 가설거더 공법 : 강상형교 또는 트러스교를 보조거더로 사용하여 가설하는 방법이다. 벤트식 공법보다 교하공간의 이용에 제한이 많은 곳에 적합하며 지간이 길면 가설비가 많이 소요된다.

(2) 강판형의 가설공법

① 크레인식 공법(crane method)

② 연결식 공법

③ 손펴기식 공법(bracket erection method)

4 교량의 콘크리트 타설

(1) Arch교

① Arch 콘크리트는 타설면이 아치축에 직각이 되게 한다.

② Arch 중심에 대해서는 좌우대칭으로 타설한다.

③ 큰 지간의 타설 시에는 몇 개의 Block으로 나누어 타설한다.

④ Arch교는 뚝마루 부분은 나중에 치며, 뚝마루를 중심으로 한 좌우를 먼저하고, 다음에 지점을 타설하면 응력에 대응할 수가 있다.

• 타설순서 : 다, 마 → 가, 사 → 나, 바 → 라

(2) 연속 슬래브교

① 처짐에 의한 침하가 큰 곳부터 타설한다. 즉, 휨모멘트가 가장 크게 작용하는 곳부터 타설한다.

② 연속 슬래브교의 콘크리트 타설순서는 다음과 같다.

거푸집이나 지보공은 반드시 처짐으로 인한 침하가 큰 부분부터 타설하여야 한다. 그러므로 '1'이 처짐이 가장 크고, 다음이 '2'가 크며, 마지막으로 '3' 부분이다.

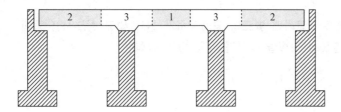

| 교량의 가설공법 |

02 핵심 기출문제

□□□ 92②, 94③, 00②, 03④, 04④, 07②, 10④, 11①, 14②, 18③

01 장대교 시공방법 중 동바리를 사용하지 않는 공법을 4가지만 쓰시오.

득점	배점
	3

① _____ ② _____

③ _____ ④ _____

해답 ① FCM(캔틸레버 공법) ② MSS(이동식 지보 공법)
③ ILM(연속압출공법) ④ PSM(프리캐스트 세그먼트 공법)

□□□ 92②, 94③, 00②, 03③, 04④, 07②, 10④, 11①, 14②, 17①, 18③, 19③, 21①, 22③

02 PS 콘크리트 교량건설공법 중 동바리를 사용하지 않는 현장타설공법의 종류 3가지를 쓰시오.

득점	배점
	3

① _____ ② _____ ③ _____

해답 ① FCM(캔틸레버 공법) ② MSS(이동식 지보 공법)
③ ILM(연속압출공법)

□□□ 94①, 02④

03 FCM 구조형식 중 상하부가 일체여서 교각에 별도의 교좌장치가 필요 없고 상부시공 중에 발생하는 불균형 모멘트에 대비한 별도의 가설물 공사가 필요 없는 형식은?

득점	배점
	2

○ _____

해답 라멘형식

□□□ 93④, 99②, 06①

04 교량공사 시 동바리를 설치하지 않고 교각 위의 주두부(柱頭部)로부터 좌우로 평형을 유지하면서 이동식 작업차(FORM TRAVELLER)를 이용하여 3~5m 길이의 segment를 순차적으로 시공한 후 경간 중앙부에서 캔틸레버 구조물을 힌지나 강결로 연결하는 공법은?

득점	배점
	2

○ _____

해답 FCM(Free Cantilever Method, 외팔보공법)

□□□ 04②, 09②, 13②, 18②

05 PSC 교량에 사용되는 PS 강재의 정착방법 중에서 가장 보편적으로 쓰이는 정착방식은 그 정착장치의 형식에 따라 크게 3가지로 분류할 수 있다. 그 3가지를 쓰시오.

① _____ ② _____ ③ _____

득점 배점
　 3

해답 ① 쐐기식　　② 지압식　　③ 루프식　　④ 나사식

□□□ 04②, 08②

06 PSC 교량에 사용되는 PS 강재의 프리스트레스는 여러 가지 원인에 의하여 감소한다. 프리스트레스를 도입할 때 일어나는 손실의 원인을 3가지만 쓰시오.

① _____ ② _____ ③ _____

득점 배점
　 3

해답 ① 콘크리트의 탄성변형
　　② 정착장치의 활동
　　③ PS 강재와 시스 사이의 마찰

□□□ 05④, 08④

07 PSC 교량에 사용되는 PS 강재의 프리스트레스는 여러 가지 원인에 의하여 감소한다. 프리스트레스를 도입한 후에 시간의 경과에 따라 일어나는 손실의 원인 3가지만 쓰시오.

① _____ ② _____ ③ _____

득점 배점
　 3

해답 ① 콘크리트의 건조수축
　　② 콘크리트의 크리프
　　③ PC 강재의 릴랙세이션

□□□ 12④, 21①②

08 교량가설공법 중 압출공법(ILM)의 단점을 3가지만 쓰시오.

① _____ ② _____ ③ _____

득점 배점
　 3

해답 ① 교량의 선형에 제한성
　　② 콘크리트 타설 시 엄격한 품질관리가 필요
　　③ 상부구조물의 횡단면이 일정해야 한다.
　　④ 교장이 짧은 경우는 비경제적
　　⑤ 넓은 제작장이 필요

□□□ 09①, 10②, 14②, 17②

09 압출공법(ILM : Incremental Launching Method)에 적용되는 압출방법 3가지를 쓰시오.

득점 배점
3

① _____ ② _____ ③ _____

해답 ① Pulling 방법 ② Pushing 방법 ③ Lift and pushing 방법

□□□ 00⑤

10 강트러스교의 가설공법명을 4가지만 쓰시오.

득점 배점
3

① _____ ② _____

③ _____ ④ _____

해답 ① 캔틸레버식 공법(cantilever method)
　　② 케이블식 공법(cable erection method)
　　③ 이동 벤트식 공법(traveling bent method)
　　④ 부선식 공법(pontoon method)

03 강구조 공학

1 강상자형교 steel box girder bridge

얇은 강판을 상자형 단면으로 결합하여 외력에 저항하는 구조이다.

(1) 단면의 구성형태에 따른 분류

① 단실박스(single-cell box) : 교폭이 좁은 경우 이용

② 다실박스(multi-cell box) : 교폭이 넓은 경우 이용

③ 다중박스(multiple single-cell box) : 다실박스나 단실박스를 2개 이상 병렬로 연결해 사용

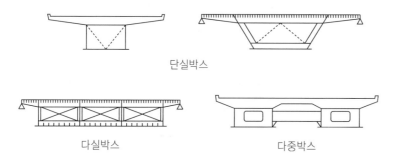

단실박스

다실박스   다중박스

(2) 강상자형교의 특징

① 비틀림 강성이 커서 활하중 편심재하 시 하중의 횡분배가 양호하며 역학적으로 효율성이 좋다.

② I형 거더교에 비해 플랜지 폭을 크게 할 수 있어 휨모멘트에 대해 효과적인 단면형태이다.

③ 수직편재하중뿐 아니라 수평하중에 대해서도 입체적으로 저항함으로써 매우 효율적이다.

④ 폐단면을 가지므로 개단면에 비하여 부식 등에 유리하여 유지관리가 용이하다.

(3) 전단연결재 shear connector

합성형교에서 강재거더와 바닥판 콘크리트 사이에서 각종 하중의 조합에 의해서 발생하는 전단력에 저항하기 위해서 설치하는 장치

(4) 피로파괴 Fatique failure

교량, 포장구조, 항만 및 해양구조물 크레인 거더 등과 같은 구조는 반복하중을 받게 되면 부재가 정적 압축강도보다 낮은 하중에서 파괴되는 현상

용도 I형 거더에 비해 휨에 대한 저항능력이 뛰어나고 비틀림 강성도 크므로 곡선교나 30cm 이상의 직선교에 널리 사용된다.

기억해요
강상지형교를 box 단면의 구성형태에 따라 3가지로 분류하시오.

핵심용어
전단연결재

2 고장력 볼트

(1) 고장력 볼트의 접합형태

접합방식	접합형태	원리
마찰접합		부재의 마찰력으로 bolt 측과 직각방향의 응력을 전달하는 전단형 접합방식
인장접합		Bolt의 인장내력으로 bolt 축방향의 응력을 전달하는 인장형 접합방식
지압접합		Bolt의 전단력과 bolt 구멍의 지압내력에 의해 응력을 전달하는 접합방식

(2) 고장력 볼트의 파괴형태

기억해요
고장력 볼트의 파괴형태를 3가지로 분류하시오.

종류	고장력 볼트	파괴형태
지압파괴		
인장파괴		
전단파괴		

(3) 용접이음의 비파괴 검사방법

기억해요
용접이음의 검사에 적용되는 비파괴 검사방법을 3가지 쓰시오.

① **방사선 투과법**(RT : Radiographic test) : X선, γ선을 용접부에 투과하고, 그 상태를 필름에 형상을 담아 내부결함을 검출하는 방법

② **초음파 탐상법**(UT : Ultrasonic test) : 용접부에 초음파의 투입과 동시에 브라운관 화면에 용접상태가 형상으로 나타나며, 결함의 종류, 위치, 범위 등을 검출하는 방법

③ **자기분말 탐상법**(MT : Magnetic test) : 용접 부위의 표면이나 표면 주변의 결함을 검출하는 방법으로 결함부의 자장에 의해 자화되어 흡착되면서 결함을 발견하는 방법

④ **침투 탐상법**(PT : Penetratoin test) : 용접 부위에 침투액을 도포하여 결함 부위에 침투를 유도하고, 표면을 닦아 낸 후 판단하기 쉬운 검사액을 도포하여 검출하는 방법

| 강구조 공학 |

03 핵심 기출문제 □□□

□□□ 03②, 07②, 22②
01 합성형교에서 강재거더와 바닥판 콘크리트 사이에서 각종 하중의 조합에 의해서 발생하는 전단력에 저항하기 위해서 설치하는 장치의 이름을 쓰시오.

○

득점	배점
	2

해답 전단연결재(shear connector)

□□□ 03①, 07①, 17②, 21①
02 강상자형교(steel box girder bridge)는 얇은 강판을 상자형 단면으로 결합하여 외력에 저항하는 구조이다. 이러한 강상자형교를 box 단면의 구성형태에 따라 3가지로 분류하시오.

① _____ ② _____ ③ _____

득점	배점
	3

해답 ① 단실박스(single-cell box)
② 다실박스(multi-cell box)
③ 다중박스(multiple single-cell box)

□□□ 03①
03 강구조물의 연결에는 고장력 볼트가 많이 사용되는데, 이러한 고장력 볼트의 일반적인 파괴형태를 3가지로 분류하여 쓰시오.

① _____ ② _____ ③ _____

득점	배점
	3

해답 ① 인장파괴 ② 전단파괴 ③ 지압파괴

□□□ 09②
04 강교제작 및 가설에 있어서 용접이음의 검사에 적용되는 비파괴 검사방법을 3가지만 쓰시오.

① _____ ② _____ ③ _____

득점	배점
	3

해답 ① 방사선 투과법(RT : Radiographic test) ② 초음파 탐상법(UT : Ultrasonic test)
③ 자기분말 탐상법(MT : Magnetic test) ④ 침투 탐상법(PT : Penetratoin test)

04 암거 □□□

1 암거 暗渠 culvert

도로, 철도, 제방의 밑을 통해 용수 또는 배수를 위하여 매설된 길이가 짧은 터널과 같은 구조물로서 지름이 2m 이하이며 상부가 반드시 흙으로 덮여 있어 교량이 아니다.

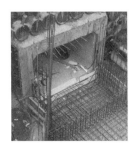

암거시공

(1) 암거의 종류

① 사이펀 암거 : 용수, 배수, 운하 등 성질이 다른 수로가 교차하지만 합류시킬 수 없을 때 또는 수로교로서는 안 될 때에 사용하면 편리한 관거

② 관거(pipe culvert) : 구조물의 하부를 횡단 매설하여 배수하는 관교이며 지하매설관이 아니다.

③ 함거(box culvert) : 위아래 슬래브와 측벽을 가진 4각형 라멘구조이고 통수량에 따라 여러 개의 문을 갖게 되며 도로, 철도와 같이 동하중이 작용하는 배수거에 대단히 유리한 구조를 함거라 한다.

④ 다공관거 : 관내의 집수효과를 크게 하기 위하여 관둘레에 구멍을 뚫어 지하에 매설하는 일종의 집수압거로 하천의 복류수를 이용할 때 쓰면 편리한 관거

기억해요
암거의 배열방식을 3가지 쓰시오.

(2) 암거의 배열방식

① **자연식**(natual system) : 자연지형에 따라 암거가 매설되며 배수지구 내에 습지가 잠재하고 있을 경우 암거가 이들의 장소에 연결도록 설치한다.

② **빗식**(gridion system) : 암거의 배열방식 중 집수지거를 향하여 지형의 경사가 완만하고, 같은 습윤상태인 곳에 적합하며, 1개의 간선집수지 또는 집수지거로 가능한 한 많은 흡수거를 합류하도록 배열하는 방식

③ **차단식**(intercepting system) : 암거의 배열방식 중 인접한 높은 지대 또는 배수지구를 둘러싼 높은 지대에서의 침투수를 차단할 수 있는 위치에 암거를 설치하는 방법으로 이에 의하여 배수지구 내에 침투수가 나타나는 것을 방지하는 방식

④ **집단식**(grouping system) : 습윤상태가 곳에 따라 여러 가지로 변화하고 있는 배수지구에서는 습윤상태에 알맞은 암거배수의 양식을 취한다. 이와 같이 1지구 내에 소규모의 여러 가지 양식의 암거배수를 많이 설치한 암거의 배열방식

⑤ **어골식**(herringbone system) : 폭이 좁고 길게 늘어진 凹지의 중앙에 집수지거가 가로 배치되어 있고 흡수거가 그 양쪽에서 합류하여 물고기의 뼈와 같은 방식

⑥ **2중간선식**(double main system) : 빗식을 수정한 것으로 배수지구 중앙부에 폭이 넓은 평평한 凹지, 늪지 같은 습지가 가로 놓여 경사면에서 소량의 침투수가 흐르고 있는 특수한 배수지구에 사용된다.

(3) 암거 매설공법

교통량이 많은 고속도로 및 철도하부로 횡단하여 암거구조물을 설치할 경우, 상부교통에 지장을 주지 않고 하부를 통과하는 터널공사가 일반화되고 있다.

① **프론트잭킹공법**(front jacking method)

철도, 수도, 도로 등의 횡단, 기타 개착공법이 곤란한 경우에 사용하는 것이며, 소구경의 강관을 입갱 사이에 삽입하거나 또는 담김으로써 토중에 관을 매설하는 공법

② **프론트실드공법**(front shield method)

한쪽의 견인설비에 의해 shield tail 내에서 세그먼트(segment)를 조립하고 본바닥과의 공극에는 진충재를 주입하여 터널을 구축하는 공법

③ **프론트세미실드공법**(front semi shield method)

흄관을 사용하므로 세그먼트(segment)의 조립이나 2차 복공 등의 시간이 절약되고 shield method보다 대단히 간단한 공법

④ **관추진공법**(pipe pushing method)

연직굴착벽에 수평방향인 수평구멍을 파고 가동용 가압판을 결합한 매설관을 잭키로 밀어 넣어 부설하는 공법으로 터널공사에 사용되는 shield method과 유사한 공법이다.

기억해요
암거 매설공법에 적용되는 터널공법 3가지 쓰시오.

2 배수암거의 일반식

(1) 지표배수량 전유출량

$$Q = \frac{1}{360} \cdot C \cdot I \cdot A$$

여기서, Q : 유출량(집수량)(m^3/sec)
C : 유출계수
I : 강우강도(mm)
A : 집수면적(m^2)

(2) 암거의 배수량 Donnan식

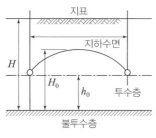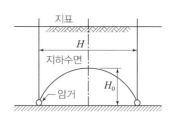

$$D = \frac{4k(H_0^2 - h_0^2)}{Q}$$

$$= \frac{4kH_0^2}{Q} \text{(불투수층 위에 암거가 놓였을 때)}$$

여기서, Q : 배수량($\mathrm{m^3/sec}$)

D : 암거 간의 간격

k : 투수계수

H_0 : 불투수층에서 최소침강지하수면까지의 거리

h_0 : 불투수층에서 암거매립 위치까지의 거리

(3) 암거의 매설간격

$$D = \frac{2(H - h - h_1)}{\tan\beta}$$

여기서, D : 암거의 간격(m)

H : 암거의 매설깊이(m)

h : 지하수위(m)

h_1 : 암거와 최저지하수면 간의 거리(m)

β : 지하수면의 구배

(4) 암거 내의 유속 Giesler 공식

$$V = 20\sqrt{\frac{D \cdot h}{L}}$$

여기서, V : 관내의 평균유속(m/sec)

D : 관의 직경(m)

L : 암거의 길이(m)

h : 관길이 L에 대한 낙차(m)

(5) 마스턴 Marston 공식

토압계산에 가장 널리 이용되는 공식으로 연직토압을 굴착도랑 바로 위의 흙기둥 중량의 전체가 관에 전달되지 않고 굴착면에 인접하는 흙기둥 사이의 전단마찰력을 상쇄한 하중이 관에 작용하는 것으로 한 공식이다.

$$W = C_1 \cdot r \cdot B^2$$

여기서, W : 관이 받는 하중
  r : 매설토의 단위중량
  B : 폭 요소로서 관의 상부 90° 부분에서의 관 매설을 위하여 굴착한 도랑의 폭
  C_1 : 토피의 두께와 토피의 종류에 의하여 결정되는 상수(하중계수)

기억해요
Marston의 공식을 이용하여 매설관에 작용하는 단위폭당의 하중을 구하시오.

| 암거 |

04 핵심 기출문제

□□□ 99⑤, 06②, 08④, 17④, 19②

01 암거의 배열방식을 3가지만 쓰시오.

①_____ ②_____ ③_____

해답 ① 자연식   ② 빗식   ③ 차단식   ④ 집단식   ⑤ 어골식

□□□ 99①, 00④, 04②, 07②④, 09②, 13①, 17①, 20②, 23②

02 관암거의 직경이 20cm, 유속이 0.8m/sec, 암거길이가 300m일 때 원활한 배수를 위한 암거낙차를 Giesler 공식을 이용하여 구하시오.

계산 과정)   답 : _____

해답 $V = 20\sqrt{\dfrac{D \cdot h}{L}}$ 에서 $\therefore\ h = \dfrac{V^2 \cdot L}{20^2 \cdot D} = \dfrac{0.8^2 \times 300}{20^2 \times 0.20} = 2.40\,\mathrm{m}$

참고 SOLVE 사용

□□□ 00①, 04③, 07④, 14④, 16④, 22②

03 지하수 침강 최소깊이 200cm, 암거 매립간격 800cm, 투수계수 10^{-5}cm/sec일 때, 불투수층에 놓인 암거를 통한 단위길이당 배수량을 구하시오. (단, 소수 넷째자리까지 구하시오.)

계산 과정)   답 : _____

해답 $Q = \dfrac{4\,kH_0^{\,2}}{D} = \dfrac{4 \times 10^{-5} \times 200^2}{800} = 2 \times 10^{-3} = 0.002\,\mathrm{cm^3/sec}$

□□□ 00②, 02③, 07①, 22③

04 외경 70cm, 두께 7cm의 강성관을 개착식으로 매설하고자 한다. 매설깊이는 관의 상단에서 2m이며, 터파기 폭은 관의 상단에서 1.5m이다. 매설관에 작용하는 단위폭당의 하중은 몇 kN/m인가? (단, 하중계수는 2.2, 흙의 단위중량은 18kN/m^{3}이고, Marston의 공식 사용)

계산 과정)   답 : _____

해답 $W = C\gamma B^2 = 2.2 \times 18 \times 1.5^2 = 89.1\,\mathrm{kN/m}$

□□□ 96③④, 98②, 03③, 19②

05 암거 매설공법을 고속도로 및 철도하부로 횡단하여 암거구조물을 설치할 경우 개착공법에 의하지 않고 양측에 발진기지를 설치하여 함체를 직접 견인시켜 구조물 안으로 들어오는 토사를 굴착하여 소정의 구조물을 설치함으로써 상부교통에 지장을 주지 않고 시공하는 공법은?

득점	배점
	2

○

해답 프론트잭킹공법(frout jacking method)

□□□ 11①

06 교통량이 많은 기존 도로 또는 철도 등의 하부를 통과하는 터널공사가 일반화되고 있다. 이 같은 경우 적용되는 터널공법 3가지만 쓰시오.

득점	배점
	3

① _____ ② _____ ③ _____

해답 ① 프론트잭킹공법(front jacking method)
② 프론트실트공법(front shield method)
③ 프론트세미실드공법(front semi shield method)
④ 관추진공법(pipe pushing method)

과년도 예상문제

교량 일반

□□□ 94③, 97②

01 다음은 현수교(Suspension bridge)의 가설과정들이다. 이를 가설순서로 번호를 나열하시오.

【조 건】
① 탑의 조립　　　② cable band 설치
③ 주 cable 가설　　④ Guide rope 가설
⑤ Hanger rope 설치　⑥ cat walk 가설
⑦ 보강 Girder 설치

○

해답 ① → ④ → ⑥ → ③ → ② → ⑤ → ⑦

□□□ 98③

02 아래 그림은 교대(橋臺)의 단면도와 정면도이다. 영어로 표기한 각 부분의 명칭을 쓰시오.

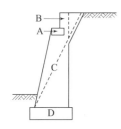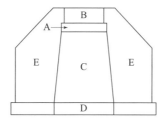

① A :
② B :
③ C :
④ D :
⑤ E :

해답 ① 교좌　　② 배벽(흉벽 : parapet wall)
③ 구체　　④ 교대기초(각층 : footing)
⑤ 날개벽(wing wall)

□□□ 94②

03 교량시공을 위한 교대시공 시 날개벽(wing)의 시공목적은?

○

해답 교대 배면성토의 보호와 세굴방지

□□□ 95④, 99⑤

04 교대는 교량의 상부구조물을 지지하는 구조물로서 교량의 하부구조라 한다. 교대의 종류는 교량과 도로와의 지형적 조건, 기초 토질상태, 하천의 유수방향과 교량의 방향, 경제성 등에 따라서 각각 달라진다. 이와 같은 점을 고려한 교대의 종류명을 4가지만 쓰시오.

①　　　　　　　　　②
③　　　　　　　　　④

해답 ① 직벽교대　　② U형 교대
③ T형 교대　　④ 날개형 교대(익벽교대)

□□□ 93②, 97②

05 교대의 형식과 구조는 경제적이고 안전해야 한다. 토압과 수평력이 대단히 큰 경우에 설치하는 교대는?

○

해답 라멘식 교대

□□□ 93③, 97③, 12①, 16②

06 교량의 내진설계는 지진에 의해 교량이 입는 피해 정도를 최소화시킬 수 있는 내진성을 확보하기 위해 실시한다. 이러한 내진설계 시 사용하는 내진해석방법을 3가지만 쓰시오.

①　　　　　　　　　②
③

해답 ① 능가정적 해석법(equivalent load analysis)
② 스펙트럼 해석법(spectrum analysis)
③ 시간이력 해석법(time history analysis)

교량의 가설공법

□□□ 97④
07 FCM 거더교 구조형식 중 교각과 상부 거더(girder)가 분리되어 교좌장치(shoe)가 필요하고 중앙부위가 강결(鋼結)되어 크리프(creep)에 의한 처짐이 적고 주행감이 양호한 형식은?

○

해답 연속보 형식

□□□ 96②
08 FCM 공법의 구조형식 중 상하부가 분리되어 교각위에 교좌장치가 필요하고 시공 중 발생하는 불균형 모멘트에 대비한 일시지지용 가설물이 필요함은 물론 시공 중 처짐관리가 어려운 구조형식은?

○

해답 연속보 형식

□□□ 97②
09 FCM(Free Cantilever Method) 공법의 구조형식은 어떤 종류가 있는지 2가지를 쓰시오.

① _____ ② _____

해답 ① 라멘 형식 ② 연속보 형식

□□□ 89①, 19①
10 길이 10~16m 정도의 프리캐스트 세그먼트를 연속적으로 제작하여 직선 또는 일정 곡률반경의 교량에 시공할 수 있는 공법은?

○

해답 압출공법(ILM : Incremental Launching Method)

□□□ 89①
11 4차선, 지간(span) 50m의 PSC교를 형하공간(clearance)이 높고 유속이 빠른 장소에서 30지간을 가설하고자 할 때 적합한 최신 개발된 공법이름은?
(단, 서울의 노량대교에 적용된 공법이다.)

○

해답 MSS 공법(이동식 지보 공법)

□□□ 94④, 99①
12 유압 잭(hydraulic jack)을 이용하여 거푸집을 이동시키면서 진행방향으로 Slab를 타설하는 교량가설공법으로 Main Girder의 상하좌우 조절이 가능한 공법은?

○

해답 MSS 공법(이동식 지보 공법)

□□□ 93④, 96①
13 교대 후방의 제작장에서 1매(segment)씩 제작된 교량의 상부구조물에 교량지간을 통과할 수 있도록 프리스트레스를 가한 후 특수장비를 이용하여 밀어내는 공법은 무엇인가?

○

해답 압출공법(ILM : Incremental Launching Method)

□□□ 87②, 95③
14 다음 그림과 같은 연속 슬래브교의 슬래브 콘크리트를 타설하려 할 때, 콘크리트 타설순서를 쓰시오.

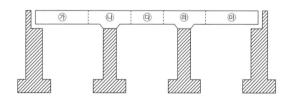

타설순서 : _____

해답 ㉢ → ㉮, ㉲ → ㉯, ㉳

□□□ 87②

15 독일에서 개발된 PSC 공법의 일종으로 PS 강봉을 사용하며, 강봉의 정착, 이음매기구의 용이성, 확실성에 특성이 있는 공법으로, 우리나라에서도 근래 시공경험이 있는 공법의 이음은?

○

해답 디비닥공법(Dywidag Method)

□□□ 93③

16 분할된 교량 상부부재를 공장에서 제작하고, 이를 현장으로 운반하여 이동식 가설트러스 위에 크레인으로 인양 배열하여 PS 강선을 긴장 단부에 정착시키는 PS 공법은?

○

해답 프리캐스트 세그먼트 공법(PSM : Precast segment method)

□□□ 88③, 93④

17 다음과 같은 아치단면에 콘크리트를 칠 때 가장 늦게 타설하는 곳은?

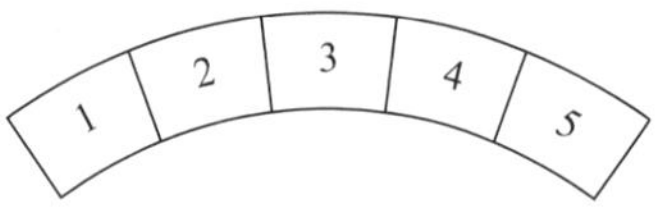

○

해답 3

□□□ 93①

18 다음과 같은 아치교에 콘크리트를 치려고 할 때 치는 순서를 쓰시오.

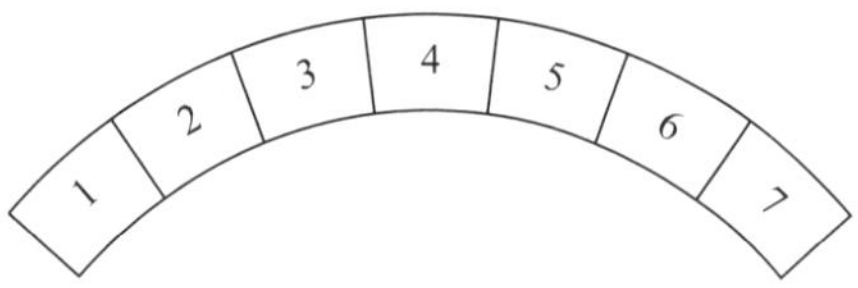

○

해답 3, 5 → 1, 7 → 2, 6 → 4

□□□ 95①

19 교량, 포장구조, 항만 및 해양구조물 크레인 거더 등과 같은 구조는 반복하중을 받게 되면 부재가 정적 압축강도보다 낮은 하중에서 파괴된다. 이러한 현상을 무엇이라고 하는가?

○

해답 피로파괴(fatique failure)

□□□ 92②

20 교량공사에서 일정한 길이로 분리된 세그먼트를 공장에서 제작하여 가설현장에서 가설 트러스 및 크레인 등의 가설장비를 이용하여 상부구조를 완성시키는 공법은?

○

해답 프리캐스트 세그먼트 공법(PSM : Precast segment method)

□□□ 88③, 92④

21 다음 그림과 같은 교각을 타설할 때 콘크리트 타설순서를 쓰시오.

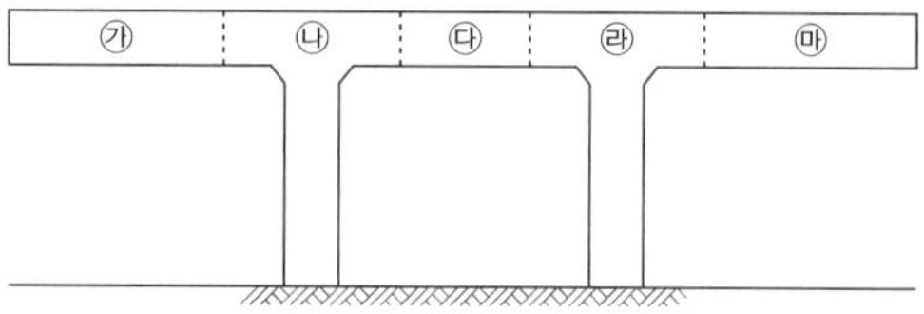

타설순서 :

해답 ㉰ → ㉮, ㉲ → ㉯, ㉱

□□□ 17④, 22②

22 도로교 신축이음장치의 종류를 3가지만 쓰시오.

① ②
③

해답 ① Monocell 조인트(맞댐조인트)
② NB 조인트(고무조인트)
③ 강핑거 조인트(강재 조인트)
④ 레일 조인트(강재조인트)

암거

□□□ 예상문제
23 1개의 간선집수거 또는 집수지거로 될 수 있으면 많은 흡수거를 합류시키게 배치한 암거 배열방식은?

○

[해답] 빗식 배열방식

□□□ 예상문제
24 집수면적이 24,000m²인 평탄한 농경지에 80mm의 강우가 있었다. 이때 지표배수량(전유출량)은 얼마인가?
(단, 유출계수는 0.6으로 한다.)

계산 과정)　　　　　　　　　답 : _____

[해답] $Q = \dfrac{1}{1,000} C \cdot I \cdot A = \dfrac{1}{1,000} \times 0.6 \times 80 \times 24,000 = 1,152\,\mathrm{m}^3$

□□□ 96④, 19①
25 철도, 수도, 도로 등의 횡단, 기타 개착공법(open cut)이 곤란한 경우에 사용하는 것이며, 소구경의 강관을 입갱 사이에 삽입하거나 또는 당김으로써 토층에 관을 매설하는 이공법은?

○

[해답] 프론트잭킹공법(front jacking method)

□□□ 96③
26 도로를 끼고 좌우에 발전기지를 만들어 발전기지에서 터널 계획기지 내에 만들어진 터널구조물에 이를 정착시켜 전방에 특수 Jack을 설치하여 터널구조물을 압입시키면서 안에 들어오는 토사를 굴착하여 소정의 위치에 터널을 만드는 공법은?

○

[해답] 프론트잭킹공법(front jacking method)

□□□ 98②
27 철도 밑을 관통하는 지하차도 공사 시에 근래 사용되는 공법으로 비개착공법이 있다. 공사 중 열차운행이나 도로교통의 차단 없이 사용되는 프리캐스트 공법으로 품질관리가 용이하고 공기단축은 물론 토공절취량이 적고 안정성이 좋은 공법은?

○

[해답] 프론트잭킹공법(front jacking method)

□□□ 96③
28 간선집수거의 연장을 적게 또는 배수구의 수가 1개 정도로의 습윤지대에 설치하는 암거 배열방식은?

○

[해답] 빗식 배열방식

10 chapter

댐 및 항만

√ 체크	출제경향	출제연도
□□□	01 필댐의 종류를 3가지만 쓰시오.	11④, 19③
□□□	02 록필댐(Rock fill Dam)의 종류를 3가지만 쓰시오.	12④, 16④, 22②
□□□	03 댐의 위치결정조건 중에서 지형 및 지질 조건에 속하는 3가지를 쓰시오.	00①
□□□	04 상류층에 콘크리트로 지수벽을 만들고 중앙 및 하류층은 석괴로 쌓아 올리는 Dam의 형식은?	94②, 05④
□□□	05 흙댐에 사용되는 Filter 재료의 입도설계조건에 적용되는 가적통과율의 입경 3가지를 쓰시오.	96③, 98③, 00③
□□□	06 표면차수벽형 석괴댐에서 그라우팅 주입 시 압력누출을 방지하는 캡역할을 하는 것은?	10④
□□□	07 록필댐(Rock Fill Dam)에서 필터재의 기능 2가지를 쓰시오.	04②, 08④, 19①
□□□	08 댐 성토 시험 시에 시험해야 할 항목 3가지를 쓰시오.	90②, 95⑤, 00⑤
□□□	09 댐지점의 하천수류를 전환시키는 댐의 유수전환방식 3가지를 쓰시오.	02②, 12①, 15①, 19③, 22③
□□□	10 유수전환시설 중 가물막이 방법의 종류 3가지를 쓰시오.	05④, 18②
□□□	11 댐 구조물이 물속 또는 물 옆에 축조되는 경우, 물을 배제하는 구조물을 무엇이라 하는가?	88③, 00②
□□□	12 가물막이 공사 중 중력식 공법의 종류 4가지를 쓰시오	96③, 97①, 01④
□□□	13 가물막이(Coffer Dam) 공사에서 Sheet pile식 공법의 종류 3가지를 쓰시오	09④, 17④, 22①
□□□	14 가체절공(coffer dam)의 종류를 3가지만 쓰시오.	01①, 04①, 10②, 17①, 18②
□□□	15 댐의 기초암반에 천공한 후 주입하는 그라우팅의 종류 4가지를 쓰시오.	11①, 21①②
□□□	16 기초 상류부에 병풍모양으로 시멘트 용액 또는 벤토나이트와 점토의 혼합용액을 주입하는 공법을 쓰시오.	13④, 20③
□□□	17 댐의 기초암반 처리공법 중 커튼 그라우팅의 목적 3가지를 쓰시오.	01①, 12①
□□□	18 Consolidation grouting과 Curtain grouting을 하는 중요한 이유를 간단히 쓰시오.	95③, 01①, 18③
□□□	19 댐의 기초처리 공사 시 Grouting 공사의 주입재료를 3가지만 쓰시오.	01②, 19②
□□□	20 댐 건설에 장애가 되는 zone을 무엇이라고 하는가?	92①, 95⑤, 00②
□□□	21 중력식 댐의 시공 후 댐 내부에 설치하는 검사랑의 시공목적 3가지를 쓰시오.	95⑤, 97④, 04①, 14④, 18③
□□□	22 필댐의 여수로(Spill Way) 종류 3가지를 쓰시오.	93②, 99⑤, 03①, 08①, 11①, 20②, 23③

✓ 체크	출제경향	출제연도
☐☐☐	23 수로바닥의 세굴(洗掘) 방지를 위해 설치되는 댐의 주요 부속구조물은?	02①
☐☐☐	24 댐 하류단의 세굴이나 침식 등 인근 구조물에 피해를 주지 않도록 설치하는 시설물의 명칭을 쓰시오.	13①, 15①, 20③
☐☐☐	25 감세공의 종류 3가지를 쓰시오.	12②, 17②
☐☐☐	26 빈배합 콘크리트를 덤프트럭으로 운반, 불도저로 포설하고 진동롤러로 다진 콘크리트댐 형식은?	10②
☐☐☐	27 유선망의 특징을 3가지만 쓰시오.	05①
☐☐☐	28 댐의 단위폭당 하루에 침투하는 유량은 몇 m^3인가?	99⑤, 01②, 03②, 22②
☐☐☐	29 유선망에서 단위폭(1m)당 1일 침투유량을 구하고, 점 A에서 간극수압을 계산하시오.	05④, 08②, 11④, 15④, 19①, 20①, 22③
☐☐☐	30 모래지반에 위치한 댐의 piping에 대한 안정성을 검토하시오.	98④, 01①, 05①, 07②, 14④, 19②, 23②
☐☐☐	31 Dam을 축조할 때 Piping 작용을 막기 위한 시판(矢板)의 최소깊이 D를 구하시오.	92①, 97②, 06①, 20①
☐☐☐	32 방파제의 구조형식에 따른 종류를 3가지만 쓰시오.	03②, 06②, 08④, 14①, 17④, 18①
☐☐☐	33 방파제의 활동에 대한 안전율을 계산하시오.	98③, 00①, 07①, 11②, 17②, 20①, 23①
☐☐☐	34 제방의 침식현상을 방지하기 위해 호안이나 하안전면부에 설치하는 구조물 명칭?	11④
☐☐☐	35 수위를 높이고 조수의 역류를 방지하기 위하여 횡단방향으로 설치하는 댐 이외의 구조물 명칭은?	12①
☐☐☐	36 하천제방의 누수방지에 대한 방법을 3가지만 쓰시오.	13①
☐☐☐	37 하구폐색 방지를 목적으로 설치한 외곽시설	21②

10 댐 및 항만

청평댐(콘크리트 중력댐)

📘 **필댐(fill dam)** 록필댐 또는 흙댐과 같이 암석, 자갈, 토사 등의 천연재료를 층다짐을 하면서 쌓아 올려 축조한 부분을 주체로 하는 댐이다.

흙댐(earth fill dam)

록필댐(rock fill dam)

01 댐의 일반

1 댐의 분류

(1) 필댐 fill dam

필댐(fill dam)이란 흙, 모래, 자갈, 암석 등의 천연재료를 정해진 위치에 포설 다짐하여 수밀하게 구축하는 구조물

① **흙댐(earth fill dam)** : 균일형 댐, 코어형 댐, 존형 댐
② **록필댐(rock fill dam)** : 표면 차수벽형, 내부 차수벽형, 중앙 차수벽형
③ **토석댐(earth rock fill dam)** : 댐체 하류부는 석괴, 상류면은 불투수성 흙으로 구성

(2) 록필댐 rock fill dam

록필댐(rock fill dam)이란 천연재료를 사용하여 내부에 차수벽과 필터층을 사용하고 댐체는 암석을 이용하여 축조하는 구조물

① **표면 차수벽형** : 상류 표면에 콘크리트, 숏크리트, 아스팔트 등으로 차수벽을 둔다.
② **내부 차수벽형** : 변형되기 쉬운 흙으로 차수벽을 형성하여 침하에 의한 균열을 방지하는 구조이다.
③ **중앙 차수벽형** : 침하에 의한 영향이 적으나 수평하중을 하류측 기초가 지지하므로 댐 체적이 커진다.

(3) 흙댐 earth fill dam

① **균일형**(homogeneous type) **댐** : 댐 최대단면의 80% 이상이 동일한 재료로 축조된 댐으로 비교적 낮은 댐에 적합하다.

② **코어형**(core type) **댐** : 댐의 불투수성부를 댐 내부에 설치한 댐으로 높이가 높을수록 적합하다.

③ **존형**(zone type) **댐** : 댐 불투수성부를 중앙 부근에 두고 코어형보다 투수계수가 좋은 두 가지 이상의 재료를 얻을 수 있는 경우에 설계형식이다.

④ **표면 차수벽형 석괴댐** : 진주 남강 다목적 Dam과 같이 상류층에 콘크리트로 지수벽을 만들고 중앙 및 하류층은 석괴로 쌓아 올리는 Dam의 형식이다.

남강댐

■ **플린스(Plinth)**

• 표면 차수벽형 석괴댐에서 댐의 상류바닥면의 차수를 도모하며, 차수벽과 댐기초를 연결하고, 그라우팅 주입 시 압력누출을 방지하는 캡 역할을 한다.

• 견고하고 부식성이 없는 암반에 두께는 50 ~ 80cm, 폭은 10 ~ 20m로 앵커에 의해 암반에 밀착시킨다.

(4) 콘크리트댐 concrete dam

① **중력댐** : 그 자중과 수압에 대항하는 것으로 기초의 전단저항이 그 안정상 중요하다.

• 기초지반은 자중이 크므로 반드시 견고한 암반 위에 축조해야 한다.

• 중력댐은 그 자중과 수압에 저항하는 것으로 기초의 전단강도가 댐의 안정상 중요하다.

충주댐(콘크리트 중력댐)

② **중공 중력댐** : 물막이벽에 의하여 수압에 저항하는 댐 형식으로 중공(中空) 댐이라고도 부른다.

• 지반의 지지력이 비교적 약한 장소에 적합한 댐 형식이다.

• 일반적으로 높이가 40m 이상일 때 중력댐보다 경제적이다.

③ **아치댐**(arch dam) : 하천폭이 좁고 양쪽 안부의 지질이 경암일 때, 아치형으로 만들어 안전을 증대시킨 댐

• 기초지반으로 매우 낮은 지반을 제외하고 견고한 암반 위에 축조해야 하는 댐

• 양안의 교대(Abutment), 기초암반의 두께와 강도가 중요한 요소이다.

④ **부벽댐** : 수압을 철근콘크리트 저판으로 지지하고 저판이 부벽에 의하여 지지되는 형식

• 강성이 약하고 지진에 대한 저항이 적다.

• 중력댐에 비하여 지반의 지지력이 약한 장소에 적합하다.

(5) RCC 댐 roller compact concrete dam

① 초경질 반죽의 빈배합 콘크리트를 덤프트럭으로 운반을 한 후, 불도저로 고르게 깔고 진동롤러로 다져서 제체를 구축한 댐이다.

② 슬럼프가 없으며 품질 및 인력관리가 용이하고 대형설비가 필요 없어 시공속도가 빠르고 건설비가 저렴하다.

2 댐의 조건

(1) 댐의 위치 선정조건

① 계곡폭이 가장 좁고, 양안이 높고 마주 보고 있는 곳

② 댐 기초 바닥부는 양질의 두꺼운 암층인 곳

③ 다량의 저수가 가능하고 집수면적이 큰 곳

④ 댐 상류는 집수분지를 이루고 있는 곳

기억해요
댐의 위치 결정조건 중에서 지형 및 지질 조건에 속하는 3가지를 쓰시오.

(2) 필댐의 안정조건

① 제체가 활동하지 않을 것

② 저수가 댐 마루를 월류하지 않을 것

③ 비탈면이 안정되어 있을 것

④ 기초지반이 안정되어 있을 것

⑤ 제체 및 기초지반이 투수에 안전할 것

(3) 댐의 성토시험 항목

1) 다짐시험   2) 들밀도 시험   3) 함수비시험   4) 투수시험

5) 입도시험   6) 일축압축강도시험   7) 전단시험

8) 액성한계 및 소성한계 시험   9) 평판재하시험

3 필터 Filter

필터는 댐 축조 시 투수성이 크게 다른 2가지 재료의 중간에 침투수에 의한 불투수성 재료의 유출을 방지하고 본체의 공극수만을 완전히 배출하고 유하시켜서 파이핑에 의한 흙의 유실방지를 목적으로 설치한다.

(1) 필터의 기능 요구 조건, 역할

① 물만 통과시키고 토립자의 유출을 방지

② 역학적 완충역할

③ 코어(core)재의 자기치유작용을 지원

기억해요
필터재의 기능을 2가지만 쓰시오.

(2) 입도조건

$$\frac{D_{15(F)}}{D_{85(S)}} < 5, \quad 5 < \frac{D_{15(F)}}{D_{15(S)}} < 20, \quad \frac{D_{50(F)}}{D_{50(S)}} < 25$$

여기서, D_{15}, D_{50}, D_{85} : 가적통과율 15%, 50%, 85%일 때의 입경(mm)

F : 필터

S : 필터에 인접해 있는 보호표시

(3) 필터가 규격에 맞지 않을 때 발생하는 현상

① 흙 속의 간극수가 세립토로부터 조립토 쪽으로 통과한다면 작은 입자가 유실될 수 있다.

② 흙 속의 간극수가 조립토로부터 세립토 쪽으로 통과한다면 과잉간극수압이 유발될 수 있다.

③ 파이핑 현상이 발생하면 제체가 세굴되어 동수경사가 커져서 침투량이 증가하므로 제체파괴가 유발될 수 있다.

(4) 필터층의 시공

① 필터입경 : 보호되는 입경의 4~5배 정도의 입경을 가져야 안전하다.

② 필터재료 : 필터재료는 점착성이 없는 것이어야 하고 200번체를 통과하는 세립자를 5% 이상 포함해서는 안 된다.

③ 필터의 두께 : 필터의 최소폭은 그 양측의 층에 접하는 재료의 입도, 투수도 및 성토 lift의 적당성과 다짐시공상의 최소필요폭에 의하여 결정한다.

④ 필터의 다짐기층 : 필터의 다짐은 진동롤러 또는 불도저의 사용이 표준이고 때로는 타이어를 사용하는 예도 있다. 탬핑롤러는 점질토에 적합하다. core의 다짐에는 탬핑롤러를 사용하는 것이 표준이다.

기억해요

흙댐에 사용되는 Filter 재료의 입도 설계조건에 적용되는 가적통과율의 입경 3가지를 쓰시오.

| 댐의 일반 |

01 핵심 기출문제 □□□

□□□ 11④, 19③

01 필댐의 종류를 3가지만 쓰시오.

득점 배점
3

① _____ ② _____ ③ _____

해답 ① 흙댐(earth fill dam) ② 록필댐(rock fill dam) ③ 토석댐(earth rock fill dam)

□□□ 12④, 16④, 22②

02 록필댐(Rock fill Dam)의 종류를 3가지만 쓰시오.

득점 배점
3

① _____ ② _____ ③ _____

해답 ① 표면 차수벽형댐 ② 내부 차수벽형댐 ③ 중앙 차수벽형댐

□□□ 00①

03 댐의 위치 결정조건 중에서 지형 및 지질 조건에 속하는 3가지를 쓰시오.

득점 배점
3

① _____ ② _____ ③ _____

해답 ① 계곡폭이 가장 좁고, 양안이 높고 마주 보고 있는 곳
② 댐 기초 바닥부는 양질의 두꺼운 암층인 곳
③ 다량의 저수가 가능하고 집수면이 큰 곳
④ 댐 상류는 집수분지를 이루고 있는 곳

□□□ 94②, 05④

04 현재 시공하고 있는 진주 남강 다목적 Dam과 같이 상류층에 콘크리트로 지수벽을 만들고 중앙 및 하류층은 석괴로 쌓아 올리는 Dam의 형식은?

득점 배점
2

○ _____

해답 표면 차수벽형

□□□ 96③, 98③, 00③

05 흙댐에 사용되는 Filter 재료의 입도설계조건에 적용되는 가적통과율의 입경에는 3가지가 있다. 그것을 나타내시오.

① _____   ② _____   ③ _____

득점	배점
	3

해답 ① D_{15} ② D_{50} ③ D_{85}

□□□ 10④

06 아래의 표에서 설명하는 것의 명칭을 쓰시오.

득점	배점
	2

> 표면 차수벽형 석괴댐에서 댐의 상류바닥면의 차수를 도모하며, 차수벽과 댐기초를 연결시켜 준다. 그라우팅 주입 시 압력누출을 방지하는 캡역할을 한다.

해답 플린스(Plinth)

□□□ 04②, 08④, 15②, 19①

07 록필댐(rock fill dam)은 일반적으로 심벽재(core), 필터재(filter), 사력존(rock)으로 구성되어 있다. 이 중 필터재의 기능을 2가지만 기술하시오.

득점	배점
	3

① _____   ② _____

해답 ① 물만 통과시키고 토립자의 유출방지
　　② 역학적 완충역할
　　③ 코어(core)재의 자기치유작용을 지원

□□□ 90②, 95⑤, 00⑤

08 댐 성토시험 시에 시험해야 할 항목 3가지만 쓰시오.

득점	배점
	3

① _____   ② _____   ③ _____

해답 ① 다짐시험
　　② 투수시험
　　③ 들밀도시험
　　④ 전단강도시험
　　⑤ 평판재하시험
　　⑥ 함수비시험

02 댐의 시공

1 유수전환방식 가배수공 River Diversion

댐을 건설하기 위해서는 댐 지점의 하천수류를 다른 방법으로 이동시켜야 하는데, 이를 전류공(轉流工), 또는 가배수공(假排水工)이라 하며 유수전환시설은 가물막이와 가배수로로 구성된다.

(1) 가물막이

① **전면식 가물막이** : 하천수를 가배수 터널로 전환하고 하천을 전면적으로 물막이하여 작업구간을 확보하는 방식

② **부분식 가물막이** : 하천이 넓은 경우 한쪽에 가물막이를 설치하여 다른 쪽으로 하천수가 흐르게 하고 작업구간을 확보하는 방식

③ **단계식 가물막이** : 한쪽의 하안에 붙여서 수시로 설치하여 이 수로에 유수를 유도하여 부분체절과 같은 방법으로 단계적으로 시공하는 방식

(2) 가배수공

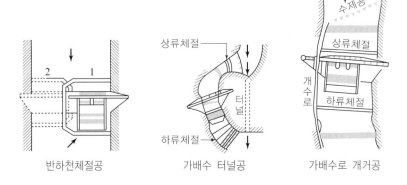

반하천체절공 　　　 가배수 터널공 　　　 가배수로 개거공

① **반하천 체절공** : 하천폭이 넓고 유량이 비교적 많은 경우 하천의 절반을 막아 흐름을 다른 절반으로 흐르게 하고 체제의 절반을 시공한 다음 나머지 부분을 시공하는 공법이다.

② **가배수 터널공** : 하폭이 좁고 만곡이 된 경우에 협곡인 지역에 댐 상류의 하안부터 산복을 지나 댐 하류에 이르는 가배수 터널을 설치하여 유수를 전환시키는 공법이다.

③ **가배수로 개거공** : 하폭이 넓고 유량이 많지 않은 경우 댐 지점의 한쪽 하안에 개거를 설치하여 유수를 전환시키고 제체공사를 한 후 다시 하천을 돌려서 반하천체절과 같은 방법으로 시공하는 방법이다.

가배수공

기억해요
시공방법에 따른 가물막이 방법의 종류 3가지를 쓰시오.

핵심용어
전류공(가배수공)

기억해요
댐 건설을 위해 댐 지점의 하천수류를 전환시키는 댐의 유수전환방식을 3가지 쓰시오.

2 가물막이공 Coffer Dam, 가체절공

가물막이 공사는 댐 구조물이 물속 또는 물 옆에 축조되는 경우, 건조상태의 작업(dry work)을 위하여 일시적으로 물을 배제하는 가설시공으로 널말뚝식 공법(Sheet pile식 공법)과 중력식 공법으로 대별된다.

흙댐식 가물막이공

한겹 가물막이공

두겹식 가물막이공

셀식 가물막이공

(1) Sheet pile식 공법 널말뚝식 공법

sheet pile식 공법	① 간이식	② Ring Beam 형식
	③ 한겹 sheet pile식	④ 두겹 sheet pile식
	⑤ Cell 형식	
중력식 공법	① 흙댐식	② Box식
	③ Caisson식	④ Cellar Block식
	⑤ Corrugate cell식	

① 간이식 가체절공 : 근처에 있는 재료를 이용하여 제방을 쌓는 것으로서 수심과 굴착 깊이가 얕은 곳에 축조하는 형식

② Ring Beam 형식 : 원형으로 강널말뚝을 타입한 후 원주방향에 Ring Beam을 설치하여 외력에 저항하도록 물막이 형식

③ 한겹 sheet pile식 : 수심이 3~5m 정도에 적합한 공법으로 널말뚝의 강성으로 외력에 저항하도록 하는 형식

④ 두겹 sheet pile식 : 수심이 10m 이상에 적합한 가물막이 형식으로 두겹으로 타입하여 토사를 채워서 널말뚝과 토사가 일체로 외력에 저항하는 형식

⑤ 셀형식(Cell type) : 수심이 15m 이상 되는 가물막이 공사에 채용되는 공법으로 강널말뚝을 원통형으로 타입한 후 내부에 토사를 채워 cell형으로 만든 것으로 강성이 강하여 횡압력에 강하다.

핵심용어
가체절공(가물막이공)

sheet pile 물막이용 널말뚝 재료는 목재널말뚝, 강재널말뚝 철근 콘크리트 널말뚝 등이 있다.

기억해요
가물막이 공사에서 Sheet pile식 공법의 종류 3가지를 쓰시오.

기억해요
중력식 공법의 종류 4가지를 쓰시오.

(2) **중력식 공법**

① 흙댐식 : 수심이 얕을 때 경제적이고 가장 간단하고 단순한 형식이나 토사재료의 입수가 용이해야 하고 넓은 부지를 필요로 한다.

② 박스(Box)식 : 박스를 설치하여 내부를 돌로 채우는 형식으로 차수성이 좋지 않기 때문에 소규모 공사에 채택한다.

③ 케이슨(Caisson)식 : 수심이 깊고 널말뚝 채용이 곤란한 경우 케이슨을 설치하여 속채움하는 방식

④ Cellar Block식 : 분할된 일종의 케이슨 형태의 Cellar Block을 채용하는 방식

⑤ Corrugate cell식 : Corrugate cell을 설치하여 내부를 토사로 속채움하는 방식

기억해요
그라우팅의 종류를 4가지만 쓰시오.

3 **암반기초의 그라우팅** Grouting

댐 공사에서 댐 기초지반의 차수 및 변형을 방지할 목적으로 암반층에 천공하여 시멘트풀 또는 약액을 주입하여 지반을 견고하게 하는 공법

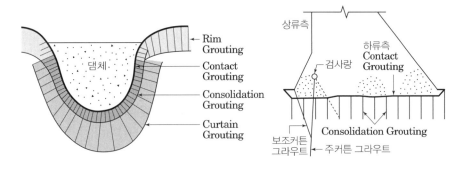

(1) **압밀 그라우팅** consolidation grouting

① 댐 공사 시 기초암반의 비교적 얕은 부분의 절리를 충전시켜 댐 기초의 변형을 억제하고 지지력을 증가시키기 위해 기초 전반에 걸쳐 격자형으로 그라우팅하는 방법

② 기초암반의 개량을 목적으로 균열이 많은 기초부분에 격자형으로 6~12m의 비교적 얕은 Hole을 뚫어 cement milk를 주입하는 기초의 표면을 고결시켜 지지력과 수밀성을 증대시키는 방법

③ 압밀 그라우팅의 목적
- 댐 기초의 변형억제
- 지지력 증가
- 지수성 향상

⚑ **양압력** 댐 콘크리트와 기초암반의 접촉면, 시공이음이나 공극, 균열 등에서 일어나는 내부수압이며, 임의의 수평단면에 대한 연직방향으로 작용한다.

(2) 커튼 그라우팅 Curtain grouting

댐의 기초암반을 침투하는 물을 방지하기 위한 지수의 목적으로 댐의 축 방향 기초 상류부에 병풍모양으로 시멘트 용액 또는 벤토나이트와 점토의 혼합용액을 주입하는 방법으로 목적은 다음과 같다.

① 기초암반의 누수를 방지하여 차수성 증진
② 침투압에 의한 파이핑 방지
③ 댐하류측 양압력 완화

(3) 림 그라우팅 Rim grouting

댐의 취수부 또는 전저수지에 걸쳐 댐 주변의 암반지수를 목적으로 그라우팅하는 방법

(4) 콘택트 그라우팅 contact grouting

① 콘크리트 제체와 지반 간의 공극을 채울 목적으로 실시하는 그라우팅하는 방법
② 콘크리트 및 암반이 안정상태에 도달한 후에 실시

(5) 블랭킷 그라우팅 blanket grouting

필댐의 비교적 얕은 기초지반과 차수영역의 차수성을 개량할 목적으로 코어부 전면적에 비교적 심도가 얕게 5~10m로 그라우팅하는 방법

4 그라우팅 시공법

(1) 1단식 그라우팅

전장에 대하여 일시에 주입하는 공법으로 얕은 주입공에 적용

(2) 스테이지 그라우팅 stage grouting

주입구간을 5~10m로 나누어 천공과 주입을 반복하는 공법으로 폐쇄, 절리가 많아 낮은 질의 암반에 적용

(3) Packer grouting

① 그라우팅(Grouting) 공법 중 최종깊이까지 한 번에 착공한 후 구멍 밑에서부터 순차적으로 주입재료를 주입하는 것으로서 주입심도가 깊고 암질이 좋은 경우에 적용하는 방법
② 절리가 많지 않은 암반에 적용

핵심용어
커튼 그라우팅

기억해요
커튼 그라우팅의 목적 3가지를 쓰시오.

5 댐의 부속설비

(1) 검사랑 inspection gallery

중력댐을 시공한 후 댐의 안전관리 목적을 위한 예상되는 사항(균열검사, 간극수압측정, 온도측정 등)을 실시하기 위해 댐 내부에 설치한 것을 검사랑이라 한다.

■ 검사랑의 시공목적
① 콘크리트 내부의 균열검사
② 콘크리트 온도측정
③ 간극수압 측정
④ 그라우팅공 이용
⑤ 콘크리트 수축량 검사
⑥ 양압력 상태 검사

(2) 여수로 Spill Way

계획된 저수량 이상으로 댐에 유입하는 홍수량을 조절하여 자연하천으로 방류하는 중요한 구조물을 여수로 또는 여수토(餘水吐)라 한다.

■ 필댐의 여수로의 종류
① 슈트식 여수로(chute spill way) : 댐의 본체에서 완전히 분리시켜 댐의 가장자리에 설치하여 월류부를 보통 수평으로 하는 여수로
② 측수로 여수로(side channel spill way) : 댐 정상부로 월류시킬 수 없을 때 댐의 한쪽 또는 양쪽에 설치
③ 나팔관식 여수로(glory hole spill way) : 원형 나팔관형으로 되어 있고 유수의 유입으로 터널 내에 부압이 생기므로 설계상 주의가 필요
④ 사이펀 여수로(siphon spill way) : 사이펀의 이론을 그대로 이용한 것으로 상하류면의 수위차를 이용하여 동일단면에서는 자유월류의 경우보다 다량의 물을 배출시킬 수 있다.
⑤ 댐마루 제정월류식 : 콘크리트 중력댐의 경우 홍수량을 제정의 수문에 의하여 조절·방류하는 방식

(3) 감세공 Energy Dissipator

댐 여수로(dam spill way)의 말단부 또는 급경사수로를 유하한 고속류의 운동에너지를 감세시켜 하류하천에 안전하게 유하시키기 위한 시설로 댐 하류단의 세굴(洗掘)이나 침식 등 인근 구조물에 피해를 주지 않도록 설치하는 댐의 주요 부속구조물을 감세공이라 한다.

여수로

감세공

기억해요
검사랑의 시공목적을 3가지만 쓰시오.

기억해요
여수로의 종류를 4가지만 쓰시오.

■ 감세공의 종류

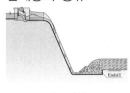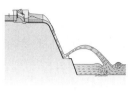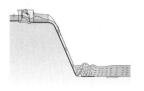

| 정수지형 | 플립 버킷형 | 잠수 버킷형 |

① 정수지형(stilling basin) : 도수에 의하여 급경사수로에서의 사류 흐름을 상류로 변환시켜 안전하게 하류하천에 유하하여 감세시키는 형식
② 플립 버킷형(flip bucket) : 급경사수로의 말단에 버킷모양의 수로를 설치하여 수류가 공중으로 사출되도록 하며, 사출된 수류를 암반이나 플런지 풀(plunge pool)에 돌입시켜 감세시키는 형식
③ 잠수 버킷형(submerged bucket) : 하류 하천의 수심이 클 경우에 수류를 수중에서 회전시켜 전동류를 발생시킴으로써 감세시키는 형식

(4) 수문 flood gate

댐의 방류량을 조절하고 수심유지를 위하여 여수로에 설치하는 문으로 다음과 같은 종류가 있다.
① Lifting gate : 인양식
② Tainter gate : 큰 홍수를 소통시키는 수문 중에서 가장 간편하다.
③ Rolling gate : 수문의 단면이 강재 원통형이고 교각 또는 측벽 사이에 수평으로 설치
④ Drum gate : 수문의 횡단면이 원형의 한 부분이며 만곡부의 중심이 힌지로 연결되어서 여수로의 마루선 위로 수문 전체가 올라가게 한다.

수문

(5) 어도 fish way

하천에 댐이나 보 등의 수리구조물을 설치하여 하천을 오르내리며 살던 어류의 원활한 이동이 어려워지므로 이들의 계속적인 이동이 가능하도록 만드는 수리구조물이다.

6 댐 콘크리트 시공

(1) 롤러다짐용 콘크리트댐 RCCD, Roller Compacted Concrete Dam

롤러다짐 콘크리트댐은 높은 수화열 발생으로 인해 온도균열을 유발하여 시공관리가 복잡해지는 문제점을 개선하기 위해 슬럼프(slump)가 낮은 빈배합 콘크리트를 덤프트럭으로 운반, 불도저로 포설하고 진동롤러로 다져 콘크리트댐을 축조하는 형식이다.

(2) 포라스 거푸집 polars form : 유공 거푸집

댐 경사면에 콘크리트를 칠 때 진동기 등으로 다지더라도 콘크리트에 함유된 공기가 거푸집에 막혀 빠져나가지 못해 콘크리트면에 공기집에 의한 흉터가 생기게 된다. 이와 같은 흉터를 없애기 위한 거푸집이 포라스 거푸집 또는 텍스타일 거푸집이라 한다.

(3) 기초암반면의 굴착

일반적으로 기초굴착은 계획 굴착면상 50cm 정도까지 하고, 나머지 50cm는 기초암반의 표면이 凹凸 형상이면 2차적인 응력집중을 일으키고 균열발생의 원인이 되므로 지렛대, 브레이커, 픽, 해머 등으로 적당히 정형하여 굴착한다.

(4) 냉각방법

① 관로식 냉각(pipe cooling)

양생기간 중 어떤 열원을 이용하여 콘크리트를 보온하여 시행하는 양생

② 선행 냉각(pre-cooling)

매스 콘크리트의 시공에서 콘크리트를 타설하기 전에 콘크리트의 온도를 제어하기 위해 얼음이나 액체질소 등으로 콘크리트 원재료를 냉각하는 방법

핵심용어
• 관로식 냉각의 정의
• 선행 냉각의 정의

| 댐의 시공 |

02 핵심 기출문제

□□□ 11④

01 댐을 댐 지점에 건설하기 위하여 댐 지점의 하천수를 다른 방향으로 이동시킬 필요가 있는데, 이것을 무엇이라 하는가?

○

해답 전류공(가배수공)

□□□ 02②, 12①, 15①, 19③, 22③

02 댐 건설을 위해 댐 지점의 하천수류를 전환시키는 댐의 유수전환방식을 3가지 쓰시오.

① _____ ② _____ ③ _____

해답 ① 반하천 체절공   ② 가배수 터널공   ③ 가배수로 개거공

□□□ 05④, 18②

03 유수전환시설은 크게 가물막이 방법과 가배수로를 시공하는 방법으로 나눌 수 있다. 이때 시공방법에 따른 가물막이 방법의 종류 3가지만 쓰시오.

① _____ ② _____ ③ _____

해답 ① 전면식 가물막이   ② 부분식 가물막이   ③ 단계 가물막이

□□□ 88③, 00②

04 댐 구조물이 물속 또는 물 옆에 축조되는 경우, 건조상태의 작업(dry work)을 하기 위하여 물을 배제하는 구조물을 설치하는데 이것을 무엇이라고 하는가?

○

해답 가체절공(가물막이공, coffer dam)

□□□ 96③, 97①, 01④

05 가물막이 공사는 하천이나 해안 등에 구조물을 시공할 때 Dry work를 위한 가설구조물 시공으로 크게 중력식 공법과 Sheet pile식 공법의 2가지로 대별된다. 그중 중력식 공법의 종류 4가지를 쓰시오.

① _____ ② _____ ③ _____ ④ _____

해답 ① 흙댐식   ② Box식   ③ Caisson식   ④ Cellar Block식

sheet pile식 공법	① 간이식 ② Ring Beam식 ③ 한겹 sheet pile식 ④ 두겹 sheet pile식 ⑤ Cell식
중력식 공법	① 흙댐식 ② Box식 ③ Caisson식 ④ Cellar Block식 ⑤ Corrugate cell식

□□□ 09④, 17④, 22①

06 가물막이(coffer dam) 공사에서 Sheet pile식 공법의 종류 3가지를 쓰시오.

① _____ ② _____ ③ _____

해답 ① 간이식
② Ring Beam식
③ 한겹 sheet pile식
④ 두겹 sheet pile식
⑤ Cell식

□□□ 01①, 04①, 10②, 17①, 18②

07 가체절공(coffer dam)의 종류를 3가지만 쓰시오.

① _____ ② _____ ③ _____

해답 ① 간이식 가체절공
② 흙댐식 가체절공
③ 한겹식 가물막이공
④ 두겹식 가체절공
⑤ 셀식 가체절공

□□□ 11①, 15④, 21①

08 댐의 기초암반에 보링공을 천공한 후, 시멘트풀, 점토 및 약액 등을 압력으로 주입하여 지반 개량 및 차수를 목적으로 시행하는 것을 그라우팅이라고 한다. 이러한 그라우팅의 종류를 4가지만 쓰시오.

① _____ ② _____

③ _____ ④ _____

해답 ① 압밀 그라우팅(consolidation grouting) ② 커튼 그라우팅(curtain grouting)
　　③ 콘택트 그라우팅(contact grouting) ④ 림 그라우팅(rim grouting)
　　⑤ 블랭킷 그라우팅(blanket grouting)

□□□ 93④, 13④, 20③

09 댐의 기초암반에 침투하는 물을 방지하기 위하여 지수의 목적으로 댐의 축방향 기초 상류부에 병풍모양으로 시멘트 용액 또는 벤토나이트와 점토의 혼합용액을 주입하는 공법을 쓰시오.

○ _____

해답 커튼 그라우팅(Curtain grouting)

□□□ 01①, 12①

10 댐의 기초암반 처리공법 중 커튼 그라우팅(curtain grouting)의 목적 3가지를 쓰시오.

① _____ ② _____ ③ _____

해답 ① 기초암반의 누수를 방지하여 차수성 증진
　　② 침투압에 의한 파이핑 방지
　　③ 댐하류측 양압력 완화

□□□ 01②, 19②

11 댐의 기초처리 공사 시 Grouting 공사의 주입재료를 3가지만 쓰시오.

① _____ ② _____ ③ _____

해답 ① 시멘트 용액 ② 벤토나이트와 점토 용액
　　③ 아스팔트 용액 ④ 약액

□□□ 95③, 01①

12 댐 기초지반 처리에서 Consolidation grouting과 Curtain grouting을 하는 중요한 이유를 간단히 쓰시오.

득점 / 배점 3

가. Consolidation grouting :

나. Curtain grouting :

해답 가. 댐 기초의 변형성 억제, 지지력 증가, 지수성 향상을 위한 목적
　　나. 기초암반에 침투하는 물을 방지하기 위한 지수목적

□□□ 00③, 18③

13 다음 ( ) 안에 알맞은 말을 넣으시오.

득점 / 배점 3

> 댐 공사 시 기초암반의 비교적 얕은 부분의 절리를 충전시켜 댐 기초의 변형을 억제하고 지지력을 증가시키기 위해 기초 전반에 걸쳐 격자형으로 그라우팅을 하는데, 이것을 (①)이라고 하며, 기초암반의 지수성을 높여서 시공 중 침수에 의한 공사의 지연을 막기 위한 그라우팅을 (②)이라고 한다.

해답 ① 압밀 그라우팅(consolidation grouting)　　② 커튼 그라우팅(curtain grouting)

□□□ 13①, 15①

14 급경사수로를 유하한 고속류의 운동에너지를 감세시켜 하류하천에 안전하게 유하시키기 위한 시설로 댐 하류단의 세굴이나 침식 등 인근 구조물에 피해를 주지 않도록 설치하는 시설물의 명칭을 쓰시오.

득점 / 배점 2

○

해답 감세공(Energy Dissipator)

□□□ 02①

15 댐 여수로(dam spill way)의 말단부 또는 각종 급경사 수로의 방류부(放流部)에서 발생하는 고유속 흐름의 막대한 에너지로 인한 하상(河床) 또는 수로바닥의 세굴(洗掘)방지를 위해 설치되는 댐의 주요 부속구조물은?

득점 / 배점 2

○

해답 감세공(energy dissipator)

□□□ 95⑤, 97④, 04①, 14④, 18③

16 중력식 댐의 시공 후 관리상 댐 내부에 설치하는 검사랑의 시공목적을 3가지만 쓰시오.

득점	배점
	3

① _____   ② _____   ③ _____

해답 ① 콘크리트 내부의 균열검사   ② 콘크리트 온도측정
③ 콘크리트 수축량 검사   ④ 그라우팅공 이용
⑤ 간극수압 측정   ⑥ 양압력 상태검사

□□□ 93②, 99⑤, 03①

17 필댐의 여수로(Spill Way)에는 어떤 종류가 있는지 3가지만 쓰시오.

득점	배점
	3

① _____   ② _____   ③ _____

해답 ① 슈트식 여수로(chute spill way)
② 측수로 여수로(side channel way)
③ 나팔관식 여수로(glory hole spill way)
④ 사이펀 여수로(siphon spill way)
⑤ 댐마루 월류식 여수로

□□□ 11①, 16②, 20②, 23③

18 계획된 저수량 이상으로 댐에 유입하는 홍수량을 조절하여 자연하천으로 방류하는 중요한 구조물인 여수로(spill way)의 종류를 4가지만 쓰시오.

득점	배점
	3

① _____   ② _____
③ _____   ④ _____

해답 ① 슈트식 여수로   ② 측수로 여수로
③ 나팔관식 여수로   ④ 사이펀 여수로
⑤ 댐마루 월류식 여수로

□□□ 92①, 95⑤, 00②

19 구조선의 일종, 단열, 압쇄 등 작용에 의해 각력-점토상으로 파쇄된 암반 중의 불규칙한 균열의 집합이 어떤 방향으로 달려 거의 일정한 폭을 갖고 있으며 댐 건설에 장애가 되는 zone을 무엇이라고 하는가?

득점	배점
	2

○ _____

해답 파쇄대(fractured zone)

□□□ 08①

20 댐의 계획 홍수위 시 댐의 안정을 위해 물을 조속히 배제하기 위한 여수로의 종류를 3가지만 쓰시오.

① _____ ② _____ ③ _____

[득점][배점]
[   ][3]

해답 ① 슈트식 여수로(chute spill way)
② 측수로 여수로(side channel way)
③ 나팔관식 여수로(glory hole spill way)
④ 사이펀 여수로(siphon spill way)
⑤ 댐마루 월류식 여수로

□□□ 12②, 17②

21 댐 여수로의 급경사수로를 유하한 고속류의 운동에너지를 감세시켜 하류하천에 안전하게 유하시키기 위한 시설을 감세공이라 한다. 이러한 감세공의 종류 3가지를 쓰시오.

① _____ ② _____ ③ _____

[득점][배점]
[   ][3]

해답 ① 정수지형(stilling basin)
② 플립 버킷형(flip bucket)
③ 잠수 버킷형(submerged bucket)

□□□ 10②, 19③

22 콘크리트댐은 높은 수화열 발생으로 인해 온도균열을 유발하여 시공관리가 복잡하다. 이러한 문제점을 개선하기 위해 슬럼프(slump)가 낮은 빈배합 콘크리트를 덤프트럭으로 운반, 불도저로 포설하고 진동롤러로 다져 콘크리트댐을 축조하는 형식을 무엇이라 하는가?

○ _____

[득점][배점]
[   ][2]

해답 롤러다짐 콘크리트댐(RCCD, Roller Compacted Concrete Dam)

03 유선망과 파이핑

1 유선망 flow net

기억해요
• 단위폭당 1일 침투수량을 구하시오.
• A점의 간극수압을 구하시오.

흙댐 등의 본체 및 투수성 지반 내에서의 침투수류의 방향과 제체에서의 침투수류의 방향과 제체에서의 수류의 등위선이 망상의 곡선군으로 나타낸 것을 유선망(流線網)이라 한다.

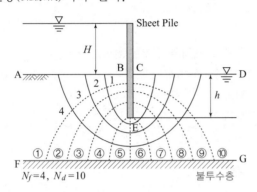

(1) 유선망의 목적

유선망을 그리는 목적은 침투유량, 침투속도, 공극수압 및 동수경사를 결정하기 위해서다.

(2) 유선망의 특징

기억해요
유선망의 특징을 3가지만 쓰시오.

① 각 유량의 침투유량은 같다.
② 인접한 등수두선 간의 수두는 모두 같다.
③ 유선과 등수두선은 서로 직교한다.
④ 유선망을 이루는 사각형은 이론상 정사각형이다.
⑤ 침투속도 및 동수구배는 유선망의 폭에 반비례한다.

(3) 유선망에 사용되는 용어

① 유선(flow line)
• 물분자가 침투하는 경로를 연결한 선을 유선(流線)이라 한다.
• $\overline{BEC}$, $\overline{FG}$

② 등수두선(equipotential line)
• 동수압이 같은 점의 궤적을 등수두선(等水頭線)이라 한다.
• $\overline{AB}$, $\overline{CD}$

③ 등수두면(N_d) : 2개의 등수두선으로 이루어진 공간

(4) 침투유량

① 등방성 흙($K_h = K_v$)

$$Q = KH\frac{N_f}{N_d}$$

② 이등방성 흙($K_h \neq K_v$)

$$Q = \sqrt{K_h K_v} \cdot H \cdot \frac{N_f}{N_d}$$

여기서, Q : 단위폭당 제체의 침투유량(cm^3/sec)

K : 투수계수(cm/sec)

H : 상하류의 수두차(cm)

N_f : 유로의 수

N_d : 등수두선의 수

(5) 임의점에서의 간극수압

① 전수두 $h_t = \dfrac{n_d}{N_d} \cdot H$

② 압력수두 $h_p = h_t - h_e$

③ 간극수압 $u_p = \gamma_w \times h_p$

여기서, n_d : 구하는 면에서의 등수두면 수

N_d : 등수두선의 수

h_e : 위치수두

2 침투에 의한 안정성 검토

(1) Terzaghi의 이론식에 의한 방법

파이핑에 관한 최초의 이론식 해석은 모래지반에 설치된 널말뚝에 의한 한계수두를 도입하여 해석한 Terzaghi의 이론식이다.

(2) Lane의 크리프비에 의한 안정 검토

Lane(1935년)은 크리프비를 기준으로 파이핑(piping)에 대한 안전율을 검토하는 경험적인 방법을 제안하였다. 가중 크리프비 방법으로 계산하여 안전 크리프비(safe weighted creep ratio)보다 크면 파이핑에 대하여 안전하다.

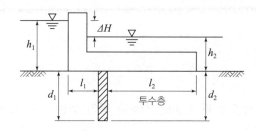

$$C_R = \frac{L_w}{h_1 - h_2} = \frac{2D + \dfrac{L}{3}}{\Delta H}$$

여기서, C_R : 크리프비

$\quad\quad\quad D = d_1 + d_2$: 시판의 수직거리

$\quad\quad\quad L = l_1 + l_2$: 수평거리

$\quad\quad\quad \Delta H = h_1 - h_2$: 수두차

(3) 한계동수경사에 의한 방법

한계동수경사에 대한 제한치를 설정하여 파이핑의 기준을 정하거나 필터의 기준을 역으로 적용할 수 있다.

$$i_c = \frac{\gamma_{\mathrm{sub}}}{\gamma_w} = \frac{G_s - 1}{1 + e}$$

$$F_s = \frac{i_c}{i}$$

여기서, F_s : 안전율

$\quad\quad\quad i_c$: 한계동수경사

$\quad\quad\quad i$: 동수경사

$\quad\quad\quad G_s$: 토립자의 비중

$\quad\quad\quad e$: 간극비

| 유선망과 파이핑 |

03 핵심 기출문제

□□ 92①, 97②, 06①, 20①

01 모래지반상에 그림과 같이 작은 Dam을 축조할 때 Piping 작용을 막기 위한 시판(矢板)의 최소깊이 D를 구하시오. (단, Creep는 12임.)

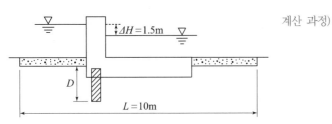

계산 과정)

답 : _____

해답 크리프비 $C = \dfrac{2D + \dfrac{L}{3}}{\triangle H}$

- 가중 크리프 거리 $L_W = 2D + \dfrac{L}{3}$

- 유효수두 $\triangle H = 1.5 \mathrm{m}$

- 크리프비 $12 = \dfrac{2D + \dfrac{10}{3}}{1.5}$

참고 SOLVE 사용   ∴ $D = 7.33 \mathrm{m}$

□□□ 99⑤, 01②, 03②, 22②

02 댐에서 유선망이 그림과 같이 주어졌을 때, 댐의 단위폭당 하루에 침투하는 유량은 몇 m^3 인가? (단, $H = 20\mathrm{m}$, 투수계수 $K = 0.001\mathrm{cm/min}$, 소수 셋째자리까지 구하시오.)

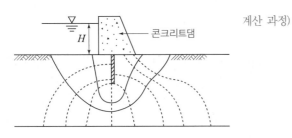

계산 과정)

답 : _____

해답 $Q = KH \dfrac{N_f}{N_d}$

$= 0.001 \times 10^{-2} \times 24 \times 60 \times 20 \times \dfrac{3}{9} = 0.096 \, \mathrm{m}^3/\mathrm{day}$

□□□ 05④, 08②, 11④, 15④, 19①, 20①, 22③

03 다음 그림과 같은 유선망에서 단위폭(1m)당 1일 침투유량을 구하고, 점 A에서 간극수압을 계산하시오. (단, 수평방향 투수계수 $k_h = 5.0 \times 10^{-4}$cm/sec, 수직방향 투수계수 $k_v = 8.0 \times 10^{-5}$cm/sec)

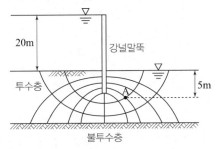

가. 단위폭(1m)당 1일 침투수량을 구하시오.

계산 과정)   답 : _____

나. A점의 간극수압을 구하시오.

계산 과정)   답 : _____

해답 **가.** $Q = kH\dfrac{N_f}{N_d}$

- $k = \sqrt{k_h \cdot k_v} = \sqrt{(5.0 \times 10^{-4}) \times (8.0 \times 10^{-5})}$

      $= 2 \times 10^{-4}$cm/sec $= 2 \times 10^{-6}$m/sec

  ∴ $Q = 2.0 \times 10^{-6} \times 20 \times \dfrac{3}{10} \times 1 = 12 \times 10^{-6}$ cm^3/sec

      $= 12 \times 10^{-6} \times 60 \times 60 \times 24 = 1.04$ m^3/day

나. • 전수두 $h_t = \dfrac{N_d'}{N_d}h = \dfrac{3}{10} \times 20 = 6$ m

   • 위치수두 $h_e = -5$ m

   • 압력수두 $h_p = h_t - h_e = 6 - (-5) = 11$ m

   ∴ 간극수압 $u_p = \gamma_w h_p = 9.81 \times 11 = 107.91$ kN/m^2

□□□ 05①, 21①②

04 유선과 등수두선으로 이루어지는 사각형을 유선망이라 하는데, 이러한 유선망의 특징을 3가지만 쓰시오.

① _____ ② _____ ③ _____

해답 ① 각 유량의 침투유량은 같다.
     ② 인접한 등수두선 간의 수두차는 모두 같다.
     ③ 유선과 등수두선은 서로 직교한다.
     ④ 유선망을 이루는 사각형은 이론상 정사각형이다.
     ⑤ 침투속도 및 동수구배는 유선망의 폭에 반비례한다.

□□□ 98④, 01①, 05①, 07②, 14④

05 다음과 같은 모래지반에 위치한 댐의 piping에 대한 안정성을 검토하시오.

(단, safe weighted creep ratio는 6.0임.)

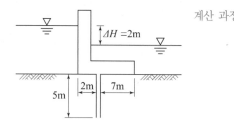

계산 과정)

득점 | 배점
3

답 : _____

해답 크리프비 $C_R = \dfrac{L_w}{h_1 - h_2} = \dfrac{2D + \dfrac{L}{3}}{\Delta H}$

• $L_w = 2 \times 5 + \dfrac{2+7}{3} = 13\,\mathrm{m}$

• $\Delta H = 2\,\mathrm{m}$

• 크리프비 $CR = \dfrac{13}{2} = 6.5 > 6$ ∴ 안정

□□□ 98④, 01①, 05①, 07②, 19②, 23②

06 다음과 같은 모래지반에 위치한 댐의 piping에 대한 안전율을 구하시오.

(단, safe weighted creep ratio는 6.0)

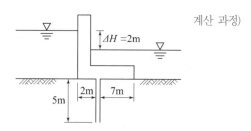

계산 과정)

득점 | 배점
3

답 : _____

해답 크리프비 $CR = \dfrac{L_w}{h_1 - h_2} = \dfrac{2D + \dfrac{L}{3}}{\Delta H}$

• $L_w = 2 \times 5 + \dfrac{2+7}{3} = 13$

• $\Delta H = 2\,\mathrm{m}$

• 크리프비 $CR = \dfrac{13}{2} = 6.5$

∴ $F = \dfrac{6.5}{6.0} = 1.08$

04 항만과 하천공

1 방파제 Break water

(1) 방파제의 구조형식에 의한 분류

① **직립방파제** : 전면이 연직 또는 연직에 가까운 제체로서 파랑을 전부 반사시키는 형식

② **경사방파제** : 사석, 블록 등을 사용해서 그 면이 경사지고 있는 방파제로 주로 사면에서 파랑의 에너지를 소실시키는 것이다.

③ **혼성방파제** : 사석부를 기초로 하고 그 위에 직립부의 본체를 설치하는 형식으로 경사제와 직립제의 장점을 고려한 것이다.

(2) 특수방파제

① **공기방파제** : 공기관을 수중에 설치하여 작은 구멍을 통하여 많은 기포를 분출시켜 파를 없애는 방법

② **부양방파제** : 부체를 연속적으로 띄워 파를 방지하는 방법으로 임시방파제를 가설할 때 많이 사용

③ **수방파제** : 압력사출수를 분출시켜서 파를 막는 방법

④ **잠수방파제** : 수중에 잠수제를 설치해서 파를 막는 방법으로 응급적으로 구축함의 함체를 방파제의 제체로 사용

(3) 외곽시설

외곽시설은 조용한 항내 수면과 수심을 유지하고 보호하기 위하여 외해측에 설치하는 구조물

① **도류제(training wall)** : 표사의 이동, 항의 위치, 하류의 방향, 하구의 지세 등을 고려하여 결정하여야 한다.

② **방파제(break water)** : 항만 내의 선박과 시설물의 보호를 목적으로 설치한 항만 외곽시설

③ **방사제(sand protecting dam)** : 연안의 표사가 항내에 진입하지 못하도록 육안으로부터 돌출시킨 공작물

④ **방조제(tide embankment)** : 침수되는 장소를 해수로부터 보호하기 위하여 해안을 따라 설치하는 제방

⑤ **호안(sea wall)** : 높은 조수, 해일, 파랑으로 인한 해안침식이나 해면의 이상고조로부터 항만설비와 배후지를 보호하기 위하여 해안선을 따라 설치한다.

> **방파제(break water)** 항만 내의 선박과 시설물의 보호를 목적으로 설치한 항만 외곽시설

> 기억해요
> 방파제의 구조형식에 따른 종류를 3가지만 쓰시오.

2 방파제의 활동에 대한 안전율

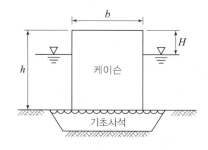

$$F_s = \frac{f \cdot W}{P_h}$$

여기서, F_s : 활동에 대한 안전율

f : 마찰계수

H : 파고의 높이

h : 케이슨 높이

b : 케이슨 폭

P : 파압($P = 1.5w'H$)

w : 케이슨의 단위중량

w' : 해수의 단위중량

W : 기초에 작용하는 연직력(W=케이슨의 용적×w)

P_h : 케이슨 작용하는 수평력($P_h = P \times h$)

3 하천공

(1) **수제** 水制, spur, dike groin

① 하천수의 흐름을 조절하여 휴로의 폭과 수심을 유지하고 제방과 하상
을 보호하며, 하천수를 제어하기 위해 물의 흐름에 직각 또는 평행으
로 설치하는 하천구조물

② 하천에서 수제 설치는 하천수의 흐름을 제어, 제방 세굴 방지, 생태계
보전 등의 목적으로 설치된다.

(2) **보** 狀, barrage, weir

각종 용수의 취수, 배수 및 주운 등을 위하여 일정 수심을 유지하거나 조
수의 역류를 방지하기 위하여 하천을 횡단하여 설치하는 댐 이외의 구조
물을 보라 하며 목적에 따라 취수보, 분류보, 방조보로 구분된다.

| 항만과 하천공 |

04 핵심 기출문제

□□□

03②, 06②, 08④, 14①, 17④, 18①

01 방파제(防波堤, break water)란 외곽시설(外郭施設)로 항내정온을 유지하고 선박의 항행을 원활히 하기 위해 축조된 항만구조물이다. 방파제의 구조형식에 따른 종류를 3가지만 쓰시오.

① _____ ② _____ ③ _____

해답 ① 직립제 ② 경사제 ③ 혼성제

89②, 98③, 00①

02 다음 그림과 같은 방파제의 활동에 대한 안전율을 계산하시오.

(단, 파고 $H = 3.0\text{m}$, 케이슨의 단위중량 $w = 20\text{kN/m}^3$, 해수의 단위중량 $w' = 11\text{kN/m}^3$, 마찰계수 $f = 0.5$, 파압공식 $P = 1.5wH(\text{kN/m}^2)$, 소수점 셋째자리에서 반올림하시오.)

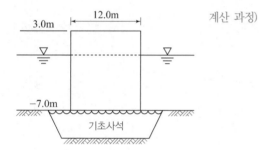

계산 과정)

답 : _____

해답 안전율 $F_s = \dfrac{f \cdot W}{P_h}$

- 파압 $P = 1.5w'H = 1.5 \times 11 \times 3.0 = 49.5\text{kN/m}^2$
- 수평력 $P_h =$ 파압×케이슨 높이$= 49.5 \times (3+7) = 495\text{kN/m}$
- 연직력 $W =$ 케이슨의 자중−케이슨의 부력
  $$= (3+7) \times 12 \times 20 - (3+7) \times 12 \times 11 = 1,080\text{kN/m}$$
- ∴ 안전율 $F_s = \dfrac{f \cdot W}{P_h} = \dfrac{0.5 \times 1,080}{495} = 1.09$

□□□ 12①

03 하천공사에서 각종 용수의 취수, 주운(舟運) 등을 위하여 수위를 높이고 조수의 역류를 방지하기 위하여 횡단방향으로 설치하는 댐 이외의 구조물을 무엇이라 하는가?

○ _____

해답 보(洑, barrage, weir)

□□□ 89②, 98③, 07①, 11②, 17①, 20①, 23①

04 그림과 같은 방파제의 활동에 대한 안전율을 계산하시오.

(단, 파고(H)=3.0m, 케이슨 단위중량(w)=20kN/m³, 해수 단위중량(w')=10kN/m³, 마찰계수(f)=0.6, 파압공식(P)=$1.5w'H(kN/m^2)$)

득점 배점
　　 3

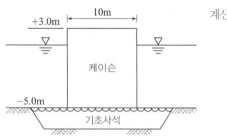

계산 과정)

답 : _____

해답 안전율 $F_s = \dfrac{f \cdot W}{P_h}$

• 파압 $P = 1.5w'H = 1.5 \times 10 \times 3.0 = 45\,\text{kN/m}^2$

• 수평력 P_h =파압×케이슨 높이=$45 \times (5+3) = 360\,\text{kN/m}$

• 연직력 W=케이슨의 자중−케이슨의 부력
$= (3+5) \times 10 \times 20 - (3+5) \times 10 \times 10 = 800\,\text{kN/m}$

∴ 안전율 $F_s = \dfrac{f \cdot W}{P_h} = \dfrac{0.6 \times 800}{360} = 1.33$

□□□ 11④, 20③

05 유수(流水)의 흐름방향과 유속을 제어하여 하안, 제방의 침식현상을 방지하기 위해 호안이나 하안전면부에 설치하는 구조물을 무엇이라 하는가?

득점 배점
　　 2

○

해답 수제(水制, spur, dike groin)

□□□ 13①, 23①

06 하천제방의 누수방지에 대한 방법을 3가지만 쓰시오.

득점 배점
　　 2

① _____ ② _____ ③ _____

해답 ① 제체 또는 기초지반에 불투수성의 차수벽을 두는 방법
② 침윤선이 충분히 낮아지도록 제방폭을 넓히는 방법
③ 제방 내외의 수위차를 경감하는 방법
④ 누수를 빨리 배제하여 제체의 연약화를 방지하는 방법

과년도 예상문제

댐의 시공

□□□ 90②
01 재료로 분류한 가물막이 공법 3가지를 쓰시오.

① ＿＿＿＿＿＿＿＿ ② ＿＿＿＿＿＿＿＿

③ ＿＿＿＿＿＿＿＿

해답 ① 목재널말뚝 공법 ② 철근콘크리트 널말뚝 공법
③ 강널말뚝 공법

□□□ 93①
02 주로 콘크리트의 댐 기초암반의 일부 또는 전체에 걸쳐 6～12m의 비교적 얕은 구멍을 뚫어서 Cement paste를 주입함으로써 기초지반의 지지력과 수밀성을 증대시키기 위한 그라우팅은?

○

해답 압밀 그라우팅(consolidation grouting)

□□□ 89①
03 기초암반의 변형성이나 강도를 개량하여 균일성을 주기 위하여 기초 전반에 걸쳐 격자형으로 그라우팅하는 방법으로 콘크리트댐 기초공사에 많이 이용되는 그라우팅 방법은?

○

해답 압밀 그라우팅(consolidation grouting)

□□□ 95④, 99④
04 그라우팅(Grouting) 공법 중 최종깊이까지 한 번에 착공한 후 구멍 밑에서부터 순차적으로 주입재료를 주입하는 것으로서 주입심도가 깊고 암질이 좋은 경우에 적용하는 방법은?

○

해답 packer grouting

□□□ 94③
05 기초암반의 개량을 목적으로 균열이 많은 기초부분에 격자형으로 6～12m의 비교적 얕은 Hole을 뚫어 cement milk를 주입하는 기초의 표면을 고결시켜 지지력과 수밀성을 증대시키는 방법은?

○

해답 압밀 그라우팅(consolidation grouting)

□□□ 93④
06 Dam 시공 시 Dam축에 따라 1～2열의 깊은 구멍을 뚫어 cement paste를 주입하여 Dam 기초암반 중에 지수막을 만드는 그라우팅 공법은?

○

해답 커튼 그라우팅(curtain grouting) 공법

□□□ 90①②, 95①
07 중력댐을 시공한 후 댐의 안전관리목적을 위한 사항, 예를 들면 균열검사, 간극수압 측정, 온도측정 등을 실시하기 위해 댐 내부에 설치하는 것을 무엇이라 하는가?

○

해답 검사랑(inspection gallery)

□□□ 예상문제
08 댐 현장에서 불도저를 사용하여 대량의 연암을 값싸게 굴착할 수 있는 공법은?

○

해답 리퍼공법

□□□ 예상문제

09 치과의사가 충치를 치료할 때와 같이 기초암반 표면의 연약부를 제거한 후 콘크리트로 치환하는 기초처리공법은?

○

───────────────────────

해답 콘크리트 치환공법

□□□ 예상문제

10 기초암반면의 凹凸(요철)을 정형할 때 사용되는 기구 3가지만 쓰시오.

① ─────────── ② ───────────

③ ───────────

───────────────────────

해답 ① 지렛대 ② 브레이커 ③ 픽 ④ 해머

□□□ 예상문제

11 일정 크기 이상의 암괴를 제거하기 위하여 사용되는 체의 한 종류이며 골재의 1차 파쇄설비의 투입구나 필댐의 코어재 및 필터의 입도조정에 사용되는 것은?

○

───────────────────────

해답 grizzly screen

□□□ 98④

12 다음은 어느 댐 공사의 시공순서이다. 이 공법의 이름을 무엇이라고 하는가?

> 경동(傾動)믹서에 의한 콘크리트 비빔 → 덤프트럭에 의한 운반 → 불도저에 의한 포설 → 진동롤러에 의한 다짐－Vibro Cutter에 의한 이음절단 및 염화비닐판 삽입 → 콘크리트 양생

○

───────────────────────

해답 RCD 공법(Roller Compacted concrete Dam Method)

□□□ 94④

13 콘크리트댐의 뒷면과 같은 경사면 콘크리트 타설 시 발생기포가 밖으로 쉽게 빠져나가게 하기 위한 거푸집은?

○

───────────────────────

해답 포라스 거푸집(polars form, 유공 거푸집)

□□□ 94②

14 concrete dam 공사에서 포설된 concrete를 진동 roller로 다지는 댐의 공법을 무엇이라고 하는가?

○

───────────────────────

해답 RCD(Roller Compacted concrete Dam) 공법

□□□ 98③

15 다음 그림과 같이 콘크리트댐을 건설하려고 한다. 필요한 콘크리트량을 계산하시오.

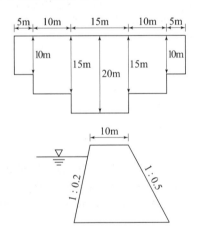

계산 과정) 답 :

해답 $\left(\dfrac{10+(0.2\times10+10+0.5\times10)}{2}\times10\right)\times5\times2=1{,}350\,\mathrm{m}^3$

$\left(\dfrac{10+(0.2\times15+10+0.5\times15)}{2}\times15\right)\times10\times2=4{,}575\,\mathrm{m}^3$

$\left(\dfrac{10+(0.2\times20+10+0.5\times20)}{2}\times20\right)\times15=5{,}100\,\mathrm{m}^3$

∴ 콘크리트량 $V=1{,}350+4{,}575+5{,}100=11{,}025\,\mathrm{m}^3$

□□□ 예상문제

16 댐 콘크리트의 온도상승을 억제하고 균열을 방지할 목적으로 콘크리트를 치기 전에 외경 25mm 정도의 파이프를 수평으로 배치하고 그 속에 자연지하수나 인공냉각수를 통과시켜서 콘크리트의 온도를 낮추는 것을 무엇이라고 하는가?

○

──────────────────

해답 파이프 쿨링(pipe cooling)

□□□ 94①

17 다음 ( ) 안에 알맞은 말을 넣으시오.

> 흙댐을 축조하는 지반의 그라우팅은 차수를 목적으로 2∼5루전(Lugeon) 정도의 (①), 기초지반의 일체화에 의한 변형성을 개량하기 위한 (②), 암반의 표충부에서 침투류의 억제를 위한 (③)을 하며 깊이는 5∼10m 정도이다.

① _____ ② _____

③ _____

──────────────────

해답 ① 커튼 그라우팅(curtain grouting)
　　 ② 압밀 그라우팅(consolidation grouting)
　　 ③ 콘택트 그라우팅(contact grouting)

□□□ 96④

18 댐 콘크리트 배합설계 시 물시멘트비를 결정할 때, 반드시 고려해야 하는 기본항목을 3가지 쓰시오.

① _____ ② _____

③ _____

──────────────────

해답 ① 소요강도　　② 내구성　　③ 수밀성

□□□ 예상문제

19 댐 콘크리트 타설에 있어서 인공 냉각방법의 종류를 2가지만 쓰시오.

① _____

② _____

──────────────────

해답 ① 파이프 쿨링(관로식 냉각 ; Pipe cooling) 방법
　　 ② 프리 쿨링(선행 냉각 ; Precooling) 방법

□□□ 22②

20 다음 수문곡선이 나타내는 유출을 깊이로 나타내면 얼마인가? (단, 유역면적은 20km²이다.)

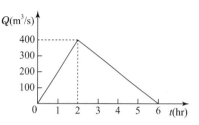

○

──────────────────

해답 유출깊이 $h = \dfrac{\text{유출량}(V)}{\text{유역면적}(A)}$

• $V = \dfrac{1}{2}Q \cdot t = \dfrac{1}{2} \times 400 \times (6 \times 60 \times 60)$
　　$= 4,320,000\text{m}^3$

• $A = 20 \times 1000^2 = 20,000,000\text{m}^2$

∴ $h = \dfrac{V}{A} = \dfrac{4,320,000}{20,000,000} = 0.216\text{m} = 216\text{mm}$

□□□ 21①

21 항만 내의 선박과 하구의 보호 및 하구폐색 방지를 목적으로 설치한 항만 외곽시설을 무엇이라고 하는가?

○

──────────────────

해답 방파제

□□□ 17①, 22①

22 댐 콘크리트에서 사용되는 냉각방법의 용어 정의를 간단히 쓰시오.

① 관로식 냉각(pipe cooling) :

② 선행 냉각(pre cooling) :

──────────────────

해답 ① 매스 콘크리트의 시공에서 콘크리트를 타설한 후 미리 콘크리트 속에 묻은 파이프 내부에 냉수 또는 공기를 보내 콘크리트를 냉각하는 방법
　　 ② 콘크리트의 타설온도를 낮추기 위하여 타설 전에 콘크리트용 재료의 일부 또는 전부를 냉각시키는 방법

□□□ 20②

23 흙댐(Earth Dam)의 안정조건 3가지를 쓰시오.

① ＿＿＿＿＿＿＿＿＿＿ ② ＿＿＿＿＿＿＿＿＿＿

③ ＿＿＿＿＿＿＿＿＿＿

해답 ① 제체에 활동하지 않을 것
② 비탈면이 안정되어 있을 것
③ 기초지반이 압축에 대해서 안전할 것
④ 제체 및 기초지반이 투수에 안전할 것
⑤ 안정적 여유고를 확보하여 저수가 댐 마루를 월류하지 않을 것

□□□ 20④

24 다음 무엇에 대한 정의인가를 쓰시오.

가. 지하수위 아래 물에 잠긴 구조물 부피 만큼의 정수압이 상향으로 작용하는 힘으로서 물체 표면에 상향으로 작용하고 있는 물의 압력이다.

나. 콘크리트 댐의 기저면 내부의 수평타설 이음에 작용하는 간극수압으로 댐 등 구조물을 들어올리는 압력이다.

해답 가. 부력
나. 양압력

토목기사실기 (제1권)

저 자 김태선 · 박광진
　　　홍성협 · 김창원
　　　김상욱 · 이상도

발행인 이　　종　　권

2001年　3月　　2日　초 판 발 행
2002年　1月　12日　개 정 판 발 행
2003年　1月　　4日　2차개정발행
2004年　2月　15日　3차개정발행
2005年　1月　　3日　4차개정발행
2006年　1月　　9日　5차개정발행
2007年　1月　　8日　6차개정발행
2008年　1月　21日　7차개정발행
2009年　1月　19日　9차개정발행
2010年　1月　20日　10차개정발행
2011年　1月　27日　11차개정발행
2012年　2月　13日　12차개정발행
2013年　2月　12日　13차개정발행
2014年　2月　17日　14차개정발행
2015年　2月　23日　15차개정발행
2016年　3月　　7日　16차개정발행
2017年　1月　23日　17차개정발행
2018年　1月　29日　18차개정발행
2019年　1月　18日　19차개정발행
2020年　2月　　5日　20차개정발행
2021年　2月　　8日　21차개정발행
2022年　2月　　7日　22차개정발행
2023年　2月　16日　23차개정발행
2024年　2月　14日　24차개정발행

發行處　(주) 한솔아카데미

(우)06775 서울시 서초구 마방로10길 25 트윈타워 A동 2002호
TEL : (02)575-6144/5　　FAX : (02)529-1130
〈1998. 2. 19 登錄 第16-1608號〉

ISBN 979-11-6654-474-3 14530
ISBN 979-11-6654-473-6 (세트)

건축기사시리즈
①건축계획

이종석, 이병억 공저
536쪽 | 26,000원

건축기사시리즈
②건축시공

김형중, 한규대, 이명철, 홍태화
공저
678쪽 | 26,000원

건축기사시리즈
③건축구조

안광호, 홍태화, 고길용 공저
796쪽 | 27,000원

건축기사시리즈
④건축설비

오병칠, 권영철, 오호영 공저
564쪽 | 26,000원

건축기사시리즈
⑤건축법규

현정기, 조영호, 김광수, 한웅규
공저
622쪽 | 27,000원

건축기사 필기 10개년
핵심 과년도문제해설

안광호, 백종엽, 이병억 공저
1,000쪽 | 44,000원

건축기사 4주완성

남재호, 송우용 공저
1,412쪽 | 46,000원

건축산업기사 4주완성

남재호, 송우용 공저
1,136쪽 | 43,000원

7개년 기출문제
건축산업기사 필기

한솔아카데미 수험연구회
868쪽 | 36,000원

건축설비기사 4주완성

남재호 저
1,280쪽 | 44,000원

건축설비산업기사
4주완성

남재호 저
770쪽 | 38,000원

10개년 핵심
건축설비기사 과년도

남재호 저
1,148쪽 | 38,000원

건축기사 실기

한규대, 김형중, 안광호, 이병억
공저
1,672쪽 | 52,000원

건축기사 실기
(The Bible)

안광호, 백종엽, 이병억 공저
818쪽 | 37,000원

건축기사 실기 12개년
과년도

안광호, 백종엽, 이병억 공저
688쪽 | 30,000원

건축산업기사 실기

한규대, 김형중, 안광호, 이병억
공저
696쪽 | 33,000원

건축산업기사 실기
(The Bible)

안광호, 백종엽, 이병억 공저
300쪽 | 27,000원

실내건축기사 4주완성

남재호 저
1,320쪽 | 39,000원

실내건축산업기사
4주완성

남재호 저
1,020쪽 | 31,000원

시공실무
실내건축(산업)기사 실기

안동훈, 이병억 공저
422쪽 | 31,000원

Hansol Academy

**건축사 과년도출제문제
1교시 대지계획**

한솔아카데미 건축사수험연구회
346쪽 | 33,000원

**건축사 과년도출제문제
2교시 건축설계1**

한솔아카데미 건축사수험연구회
192쪽 | 33,000원

**건축사 과년도출제문제
3교시 건축설계2**

한솔아카데미 건축사수험연구회
436쪽 | 33,000원

**건축물에너지평가사
①건물 에너지 관계법규**

건축물에너지평가사 수험연구회
818쪽 | 30,000원

**건축물에너지평가사
②건축환경계획**

건축물에너지평가사 수험연구회
456쪽 | 26,000원

**건축물에너지평가사
③건축설비시스템**

건축물에너지평가사 수험연구회
682쪽 | 29,000원

**건축물에너지평가사
④건물 에너지효율설계·평가**

건축물에너지평가사 수험연구회
756쪽 | 30,000원

**건축물에너지평가사
2차실기(상)**

건축물에너지평가사 수험연구회
940쪽 | 45,000원

**건축물에너지평가사
2차실기(하)**

건축물에너지평가사 수험연구회
905쪽 | 50,000원

**토목기사시리즈
①응용역학**

염창열, 김창원, 안광호, 정용욱,
이지훈 공저
804쪽 | 25,000원

**토목기사시리즈
②측량학**

남수영, 정경동, 고길용 공저
452쪽 | 25,000원

**토목기사시리즈
③수리학 및 수문학**

심기오, 노재식, 한웅규 공저
450쪽 | 25,000원

**토목기사시리즈
④철근콘크리트 및 강구조**

정경동, 정용욱, 고길용, 김지우
공저
464쪽 | 25,000원

**토목기사시리즈
⑤토질 및 기초**

안진수, 박광진, 김창원, 홍성협
공저
640쪽 | 25,000원

**토목기사시리즈
⑥상하수도공학**

노재식, 이상도, 한웅규, 정용욱
공저
544쪽 | 25,000원

**10개년 핵심 토목기사
과년도문제해설**

김창원 외 5인 공저
1,076쪽 | 45,000원

**토목기사 4주완성
핵심 및 과년도문제해설**

이상도, 고길용, 안광호, 한웅규,
홍성협, 김지우 공저
1,054쪽 | 42,000원

**토목산업기사 4주완성
7개년 과년도문제해설**

이상도, 정경동, 고길용, 안광호,
한웅규, 홍성협 공저
752쪽 | 39,000원

토목기사 실기

김태선, 박광진, 홍성협, 김창원,
김상욱, 이상도 공저
1,496쪽 | 50,000원

**토목기사 실기
12개년 과년도문제해설**

김태선, 이상도, 한웅규, 홍성협,
김상욱, 김지우 공저
708쪽 | 35,000원

www.bestbook.co.kr

콘크리트기사 · 산업기사 4주완성(필기)
정용욱, 고길용, 전지현, 김지우 공저
976쪽 | 37,000원

콘크리트기사 12개년 과년도(필기)
정용욱, 고길용, 김지우 공저
576쪽 | 28,000원

콘크리트기사 · 산업기사 3주완성(실기)
정용욱, 김태형, 이승철 공저
748쪽 | 30,000원

건설재료시험기사 4주완성 필독서(필기)
박광진, 이상도, 김지우, 전지현 공저
742쪽 | 37,000원

건설재료시험기사 13개년 과년도(필기)
고길용, 정용욱, 홍성협, 전지현 공저
656쪽 | 30,000원

건설재료시험기사 산업기사 3주완성(실기)
고길용, 홍성협, 전지현, 김지우 공저
728쪽 | 29,000원

콘크리트기능사 3주완성(필기+실기)
정용욱, 고길용, 전지현 공저
524쪽 | 24,000원

지적기능사(필기+실기) 3주완성
염창열, 정병노 공저
640쪽 | 29,000원

측량기능사 3주완성
염창열, 정병노 공저
562쪽 | 27,000원

전산응용토목제도기능사 필기 3주완성
김지우, 최진호, 전지현 공저
438쪽 | 26,000원

건설안전기사 4주완성 필기
지준석, 조태연 공저
1,388쪽 | 36,000원

산업안전기사 4주완성 필기
지준석, 조태연 공저
1,560쪽 | 36,000원

공조냉동기계기사 필기
조성안, 이승원, 강희중 공저
1,358쪽 | 39,000원

공조냉동기계산업기사 필기
조성안, 이승원, 강희중 공저
1,269쪽 | 34,000원

공조냉동기계기사 실기
조성안, 강희중 공저
950쪽 | 37,000원

조경기사 · 산업기사 필기
이윤진 저
1,836쪽 | 49,000원

조경기사 · 산업기사 실기
이윤진 저
1,050쪽 | 45,000원

조경기능사 필기
이윤진 저
682쪽 | 29,000원

조경기능사 실기
이윤진 저
350쪽 | 28,000원

조경기능사 필기
한상엽 저
712쪽 | 28,000원

조경기능사 실기
한상엽 저
738쪽 | 29,000원

산림기사 · 산업기사 1권
이윤진 저
888쪽 | 27,000원

산림기사 · 산업기사 2권
이윤진 저
974쪽 | 27,000원

전기기사시리즈(전6권)
대산전기수험연구회
2,240쪽 | 113,000원

전기기사 5주완성
전기기사수험연구회
1,680쪽 | 42,000원

전기산업기사 5주완성
전기산업기사수험연구회
1,556쪽 | 42,000원

전기공사기사 5주완성
전기공사기사수험연구회
1,608쪽 | 41,000원

**전기공사산업기사
5주완성**
전기공사산업기사수험연구회
1,606쪽 | 41,000원

전기(산업)기사 실기
대산전기수험연구회
766쪽 | 42,000원

**전기기사 실기 15개년
과년도문제해설**
대산전기수험연구회
808쪽 | 37,000원

전기기사시리즈(전6권)
김대호 저
3,230쪽 | 119,000원

전기기사 실기 기본서
김대호 저
964쪽 | 36,000원

전기기사 실기 기출문제
김대호 저
1,336쪽 | 39,000원

**전기산업기사 실기
기본서**
김대호 저
920쪽 | 36,000원

**전기산업기사 실기
기출문제**
김대호 저
1,076 | 38,000원

전기기사 실기 마인드 맵
김대호 저
232쪽 | 16,000원

CBT 전기기사 블랙박스
이승원, 김승철, 윤종식 공저
1,168쪽 | 42,000원

**전기(산업)기사
실기 모의고사 100선**
김대호 저
296쪽 | 24,000원

전기기능사 필기
이승원, 김승철 공저
624쪽 | 25,000원

**소방설비기사
기계분야 필기**
김흥준, 윤중오 공저
1,212쪽 | 44,000원

www.bestbook.co.kr

**소방설비기사
전기분야 필기**

김홍준, 신면순 공저
1,151쪽 | 44,000원

공무원 건축계획

이병억 저
800쪽 | 37,000원

**7 · 9급 토목직
응용역학**

정경동 저
1,192쪽 | 42,000원

응용역학개론 기출문제

정경동 저
686쪽 | 40,000원

**측량학(9급 기술직/
서울시 · 지방직)**

정병노, 염창열, 정경동 공저
722쪽 | 27,000원

**응용역학(9급 기술직/
서울시 · 지방직)**

이국형 저
628쪽 | 23,000원

**스마트 9급 물리
(서울시 · 지방직)**

신용찬 저
422쪽 | 23,000원

**7급 공무원
스마트 물리학개론**

신용찬 저
996쪽 | 45,000원

1종 운전면허

도로교통공단 저
110쪽 | 13,000원

2종 운전면허

도로교통공단 저
110쪽 | 13,000원

1 · 2종 운전면허

도로교통공단 저
110쪽 | 13,000원

지게차 운전기능사

건설기계수험연구회 편
216쪽 | 15,000원

굴삭기 운전기능사

건설기계수험연구회 편
224쪽 | 15,000원

**지게차 운전기능사
3주완성**

건설기계수험연구회 편
338쪽 | 12,000원

**굴삭기 운전기능사
3주완성**

건설기계수험연구회 편
356쪽 | 12,000원

**초경량 비행장치
무인멀티콥터**

권희춘, 김병구 공저
258쪽 | 22,000원

**시각디자인 산업기사
4주완성**

김영애, 서정술, 이원범 공저
1,102쪽 | 36,000원

**시각디자인
기사 · 산업기사 실기**

김영애, 이원범 공저
508쪽 | 35,000원

토목 BIM 설계활용서

김영휘, 박형순, 송윤상, 신현준,
안서현, 박진훈, 노기태 공저
388쪽 | 30,000원

BIM 구조편

(주)알피종합건축사사무소
(주)동양구조안전기술 공저
536쪽 | 32,000원

Hansol Academy

BIM 주택설계편
(주)알피종합건축사사무소
박기백, 서창석, 함남혁, 유기찬
공저
514쪽 | 32,000원

BIM 기본편
(주)알피종합건축사사무소
402쪽 | 32,000원

**BIM 건축계획설계
Revit 실무지침서**
BIMFACTORY
607쪽 | 35,000원

**전통가옥에서 BIM을
보며**
김요한, 함남혁, 유기찬 공저
548쪽 | 32,000원

BIM 주택설계편
(주)알피종합건축사사무소
박기백, 서창석, 함남혁, 유기찬
공저
514쪽 | 32,000원

BIM 활용편 2탄
(주)알피종합건축사사무소
380쪽 | 30,000원

BIM 건축전기설비설계
모델링스토어, 함남혁
572쪽 | 32,000원

BIM 토목편
송현혜, 김동욱, 임성순, 유자영,
심창수 공저
278쪽 | 25,000원

디지털모델링 방법론
이나래, 박기백, 함남혁, 유기찬
공저
380쪽 | 28,000원

**건축디자인을 위한
BIM 실무 지침서**
(주)알피종합건축사사무소
박기백, 오정우, 함남혁, 유기찬 공저
516쪽 | 30,000원

**BIM건축운용전문가
2급자격**
모델링스토어, 함남혁 공저
826쪽 | 34,000원

**BIM토목운용전문가
2급자격**
채재현, 김영휘, 박준오, 소광영,
김소희, 이기수, 조수연
614쪽 | 35,000원

BE Architect
유기찬, 김재준, 차성민, 신수진,
홍유찬 공저
282쪽 | 20,000원

**BE Architect
라이노&그래스호퍼**
유기찬, 김재준, 조준상, 오주연
공저
288쪽 | 22,000원

**BE Architect
AUTO CAD**
유기찬, 김재준 공저
400쪽 | 25,000원

건축관계법규(전3권)
최한석, 김수영 공저
3,544쪽 | 110,000원

건축법령집
최한석, 김수영 공저
1,490쪽 | 60,000원

건축법해설
김수영, 이종석, 김동화, 김용환,
조영호, 오호영 공저
918쪽 | 32,000원

건축설비관계법규
김수영, 이종석, 박호준, 조영호,
오호영 공저
790쪽 | 34,000원

건축계획
이순희, 오호영 공저
422쪽 | 23,000원

건축시공학

이찬식, 김선국, 김예상, 고성석,
손보식, 유정호, 김태완 공저
776쪽 | 30,000원

**현장실무를 위한
토목시공학**

남기천,김상환,유광호,강보순,
김종민,최준성 공저
1,212쪽 | 45,000원

알기쉬운 토목시공

남기천, 유광호, 류명찬, 윤영철,
최준성, 고준영, 김연덕 공저
818쪽 | 28,000원

Auto CAD 오토캐드

김수영, 정기범 공저
364쪽 | 25,000원

친환경 업무매뉴얼

정보현, 장동원 공저
352쪽 | 30,000원

**건축시공기술사
기출문제**

배용환, 서갑성 공저
1,146쪽 | 69,000원

**합격의 정석
건축시공기술사**

조민수 저
904쪽 | 67,000원

**건축전기설비기술사
(상권)**

서학범 저
784쪽 | 65,000원

**건축전기설비기술사
(하권)**

서학범 저
748쪽 | 65,000원

**마법기본서 PE
건축시공기술사**

백종엽 저
730쪽 | 62,000원

**스크린 PE
건축시공기술사**

백종엽 저
376쪽 | 32,000원

**용어설명1000 PE
건축시공기술사(상)**

백종엽 저
1,072쪽 | 70,000원

**용어설명1000 PE
건축시공기술사(하)**

백종엽 저
988쪽 | 70,000원

**합격의 정석
토목시공기술사**

김무섭, 조민수 공저
804쪽 | 60,000원

건설안전기술사

이태엽 저
600쪽 | 52,000원

소방기술사 上

윤정득, 박견용 공저
656쪽 | 55,000원

소방기술사 下

윤정득, 박견용 공저
730쪽 | 55,000원

**소방시설관리사 1차
(상,하)**

김흥준 저
1,630쪽 | 63,000원

건축에너지관계법해설

조영호 저
614쪽 | 27,000원

ENERGYPULS

이광호 저
236쪽 | 25,000원

수학의 마술(2권)

아서 벤저민 저, 이경희, 윤미선,
김은현, 성지현 옮김
206쪽 | 24,000원

**스트레스,
과학으로 풀다**

그리고리 L. 프리키온, 애너이브
코비치, 앨버트 S.융 저
176쪽 | 20,000원

숫자의 비밀

마리안 프라이베르거, 레이첼
토머스 지음, 이경희, 김영은,
윤미선, 김은현 옮김
376쪽 | 16,000원

지치지 않는 뇌 휴식법

이시카와 요시키 저
188쪽 | 12,800원

행복충전 50Lists

에드워드 호프만 저
272쪽 | 16,000원

**스마트 건설,
스마트 시티, 스마트 홈**

김선근 저
436쪽 | 19,500원

**e-Test 엑셀
ver.2016**

임창인, 조은경, 성대근, 강현권
공저
268쪽 | 17,000원

**e-Test 파워포인트
ver.2016**

임창인, 권영희, 성대근, 강현권
공저
206쪽 | 15,000원

**e-Test 한글
ver.2016**

임창인, 이권일, 성대근, 강현권
공저
198쪽 | 13,000원

**e-Test 엑셀
2010(영문판)**

Daegeun-Seong
188쪽 | 25,000원

**e-Test
한글+엑셀+파워포인트**

성대근, 유재휘, 강현권 공저
412쪽 | 28,000원

**재미있고 쉽게 배우는
포토샵 CC2020**

이영주 저
320쪽 | 23,000원

토목기사실기 12개년 과년도

김태선, 이상도, 한웅규, 홍성협, 김상욱, 김지우
708쪽 | 35,000원

토목기사·산업기사 시리즈

안광호 외
3,204쪽 | 150,000원

※ 구입처는 **전국대형서점**에서 구매하실 수 있습니다.